Y DIOS ENTRÓ EN LA HABANA

Y DIOS ENTRÓ EN LA HABANA

Manuel Vázquez Montalbán

© 1998, Manuel Vázquez Montalbán

© De esta edición:
1998, Grupo Santillana de Ediciones, S. A.
Ediciones El País, S. A.
Torrelaguna, 60. 28043 Madrid
Teléfono (91) 744 90 60
Telefax (91) 744 90 93

• Aguilar, Altea, Taurus, Alfaguara, S. A.
Beazley 3860. 1437 Buenos Aires
• Aguilar, Altea, Taurus, Alfaguara, S. A. de C. V.
Avda. Universidad, 767, Col. del Valle,
México, D.F. C. P. 03100
• Ediciones Santillana, S. A.
Calle 80 N° 10-23
Bogotá, Colombia

Proyecto y diseño de cubierta: Oscar Mariné/OMB

ISBN: 84-59494-1
Depósito legal: M-37.319-1998
Impreso en España por Rotapapel - Printed in Spain

Índice

Hemos vivido en una isla,
pero no como quisimos,
más como pudimos.
Aun así derribamos algunos templos
y levantamos otros
que tal vez perduren
o sean a su tiempo derribados.

VIRGILIO PIÑERA

CAPÍTULO I

La ciudad de los espíritus

*Si todo estaba preestablecido y marcado para
la ganancia. ¿Cuál era el impedimento para entrar en la ciudad, rodeada de antemano de cien
hogueras de metáforas, delante de las cien puertas
de la incesante metamorfosis?*

JOSÉ LEZAMA LIMA

Como un atlante, Castro sostiene el cielo tormentoso de La
Habana y su poderosa estatura se afirma sobre las rocas al
borde del mar, la ciudad al fondo se atiniebla y no es sol, es rayo lo que ilumina la zozobra de los cielos. Mas no hay zozobra
en este Fidel Castro ya envejecido y delgado, canoso y blando
de barbas aunque largas, semejante a una ilustración de Doré
del Don Quijote, vestido de guerrillero, verde olivo. Las barbas,
hay que explicárselo a los jóvenes del siglo XXI, son el símbolo
de los guerrilleros de Sierra Maestra, *los barbudos,* y por eso
no se las corta, ni se las tiñe. ¿Usted se las teñiría? consulta a
veces capciosamente, consciente de que nadie se imagina al
comandante en jefe de los guerrilleros utilizando el tinte de
L'Oréal. Se avino a posar de atlante entre Cuba y el cielo en el
otoño de 1994, a petición de *Paris Match,* para el fotógrafo
Gérard Rancinan, con especial presión del embajador francés,

11

porque Castro es muy suyo a la hora de dejarse ver, escuchar, fotografiar. Casi todas las fotografías se las hace Chomi Miyar, su secretario y uno de los médicos políticos que le rodean, porque sólo un médico fotógrafo es capaz de conservar el secreto profesional absoluto. Esta vez el fotógrafo consiguió obviar de la exclusiva de los retratistas oficiales de Fidel y sacarle del palacio del Gobierno o de cualquiera de sus casas pretendidamente secretas para que posara como un actor cosmogónico, atlante que vigila las destrucciones que se ciernen sobre Cuba, presunta Atlántida del socialismo real. Los simbolistas consideraron las islas como centros espirituales a los que se llega desde la distancia por caminos asolados, no necesariamente marinos, aunque Homero habla de una Siria primitiva isleña, cuya raíz lingüística coincide con la del nombre sánscrito del Sol, la isla central, polar del mundo. Siria, Tula, Aztlán (Atlántida), islas polares en diferentes tradiciones míticas, como la Montsalvat de la leyenda del Graal, islas paradisíacas en el sentido más estricto del paraíso como refugio tras el juicio final de la vida o de la Historia. En *Los trabajos y los días,* Hesiodo describe así la isla de los Bienaventurados, donde reina Apolo... "allí habitan con el corazón libre de preocupaciones, en las orillas de los torbellinos profundos del océano, héroes afortunados, para quienes el sol fecundo lleva tres veces al año una floreciente y dulce cosecha". ¿Responde Cuba al canon de la isla de los Bienaventurados con la zafra incluida?

Gerardo León Moré del Río, el director del primer colegio católico en el que estudió Fidel Castro, Nuestra Señora de la Caridad de los hermanos de La Salle, a sus noventa años recordaba, en enero de 1998, pocos días antes de la llegada del Papa, que Fidel era un *pepino* cuando él lo conoció, tenía ocho años y le gustaba discutir y jugar a la pelota. Ignoraba que para conseguir ir al colegio de La Salle, Fidel había tenido que utilizar la mediación de su madre, María Mediadora siempre ante el bronco padre, y la amenaza de incendiar la casa si la mediación resultaba insuficiente. Don Ángel Castro y su hijo Fidel acabaron mirándose cara a cara, eran casi de la misma estatura, pero jamás comunicándose, a pesar de que don Ángel gozaba con los éxitos académicos y deportivos de su hijo y a su familia cuando estuvo en la cárcel, después del fracaso del asalto al cuartel Moncada. No vivió para verle ganar a Batista. Murió de una enfermedad banal, una hernia estrangulada, en 1956.

Gerardo León Moré del Río tampoco recordó públicamente que el niño Fidel se hizo famoso porque, harto de soportar las bofetadas de un profesor sádico, arremetió contra él a patadas y mordiscos. El que fue director del colegio La Salle sólo se ha vuelto a encontrar otra vez con su pupilo, pero ha padecido su revolución, porque fue encarcelado preventivamente después del desembarco de Playa Girón, cuando se comprobaron algunas conexiones entre los contrarrevolucionarios y la Iglesia. No fue, en cambio, expulsado de Cuba en el barco *Covadonga,* como lo fueron 132 sacerdotes católicos, en su mayoría españoles, en los peores momentos de las relaciones entre la Revolución y la Iglesia. Con el tiempo fue el único hermano de La Salle que seguía en Cuba, hasta que le secularizaron y permaneció en la isla... "por miedo al dolor que produce la nostalgia", lo que demuestra la influencia del bolero incluso en los hermanos de La Salle.

En 1996, ya se hablaba de la inminente venida del Papa, se encontró con Fidel en la nunciatura apostólica de La Habana y charlaron, intercambiaron recuerdos, ninguna añoranza, y el viejo religioso tuvo que hacer un esfuerzo para que la silueta del *pepino* de ocho años coincidiera con la estatura canónica del señor presidente. Fidel está acostumbrado a posar como un canon desde sus tiempos de alumno de los jesuitas, cuando aparecía en la revista del colegio de Belén (hoy Instituto Técnico Militar de nivel universitario) con la joven musculatura en posición de discóbolo en *minislip,* el disco sustituido por una pelota de rugby, exaltado como un líder juvenil así en los deportes como en las ciencias y las letras. Consta en el cuadro de honor acompañado de una fotografía dieciochoañera, más el comentario en el que los jesuitas confiesan su orgullo por un alumno tan prometedor: "Fidel Castro Ruz (1942-1945). Se distinguió siempre en todas las asignaturas relacionadas con las letras. Excelencia y congregante, fue un verdadero atleta, defendiendo siempre con valor y orgullo la bandera del colegio. Ha sabido ganarse la admiración y el cariño de todos. Cursará la carrera de Derecho y no dudamos que llenará con páginas brillantes el libro de su vida. Fidel tiene madera y no faltará el artista." Le gustaban las excursiones montañeras porque, venido del Oriente montuoso, conseguía a veces una ventaja de dos horas con respecto a sus seguidores y subir los picos era una manera de probarse a sí mismo según la moral ignaciana recibida en los ejercicios espirituales: lo importante no es sólo conseguir el fin, sino vivir la experiencia que lleva a ese fin, y más allá de la intencionalidad jesuita, la regla seguía siendo válida. Bastaba sustituir a Dios por una causa humana, por qué no la revolución. El goce por la escalada lo había adquirido de niño en Birán subiendo a las colinas, en una vida de chico grande, poderoso, indomable, en la naturaleza libre, que nada en el río, que caza precozmente contando a veces con la facilidad con que las gallinas se ponen a tiro de escopeta. "Nunca quise perder —declaró hace años a *Revolución*— y casi siempre me las arreglo para ganar". Sus hermanas cuentan que cuando niño, el padre, don Ángel, compró equipos de jugadores de béisbol para que Fidel pudiera jugar su entonces deporte preferido, pero cuando iba perdiendo los partidos, desde la autoridad que le daba ser el hijo del proveedor de los bates y la pelota, suspendía el encuentro. Algunas madrugadas Fidel ha presenciado el cierre de *Granma* y propone jugar al ping pong, a 11 tantos, pero si a 11 tantos pierde, la partida se alarga a 21 o hasta 31 a veces. Publicadas algunas de estas anécdotas en *Revolución*, Fidel pensó que algún día serían instrumentalizadas por sus enemigos para acusarle de arbitrario y cruel; tampoco le gustó que Tad Szulc reseñara su afición infantil a ejercer de cirujano con lagartos. La vida en Oriente al aire libre le dio una reserva de vitalidad que le ayudó cuando se

convirtió en un muchacho escolarizado y urbano, especialmente cuando metió su adolescencia en el colegio de Belén
de los jesuitas. Era un líder, intelectual y físicamente. Con frecuencia tomaba la palabra en nombre de sus compañeros
ante la complacencia de profesores y público asombrados
por la prestancia y el buen decir de aquel joven tan brillante.
Orador adolescente que había conseguido vencer el miedo
escénico de todo tímido —su amigo Max Lesnick sigue diciendo, así en Miami como en La Habana, que Fidel es tímido—, en un acto de fin de curso en 1942 defendió la enseñanza privada frente a la pública, según le habían inculcado
los jesuitas; y casi todo fueron elogios, salvo en el recién aparecido órgano del Partido Socialista Popular (comunista) donde se le acusaba de pertenecer a la camada oligárquica, a él,
que con el tiempo posaría como el canon de la Revolución,
aunque haya impedido que le conviertan en estatua pública,
siquiera en icono de cartel, papel que reservó para el Che y
Camilo Cienfuegos, también, hasta hace poco, para Marx y
Engels. Entre los escasos retratos murales de Fidel, se aprecia el que da entrada al cuartel donde reside su guardia, situado camino de la Marina Hemingway, antes Barlovento, un
Fidel de diseño romántico embalsamado en plena juventud.
Aunque se haya resistido a convertirse en materia de iconografía y de culto a la personalidad, su presencia se percibe en
todas partes, como si su ausencia fuera la presencia de su
voluntad de no estar, y permaneciera inevitable mirón de
cuanto pasa, espíritu omnipresente, como si se tratara de un
dios panteísta incluido en todas las cosas y en las ausencias
de las cosas, que gravitara indecisamente decidido o decididamente indeciso sobre la santísima trinidad de los problemas actuales de Cuba: reconciliación, supervivencia y liderazgo. Como dijo Felipe González de sí mismo, una semana
antes de perder las elecciones de 1996: "Yo soy la solución y
yo soy el problema". Fidel exhibe su no estar como una prueba de que no se presta al culto a la personalidad, aunque le
rodeen laudos escritos en las paredes: "...La Revolución triun-

fante bajo el liderazgo de Fidel, ¡comandante en jefe, orde-ne...!, ¡comandante en jefe la retaguardia está bien asegura-da!" Sigue teniendo que vencerse a sí mismo cuando habla en público, luego nota que va a más a medida que se le ca-lienta la víscera del lenguaje, como le ocurría a Dolores Ibá-rruri, *Pasionaria,* una gran oradora que le confesó tener miedo en los prolegómenos de todo discurso, y los había dado a miles, aunque igual que él reconocía el gran auxilio de la memoria. La memoria. Fidel Castro Ruz, dígame usted, ¿en qué pagina del libro de Ciencias Cosmológicas se ha-bla de los animales miméticos? En la 232, señor profesor.

Tal vez Castro atlante vigila el cielo por donde va a llegar Juan Pablo II, advertido por el biógrafo compartido, Tad Szulc, de que el Papa "...está dispuesto a salvar a la humanidad y a su Iglesia de la 'cultura de la muerte', la que él ve en el 'impe-rialismo anticonceptivo' de Occidente, en la ruptura de las fa-milias y en el 'capitalismo salvaje' que, según afirma, ha susti-tuido al comunismo como peligro letal y encarnación del mal". El antiguo corresponsal del *New York Times* publicó un re-trato crítico de Fidel Castro en 1986, cuya circulación no es-tá permitida en la isla, no porque el libro sea contrarrevolucio-nario, sino porque no es revolucionario. En 1995, Szulc, de origen polaco, también publicó un retrato de Juan Pablo II, más a favor que el de Castro, sin que el empeño del periodis-ta norteamericano en biografiar a la pareja se debiera a la se-guridad de que iban a encontrarse, posibilidad anunciada pe-ro incierta todavía. Castro, al comienzo de las muchas sesiones en las que posó para Szulc, le confiesa su recelo: "Su punto de vista político e ideológico ¿le permitirá explicar con objetividad mi historia y la de la Revolución cuando el Gobierno cubano y yo mismo le facilitemos el material nece-sario?... Quizá estemos corriendo un gran riesgo con usted."

El biógrafo tuvo ocasión de hablar de la cuestión cubana con el Papa, desde la constatación de que el régimen de La Habana fue el único del mundo comunista que jamás rompió las relaciones con el Vaticano, y consideró los recelos de Juan

Pablo II ante la conexión Fidel-teología de la liberación, como
una evidencia de la marxistización de los teólogos. No obstante, el Papa había enviado a La Habana a un embajador especial y oficioso, el cardenal vasco francés Roger Etchegaray,
presidente de Justicia y Paz, que se entendió a las mil maravillas con Fidel Castro. Incluso los dos se emocionaron cuando
supusieron a sus dos madres juntas en el cielo y el cardenal
traspasó al Vaticano la proposición de un trato directo con el
régimen de La Habana que, en su opinión, empezaba a aden-
trarse en una irreversible transición, palabra que Fidel detesta
como la detestaría todo dialéctico.

A partir de ese momento, Fidel empezó a leer sistemáticamente cuanto se dijera del Papa o dijera el propio pontífice
y apreció las pontificias apreciaciones sobre el marxismo una
vez ganada la guerra fría por el Vaticano, el islam y el Departamento de Estado. El marxismo había nacido como respuesta a
las necesidades sociales creadas por un capitalismo inhumano, que había sometido al proletariado a una brutal explotación, pero en nombre de la defensa de una clase social opri-
mida, el marxismo en el poder se había convertido en otro
sistema de opresión. Y más allá, Juan Pablo II ofrecía en sus
homilías un modelo de sociedad y de orden internacional que
Fidel no tenía por qué discutirle: "Un concepto equilibrado del
Estado que haga hincapié en su valor y su necesidad, al mismo tiempo que lo protege de toda exigencia totalitaria; un Estado concebido, por ende, como servicio de síntesis, de protección, de orientación para la sociedad civil, con respeto por
ella, sus iniciativas, sus valores; un Estado que se base en el
derecho, pero también un Estado social que ofrezca a todo el
mundo las garantías legales de una existencia en orden y garantice a los más vulnerables el apoyo que necesitan con el fin
de no sucumbir ante la arrogancia e indiferencia de los más
poderosos".

Tampoco el concepto de democracia del Papa inquietaba a Fidel. Le parecía más digerible que el que le planteaban
sus disidentes o sus aperturistas de la revista *Pensamiento*

Crítico o de lo que había sido el CEA (Centro de Estudios de América). Al fin y al cabo se podía hacer una lectura castrista de la democracia participativa propuesta por Juan Pablo II, porque convierte al Estado en el palo de pajar de los mecanismos representativos y participativos, aunque aconseje que esa democracia ideal "... tenga un alma compuesta por los valores fundamentales, sin los cuales se convierte con facilidad en totalitarismo manifiesto o tenuemente disfrazado". Si se conservan los valores fundamentales ¿se puede caer en el totalitarismo manifiesto o tenuemente disfrazado? Castro se responde a sí mismo, mil veces al día, que no, y por si su respuesta no bastara, cada vez que ha habido que dar un cambio de rumbo, ha consultado directamente a las masas y les ha propuesto los duros sacrificios del *periodo especial,* pero también el traslado de una ciudad, Moa, desde la provincia de Holguín a la de Guantánamo y las masas siempre le han dicho ¡adelante Fidel! ¡Comandante en jefe, ordene!

Sabe que por el mundo se especula sobre su salud, desde que ha cumplido setenta años en 1996 y ha adelgazado tanto que en la cara sólo le quedan ojos y pómulos. Entre los políticos que le rodeaban y le rodean abundan los médicos, lo era el Che que ejerció como tal en la Sierra Maestra y el comandante Sergio del Valle que fuera ministro de Interior en los años setenta. Ahora, Lage es pediatra, los ideólogos José Ramón Balaguer y Machado Ventura son también médicos, médico es su secretario y fotógrafo de cabecera *Chomi* Miyar Barrueco. Sus médicos de verdad fueron René Vallejo y el cirujano Eugenio Selman, fallecido Vallejo, reconocido espiritista, Selman es el que le ha hecho adelgazar: "No he adelgazado, me han adelgazado". Fidel sabe que hay apuestas sobre el tipo de cáncer que le estaría matando, aunque cada vez más se impone la alternativa de que sólo padece divertículos y conviene que vigile el peso y las hemorragias. Con eso bastaría para que la Revolución se siguiera sucediendo a sí misma. Le encanta desaparecer y dejar que se especule sobre su muerte, como le encanta que se diga que es santero, según señalaron las palomas posadas sobre sus hombros cuando habló por primera vez en La Habana, el 8 de enero de 1959, desde Ciudad Libertad, entonces conocida por cuartel de Columbia, último refugio del dictador Batista; palomas probablemente enviadas por el dios Obatalá, el segundo dios en la nomenclatura de la santería, *orisha* mayor de la regla de Ocha, creador del ser humano y el dueño de las cabezas.

La santería se le notaba a Celia Sánchez, su mano derecha desde Sierra Maestra hasta que se le murió de cáncer en 1980 y le dejó el palacio de la Revolución como un mausoleo ✓ consagrado a su ausencia. Sobre la competencia con el Papa está seguro de ganar la comparación en su propio terreno y Tad Szulc, el bibiógrafo, escribió en diciembre de 1997 que coinciden en algunas cosas, ambos son oradores ... "y actores natos con un soberbio sentido del drama... El encuentro entre estos dos grandes reyes del espectáculo en La Habana deberá generar un clima excepcionalmente dramático y probablemente sea el último gran espectáculo del siglo". El Papa fue actor en su juventud, Fidel toda la vida.

Rey del espectáculo. Aunque Szulc haya dicho varias veces que no tiene sentido del humor, le encanta que le expliquen chistes sobre su propia muerte, como el que le contó Piñeiro *Barbarroja*. Una muchacha habanera dialoga con otros jóvenes sobre el futuro sin Fidel y de pronto se golpea la cabeza y exclama: "¿Y si no se muere nunca?" Desde Washington vigilan su salud hasta por satélite espacial, pero de momento ya ha conseguido que se mueran Kennedy, Johnson, Nixon, Lady Di y Jorge Mas Canosa antes que él. En un encuentro de jóvenes pioneros celebrado poco después de cumplir setenta años, declaró que nunca pensó llegar a esa edad y que confía en las nuevas generaciones. Luego se bebió unos cuantos mojitos, permaneció dos horas de pie y quiso demostrar que sigue siendo El Caballo, apodo popular que lleva desde que entró en La Habana. Para los cubanos 'caballo' según la charada china equivale al número uno, y un hombre es un caballo cuando galopa sobre la decisión y el valor, y esa escultura ecuestre mítica e invisible le obliga a cuidar la imagen con que aparece en público; por ejemplo le obliga a no ponerse gafas, aunque las había llevado de espesa concha durante las batallas de Sierra Maestra, pero ahora las evita cuando tiene la vista más cansada que el cuerpo, ¿qué pensarían en el mundo entero si un día Fidel decidiera contemplarlo con gafas? ¿Qué quedaría del discóbolo del colegio de Belén si se probara que tiene la vista cansada?

Y sobre todo, sería imposible que alguien confiara en un atlante que se ha puesto unas gafas Ray-Ban para vigilar el horizonte, por si vienen los bárbaros.

No abundan los retratos públicos del comandante en jefe, pero éste de Fidel atlante cuelga en la oficina de Eusebio Leal Spengler, historiador conservador de La Habana, aunque fuera mejor llamarle recuperador, porque mal asunto si La Habana se conservara tal como está. La Oficina del Historiador de la Ciudad por el Decreto 143 del Consejo de Estado, de fecha 30 de octubre de 1993, fue investida de todas las facultades para poder gestionar la restauración a partir de instrumentos económicos organizados para este fin.

—No hemos pretendido vender La Habana Vieja, sino atender a una explotación racional de sus capacidades.

En *Viaje en la memoria*, colección de apuntes de Leal para un acercamiento a La Habana Vieja, se resume la historia del encuentro y el desencuentro de la ciudad con sus sucesivas modernidades. De La Habana exultante tras la independencia, capaz de convertirse en una de las principales ciudades desarrollistas de América en la primera mitad del siglo, a La Habana plataforma de la Revolución cubana hacia todo el mundo, paralizado su crecimiento, propiciada su decadencia física por una moral revolucionaria contraria a su condición de ciudad vampiro de todo el trabajo de Cuba y escaparate del entreguismo a la colonización yanqui.

Julio Le Riverend, el historiador de la ciudad, que vivió lo suficiente para reflejar la introducción del espíritu de la Revolución en su tejido urbano, fue un coruñés de origen, discípulo de Roig de Leuchsenring, que enseñó a leer La Habana a todos los urbanistas que le siguieron. Su libro *La Habana, espacio y vida* se puede encontrar ahora gracias a una edición conmemorativa del V Centenario subvencionada por una empresa de seguros españolas y es de obligada lectura para captar la entrega del testigo, del viejo urbanista a sus discípulos, los Leal, Coyula, González, Escobar, Gina Rey.

Le Riverend aún pudo, antes de morir, recoger la decisión de la Unesco de declarar la ciudad Patrimonio de la Humanidad en 1982. Fue entonces cuando La Habana fue amnistiada por la Revolución, se trató de paralizar su deterioro y recuperar lo todavía recuperable. Eusebio Leal está presente desde el primer momento en ese cambio de intenciones, porque le recuerdo en una sobremesa audiencia con Fidel, en el año 1985, recién presentado el libro de Frei Betto, *Fidel y la religión*. El comandante se pasó toda la noche hablando con Volodia Teitelboim, secretario general del Partido Comunista Chileno en el exilio, y yo curioseé todo el muestrario de amigos y conocidos de la Revolución aceptados en torno a la privilegiada mesa bufé del comandante en jefe, que no comió nada. Pasé de la curiosidad por Ernesto Cardenal y Coronel Urtecho, vestidos tanto de poetas gemelos como de hermanos gemelos, al habla riquísima de un entonces más joven Eusebio Leal, que tranquilizó mis angustias sobre La Habana, a mis ojos puro proyecto de ruina contemporánea. Aquella noche quedó en mi recuerdo para siempre *Tito* Monterroso, el breve relator de los más hermosos cuentos breves de literatura alguna, y Bárbara, su mujer, novelista e hija de combatiente de la Brigada Lincoln. Leal me habló de aportaciones económicas de la Unesco y sobre todo de una nueva voluntad política de recuperación. Ahora, en enero de 1998, a punto de llegar el Papa, dispone de una completa red de negocios turísticos oficiales encaminados a conseguir beneficios para devolverle La Habana a ella misma, y pasea por las calles de la ciudad como un virrey destinado por la revolución al territorio del espíritu original de la ciudad colonial.

Historiador, arqueólogo, correspondiente de la Real Academia de la Lengua, miembro del Comité Central, verdadero relaciones públicas de la ciudad que pasea todos los días como un guía especialmente ilustrado al servicio de visitantes significados, recorridos que repite diariamente desde 1985, año de nuestro primer, casi olvidado encuentro, cuando se lo permiten sus viajes como propagandista internacional de la ciudad. Roberto Segre da noticia de los trabajos y los días de Leal en su todavía imprescindible *Arquitectura y urbanismo de la revolución cubana* (1989) "...cabe señalar el papel vinculado al conocimiento histórico y arquitectónico de La Habana Vieja, por Eusebio Leal, historiador de la ciudad cuyas conferencias divulgativas, celebradas en el Palacio de los Capitanes Generales y en el anfiteatro del puerto, y sus recorridos por los monumentos de la ciudad llegaron a congregar, entre los años 1982 y 1984, aproximadamente tres mil personas, quienes semanalmente asistían a dichas actividades". Roberto Segre aportó en la obra citada su lectura englobadora de cuantas había hecho con anterioridad en la *Revista Arquitectura/Cuba* en los primeros años setenta, trabajos publicados en España casi inmediatamente a través de Gustavo Gili Editor.

Como convocado por mis relecturas y mis indagaciones, Segre está en esta Habana —¿quién no está aquí?— que espera la llegada del Papa. Me lo han localizado en el hotel Riviera, a punto ya de regresar a Perú, donde el profeta urbano y desarmado de La Habana revolucionaria ejerce de profesor posrevolucionario. Pero le busco cuando ya no puedo encontrarle y no puede ilustrarme sobre el desfase entre La Habana programada y La Habana imposible, víctima de adversos designios ético-políticos y de impotencias económicas. Segre no se ha quedado a la espera del representante del espíritu santo y le pido a Leal que opine sobre las profecías de los urbanistas que en 1960 imaginaron la ciudad de la Revolución, como en

1920 sus padres espirituales habían imaginado el Moscú de la Revolución. No. No se han cumplido. Pero aunque La Habana está más decontruida que construida, todavía alberga como ninguna otra ciudad todas las arqueologías de la Revolución, asegura su conservador. Los distintos barrios de la ciudad marcados por la diferencia de clases ¿representan ahora, cuarenta años después de la victoria revolucionaria, la geografía de la igualdad?

—Salvo la zona de Miramar, donde suelen estar las legaciones extranjeras, el resto de la ciudad no tiene fronteras sociales interiores. Incluso las diferencias sociales consolidadas a pesar de, o con la tolerancia de la Revolución, las puedes encontrar en cualquier barrio. Con la Revolución, la ciudad perdió sus estratificaciones clasistas, en este sentido todo se puso patas arriba siendo posible en un mismo edificio, en Alamar, en Centro Habana, Marianao o el Vedado, hallar profesionales, técnicos, ministros, militares, etcétera. Algunos barrios han conservado cierta hermeticidad como por ejemplo Miramar o Cubanacán, que es coto de embajadas o residencias diplomáticas y de alguna que otra figura de significación. Sobre lo que has dicho de la deconstrucción de La Habana, es cierto que pagó su papel de ciudad símbolo del capitalismo prerevolucionario, capital de la penetración norteamericana, de la especulación, de la corrupción, en detrimento de la Cuba interior. Es lógico que la Revolución se aplicara a corregir ese desarrollo desigual en beneficio del interior. ¿Dónde está La Habana de la Revolución? me preguntas. Pues en esa democratización urbana que siguió a la victoria. La ciudad pasó a ser representativa de la realidad nacional, en una isla larga en la que la capital está en un extremo y no en el corazón del país. Sólo en el primer año de la Revolución, se construyeron en La Habana 59 escuelas, y en esa dirección podríamos hablar de hospitales, de las escuelas de arte, el polo científico donde se hallan situados los más importantes centros de investigación y producción de medicamentos, centros deportivos, nuevos museos, se edificaron miles de viviendas. Los límites sociales de la ciudad de pronto se rompieron con la Revolución, porque aquí hubo una revolución con todas sus consecuencias y la ciudad fue ocupada por las clases populares. El socialismo construyó en toda Cuba y dio a La Habana el sello de punto de concentración y de emisión del internacionalismo. De aquí salieron las propuestas continentalistas del Che, las orientaciones de Fidel, los soldados que acudieron a las luchas solidarias en África y América. Aunque en los libros de arquitectura la única huella notable que haya dejado la Revolución sea el complejo de escuelas de arte y música de Cubanacán, diseñado por Ricardo Porro, La Habana revolucionaria ha sido una ciudad más espiritual que física. Los barrios abandonados por la burguesía en 1959, en 1961, fueron ocupados por el proletariado. La mítica Quinta Avenida se llenó de niñas campesinas becadas para estudiar en La Habana. Igual ocurrió con la desamortización de las propiedades de una Iglesia, tan dependiente todavía de España que seguía rezando por el caudillo Franco. La ciudad era, aún lo es, un campamento y un caos inevitable. ¿Realizaciones arquitectónicas o revolucionarias? En 1960 había en Cuba 3.000 médicos, ahora 60.000 y la Revolución ha creado 600.000 universitarios.

Las prioridades para la reconstrucción las desarrolla el Grupo para el Desarrollo y la Dirección de la Planificación Urbana. En la actualidad se realizan obras de restauración de viviendas en grandes barrios tales como Cayo Hueso, en el municipio de Centro Habana o en San Isidro, en La Habana Vieja como parte de un mismo proyecto de reconstrucción y remodelación. De cara a la Cumbre de Jefes de Estado y de Gobierno Iberoamericanos de 1999, las obras tomarán un gran impulso. Leal dice que no se reconstruye o se remodela para el turista. No se proponen alterar sustantivamente el concepto de habitabilidad del centro histórico, pero sí disminuir la densidad poblacional, crear nuevos puestos de trabajo, reactivar la red comercial, reedificar las viviendas, lo cual incluye el interés creciente de otras personas en espacios, apartamentos, locales, indicativo del nuevo interés por La Habana Vieja, que en años anteriores no se apreciaba.

—¿Hay un equilibrio entre el conservacionismo y lo funcional? ¿Bajo qué criterios se decide lo conservable?

—Conservar los valores condicionando el uso de los mismos, pero dentro de una dinámica que no embalsama ni petrifica lo más importante del monumento.

Se quiere reconstruir una Habana Vieja habitable, donde haya puestos de trabajo, de ocio, de encuentro, no una ciudad museo para el turista que pasa o para el arqueólogo de mitologías urbanas. Le pregunto si los habitantes de esta Habana Vieja que a veces se les cae encima no preferirían vivir en algún barrio moderno, aunque sea al precio de habitar una colmena víctima de los excesos del feísmo socialista. Las estadísticas coinciden con la respuesta de Leal, tal vez porque las estadísticas respetan lo que piensa Leal. Los habitantes sienten el orgullo de habitar la zona más prestigiada de la ciudad, a pesar del mal estado de las viviendas, de la falta de higiene comunal, de las dificultades para el abastecimiento de aguas, del precario estado de las calles, de la actividad delictiva, a pesar de todo eso, un 68% de los encuestados prefiere seguir viviendo en La Habana Vieja. El ilustre miembro de número de la Academia Cubana de la Lengua y correspondiente de la Real Academia Española, eleva a lírica esa querencia.

—Mi idea ha sido siempre que se queden aquí los que aman o prefieren habitar la ciudad vieja, con esa forma extrapolada de vivir en la que todo el mundo más o menos se conoce, se saluda de ventana a ventana y donde siempre hay un rincón acogedor como aquella casita que visitamos en medio de la lluvia, donde los seres humanos, como los pájaros, construyeron su nido en medio de lo insólito.

La intervención en La Habana Vieja es evidente, en el Malecón habrá cierta presencia de las autonomías españolas, cada una empeñada en restaurar una de las casonas enfrentadas a la constancia destructiva del océano. La Embajada española ha abierto un centro cultural donde cariátides de paralizada erosión contemplan la biología que pasa por el paseo marítimo más emblemático de América. Centro Habana, el barrio de la eclosión del tránsito de siglo, centro urbano a lo español o a lo europeo, será atendido después de La Habana Vieja y luego, el Vedado, museo al aire libre de arquitecturas *déco* y racionalistas, que se ha quedado tal como lo pilló la Revolución, con apenas algún edificio singular añadido, salvada esta maravilla arquitectónica por el castigo ideológico que padeció la ciudad y por las impotencias económicas para destruir un paisaje urbano armónico y construir en su lugar rascaleches.

—El Vedado lo hizo la burguesía para residir extramuros de La Habana Vieja y de Centro Habana y lo hizo sólido, por eso resiste.

Cuarteados los revestimientos, melladas las balaustradas y las cornisas, mutiladas las decoraciones y los guiños de la modernidad racionalista y organicista, el Vedado añade a su lógica burguesa ilustrada y a su policromía, las texturas de las destrucciones.

—Necesita pintura, fundamentalmente necesita pintura.

Toda La Habana necesita pintura e imagino la posibilidad de que si alguna noche, bastaría una noche, el ángel de la Historia descendiera sobre esta ciudad plagada de espíritus con las manos y las alas cuajadas de gavetas repletas de pintura, podría dejarla en el cenit de la belleza urbana. Le pregunto a Leal si esta Habana a medio destruir a medio construir, esta ciudad bloqueada, no es una metáfora de la Revolución. Leal, miembro del Comité Central al fin y al cabo, se traduce a un lenguaje plenamente constructivo.)

—La Habana es la imagen de la ciudad de la resistencia, que sin embargo nos ofrece el espectáculo inesperado de su capacidad de recibir y hospitalizar a los que quieren llegar al corazón de la familia y no llevarse sólo la experiencia de lo superficial. Esta reveladora dignidad que se ha puesto de manifiesto en la visita del Papa, de las ruinas emerge un pueblo organizado, sonriente, que es capaz de poner rabo y de hacer cuentos y chistes sobre todo lo humano y lo divino y que nada tiene que ver con el orden de las antiguas ciudades del Este europeo.

En crisis el modelo de acumulación socialista, especialmente desde el hundimiento del CAME (Consejo de Ayuda Mutua Económica —a manera de Mercado Común de los países socialistas), la ciudad, Cuba entera sobrevive repartiéndose lo que hay y fomentando la inversión extranjera, la española una más, en condiciones que no disminuyan la autonomía nacional. Alienta el presentimiento de que no tardarán en arreglarse las cosas con Estados Unidos y volverá el capital norteamericano a atravesar las noventa millas que separan la isla de Miami, lo que genera recelos entre los sectores más esencialistas del partido, como si temieran el retorno de dos espíritus alejados, el del colonialismo español y el del anexionismo norteamericano heredero de la enmienda Platt. Leal no recela.

—El sustrato español está en los apellidos, en las costumbres, en la memoria histórica. Así como España ha dejado una herencia cultural y Estados Unidos una influencia histórica y mediática, la URSS no ha dejado nada; ni una comida, ni el nombre de un trago. Alguna pareja mixta, casi siempre abocada al fracaso. Sobre la relación con España, por ejemplo, aquí se tomaron posiciones muy radicales durante la Guerra Civil española y el republicanismo era una seña de identidad de los progresistas, como lo fue tomar partido ante el socialismo real. Aquí se recogió la resaca de la Guerra Civil, a través de la influencia directa o indirecta de tan notable exilio. Vivimos la ejecución de Grimau como si hubiera sido uno de los nuestros. En cambio del impacto de la Revolución soviética, antes y después de nuestra revolución, nos preservó la distancia. Por eso pudimos seguir manteniendo la diferencia. Ahora Cuba es libre de España, de Estados Unidos y de la Unión Soviética y ha de solucionar el problema de la beligerancia cultural que le pueda llegar desde Miami en particular y desde Estados Unidos en general.

El espíritu criollo, el martiano, el anexionista, el afrocubano, el fidelista, todos parecen convocados en el momento en que una revolución desarrollada durante las décadas decisivas de la guerra fría parece rendir cuentas. Leal reclama con orgullo y sentido de la declamación, es uno de los mejores oradores de Cuba, que los combatientes solidarios exportaron la Revolución por África y América pero volvieron sin un colmillo de elefante y sin sangre norteamericana en las manos.

—No entiendo por qué Estados Unidos quiere encerrar a Cuba en un *apartheid* cuando ya ha resuelto sus pleitos con Vietnam, por ejemplo, donde mataron a muchos soldados norteamericanos. No hay ni un estadounidense muerto a manos cubanas. Como no hay ni un obispo asesinado por los revolucionarios y sí los hay asesinados por los contrarrevolucionarios en El Salvador, en México. Fidel no quiso sovietizar Cuba, que no te extrañe esa ausencia de la huella soviética entre nosotros. La isla lo cambia todo, lo metaboliza a su manera. Yo, si he de declararme espiritualmente te diría, soy fidelista, no marxista. Marx tampoco era marxista. Para mí Marx o Engels son como Aristóteles o Platón, miembros de un paisaje filosófico. Fidel es el metabolizador de la revolución desde la cubanía. Insisto, las manos cubanas están limpias de sangre de curas y de norteamericanos.

Leal me señala la cantidad de gallegos o posgallegos que hay y ha habido en la cúpula dirigente revolucionaria: Fidel y Raúl por parte de padre procedentes de Láncara (Lugo): el *Gallego* Fernández que en realidad es de origen asturiano; Piñeiro, más conocido por Barbarroja, de padre y madre lucenses, en otro tiempo factótum del servicio de inteligencia y espionaje: Carlos Lage, el tercer o cuarto hombre, según se contemple la especial nomenclatura cubana, con el abuelo nacido en Santa María del Ortigal, La Coruña. Gallego el general López Miera, actual jefe del Estado Mayor e hijo de militante del Partido Comunista de España exiliado tras la

Guerra Civil. Y el linaje que no procede de Galicia, viene de Canarias como el de Robaina, ministro de Asuntos Exteriores o de Andalucía como el de Alarcón, presidente de la Asamblea Nacional. ¿Quién puede destruir los lazos Cuba-España, España-Cuba? Pero no todos los cubanos piensan como Leal y por la ciudad circula un escrito anónimo que ironiza a propósito del turismo masculino español en busca de Eldorado de las carnes de las *jineteras* y los *jineteros*. Bajo el título *Triste destino el de la Madre Patria*, el anónimo Quevedo racista y habanero reflexiona sobre el tráfico de negras.

En los últimos diez años, los españoles se han llevado de Cuba aproximadamente diez mil negras. Teniendo en cuenta la fertilidad de esta raza, cuyas hembras paren cinco negritos cada cuatro años, las estadísticas consideran que en el año 2000, residirán en España casi ochenta mil negros. Esta explosión demográfica se expandirá en progresión geométrica, pues es bien sabido que las negras comienzan a parir a los trece años. Si este tren de paridera se mantiene, el destino de la península Ibérica será negro, por lo cual no resulta aventurado vaticinar que, a finales del siglo XXIII, el rey de España y el presidente del Gobierno serán negros. El príncipe de Asturias y los condes de Barcelona serán negros. La infanta será una negrita "cabeza de clavo" que jugará entre los escombros del palacio de la Zarzuela y negras serán también las nuevas duquesas de Alba y de Revilla de Caniargo. Desaparecerán las Casas de Borbón, de Armenteros y de Dreke, para dar paso a la nueva realeza *niche* y así surgirán los marquesados de Pogolotti, el Fanguito y San Miguel del Padrón y los ducados de La Lisa, Marianao y el Palo Cagao. El monasterio de El Escorial, el alcázar de Toledo, la Alhambra de Granada y la mezquita de Córdoba se verán convertidos en promiscuos solares con cientos de miles de barbacoas, donde pernoctarán hacinadamente más de cincuenta mil negros. El Patio de los Leones de la Alhambra se llenará de tendederas de ropa y los jardines del Generalife pasarán a ser sembrados de viandas para autoabastecer a los afroides habitantes de la Alhambra. La Rambla de las Flores, la Puerta de Alcalá, la Puerta del Sol y la plaza de la Cibeles en Madrid, se verán invadidas de timbiriches vendiendo mierdas y negritos medio en cueros y descalzos, tirando piedras, pidiendo limosnas y robándole las carteras a los pobres transeúntes. Desaparecerán los olivares de Cataluña y los viñedos de Almería, La Rioja y Jerez de la Frontera, para convertirse en atroces sembrados de marihuana y otras yerbas alucinantes. Las tradicionales fábricas de turrones comenzarán a producir cremitas de leche, alegrías de coco, boniatillos y coquitos quemados, típicamente negros. Las más famosas bodegas españolas destilarán *alcolifán* y *chispa de tren*. Desaparecerán las coloridas plazas de toros (pues los morenos se jamarán todos los tauros). Las gaitas y las panderetas se sustituirán por bongóes y tumbadoras; los pasodobles, soleares y seguidillas serán desplazados por la rumba y el guaguancó.

Pero no todo será desgracia para la Madre Patria, pues se producirá un despegue económico en toda la Península. Se construirán 14.000 nuevas cárceles y 3.500 reformatorios para menores, la Guardia Civil incrementará su personal en un 10.000%, generándose así nuevas fuentes de empleo. Las acerías toledanas fabricarán cientos de miles de cuchillos, navajas, machetes, patas de cabra y cizallas, que comprarán ávidamente los nichardos. Las armerías de Bilbao y Elbar producirán cientos de miles de pistolas, ametralladoras, escopetas, fusiles, esposas y proyectiles de diverso calibre para que la Guardia Civil pueda ripostar dignamente los embates de la agresividad negroide. Y así, en medio de este caos general, la España de charanga y pandereta, del poeta Antonio Machado, arribará al siglo XXIV, muy, muy ennegrecida.

Ciertamente será triste el destino de la Madre Patria, pero como en el castigo está la penitencia, debemos recordar que ellos fueron los que los trajeron a Cuba, así que, se los devolvemos ahora. ¡Que se jodan!

Yo pude haber nacido en La Habana o alguien muy parecido a mí. Yo había estado en La Habana si no desde el día en que nací, sí desde el día en que mi padre salió de la cárcel y me contó algunas cosas de su pasado, la más duradera en su consciencia, el viaje a La Habana a los quince años (1920), con sus hermanas y su madre para trabajar, ahorrar y ayudar al padre cantero a construir la nueva casa en la aldea de Souto, provincia de Lugo. Cada vez que vuelvo a La Habana peregrino a la calle Jesús del Monte donde mi padre trabajó de mozo de clínica y cuando regreso a Barcelona le describo una ciudad más intocada que su vida. Haber vuelto de Cuba antes del estallido de la Guerra Civil española había sido su primera derrota y cuando afirmaba, sobre todo en invierno, que nunca debió salir de Cuba, me estaba negando como proyecto vital pero también construía en mi interior su propia añoranza y a veces la fantasía de tener algún ignorado hermano cubano, mera fantasía, porque mi padre fue disciplinado hasta en sus deslices y en la aceptación del fracaso de todos sus imaginarios. En cambio, al periodista Luis Báez, el que suele acompañar a Fidel en sus desplazamientos, le ocurrió que creyendo ser hijo único, descubrió de pronto a los 55 años que tenía cinco hermanos en España con los que tenía un asombroso parecido. Su padre había sido un canario fecundador, poeta, discípulo de Julián Besteiro que viajó varias veces entre España y Cuba y murió en Canarias en 1941. Báez, que parece la sombra periodística de Piñeiro *Barbarroja*, unos le llaman Piñeiro y otros Barbarroja, hasta hace poco el Smiley armado de los servicios secretos revolucionarios, es de una generosidad absoluta. Me ha abierto sus archivos y sus relaciones personales, en su compañía almorzaré por primera vez con Barbarroja y con el *Gallego* Fernández, la mano derecha o izquierda de Castro, en una casa de protocolo, sin magnetófono, me pidió José Ramón Fernández, 74 años, ex oficial de Batista, educado en una escuela yanqui de artillería, encarcelado por Batista, luego jefe revolucionario, que, al entrar Fidel en La Habana y le propuso retirarse a la vida privada como director de una fábrica de azúcar, con un sueldo importante: "¡Muy bien, Gallego, muy bien! Tú vas a dirigir tu fábrica de azúcar, yo me retiro a escribir libros y la Revolución... que se joda!".

Y ahí está el falso *Gallego* Fernández, después de haber sido un estratega clave en la defensa contra la invasión de Playa Girón, viceministro de las Fuerzas Armadas Revolucionarias, veinte años ministro de Educación, responsable de los Juegos Panamericanos, presidente del Comité Olímpico cubano y tan supervisor de todo, que en el transcurso del almuerzo va siguiendo al minuto las peripecias de los preparativos del viaje papal, al tiempo que me informa sobre la vida nocturna de algunos políticos españoles cuando llegan a La Habana a salsearse un poco. El *Gallego* Fernández compone con Eusebio Leal, la Jano bifronte de la representación del sistema, el rostro enjuto y callado del ex militar presente en todas las fiestas y conmemoraciones, al lado del sensitivo y parlante historiador y conservador de la ciudad de los espíritus.

Cuando Leal sale de su oficina de la plaza de San Francisco para ejercer ciceronía, pasea las calles de La Habana Vieja como el señor del castillo recupera a su pueblo entre pleitesías, agradecimientos de favores, recordatorios de necesidades y calculadas paradas para ejercer de rostro humano e intelectual del poder. Cicerone erudito de castillos y fuertes, cicerone de lujo de su pequeño reino afortunado que se extiende desde sus oficinas sitas en la plaza de San Francisco hasta los límites de la ciudad histórica sobre la que se aplica. Me enseña ejemplares intervenciones de los primeros años de la Revolución, como el castillo de la Real Fuerza o la catedral de La Habana, de 1963 y 1965 o el palacio de los Capitanes Generales de 1968, intervenciones que se aceleran a partir de 1980: convento e iglesia de Santa Clara de Asís, la casa del conde de Santovenia, el colegio de San Francisco de Sales, la casa del obispo, el colegio de San Ambrosio, la iglesia de San Francisco, la casa del conde de Casa

Barreto, la plaza Vieja, una decena de mansiones aristocráticas hoy convertidas en edificios de uso administrativo o civil. Más de sesenta edificaciones ejemplares de La Habana Vieja merecen ser desmenuzadas por la mirada, porque han sido restauradas a lo largo de los casi cuarenta años revolucionarios, aunque sería injusto no atribuir a Leal el papel de impulsor definitivo en los últimos veinte. No se lo pregunté, pero él me dijo, para aclarar orígenes y evoluciones, que era hijo de un policía de Batista y que participó en el Movimiento 26 de Julio en plena adolescencia, en el inicio de una carrera más intelectual que política, aunque es miembro del Comité Central y hombre de especial aprecio de Fidel, por lo mucho que admira el comandante a la gente que habla bien; hasta el punto de que, desde 1994, Eusebio Leal tiene manos libres para hacer y deshacer en La Habana Vieja, lo que según sus amigos y enemigos le convierte en el primer empresario de Cuba, por los negocios que ha desarrollado, para con los beneficios, restaurar la ciudad.

Eusebio Leal da la impresión de ir a su aire dentro de lo que cabe en las reglas del juego del poder cubano, y prueba de ello es que junto a los Eusebios que he ido acumulando desde aquel primer, casi olvidado, encuentro de 1985, reservo un espacio aparte para el que inaugura una plaza dedicada a Lady Di, en uno de los lóbulos privilegiados del centro histórico, junto a la plaza de San Francisco. Me avisó un periodista mexicano, Homero Campa, coautor con Orlando Pérez de un fundamental estudio sobre el *periodo especial*, el que siguió a la evidencia de la caída del bloque socialista y al final de la llamada revolución subvencionada, calificación que indigna a los castro-guevaristas de pro. *Los años duros* se titula la obra muy propiamente y el autor se va, me dice, a presenciar tan sorprendente inauguración. Lo mismo hago y llego a tiempo de contemplar el prodigio del lanzamiento al tiempo y al espacio de una plaza dedicada a Lady Di, bautizada por el verbo florido de Eusebio y el autocontenido del embajador británico. Se espera la visita del Papa, pero de momento sobre esta plaza ya ha descendido el espíritu de la princesa de Gales, la única adúltera que murió virgen y mártir. Eusebio habla y recuerda que Lady Di expiró en la misma semana que la madre Teresa de Calcuta, ¡recuerden los cuerpos! propone Leal y convenimos con él en que eran muy distintos. Pero ¡comparen los espíritus!, vuelve a proponer y concluye: Las dos se sacrificaron por los demás, la madre Teresa desde la obviedad del sacrificio, Diana de Gales cediendo sus más preciosos vestidos para las causas más nobles. El embajador del Reino Unido pone cara de recibir el más sentido pésame de la cubanía. Intelectuales tan significados como Alfredo Guevara o Miguel Barnet insisten en sus melancólicas poses habituales, maestros en poner la cara y marcharse, pero luego diseccionan la lingüística de una plaza en la que han colaborado tan significados artistas cubanos como Sosa Bravo y Quintanilla, para lograr la conceptualidad de un lago y un falo, florales, caribeños el lago y el falo, en cierto sentido referentes de la última morada de la dama del lago. Consulto mi sorpresa sobre esta inesperada convocatoria de Eusebio del espíritu de Lady Di y alguien me comenta, creo que Ferrero, el embajador italiano:

—Cada vez son más los turistas británicos. Vendrán aquí a peregrinar y dejarán en La Habana muchas libras esterlinas.

Salir de La Habana Vieja significa entrar en una continuidad barroca que implicará, como implica la selva a cuanto intente construirse contra ella, las Habanas progresivas en el tiempo. Esta ciudad es barroca hasta cuando asume el funcionalismo y desde luego cuando se adorna en la exhibición de la mejor colección mundial de *art déco* arquitectónico. Pienso que el barroquismo en La Habana es un estado de ánimo y aunque el concepto puede cansar y sonar a tópico en los oídos de los más jóvenes creadores cubanos, el barroquismo en La Habana es certidumbre, porque es certidumbre la propensión al circunloquio y al adorno, así en arquitectura como en literatura, así en la conversación como en el silencio, así en la tierra como en el cielo. Estaba bien dotado Alejo Carpentier para la lectura metódica de la ciudad, desde su condición de estudiante de arquitectura e hijo de arquitecto que tras diferentes alejamientos, profesionales o políticos, fue precomunista junto a Mella, Marinello, Guillén y los demás *minoristas*, siempre retorna a La Habana para recuperar el pasado y su modificación. Aunque es lectura preferente *La ciudad de las columnas*, metáfora habanera por excelencia, en *El amor de la ciudad* el escritor reúne lo más notable de sus lecturas urbanas desde 1925 a 1973. Así, tras once años de ausencia, en 1939 Carpentier nos desvela que la ciudad había sido calificada por su generación como "La ciudad estúpida" en el proyectado panfleto antihabanero de un compañero de edad y de desfachatez; pero once años después, con la retina dolorida y enriquecida por el exilio, Carpentier descubre que La Habana, junto a lo propio, transmite la impresión de un mestizaje plural y "...nos ofrece a veces, al doblar una esquina, al asomarnos a una bocacalle, desconcertantes evocaciones de poblaciones remotas... Cádiz, Almería, Ondárroa, Pasajes, Bayona, Morlaix, Perpiñán, Niza, Valencia tienen sorprendentes embajadas en nuestra ciudad, sin hablar de las urbes que como París, Nueva York o Madrid, las tienen en todas las capitales del mundo".

En 1939, cuando Europa hereda las destrucciones de la Guerra Civil española e inicia las de la II Guerra Mundial, Carpentier se maravilla de la modernización de una ciudad en la que se mueve en retirada el provincianismo anexionista de todo lo yanqui... "Los niños bien se hacían llamar Charlie o Johnny, vistiendo a lo neoyorquino y entronizando en todo el esnobismo de lo yanqui". Tampoco el refresco de frutas ha perdido la batalla frente a la excelencia del cóctel ni la imitación de lo americano ha destruido los mejores usos del criollismo: "Hoy me resulta gratísimo observar cómo se ha vuelto al jipi, a la tela tropical, al plátano frito y al ajiaco, sin hablar del descubrimiento de la fruta bomba, considerada en mi época como fruta de menor cuantía. El odio por el árbol —característica de los primeros años de la época machadista— ha desaparecido de nuestros urbanizadores. Y mientras nuestros palacios coloniales, libres de caretas de yeso, revelan sus bellezas arquitectónicas a los forasteros, en los repartos crecen residencias y villas cuyas líneas se inspiran en las más puras tradiciones constructivas del estilo colonial cubano". En 1944 detecta la tendencia de la burguesía ilustrada a recuperar casonas de La Habana Vieja, las reconstruye y remoza para cumplir el programa de vida del confort: "De generalizarse esta moda probablemente salvará muchos edificios magníficos de una ruina próxima". La Habana de los años cuarenta y cincuenta se entrega al crecimiento frenético impulsado por una burguesía eufórica por los buenos negocios que hace con Estados Unidos, entregada su razón de ser al anexionismo económico. Carpentier hace balance crítico en 1959 del espíritu de La Habana burguesa ahora ocupada por la Revolución: "La vi próspera y feliz, la vi triste, la vi lastimada. Pasé por ella en aquellas dramáticas Navidades de 1957, en las que junto al falso y vicioso alboroto de tres o cuatro hoteles sunturarios, habitados por un *croupier*, la droga y la prostitución internacional, vivíanse las veladas de la indignación y el luto en casas ignorantes del abeto pascual... Puedo jactarme de tener un profundo conocimiento de La Habana; pero no tan sólo de su topografía e itinerarios interesantes. Vi crecer La Habana con el siglo. La he contemplado bajo sus más distintas iluminaciones....". Carpentier concluye que nunca vio tanta alegría en la ciudad como en la que se ha entregado con toda su capacidad de júbilo a la metabolización de la Revolución.

Para los que añoran aquella Habana anterior a 1959, los urbanistas actuales les enfrían los ánimos, como Mario Coyula que en su monografía *La Habana en enero* utiliza nada menos que a Lezama Lima como cita de autoridad: "Al fin estamos en el caos consecuencia de la desintegración, confusión e

inferioridad de la vida cubana en los últimos treinta años...".
Por un lado susto, sorpresa, perplejidad. Por el otro, desesperación (Diario, 11 de septiembre de 1957), aunque este fragmento adquiriría algún sentido rigurosamente actual para
muchos cubanos. Coyula utiliza al urbanista hispano-cubano
Carlos García Pleyán para que tipifique histórica y socialmente aquella Habana poseída por la Revolución en enero de
1959: "Al comenzar 1959, La Habana era una pequeña gran
ciudad que dominaba a una pequeña nación subdesarrollada.
Cuba no escapaba a los mismos efectos de la dependencia externa que sufrían casi todos los demás países de América Latina: mono-producción, mono-exportación y mono-mercado;
una agricultura extensiva polarizada entre el latifundio en la
mitad oriental de la isla y el minifundio en la occidental; desempleo, débil instrumentalización, infraestructura deficiente
y bajo nivel educacional, técnico, de salud. Todo esto se reflejaba en la estructura urbana y en el sistema nacional de asen-
tamientos", *(García Pleyán, 1986).* Coyula concluye su informe desde el rigor del contraste, porque, si bien La Habana de
enero de 1959 era una ciudad desproporcionada en su imagen
urbana, en la distribución y calidad de la vivienda, en la infraestructura y red vial, en espacios verdes, en instalaciones productivas y de recreo, con fuertes desigualdades en cuanto a
servicios entre centro y periferia y con un deterioro físico y
social que ya había comenzado en las áreas centrales más con-
gestionadas, a pesar de todo eso... "era una ciudad enormemente atractiva, fascinante, cínica y relajada, pero también
sentimental y crédula y por lo tanto expectante. Así amaneció
el primer día de enero". De 1959. El día en que entraron las
tropas castristas.

Releer las percepciones habaneras de Carpentier de
Una ciudad de palacios o de *La ciudad de las columnas* debe ser
actividad obligatoria antes de recorrer esas otras Habanas
extramuros de la llamada *histórica,* como si Centro Habana,

el Vedado, Miramar, Cubanacán no formaran parte de la historificación de la ciudad y no trataran de llevarse los ritmos visuales hacia las sutilezas de la modernidad y el dinero hacia el intento de que cada casa unifamiliar fuera una comprobación de la ciudad jardín de Forestier. Contemplando la maqueta de La Habana, 112 m2, exhibida en los locales del Grupo para el Desarrollo Integral de la Capital, se percibe el viaje de huida de la burguesía desde La Habana Vieja hasta Miramar y Cubanacán porque va dejando un rastro progresivo de árboles, casi inexistentes en el casco antiguo y en cambio omnipresentes en los parques y jardines de La Habana residencial, como si la burguesía se construyera pulmones artificiales, consciente de las ventajas de respirar mejor que las otras clases sociales. Mario González y Emilio Escobar, arquitectos, profesores de arquitectura y dirigentes del Grupo, me subrayan que la maqueta se divide en diferentes colores según las fases de crecimiento de la ciudad: la ciudad colonial (del XVI al XIX) es color marrón; ocre la de la república burguesa, también llamada pseudorepública (1902 a 1958); marfil la ciudad de la Revolución, la construida a partir de 1959. El ocre es el color dominante y el marfil debiera complementarse con el color gaseoso de los espíritus, en este caso del espíritu de la Revolución.

Hay una lectura de La Habana de la pobreza que los críticos convierten en estadísticas: el 49% de los edificios están en mal estado y los seres humanos también, porque según los representantes de Periodistas Independientes "...hay que agregar la inseguridad en las calles, donde fluyen toda clase de malhechores, fateros y asaltantes que cohabitan con ancianos casi al borde de la indigencia". *Encuentro*, una publicación editada en Madrid y situada entre la disidencia y el infinito, publicaba un artículo de Tania Quintero, periodista independiente, en el que evocaba ese *antes* de 1959 que empieza a ser una consigna crítica para exaltar la excelencia de los tiempos que ahora se llaman normales. Rememora aquella Habana a donde se iba a comprar dentro de la retícula de las calles Galiano, San Rafael, Neptuno, Reina, Belascoaín, Monte, Muralla, Obispo: "Había edificios completos dedicados al comercio minorista y también pequeñas tiendas, propiedad de polacos, alemanes y otros europeos que en los años de la II Guerra Mundial hicieron de Cuba su segunda patria". Luego hasta 1962 "ir a La Habana" seguía queriendo decir "ir de compras" a pesar de que ya regía el racionamiento de productos industriales y desde un alfiler a un elefante, es un decir, todo, se vendía y se compraba bajo norma.

Después de la llegada de la Revolución, las tiendas ofrecían un aspecto desolado, de vez en cuando abastecidas de productos monotemáticos que convocaban colas socialistas y, una vez agotados, el silencio, tiñendo con su viscoso color de nada los estantes, las paredes, los techos, a los vendedores y también tiñendo las ausencias de los clientes. Desde que el dólar ha vuelto a entrar en Cuba en 1993, la expresión "voy a La Habana" se ha trocado en la de "ir de shopping", como si el lenguaje se hubiera hecho imperialista y comprar sólo pudiera ser definido en norteamericano más que en inglés. Escribe Quintero: "El afán consumista de la nación que condena 'la podrida y decadente sociedad de consumo norteamericana' sólo puede creerse si se vive actualmente en Cuba: no hay cubano que no sueñe diariamente con los benditos *fulas* para resolver desde el jabón para bañarse hasta los zapatos para su hijo para poder ir a la escuela. Por cierto, a las tiendas ya no se las llama así: ahora son *las shoppings*. Por obra y milagro del dólar, la moneda del enemigo imperialista, ya los habaneros no dicen voy a La Habana, sino *voy pa' la shopping*." El lenguaje. El lenguaje. Si no existiera habría que inventarlo porque más que humanizar la realidad inaprehensible, la embalsama y así cuando las autoridades hacen balance de lo mucho que se roba en las *shoppings* estatales de Cubalse, Tiendas Panamericanas, TRD Caribe o Caracol, no hablan de robos sino de *faltantes planificados*.

Colección completa de columnas y óxidos, piedras porosas y oscuras al servicio de la estética de la deconstrucción incontrolada, no de la deconstrucción como la desnudez del código lingüístico para llegar a la esencialidad, sino la deconstrucción como castigo de la erosión y sobre toda juntura o grieta para el intento de la vegetación de recuperar la hegemonía sobre las piedras labradas y los ladrillos, aprovechando su mala salud. Ésta sería la lectura miope de La Habana de los espíritus, de La Habana arquitectónica y de La Habana en su gente, con las pupilas tocando las corrosiones, sin perspectiva para descubrir la secreta armonía mal tratada pero enhiesta. Escribe Emilio Escobar que La Habana, vieja dama enferma, no sólo ha contado con la asistencia médica de sus arquitectos, clientes de sus castas dominantes hasta convertirse en clientes de los criterios urbanísticos de la Revolución, sino también de cirujanos universales de urgencia, como Forestier, que en 1926 elaboró un plan director aplicado irregularmente pero que se percibe en el Vedado, en Miramar, en Cubanacán, las zonas que tradujeron la voluntad de fisonomía de una burguesía. En 1958, a punto de caer Batista, el catalán Josep Lluis Sert, profesor de Harvard, máximo exponente de la arquitectura racionalista española en el exilio, propone un plan de actuación que pasa por el esponjamiento de La Habana Vieja y una racionalización urbanística al servicio del expansionismo oligárquico especulador. Hoy, La Habana Vieja tiene un plan especial y el resto espera una súbita capacidad de acumulación socialista para curar sus heridas o un cambio social y económico que revalorice su suelo, lo convierta en mercado para una clientela postsocialista, difícilmente capaz de asumir una operación de salvamento entre la especulación y la emoción, entre la geometría y la compasión.

Todavía en 1988, Roberto Segre lucía un optimismo revolucionario envidiable cuando prologaba *Vida, mansión y muerte de la burguesía cubana* de Emma Álvarez Tabío y sancionaba la salud de los palacios y de la ciudad residencial como una prueba de la revitalización revolucionaria. Frente a la idea de la casa como madriguera, cita Segre un libro de cuentos *Casas del Vedado*, de María Elena Llana, descripción de una mansión en la que se enfrentan los fantasmas del pasado y los sujetos sociales de cambio: "La casa es un reducto, fortaleza, sistema defensivo frente a los cambios del mundo exterior. La casa resume la memoria latente de la presencia fantasmal de sus originarios ocupantes: densos tapices y gobelinos cargados de representación de lejanas tierras, atrapan y fagocitan a los actuales residentes, incapaces de imponer la nueva dinámica de la vida social".

Se puede establecer una comparación entre estados de ánimos revolucionarios y postrevolucionarios si después del prólogo de Segre o del libro de relatos de María Elena Llana o de la película de Tomás Gutiérrez Alea *Los sobrevivientes*, leemos uno de los cuentos de *La nada cotidiana* de Zoé Valdés, en el que la autora describe el encuentro entre un palacete propiedad de un escultor homosexual exiliado y un padre de familia héroe del trabajo y de la Revolución premiado con su usufructo. Impactado por tanta extranjería cultural, el nuevo inquilino martillea las estatuas y trata de borrar las señales del pasado y sus fantasmas. *Vida, mansión y muerte de la burguesía cubana* se autoconcede un hermoso juego de palabras como título y, a continuación, propone un viaje por La Habana destruida por su propia decadencia u ocupada por la lógica revolucionaria. Lo que la autora describe analizando e historificando, los ojos pueden verlo siguiendo las guías más minuciosas, como las que suscriben María Elena Martín y Eduardo Luis Rodríguez, casa por casa singular, antes y después de la Revolución o la inevitable y lujosa *Havana* de Nancy Stout y Jorge Rigau. Hay que salir a la calle en busca de la tridimensionalidad del espíritu de las arqueologías de esta ciudad, de sus yacimientos de memoria y deseo, más allá de La Habana Vieja monumental, las casonas anónimas con rejerías historiadas, vitrales y azulejos que traducían la voluntad de singularidad de sus propietarios y palacetes, palacios, mansiones, un *increscendo* al servicio del sistema de señales de la supervivencia de la oligarquía criolla o de la aparición de una nueva oligarquía enriquecida con la república y sumada a la del batistato, mucho más especuladora y depredadora. Bajo el disfraz de *la modernidad*, esa nueva casta dominante no rechazaba la destrucción del tejido urbano heredado, tramado al ritmo de las necesidades de las más cadenciosas oligarquías anteriores. Durante los años veinte y treinta, el Vedado escenifica el programa de vida de los viejos y nuevos ricos de la república, con sus mansiones ajardinadas de poderosas entradas, recibidores amplios, escalinatas a la anchura de la riqueza supuesta y cristales, cristales, cristales para una casa abierta a la admiración de los callejeantes.

Se conservan muchas de aquellas mansiones, pero al servicio de los nuevos tiempos. La casa de Faustino García Menocal es hoy un doricojónico Palacio de los Matrimonios; la de Orestes Ferrara, de renacimiento ecléctico, es el mejor museo napoleónico de América, dotado con los fondos de un rico admirador de Napoleón, Julio Lobo; la Quinta de los Molinos, residencia de los capitanes generales, es un museo y la mansión de Luis N. Menocal, es la Casa de los Alcaldes; los marqueses de Avilés no podían pensar en 1915 que habían construido el entonces considerado el edificio más elegante del Vedado para que hoy se dedicara a fomentar la amistad entre los pueblos, ni la señora Josefina García de la Mesa que su palacete sería embajada de una doblemente exótica China, por china y por comunista y la piscina cubierta romana de los González de Mendoza sirve para que se remojen diplomáticos. La residencia de los Sarrá, riquísimos farmacéuticos que celebraban fiestas sonadas, es hoy el Ministerio de Cultura desde el que Abel Prieto trata de exportar salsa e importar dólares y tiempo. El inventario llegaría a lo moroso y no requiere palabras sino paseos ilustrados e imaginación comparativa entre las finalidades de los propietarios constructores y las que impuso la Revolución. Del recorrido con Emma Álvarez Tabío llama la atención su propuesta de que entremos en el cementerio de Colón, la ciudad de los muertos iniciada con el rótulo "Sólo entrada", representación en miniatura de la propia Habana. Al cementerio de Colón, cuyo primer cadáver cliente fue Calixto de Loira, el arquitecto que lo había proyectado, se llegaba en los años veinte mediante un ómnibus de nombre *La dichosa*, paradójica denominación si se considera que el cementerio era conocido en la ciudad como "El último paradero". La monumentalidad allí contenida representa cien años de la evolución del gusto, pero también de las constantes de la historia, porque el primer monumento ubicado conmemora el fusilamiento de los estudiantes independentistas el 27 de noviembre de 1871 y el último el mausoleo a los caídos el 13 de marzo de 1957, entre ellos, el líder estudiantil católico Echevarría, en un círculo cerrado que une la maldad de la represión española con la maldad del batistato. Recorro el cementerio bajo la asesoría de Escobar, precisamente el coautor con Mario Coyula y Sonia Domínguez del mausoleo, una instalación en la que las banderas de metal representan a la vez permanencia y movimiento en los límites de un supuesto valle construido en el suelo con los adoquines de las calles que soportaron las luchas contra Batista. "El conjunto se estructura en dos ejes —describe *Arquitectura y urbanismo* en 1982— el mayor sigue el curso del sol el día 13 de marzo y marca en la plaza el sendero del deber —el de la Revolución— y lo lleva al Este, al nacimiento del día, a la primavera inminente, al camino de las sierras de Cuba, al descanso de los héroes. El eje menor marca la hora exacta del inicio de las acciones. La intervención de ambos arde en una llama votiva en cada conmemoración.

Lo que se ha construido a partir de 1958 apenas figura en los libros sobre patrimonio arquitectónico universal y el propio Escobar hace un austero censo de hitos del imaginario de La Habana de la Revolución: el proyecto de escuelas de arte dirigido por Ricardo Porro y secundado por Gottardi y Garatti; la unidad residencial Camilo Cienfuegos; la Ciudad Universitaria José Antonio Echeverría de Humberto Alonso y Fernando Salinas; el parque de los Mártires, de Escobar y Mario Coyula, obras todas ellas propuestas para la categoría de monumento nacional. Pero en esta ciudad hay rarezas arquitectónicas que hablan de aquella voluntad de modernidad que pudo subirse al carro de fuego de la Revolución y no lo hizo: el edificio América de 1941, notable porque marca el paso del *déco* a la funcionalidad; el del periódico *El País*, también de 1941 que, aún respetando las pautas ambientales heredadas, aporta proposiciones organicistas; otra obra de transición es el Teatro Nacional Masónico de 1954, y buscan plenamente la modernidad con el expresionismo los apartamentos Solimar (1944), el edificio Radiocentro (1947) de la Compañía Cubana de Electricidad (1958), el del Retiro Odontológico (1953), los grandes hoteles o el patético edificio Focsa (1956), nacido como una impresionante propuesta de habitacionalidad vertical y en estado ruinoso hoy. En nuestra ciudad —me dice Escobar, ratificando cuánto ha escrito en el mismo sentido— la arquitectura se mueve hoy miméticamente entre el diseño hotelero comercial y los estilos consagrados por las publicaciones internacionales. Otra demostración quizá del final de la tensión cultural revolucionaria, porque en un no muy lejano pasado, los debates sobre arquitectura y urbanismo reproducían el dilema entre el reino de la libertad y el de la necesidad, entre la lógica de la construcción ligada a la producción y la de la arquitectura en busca de la armonía entre vida y programa de vida plasmado en la estructura y función de la casa. Aquella discusión envolvió el proyecto de Porro de las escuelas de arte, que visito acompañado por Escobar para recibir la misma sensación de la historia como bolero *(...de lo que pudo haber sido y no fue...)* que percibí en Moscú, en el recorrido de lo que queda de los edificios y proyectos de la vanguardia, especialmente el patético final del Narcofim de Ginsburg, entre el uso y la ruina. Gilberto Seguí, arquitecto ayudante de Porro en el proyecto de las escuelas de arte, hoy exiliado en París, historifica en *Los olores de la calle en La Habana 1952-1961*, la traslación del interés urbano de La Habana Vieja colonial o la republicana Centro Habana, al Vedado, escaparate del imaginario habanero de una burguesía cosmopolita.

Si La Habana Vieja o Centro Habana olían a gas y comida, especialmente a picadillo, el Vedado olía a vinilo, la pintura que empezaba a sustituir la cal. Seguí reproduce la aspiración de modernidad de los jóvenes estudiantes de Arquitectura de los primeros años cincuenta a la sombra del Bauhaus, de Van der Rohe, de Frank Lloyd Wright, Le Corbusier, Grophius, Richard Neutra y la voluntad de La Habana de ser tan hermosa en el presente como en el pasado, concentradas las expectativas en la resultante de la construcción del Habana Hilton, hoy Habana Libre o del Riviera y el Capri, trópico y organicismo. Seguí explica muy bien la evolución del *déco* al funcionalismo: "La arquitectura en Cuba se desarrolló tardíamente en relación con otros países de Europa y América Latina. El *art déco* que se basa en elementos de decoración superficial de inspiración geométrica, egipcia y maya, sirvió de transición a la nueva etapa. Con el tiempo, esta arquitectura se hacía cada vez más volumétrica, la decoración iba desapareciendo de las fachadas, al tiempo que se desarrollaba la técnica de la construcción, sin olvidar que la economía iba imponiendo también sus exigencias. Así, en un momento dado, los arquitectos se encontraron con la caja desnuda: ¡habíamos entrado de lleno en el modernismo!".

Ignoro en cuantas escuelas de arquitectura se explica así el paso del *déco* al funcionalismo y el organicismo, pero es cierto que bajo los adornos de muchos edificios *déco* aparece una relación necesaria entre volumen y función. Si recurro tan extensamente al testimonio de Seguí es porque describe las batallas entre formalistas y constructivistas en el inicio de la Revolución cubana, batallas que parecen un calco de las suscitadas en la Unión Soviética en la misma fase equivalente, en los años veinte. Con la segunda dictadura de Batista, la burguesía especuladora se lanza sobre el Vedado y utiliza a Sert como diseñador de un proyecto de modernización manhattiano que no se realiza porque, entre otras causas... "En 1959 —escribe Seguí— triunfa la Revolución y se exacerban todas las esperanzas, todas las utopías, todo parece ser posible, tanto en política como en arquitectura". Todo era posible porque, arrinconado el antiguo sujeto de la arquitectura, el burgués, el nuevo destinatario social aparecía inmaculado y receptivo a la voluntad transformadora de códigos de los profesionales.

Era el momento adecuado para creadores como Porro, y cuando Fidel Castro le encarga el proyecto de las escuelas de arte de Cubanacán, para situarlas entre las forestas de los barrios más selectos, más americanizados y vegetales de La Habana, Porro desarrolla sin límites los sueños de la poética sincrética: modernidad y función, memoria autóctona de formas, programas de vida y materiales, lo colonial, África y Gaudí, sexo y trópico, ladrillo, teja, cemento, vitral. Porro monta un auténtico cóctel arquitectónico que visitan todas las personalidades de paso por La Habana para ver la Revolución, como si se tratara de un espectáculo del que Porro ha hecho el pabellón de muestra: Joris Ivens, Andrezej Wajda, Tony Richardson, Sartre, Simone de Beauvoir, Luigi Nonno; Graham Greene le dedica una glosa especial al entonces joven arquitecto. Acusado de formalismo y acosado el proyecto por las penurias económicas y de materiales, sólo se terminó totalmente el edificio central obra directa de Porro y quedaron a medio acabar los otros.

Porro, desde su condición de exiliado estético que no político, se esfuerza en remarcarlo, evoca el proyecto como una muestra de arquitectura romántica, en el transcurso de una entrevista con Liliane Hasson: "Me di cuenta de que mi arquitectura correspondía a la fase romántica de la Revolución, que es siempre sublime... Mis escuelas, sin embargo, fueron mal acogidas, no entraban en las normas requeridas por el ministerio, para quien mi individualismo estaba de más pero que, a pesar de todo, las juzgaba aptas para ser mostradas al extranjero. Sus tendencias empezaban a imponerse: sólo les faltaba formar jóvenes acólitos dispuestos a acatar las órdenes del ministerio al pie de la letra... Más tarde hicieron desaparecer de mi obra hasta mi nombre."

Estas casi ruinas, ay dolor, que veo ahora, aunque la escuela central está en uso y sorprendo a jóvenes artistas planeando *instalaciones* y otras conceptualidades, tienen una ingenua y a la vez sofisticada belleza, son un lugar de culto y un hito en la evolución del arte contemporáneo, como un precedente imprescindible de lo que se ha llamado postmodernidad, por lo que tiene de *collage* de códigos. Pasaron los romanticismos de los sesenta, también los dogmatismos posteriores y, hoy en La Habana, la razón se reconstruye dentro de lo posible para proyectar la ciudad necesaria según las materialidades reales, así en las casas como en las ideas. El Grupo para el Desarrollo Integral de la Capital, una de las consecuencias positivas del socialismo participativo que se insinúa al inicio del *periodo especial*, lleva a cabo una poco visible y por lo tanto nada espectacular tarea de mantener una relación entre la forma y la función de una ciudad que como todas las cargadas de historia y arqueologías, no es una, sino varias. Si la Revolución ha construido poca Habana singular desde el punto de vista de publicaciones de arquitectura patrimonial, sí ha tenido que reglamentar su uso y vigilar en lo posible sus disfunciones y proyectos de futuro. La labor se recoge en los folletos periódicos *Carta de La Habana*, antirrevista de arquitectura si tenemos en cuenta cómo suelen ser las revistas de arquitectura en los países ricos. Las cartas son cartas, es decir noticias de lo que se está haciendo cotidianamente, desde la editorial presentación de Gina Rey en su número 1 de 1993 hasta uno de los últimos números que celebra el décimo aniversario de los Talleres de Transformación Integral de Barrios. Tratadistas, profesores, arquitectos y urbanistas actuantes como Mario González, Rosa Oliveras, Mario Coyula, Ricardo Núñez, Gina Rey, capaz de sacar balance positivo de la restricción energética en favor de la bicicleta *(Una ciudad más humana sobre las ruedas)*, sancionan La Habana como un cuerpo vivo, en lucha contra la rigurosidad del punto de vista del poder de los constructores, situados siempre en el territorio de la geometría y escasamente en el de la compasión.

Debo a Mario González una suficiente colección de *Carta de La Habana* para estar al día de los sentimientos nunca del todo cosificados de una ciudad. González, autor de una monografía esencial para conocer los planos, esquemas y estrategias directoras de la ciudad, ha presentado recientemente, en el transcurso de un congreso de salud y medio ambiente urbano celebrado en Madrid, una ponencia sobre *Uso y reuso de suelos y edificios de La Habana* que se remonta al tiempo precisamente en torno al 2 de enero de 1959. Allí cuenta cómo se incorpora a la ciudad de los espíritus el de la Revolución, las leyes revolucionarias que hicieron honor a su adjetivo y subvirtieron las reglas de propiedad, así en los campos como en las viviendas. Las leyes de reforma agraria, de la rebaja de alquileres y las de reforma urbana, significaron un vuelco social sin precedentes desde la revolución soviética, antes incluso de que el socialismo fuera oficialmente entronizado por la revolución nacional popular de Castro y Guevara. Para compensar la desproporción entre La Habana y el resto del país, se reparten las viviendas abandonadas por la burguesía en fuga entre un nuevo destinatario social y se construye en el resto de Cuba, donde se daban los mayores déficit. En La Habana después de enero de 1959, los cuarteles se convierten en escuelas, el colegio jesuita de Belén, donde estudiara Fidel, en Escuela Superior del Ejército Revolucionario; el colegio de los maristas en Centro de la Seguridad del Estado; se abren a la población las playas de los clubes privados; se utilizan las mansiones para los becarios que llegan de todas partes del país, medida que satirizaría años después Alina, la hija de Fidel Castro, que tenía genes de alta burguesía o una abuela materna depositaria de la memoria de los tiempos *normales*.

La estrategia actual se basa en remodelación y conservación de un patrimonio erosionado por el salitre marino y la escasez, aunque Mario González insiste en que veamos lo que no se ve: "...que con todas las dificultades la Revolución trata de salvar sus niveles asistenciales, esos que han permitido una esperanza de vida de 75 años." Que los arquitectos y urbanistas del Grupo de Desarrollo Integral hablen de esperanza de vida quiere decir que han entendido qué quiere decir la arquitectura y el urbanismo concebidos como programas de vida, pero a muchos kilómetros de distancia, la autora de *Vida, mansión y muerte de la burguesía*, estudiante de arquitectura en Barcelona, ofrecía una sanción más dura de la ciudad posible. Emma Álvarez Tabío en su colaboración en *Cuba, la isla posible*, obra colectiva coordinada por Iván de la Nuez en Barcelona en 1995, negaba que la Revolución de enero de 1959 hubiera salvado La Habana de las destrucciones de la ciudad-mercado, bajo las manos de los especuladores urbanos. La Revolución "en todo caso ha creado, involuntariamente, una invalorable pieza de museo. La Revolución, en realidad, ha destruido el *locus* de una utopía que no ha sido realizada, pero tampoco superada. En el centro del proyecto de modernidad cubana latía una ciudad ideal como una promesa permanentemente incumplida. Pero el discurso político de la Revolución ya ni siquiera ofrece la utopía, sino un inminente apocalipsis del que la maltratada ciudad de La Habana puede haber sido un pequeño ensayo."

Leal ha aportado alguna vez ese toque lírico que tanto le gusta a Fidel, a *Carta de La Habana*. Hemos caminado juntos bajo la lluvia y eso nos hizo protegernos en algunos palacios rescatados para el uso más positivamente revolucionario, la educación o incluso la maternidad, produciendo la sensación de que Leal conoce una a una a todas las parturientas de La Habana Vieja.

En una escuela de artes plásticas, unos niños habían dibujado a su manera el encuentro del Papa y Castro. Unas veces, Juan Pablo II y Fidel parecen muñequitos disfrazados de Fu Manchú, Fidel con la bandera cubana, el Papa con la cruz. Otras el Papa se parece demasiado al Che, como si al alumno le hubiera sido difícil superar el imaginario de la pareja dominante. También pude ver a un Papa portador de bandera pontificia, frente a un Fidel vestido con sotana negra, figurantes los dos de un retablo dual de las maravillas ideológicas.

Recupero otro nexo con La Habana que viene desde los años en que Fidel y los suyos estaban en Sierra Maestra y nosotros tratábamos de organizar partidos clandestinos en la Universidad franquista. En una correría, huyendo de la carga de la policía, me refugié en la planta superior de la Universidad Central de Barcelona y al rato me convocó la voz gruesa de una muchacha pequeña, muy bonita, con las facciones escogidas diríase que con cariño, pero capaz de decir enunciados supuestos en los carreteros: *"A aquests fills de puta els haurí em de trepitjar els collons"*, es decir, refiriéndose a los policías: a estos hijos de puta les deberíamos pisar los cojones. Poco después éramos camaradas de partido y con los años Nissa, profesora en Londres, se convirtió en una de las mejores conocedoras europeas de la literatura latinoamericana y en especial de la cubana, viajera frecuente a La Habana, una meca espiritual para ella, gozadora de amistades tan complementarias como la de Fernández Retamar o Rodríguez Feo o Pablo Armando Fernández. Compartimos el descubrimiento de Rodríguez Feo, el señorito rico del grupo *Orígenes* que vinculó la cultura literaria cubana con la mejor literatura universal, que se quedó en la Cuba revolucionaria, persona entrañable, de una elegancia exterior e interior completamente ahistórica. Pues bien, antes de morir a destiempo y sumarse a la lista de las ausencias que mutilan mi propia memoria y por lo tanto mi propia vida, Nissa es-

cribió una guía muy personal de La Habana, que sirve para
el viajero mucho más que para el turista, pero también para
el conocedor de cubanías al que le llega la profunda lectura
de una ciudad referencial, llena de citas literarias, porque La
Habana es una de esas ciudades que ha posado para principales escritores, propios como Cirilo Villaverde o Lezama
Lima y extranjeros como Merimée, Huxley, García Lorca,
Graham Greene. Nissa es una erudita sobre la ciudad, pero
le gusta detenerse ante todo lo que la vincula desde sus propias raíces: la época catalana de arquitectura marcada por
maestros de obras que habían trabajado en Barcelona con
Gaudí y Puig y Cadafalch y dejan una influencia modernista
perpetuada hasta Ricardo Porro o la presencia proyectista
de Forestier que tanto había influido en el trazado de la nueva Barcelona, llegado a La Habana precisamente para proyectar una *Loma de Catalanes;* y a Nissa no se le escapa un
aforismo afrocubano de los tiempos de la sacarocracia:
"Dios, quien fuera blanco, aunque fuera catalán". Constata
Nissa que en la catarsis revolucionaria de 1959, el pueblo se
echó a la calle para destruir los símbolos de la dominación
del dólar, sobre todo las casas de juego y, en pocas horas, ar-
dieron en hogueras purificadoras los últimos naipes, tabure-
tes de *dealers,* rastrillos de dinero, quedaron destruidos los
dominios proconsulares del gángsterismo norteamericano,
de Lucky Luciano, Frank Costello, escasamente presentes
en La Habana, no así sus familias mafiosas ramificadas en
buena parte de los negocios turísticos de la isla. Recuerda
Nissa Torrents que Fidel, en 1963, expresó su incomodidad
conceptual con respecto a La Habana: "...de haberla fundado nosotros, la habríamos construido realmente en otro círculo o no hubiéramos permitido que esta ciudad creciera
tanto". Después de los incendios de naipes y ruletas, la catarsis se percibió en que los presidios se convirtieron en escuelas y las mansiones donde los ricos habían vivido y muerto como clase, en viviendas infantiles para chicos y chicas
llegados de toda Cuba. Luego brotaron las construcciones

vecinales, fruto de la dialéctica entre lo estético y lo necesario y Nissa constata que, veinte años después, lo único estético que queda del empeño lo sigue poniendo el mar. Cita un poema enamorado de Pablo Armando Fernández:

> *Desde el restaurante La Torre*
> *o el bar Turquino*
> *y girando*
> *como un endemoniado*
> *no se la ve no se la siente*
> *como algo que respire que se mueva*
> *con proporción humana*
> *Sin embargo, puede uno imaginarla*
> *blanca bajo la luz lila en la sombra.*
> *Y aún no basta.*
> *Para verla de golpe a contrapelo*
> *como un cuerpo de colores que crecen*
> *en azules y verdes y amarillos*
> *hay que asomarse a ese lienzo sonámbulo*
> *vertiginoso de esqueleto que canta*
> *rompiéndose en los pasos que le marcan*
> *su vida verdadera.*
> *Para verla hay que mirarla*
> *con los ojos totales de Portocarrero.*

Fidel puede contemplar, todos los días si quiere, un impresionante Portocarrero total en el palacio de la Revolución y le ha añadido, por su expresa voluntad, una plantación de helechos traídos de Sierra Maestra, corrección purificadora para la ciudad de los espíritus. Fuera, los cielos de La Habana, que él sostiene, parecen totalmente dedicados, Nissa, a esperar al Papa. ¿A qué viene este Papa a la ciudad de los espíritus? ¿A sumar el Espíritu Santo?

CAPÍTULO II

Creemos en la Revolución

*Hay que estudiar el catolicismo casi más como politó-
logo que como teólogo, porque tras la disolución de los
nuevos imperios formales, es la única institución en la
que permanecen los principios de la política monárquica clásica; el Imperio Romano sobrevive en la Iglesia, inicialmente antimperial, pero convertida en copia del imperio.*

PETER SLOTERDIJK, *En el mismo barco.*

*Los imperialistas cuentan los que se van pero no quie-
ren contar los que se quedan. Y el hecho de que dejemos
irse a los que quieren no es sino la confirmación de la fe
que siempre tuvimos en el pueblo desde el primer momento; esa fe que no ha sido nunca defraudada ni lo será, que nos da la seguridad de que dejando marchar a
los que quieran, salimos ganando, y que nos da la seguridad de que, saliendo de este país los que carezcan de
aptitudes para vivir en esta patria en esta hora, aquí
permanecerá la inmensa mayoría del pueblo, los que
saben sentir el llamado de la patria y de la Revolución.*

FIDEL CASTRO RUZ, 1968, *Estos son nuestros caminos.*

Cuando le dicen que en el antiguo Occidente, hoy ya nadie sabe con respecto a qué Oriente, se escandalizan porque ha declarado que prefiere que Cuba se hunda en el Caribe antes que desandar los caminos de la Revolución, Fidel piensa que sólo ha expresado una metáfora, que una Revolución es a la vez origen y finalidad y en buena medida, proceso, pero también es un entusiasmo moral y una complicidad de sus beneficiarios, aunque a veces el germen pertenezca a una vanguardia o a tres, dos, un sujeto individual, a él. Y se recuerda a sí mismo cuando bajo la hojarasca seca del cañaveral, tendido cuan largo era, oyó pisadas, abrió los brazos para conseguir la suficiente movilidad con que manipular el fusil y por las rotas realidades vio avanzar sombras que le parecieron propicias. Emitió un silbido. Universo Sánchez, campesino de Matanzas y su guardaespaldas en México, llegó sin botas, pero con un fusil de mira telescópica y se tendió a su lado bajo las hojas. En cambio Faustino Pérez Hernández, médico de La Habana, deslizó su escuchimez a su lado como si fuera una serpiente, con botas pero sin fusil ¿Sólo ellos tres quedaban de la gente desembarcada en el *Granma?* No podían hablar para no atraer a las tropas de Batista o para no repartirse la información deprimente que les quedaba, porque los cadáveres de la memoria de cada uno de ellos eran diferentes y no querían sumarlos para no descorazonarse. "Hubo un momento en que yo era el comandante en jefe de mí mismo y de dos más." Los otros dos esperaban que él dijera algo. Se tumbaron de espaldas y persistió el silencio hasta que de los labios de Fidel salió el análisis concreto de la situación concreta: "Estamos ganando. La victoria será nuestra." Los otros nada dijeron, tampoco podían mirarle, mirarse para comprobar lo que pensaban. Que se había vuelto loco. Aguantaron bajo la hojarasca sin comer ni beber y cuando salieron sólo tenían a su alcance la caña de azúcar que cortaban y chupaban, dejando un rastro inestimable para las tropas del Gobierno. Durante trece días, los tres *robinsones* creyeron ser todo lo que quedaba del ejército de invasión, hasta que en un bohío encontraron a Raúl con otros cuatro, eran cinco fusiles más y municiones. "Ahora sí que vamos a ganar la guerra", dijo Fidel como si declamara ante una vasta asamblea. Y la consideró definitivamente ganada cuatro días después, cuando apareció el Che con otros siete guerrilleros.

El optimismo de la voluntad había sido su divisa implícita desde los tiempos de los ejercicios ignacianos, cuando le impresionaba la imagen de que en el cielo siempre tendría hambre y sed, porque Dios era la satisfacción, la hartura y cuanta más hambre y más sed, más placer en la hartura. Nadie sensato se hubiera puesto a navegar en el *Granma,* ni hubiera continuado luchando primero desde la evidencia de que eran tres y finalmente de que sólo quedaban quince y como le hizo ver a Tad Szulc: "He sido el revolucionario del siglo XX que más penurias ha pasado para conseguir su sueño", porque no hay historia sin dolor, como no hay lucidez sin dolor y el revolucionario verdadero, escribió el Che, da grandes pruebas de amor, pero en su sacrificio implica a los demás, a su familia, a sus amigos, a sus compatriotas a los otros luchadores y, cómo no, a los enemigos, porque no hay Revolución sin violencia, de la misma manera que no hay democracia formal sin violencia económica, jurídica, represiva.

Bajo las órdenes de Bayo se estaban entrenando en México para invadir Cuba y el coronel republicano les imbuyó de la lógica especial de la guerra, donde cabe lo que consideramos monstruoso en la vida normal, incluso tabú: No matarás. Y así la disciplina debe ser tan escrupulosa como la obediencia y la obediencia tan ciega como la que inculcan los oficiales a los soldados adversarios. Y hubo que aplicar disciplina y obediencia ciega muy pronto. El maestro Calixto Morales se negó un día a seguir las marchas, se sentó y se puso a fumar un cigarrillo, lo que obligó a formar un tribunal militar compuesto por Bayo, Gustavo Arcos y el propio Fidel, Raúl de fiscal, de jurado todos los hombres del campamento. Morales insistió en la razón dada, le parecían innecesarias marchas de trece horas, y Raúl le acusó de gangrenar la moral de la tropa, por lo que la disciplina férrea y la obediencia ciega llevaban al veredicto de la pena de muerte. Intercedió Bayo, esgrimiendo el riesgo de que una ejecución llevara al descubrimiento del cadáver y Raúl se encaró con el general instructor porque se había pasado la vida hablando de disciplina militar y ahora se rajaba a la hora de aplicarla. Pidió pues, el improvisado fiscal, la ejecución de Calixto Morales. Bayó quedó tan impresionado por la reacción de Raúl que en sus memorias confiesa que le pareció un coloso en la defensa de los principios revolucionarios, "un Fidel multiplicado por dos" y tal vez lo fuera en la aplicación del rigor, porque Fidel no asumió la petición de pena de muerte y se limitó a expulsar del Movimiento 26 de Julio al condenado y a que quedara bajo custodia. Pidió Morales que aunque se le excluyera del entrenamiento, se le permitiera embarcar para luchar en Cuba y lo consiguió, incluso sobrevivió a pesar de sus muestras de casi suicida heroísmo combatiente y, al entrar en La Habana, se fue a por Bayo y le explicó la causa de su negativa a las marchas. Para empezar se bajó los pantalones ante la extrañeza o alarma del general y luego le mostró el lugar donde la espalda se hace culo, envuelto por prietos vendajes: "Tengo una desviación ósea que me impide andar durante mucho tiempo. Pero si lo hubiera revelado no me habrían aceptado en la expedición". Que Bayo se enterara tres años después, no quiere decir que Fidel no lo supiera, porque Universo Sánchez, el encargado de ejecutar al andarín rebelde, no lo hizo por orden expresa de Fidel, que en otras ocasiones no vaciló en ejecutar a infiltrados o desertores. Calixto Morales fue nombrado gobernador de la provincia de Las Villas semanas después de la victoria y entraría en la comunión de los santos.

La camaradería real, Fidel la fraguó en la lucha política. No conservó amigos del colegio de Belén, concebido como una factoría de futuros líderes de la derecha política y económica, porque siempre se le había admirado como un buen

56

estudiante y atleta, hijo de un rico hacendado de Oriente, pero que no vivía, ni sentía, ni actuaba como un rico, no era de los suyos, "no era rico realmente", comentaría uno de sus compañeros, anticastrista, ayudándole, a su pesar, a construir la imagen de un joven rico que nunca había tenido vocación de burgués, y diseñar un autorretrato interior de lugareño que odia a los ricos de la capital y del mundo, incluso a su padre que, a veces, le parecía un explotador de los campesinos de Birán, un explotador que financió hasta su muerte la generosidad activista de su hijo. Los compañeros de lucha se integraban en un cuerpo místico, en una comunión de los santos y ese aura les acompañaría toda la vida. Era como un seguro de su consideración y respeto, de la misma manera que las traiciones no las sentía como personales, sino como la quiebra de la comunión revolucionaria. Y aún había grados en las quiebras. Cuando consiguieron detener al comandante disidente Huber Matos, por el que había salido Camilo Cienfuegos en avión para no volver, Fidel sumaba la cólera por la traición al dolor por la muerte de Camilo, pero nada en la conducta de Matos le llevó a extremar su rigor y, tras veinte años de cárcel, el comandante Matos sobrevivió para ser hoy uno de los líderes anticastristas de Miami. En cambio, el caso del comandante Humberto Sorí Marín exigió diferente análisis, porque Fidel lo había considerado como su hermano, le había encargado la planificación económica, la reforma agraria, luego Sorí Marín se peleó con el Che no con Fidel, abandonó Cuba y volvió clandestinamente en 1960 con el propósito de atentar contra Castro, no contra el Che. Herido, detenido, condenado a muerte, los hermanos de Sorí Marín, Mariano y Raúl, compañeros revolucionarios de la primera hora, intercedieron ante el comandante para que le indultara. Castro ha solido reunirse cara a cara con los compañeros que se han puesto contra él y así hizo, a la espera de que el encuentro personal convocara los mejores recuerdos de lucha y camaradería. Pero Humberto Sorí Marín se enfrentó insultante a Fidel y cuantos más esfuerzos hacía Castro por contenerse, más insultado era: "¡Tú eres el traidor, no yo! ¡Tú has traicionado a la Revolución!" Era como hacerle añicos a Fidel el retrato de la comunión de los santos y Humberto Sorí Marín fue fusilado, aunque las descargas apenas se oyeron, y mucho menos las oyó el comandante en jefe, porque coincidieron con el comienzo de las ráfagas de ametralladora contra los invasores de Playa Girón.

La lucha armada conduce a la lógica de que los contendientes pueden morir y "lo más natural —ha dicho muchas veces Fidel— es que el enemigo trate de matarme". Fue consciente de ello desde los tiempos de la Universidad, más peligrosa que Sierra Maestra: los tiroteos, las palizas, los ajustes de cuentas abundaban, allí no se sabía dónde terminaban los partidos armados, secuela de los "grupos de acción" de los tiempos de Gerardo Machado, y dónde empezaba el gánsgterismo político dedicado a la extorsión lucrativa. Ha pesado sobre el joven Fidel la acusación de haber pertenecido a la Unión Insurreccional Revolucionaria (UIR), banda armada enfrentada a otras como el Movimiento Socialista Revolucionario (MSR) y Acción Revolucionaria Guiteras (ARG). Lo cierto es que, como consecuencia de su activismo, Castro fue directamente amenazado por el jefe secreto de la policía batistiana, Mauricio Salaberría y Fidel, como Cristo, se retiró para meditar si dejaba el campo libre o volvía; y volvió armado, pero no vinculado a la UIR. A Cuba llegaba la resaca humana y épica de la guerra de España, de la II Guerra Mundial, allí escenificaba Hemingway *Tener o no tener*, también arribaban los restos naufragados de las siempre inacabadas revoluciones latinoamericanas, de las batallas gangsteriles yanquis y las armas eran un instrumento presente, de defensa y de conquista. Que Fidel protegió su vida con las armas desde la Universidad lo ha ratificado su amigo de entonces y de ahora, Alfredo Guevara, hijo de ferroviario, militante comunista que captó la importancia política escondida dentro de aquel hiperactivista *oriental* al que todos consideraban demasiado individualista y al que Alfredo Guevara se acercó con la prevención de todo hijo de ferroviario ante un hijo de latifundista: "O es un nuevo Martí o será el peor de los gángsters", informó luego a sus camaradas, aunque reconoció en Fidel a un sincero nacionalista, antimperialista, revolucionario, radical, pero sin ninguna garantía de que llegara a ser socialista. Castro y Guevara estuvieron presentes en *El Bogotazo* y el hijo del ferroviario contemplaba de cerca las sutilezas del juego de aquel francotirador que conseguía sobrevivir cumpliendo su propio destino, frecuente en sus labios una afirmación que en América se atribuía a Emiliano Zapata y en Europa a Dolores Ibárruri *Pasionaria*: "Más vale morir de pie que vivir de rodillas".

A partir de 1947, comienza Fidel a denunciar a los grupos armados chulescos y provocadores y a acercarse a posiciones más políticas, próximas al Partido del Pueblo Cubano (Ortodoxo) de Chibás, pero sin descuidar los contactos con Guevara y sus amigos comunistas, ni marcar demasiadas distancias políticas con ellos. Luego se jugaría la vida en una fallida expedición para derrocar a Trujillo en República Dominicana, se vincularía a la Legión del Caribe, enunciado más que contenido de una alianza para luchar contra las tiranías, de la que formaban parte desde Rómulo Gallegos, el novelista de *Doña Bárbara* y ex presidente de Venezuela, hasta Pepe Figueres, largamente presidente de Costa Rica, pasando por Carlos Andrés Pérez. O aceptaría un duelo a pistola con el teniente Venéreo, el policía que dirigía en la Universidad a los estudiantes paragubernamentales, o se vería acusado del asesinato del líder estudiantil Manolo Castro y obligado a esconderse con la ayuda de su hermanastra, la constantemente protectora Lidia, y de Alfredo Guevara. Por fin, entre Guevara y Max Lesnick le plantaron el ultimátum de que si quería convertirse en un líder político y ser admitido en el Comité 30 de Septiembre, debía dejar las armas, sobre todo cuando el campo de acción fuera la Universidad. Fidel cumplió su palabra y en un acto público denunció el pistolerismo ajeno y el propio, con nombres y apellidos, sin quedarse en la frontera que separaba el pistolerismo político del meramente gangsteril. Cercado por los matones armados que habían acudido ante la noticia de la denuncia, Max Lesnick, Alfredo Guevara y los demás amigos le salvaron la vida y finalmente lo subieron al llamativo descapotable rojo de Lesnick, porque era difícil que se atrevieran a matarlo en campo abierto y a lomos de un coche tan flamígero y tan caro. Aquello era el aprendizaje de la relación con la muerte, luego vendría el doctorado, cuando asesinar a Fidel se convirtió en un objetivo de la política del Departamento de Estado norteamericano. La conducta de Fidel, ante casos probados de intento de magnicidio ha sido casuística, pero la reacción más inesperada fue la que dedicó a Rolando Cubela, médico guerrillero, ex presidente de la Federación de Estudiantes Universitarios, un *topo* de la CIA con la misión de asesinar a Fidel que llegó a ser el representante de la Cuba socialista en la Unesco. Castro tuvo noticia de lo que preparaba y al encontrárselo en una reunión rutinaria en el palacio de la Revolución, le preguntó enigmáticamente, como sólo Julio César se lo hubiera preguntado a Bruto: "¿Has de decirme algo especial?" Detenido minutos después cuando salía de palacio, Cubela sólo fue condenado a quince años, condena luego reducida y vivió o vive actualmente en España, donde ejerce de disidente activo. "Esto es una Revolución con pachanga", había dicho el Che y aunque "pachanga" equivalga a relajo y alegría, también se refería Ernesto Guevara a la improvisación en su sentido más negativo.

Fidel recurre a la metáfora de hundir la isla antes de que sea de otros, porque para él la historia de Cuba comienza con su independencia real, el 1 de enero de 1959, y hace suya la divisa de Martí que reprodujo en una carta fechada en diciembre de 1951, recogida en las *Obras selectas* compiladas por Bonaechea y Valdés: "Para un país que sufre no hay más Año Nuevo que el de la derrota de sus enemigos". Cuando ayuda a Lionel Martín dedicado a la elaboración del libro *El joven Fidel: los orígenes de su ideología comunista,* a pesar de que la obra fue gestada en el periodo de mayor comunistización, la insistencia de Fidel en la reivindicación martiana demuestra que no se trata de una coartada, porque en 1978 la Revolución parecía consolidada, sino de una razón de ser que complica a los analistas la disección de la palabra Revolución en boca de Fidel. Y como considera que ha sido el revolucionario de este siglo que más penurias tuvo que pasar, ante las demandas sobre el porqué del terror revolucionario como respuesta a los actos terroristas de la reacción, contesta que hacen falta muchos Robespierres para salir adelante las revoluciones, y se esfuerza en demostrar que su terror es inferior al que se practica en buena parte de los países del tercer mundo democratizado.

De sus lecturas sobre la Revolución Francesa, ya utilizadas en la correspondencia con su gineceo protector mientras estuvo en el penal de la isla de Pinos, se queda con Napoleón aunque fuera el definitivo cumplidor de la reacción termidoriana, porque Bonaparte asentó principios revolucionarios allí donde llegaban sus tropas. Pero Robespierre es el hacedor del cambio, él es quien se acuesta con y se despierta al lado de la Revolución, recibiendo sólo ingratitud por parte de la burguesía, la clase más inmediatamente beneficiada con aquella Revolución. No le han dedicado el nombre de una calle en ninguna ciudad, pueblo, aldea de Francia. Robespierre era un vanguardista y cometió el error de rodearse de vanguardistas pusilánimes e insuficientes y de no establecer el contacto directo con las masas por encima de sus intelectuales intermediarios. No es el caso de Cuba, piensa Fidel.

El chiste que le contó Piñeiro, que cada vez sabe más chistes desde que sabe menos de lo que pasa en el espionaje y el contraespionaje, refleja la situación. Aquel chiste del espía de la CIA enviado por Nixon o por Reagan o por Clinton para saber lo que pasa en Cuba: "Señor presidente, no hay desocupación pero nadie trabaja. Nadie trabaja pero según las estadísticas se cumplen todas las metas de producción. Se cumplen todas las metas de producción pero no hay nada en las tiendas. No hay nada en las tiendas pero todos comen. Todos comen pero también todos se quejan constantemente de que no hay comida y de que no tienen ni desodorantes. La gente se queja constantemente, pero todos van a la plaza de la Revolución a vitorear a Fidel. Señor presidente, tenemos todos los datos y ninguna conclusión."

Sobre el edificio principal del aeropuerto de La Habana pude leer al llegar un lema que es un auto de fe: "Creemos en la Revolución". Me pregunto si el cartel permanecerá en el momento en que Juan Pablo II aterrice en uno de sus viajes más misioneros y polisémicos. Misioneros porque la visita forma parte de una complicadísima partida de ajedrez espiritual en la que Castro quiere conseguir el aval a su concepción materialista del espíritu o de la historia y la Iglesia pretende conseguir espacio material para que se mueva el Espíritu Santo por la isla, al menos con parecidas facilidades de las que goza Changó, el dios del fuego, del rayo, del trueno, de la guerra, de los *ilú-batá*, del baile, la música y la belleza viril. Changó, el nombre del dios afrocubano, patrón de los guerreros y los artilleros, equivale a santa Bárbara. Polisémico porque este viaje es una obra más abierta que *Rayuela* y se está leyendo desde los más variados abecedarios que, como siempre, se resumen en dos: los que lo ven, para mal o para bien, como una legitimación vaticana del castrismo; los que piensan, para bien o para mal, que la visita del Papa y el repentino protagonismo de la Iglesia cubana es una versión del caballo de Troya en Polonia o en la URSS o en Managua.

Destaca por la sutileza, la lectura de que el viaje es un pacto implícito, incluso quizá explícito, entre Cuba, Estados Unidos y el Vaticano para crear un pretexto aliviador de la tensión entre la Revolución cubana y el imperio; a la sombra de tan sibilina jugada, la estrategia europea, y sobre todo la española estaría esperando un balance positivo de la visita papal, por mínimo que sea, para justificar un retorno a la normalidad en las relaciones diplomáticas hispano-cubanas. Tal vez la lectura más elemental y eficaz consistiría en pensar que los dos concertantes de tan raro contrato espiritual quieren ganar tiempo: el Vaticano asume una cierta estabilidad política pasados los años de zozobra del *periodo especial* y se prepara para ese futuro apostólico emocional que las iglesias heredan cuando se desmoronan las apuestas laicas por el sueño de la razón. El castrismo necesita tiempo para reconstruir el consenso espiritual de las masas desabastecidas y un discurso alternativo y a la vez posibilista frente a la ofensiva del capitalismo globalizado. Bertold Brecht *dixit*: "Primero el estómago y luego la moral". En mi encuentro con Isabel Allende, brazo izquierdo o derecho de la política exterior de Robaina, le regalo la idea positiva de que el viaje del Papa, en cierto sentido, indica que cree en una cierta permanencia de la Revolución. Es más fácil que el Vaticano pronuncie el nombre de Dios en vano, que el que dé un paso en falso.

Durante los primeros días voy a cumplir el primer objetivo de mi escindida presencia en La Habana, participar en los actos convocados para la concesión del Premio Casa de las Américas, en el marco de un simposio sobre el 98, esa línea imaginaria que para los cubanos significa el comienzo de una larga marcha en pos de una identidad soberana y para los españoles el inicio de una deconstrucción todavía no ultimada, brutalmente desracionalizada por la Guerra Civil y el franquismo. He leído recientemente *España-Cuba, Cuba-España*, de Moreno Fraginals, en otro tiempo buque insignia de la historiografía cubana, aunque siempre tuviera sus menos con el frente ortodoxo, ahora más o menos exiliado o retirado en Miami, aunque por allí le busqué y me dijeron que el profesor estaba por España viviendo un *amour fou*. Su libro es una contribución al reencuentro, desde el supuesto de que la cubanía es una compleja trama cultural en la que lo español a través de lo criollo tiene una substanciación decisiva, sobre todo si se quiere marcar distancia con el anexionismo norteamericano, presente como tentación o imposición desde el día siguiente de una retirada que los españoles no pactaron con los cubanos, sino con los yanquis.

Nada más llegar a La Habana, con el atuendo de España y los sudores del trópico, tomo contacto con cursillistas y jurados en un acto en torno a Abel Prieto ministro de Cultura, Fernández Retamar presidente de la Casa de las Américas y Miguel Barnet, el escritor de *Cimarrón*, cabeza de la Fundación Fernando Ortiz. Se me pide que diga lo que pienso y lo digo: una salida para la Revolución cubana es la reconversión en Revolución cultural frente el neoliberalismo y Casa de las Américas podría retomar aquellos bríos que le hicieron vertebrar la continentalidad cultural de Iberoamérica en la primera fase de la Revolución; y el segundo reto es superar la escisión de la cultura cubana entre la de la isla y la de todos los exilios. Comprensión receptiva en Prieto, pero al día siguiente la prensa divulgará mi respaldo a Casa de las Américas y silenciará la evidencia de la escisión cultural.

Entre los jurados y ponentes, reencuentro a José Carlos Mainer, Lola Albiac, María Luisa Laviana, Munárriz *Hiperión* y conozco personalmente al chileno Rojas Mix y a la dominicano-norteamericana Julia Álvarez, de la que tanto me han hablado los Cuello, los editores dominicanos tan fundamentales para que yo escribiera *Galíndez*. Julia Álvarez representa el fenómeno de los escritores latinos nacidos en Estados Unidos o trasladados allí en la infancia y finalmente escritores en inglés, en un evidente mestizaje de raíces y lengua, fenómeno que en el caso cubano han estudiado Gustavo Pérez Firmat, poeta en *Spanglish* y Ambrosio Fornet. El número diez de la revista *Temas* estará en parte dedicado a la existencia o inexistencia de una cultura cubano-americana desde un enfoque muy integrador, considerado el exilio intelectual como "...frutos distintos, como los de una rama transplantada a otro clima, a los que nos unen peculiares vínculos de parentesco". Fornet reflexiona sobre la resultante de soñar en cubano, escribir en inglés y plantea la relación entre lengua, nación, literatura. Frente a la "lógica de la razón dura", parafrasea Fornet, debe aceptarse esa otra cultura cubana en inglés como nacional, si se parte de la idea de que una nación también depende de su voluntad de ser. ¿Quiere ser dominicana, Julia Álvarez? Habla un castellano bonito pero vacilante y un inglés potente de bárbara sureña invasora del imperio. ¿Quieren recuperar Cuba sus exiliados literarios o quieren apoderarse de Estados Unidos?

Necesito credenciales de prensa para poder asistir a los actos papales de mi interés y en el Centro de Prensa Internacional, me facilita las cosas la funcionaria doña Regla Díaz, para llegar finalmente a otra funcionaria que me los entrega, los cobra y me regala el espectáculo de un crucifijo practicando deporte de riesgo, *puenting* se le llama en España, en las profundidades de su impresionante escote, que contemplo mucho menos de los quince segundos tolerados en Estados Unidos antes de acusarte de acoso sexual. Pienso mantener esta norma a lo largo de todas mis estancias en Cuba, con voluntad de distancia de cualquier sospecha de *voyeur* o consumidor de tan excelente humanidad. La dualidad de mi cometido de huésped de Casa de las Américas, hotel Riviera, los primeros días, y de receptor de las vibraciones que presagian la llegada del Papa, hotel Meliá-Cohiba, me permite asistir a dos dimensiones sucesivas, la pausada de los hispanistas que reflexionan sobre cien años de desencuentro y en cierto sentido de soledad, y la compulsiva de una ciudad que se remienda para que la Revolución cause una buena impresión al Papa de Roma.

Los hispanistas extranjeros intercambian erudición y contemplan el espectáculo desde una cierta distancia postreligiosa, aunque Lola Albiac me transmite su preocupación por una secuencia de regalos de Reyes en Matanzas, cargada de simbología consumidora, en cambio la mayor parte de periodistas que desembarcan a centenares se apoderan de la realidad nada más verla, la ingieren, la metabolizan, la asimilan, pero en su mayoría la cagan sin quedarse nada de su alimento, porque se mueven por La Habana rascando las apariencias para ver lo que querían ver: erosiones en las fachadas y *jineteras*. Entre la actitud de un Mauricio Vicent, mi mentor aséptico, que ha crecido como persona y como periodista en La Habana y la de buena parte de cazadores de tópicos que van llegando, media la distancia más larga entre la comprensión y su contrario.

Documentados corresponsales aparte, veo entrar en el Centro de Prensa Internacional profesionales de alma colonial dispuestos a soportar paternalmente los desastres organizativos, pero no los encontrarán: la organización ha sido algo más que un trabajo profesional bien hecho, ha sido inculcada como una prueba de eficacia revolucionaria. Sigo *L'Osservatore Romano* día a día y compruebo la exquisita prudencia con que trata "La visita apostólica a Cuba", la misma prudencia que ha aconsejado al jefe de prensa del Vaticano, doctor Navarro Valls, no querer hablar conmigo del acontecimiento hasta que se ultime. Navarro Valls ya ha llegado con mirada de inspector general interpretado por Paul Newman, se le ha comparado con el actor norteamericano, analiza las instalaciones mediáticas del Habana Libre, saluda a autoridades y periodistas con la seguridad que le otorga ser el tercero en el orden de revelaciones de la Iglesia católica: Dios, el Papa y Navarro Valls, de Cartagena, España. También leo *Granma* todos los días, que silenciará la inminente llegada del Juan Pablo II hasta que se produzca, y entonces se volcará en un despliegue informativo propicio, fiel a las consignas que ha dado el comandante. Durante las semanas anteriores a la llegada, el órgano oficial del Comité Central del Partido Comunista de Cuba glosa la espectacular victoria electoral, como una "masiva y maciza confirmación del respaldo de la mayoría del pueblo cubano a su sistema político", o bien "La victoria electoral tiene que acompañarse de victorias económicas" o "El impacto del bloqueo en la salud pública cubana es un acto criminal" y de pronto aparece el Papa, en el número del sábado 17 de enero de 1998, de la mano de Fidel, porque el diario reproduce el discurso de las siete horas, llamado a ser tan famoso por lo largo como la Guerra de los Cien Años. A partir de este momento, el Papa será tema exclusivo de portada, sin el menor comentario, pero los titulares son proclives y a la vez intencionados: "Que Cuba se abra a las magníficas posibilidades del mundo y que el mundo se abra a Cuba" y en cuanto el Papa se vaya desparecerá de las primeras páginas y *Granma* regresará a la información orgánica. El 27 de enero, ya sin Papa, el diario colocará en primera página el acto central de Manzanillo en homenaje a Jesús Menéndez, un dirigente sindical asesinado por un militar en 1948. Del mes de mayo conservo un ejemplar de *Granma* que ya ha vuelto a sus códigos de siempre: en portada Fidel proclama: "Lo que hemos hecho demuestra la potencia del país y su capacidad heroica de resistir" y en las páginas interiores Fidel deduce que el bloqueo está moralmente quebrado y derrotado.

¿Qué tratamiento informativo recibió el Vaticano antes de desembarcar en La Habana? Luis Báez me facilita las entrevistas que ha publicado en *Granma* con personalidades de la Iglesia de Roma, tan reveladoras como la de Roger Etchegaray, el Marco Polo Vaticano en la Cuba del Gran Khan, ahora empeñado en organizar el Jubileo del año 2000, al que se le quiere dar el carácter de escenificación de la voluntad católica de conseguir justicia social, paz e igualdad en este mundo. Etchegaray recuerda un encuentro con Castro y sus confidencias sobre la fe católica de su madre. Castro le dice que su madre adoraba a san Lázaro, un santo que nunca existió y el cardenal le responde que hay cantidad de santos no inscritos en el calendario, que la Iglesia celebra en la festividad de Todos los Santos "...y añadí que quizá, en ese momento, su madre y la mía se encontraban una al lado de la otra cantando juntas la gloria de Dios. Confieso que él y yo nos miramos entonces con emoción, como dos niños". Casaroli le dirá a Báez que está decepcionado del mundo que ha quedado tras la caída del comunismo y otros cardenales le elogian la política sanitaria cubana o Darío Castrillón defiende a la Iglesia de la acusación de que está junto a los poderosos en América Latina. No, no hay alianzas indebidas con los poderosos, pero sí respeto al poder y "...acompañamiento con movimientos sindicales, cooperativos, asistenciales. Aunque no avanzan a la velocidad que uno quisiera". Castrillón recuerda su encuentro con Castro, la impresión que le produjo su conocimiento al más mínimo detalle; por ejemplo, hablando del hospital de Ameijeiras, el comandante se preocupaba de que cada mesita de noche tuviera su flor. El superior general de la Compañía de Jesús, Peter Hans Kolvenbach, reafirma la condena del neoliberalismo y concede una gran importancia al encuentro entre Fidel y el Papa, para el bien de Cuba y de la comunidad internacional.

Las crónicas de Báez publicadas en *Granma* han ayudado a desarmar recelos militantes frente a la jerarquía vaticana. Intermediario observante y cauto, Báez se sienta a la mesa que comparto con Piñeiro o Barbarroja, a mí me gusta recordarlo como Piñero *Barbarroja*, que estuvo por primera vez detenido en una Dirección General de Seguridad en España en los años cuarenta. "Tenía un tío exiliado republicano en Argel y al saber que yo iba a Madrid, me dio unos papelitos, para unos amigos. ¡Vaya papelitos! Eran comunicaciones antifranquistas. Me detuvo la policía, todo aquello lo llevaba un militar, el general Blanco, creo. Me salvó la ciudadanía cubana y años después, cuando ya estaba en los servicios de información revolucionarios, al pasar por España le envié un saludito al general".

Piñeiro habla pero observa, incluso escucha y tiene dónde, porque no hay recepción en La Habana que no frecuente, y durante toda la apoteosis papal, alentará ya en la madrugada tertulias en el Cohiba que yo califiqué de "espías de Miami", porque a ella acuden cubanos de Miami que en el pasado lucharon contra Barbarroja en Playa Girón y otros frentes. Piñeiro ha sido el valedor del CEA, el más serio intento de construir un discurso intelectual extramuros del partido único. Está casado en segundo matrimonio con Marta Harnecker, la politóloga chilena con la que tiene una hija, Camila. Piñeiro dispensa una ternura especial a esta muchacha, su verdadero testamento para el siglo XXI, un testamento que ya estaba escrito y sellado, no lo sabíamos, cuando nos encontramos repetidamente en La Habana. En una revista que me facilita él mismo, aparece Barbarroja, ya Barbablanca, cogiendo las manos a Camila, junto al texto en el que la periodista de la nueva generación recuerda a sus colegas biológicos quién fue este hombre. Luchó en Sierra Maestra junto a Fidel, como prueba una foto guerrillera con la barba rigurosamente roja, también junto al Che del que, confiesa, huía, porque desde su condición de matasanos se creía dotado para extraer muelas y los guerrilleros aullaban cada vez que el Che aplicaba el marxismo leninismo a la extracción de molares. Luego como retaguardia de las acciones internacionalistas del Che, Barbarroja es el hombre que más sabe de su vida y de su muerte; litigante quijotesco contra retratos librescos del Che como el de Castañeda que, según él, lo ha reducido al papel histórico de símbolo cultural o contra la defensa que Regis Debray hace del testimonio del revolucionario *Benigno* (Dariel Alarcón Ramírez), en sus *Memorias de un soldado cubano*, literaturizadas por la ex mujer de Debray, Elisabeth Burgos. Para Barbarroja, Benigno no es otra cosa que un desertor y Debray se ha convertido en un protector de desertores tardíos porque, en opinión de Piñeiro, Benigno se pasó al enemigo cuando vio en 1994 que el régimen era zarandeado por los tiempos difíciles: "¿Hasta entonces no vio lo malos que éramos? ¿Estaba ciego o le ocultábamos la realidad detrás de un biombo?" Piñeiro, ante los diferentes libros aparecidos con motivo del treinta aniversario de la muerte del

Che, abrió sus archivos mentales para salir al paso de un cierto retrato aventurero e improvisador del guerrillero. Ante todo, Barbarroja desmiente que en algún momento se considerara la posibilidad de exportar la guerrilla a Nicaragua, Colombia o Venezuela, aunque Cuba estuvo en contacto con los diferentes movimientos emancipadores allí actuantes y desde 1959 mantuvo relaciones con los nicaragüenses Tomás Borge y el ex teniente Somavía; sí hubo en cambio cubanos en el diezmado y fallido intento de intervenir desde Honduras contra la dictadura somocista. Donde también el Che intervino fue en Argentina, en torno a 1962, en colaboración con Jorge Ricardo Masetti, argentino fundador de Prensa Latina, posteriormente desaparecido cuando trataba de llevar adelante la guerrilla argentina.

Ernesto Guevara participó en el entrenamiento de potenciales guerrilleros para liberar Paraguay, estaba en contacto con los movimientos puertorriqueños, y sentía una especial admiración por Pedro Albizu Campos. El Che no se metía donde no conociera el territorio y las condiciones objetivas y subjetivas, por eso participó en lo del Congo tras viajar por África y, cuando decidió actuar en Bolivia, pensaba establecer la plataforma para expandir la Revolución a Perú, Argentina y otros países del Cono Sur. La memoria de Piñeiro es el archivo vivo del bolivarismo guevariano y, a pesar de que le molesta la actitud autocrítica de Regis Debray con respecto al revolucionarismo que le llevó a una cárcel de Bolivia, Piñeiro niega que el Che fuera localizado como consecuencia de las revelaciones de Debray. Me hago con el ejemplar —en Cuba es dificilísimo hacerse con materiales publicados en ediciones cortísimas— de *Tricontinental* dedicado al Che con motivo del traslado de sus restos a Santa Clara, en el que figura la entrevista con Piñeiro. ¡Cómo ha adelgazado Barbarroja desde aquellos tiempos en que era guerrillero!

Se conceden los premios Casa de las Américas y retengo dos ganadoras entre tanta notabilidad. El premio de ensayo lo recibe una cubana de Estados Unidos, Lourdes Tomás Fernández de Castro por *Espacio sin fronteras*, una crítica de la asepsia literaria estructuralista y postestructuralista, una apuesta por el replanteamiento ético de la escritura. El premio de poesía recae en una de las mejores voces de la poesía cubana actual, Reina María Rodríguez, cabeza de una joven poesía cargada de distancia crítica suavizada por la experiencia interior, como en *Sábado de ceniza*.

> *aquí no existe la propiedad privada*
> *pero aún mis hijos detestan su familia*
> *los cojines gigantes del sofá*
> *que no pueden tocarse*
> *una tía soltera que sale misteriosamente*
> *al mediodía*
> *con un desconocido*
> *y bueno*
> *vuelve a esperar*
> *las ventanas por donde no ven la altura*
> *una abuela viuda de un muerto con amante*
> *que nos compra el amor y los bistés*

Casa de las Américas me produce la impresión de ser una isla que fue continente y que sigue teniendo vocación de continente. Lenay y Yenima, dos jóvenes colaboradoras de Retamar, marcan mis encuentros con los medios, no muchos, por ejemplo no me requiere la televisión, prueba evidente de que no soy televisivo y de que casi no soy, en favor de mi descanso y mis actividades culturales: una conferencia sobre los imaginarios literarios y una lectura poética acompañado de voces latinoamericanas (Tomás Harris y Teresa Calderón de Chile, Tamara Kamenzain de Argentina, Marylin Robes de Cuba, Jesús Munárriz, compatriota). Me impactan versos de Teresa Calderón. Está a punto de salir el nuevo número, el 209, de la revista *Casa de las Américas*, octubre-diciembre, y los participantes en el encuentro acudimos al taller donde van a alumbrar al menos unos cuantos ejemplares. Hay palabras y bocadillos frugales, precisamente en la hora de la comida obrera, algunos mojitos, paneles donde aparecen los trabajadores más destacados, el Che, una silueta sobre un fondo de consignas en papel de embalar. En la revista un artículo de mi admirado Adolfo Sánchez Vázquez: *Izquierda y derecha en la política ¿y en la moral?* La moral ¿estaría más allá de la derecha y de la izquierda? La política es necesaria para hacer posible una moral superior: "Ahora bien, una política de este género ha de estar impregnada, a su vez, de un profundo contenido moral, con lo cual se pone de manifiesto la imbricación insoslayable de una nueva política y una nueva moral. Y esta es la imbricación que en México en nuestros días pretende forjar el Ejército Zapatista de Liberación Nacional, pretensión que, por su parte, requeriría para ello su transformación en una nueva fuerza política". Unas páginas más adelante, la revista reproduce el discurso pronunciado por Fidel con motivo de la llegada de los restos del Che a Santa Clara, el exponente máximo de la interacción entre política y moral. Fidel dijo con especial énfasis, pude comprobarlo después en una grabación: "No todas las épocas ni todas las circunstancias requieren los mismos métodos ni las mismas tácticas. Pero nada podrá detener el curso de la historia, sus leyes objetivas tienen plena validez."

Retamar se aviene a presidir un acto cultural de españoles en la Casa de la Cultura, a pesar de que Castro la ha señalado como un cubil contrarrevolucionario. En las paredes un despliegue fotográfico de La Habana y su gente del valenciano García Poveda, *El Flaco*, fotógrafo de *Cartelera Turia*, último reducto del marxismo lúdico en España, que ha captado La Habana de la negritud por encima de La Habana de la decrepitud. Una madura dama rubia cubana que asiste a la mesa redonda le comenta al Flaco: "Sólo ha fotografiado negros.

¿No ha visto otras cosas en La Habana?". En los días siguientes encontraré a Retamar en actos públicos, me sentaré a su lado durante la audiencia concedida por el Papa a los intelectuales y comprobaré, una vez más, cuánto han ayudado a Fernández Retamar la estatura y la delgadez a no envejecer, ni física ni históricamente. Multiplico los contactos. Sandomingo, el encargado de negocios de España, e Ion de la Riva mueven pieza para situarme en La Habana que se prepara para el mayor prodigio externo jamás vivido. Muy sensibilizados por la cuestión de los derechos humanos, Sandomingo y De la Riva me parecen prudentemente decididos a no convertir su apuesta en un problema diplomático. Llega Gianni Minà al frente de un equipo televisivo para producir un programa sobre la visita y me anuncia que Frei Betto y otros teólogos de la liberación están acampados en una casa de protocolo, a la espera del Papa. También aterrizan corresponsales españoles en México, lo que me permite recuperar a Joaquín Ibarz, Toni Cano, Aznárez y Elisabeth Sabartés; Ibarz y Toni antiguos compañeros de Tele-Express y del clandestino sindicato democrático de periodistas, Ibarz tan expulsado en el pasado de Nicaragua como de Cuba. La expulsión de Cuba parece ser que se debió a que buscó gatos por La Habana en los peores tiempos del *periodo especial,* no los halló y lo contó. Hablamos de mi trabajo y, ante mis cautelas de diagnóstico, Ibarz me bautiza como "comandante Vázquez". También hablamos de México. Estoy a la espera de contactar con un intermediario del subcomandante Marcos para concretar un encuentro donde Marcos decida, pero tras la matanza de Acteal, el subcomandante es de difícil localización y se frustró la espontánea inmediatez de nuestra comunicación, después de un recado verbal y de una carta que él dirigió a Pepe Carvalho. En cualquier momento podría recibir la propuesta de volar a México e iniciar la aproximación a Marcos y debía afrontar los difíciles trámites de salir de La Habana para poder volver, una vez realizado el encuentro.

—¿Pero tu libro no va de Cuba?

—Me interesa lo que piensan de Cuba los nuevos insurgentes. Lo de Marcos y el Frente Zapatista me suena a intentar hacer la Revolución después de la muerte de la Revolución, como si se empeñaran en continuar construyendo la historia después del decreto del final de la historia.

De la mano de Mauricio Vicent tengo la suerte de cenar con dos intelectuales de la raza de intelectuales desveladores, Aurelio Alonso, especialista en Sociología de la religión al que le seguía el rastro desde hace treinta años gracias a *El Ruedo Ibérico* y a Alfonso Carlos Comín, y Julio Carranza, una de las jóvenes cabezas visibles de la crítica económica hecha desde la Revolución, ambos vinculados al equipo del desaparecido CEA (Centro de Estudios de América). La labor de esta institución fue y será clave para entender las vías más constructivas del reformismo desde la Revolución, a manera de ramillete de intelectuales muy solventes, más allá o más acá del intelectual orgánico colectivo, el partido.

El Centro de Estudios de América, autorizado por Raúl Castro, fue formado a partir del Departamento América del Comité Central, dirigido por Piñeiro *Barbarroja*, y quedó liquidado cuando se convirtió en un cuerpo pensante individual y alternativo al del partido único. Los miembros del CEA siguen constituyendo una vanguardia activa a la que ningún dirigente político niega el talento ni, hasta ahora, el ejercicio profesional. Conseguir las monografías del CEA publicadas en 1995 y 1996 es un esfuerzo ímprobo si no se consigue la complicidad de los ceáticos. La conseguí y así pude acceder a los volúmenes *La participación en Cuba y los retos del futuro, Cuba en las Américas* o *La democracia en Cuba y el diferendo con los Estados Unidos*, estudio este último llamado a ser referencial en la historia de la estrategia crítica del contencioso cubano-norteamericano. De hecho, los intelectuales que aparecen en las publicaciones de CEA tienen un cordón umbilical con la liquidada revista *Pensamiento crítico* y se prolongan en la actual *Temas*. En *Pensamiento crítico* estuvieron Fernando Martínez Heredia, su único director, un maestro de intelectuales o Aurelio Alonso que ahora reaparecen en *Temas* o al frente de los renacidos estudios gramscianos, y en CEA cuajó una inteligencia no ya ideologizada sino cargada de saber: Haroldo Dilla, García Pleyán, Julio Carranza, Rafael Hernández Rodríguez, Isabel Jaramillo, Jorge Domínguez, Pedro Monreal, Hugo Azcuy, seleccionados entre los colaboradores repetidores.

Encargada la formación de CEA por Raúl Castro, vinculada orgánicamente al partido, moriría a manos de su padre, Raúl, en 1996, acusada de intentar sustituir el rol del partido como orientador y creador de conciencia. Si los trabajos a favor de una democracia socialista participativa estaban en la base de la penúltima apertura dentro de la Revolución, el intento de diseñar el futuro que guía las colaboraciones de *La democracia en Cuba y el diferendo con los Estados Unidos* alcanza en la colaboración de Rafael Hernández, *La lógica democrática y el futuro de las relaciones entre los Estados Unidos y Cuba*, su punto más incisivo.

Hernández se arriesga a pronosticar los pasos económicos y políticos hacia el futuro, desde la prudencia que le dicta el presente. Juzguemos el pronóstico. Económico: extensión del cooperativismo en la agricultura y otros sectores, con estatuto jurídico sobre la propiedad y control de los trabajadores; aumento del número y peso del trabajo por cuenta ajena, priorizando lo cooperativo sobre lo individual; crecimiento del sector mixto; descentralización y reducción del aparato estatal; mantenimiento de la orientación del Estado (no solamente de la burocracia) sobre la actividad económica en su conjunto; desarrollo de un sistema empresarial estatal, mixto y privado, en función del mantenimiento de los servicios sociales esenciales; continuación del sistema nacional de salud, educación, seguridad social, con modalidades más descentralizadas y menos burocratizadas; reajuste del sistema monetario financiero con mayor control sobre la masa monetaria; reducción significativa del mercado negro; niveles discretos de crecimiento económico y mayor integración sectorial a partir de la constitución y desarrollo de un mercado interno articulado con el sector externo y las distintas ramas de la economía nacional. Político: acentuación de la descentralización y el pluralismo mediante la elevación del perfil de la sociedad civil y sus expresiones orgánicas; mantenimiento del partido único, aunque con un funcionamiento interno más democrático, más pluralista, más interconexionado con las bases populares; mayor peso de los órganos representativos del poder popular; extensión y diversificación de las organizaciones no gubernamentales; mayor pluralismo de los medios de difusión, manteniendo el control del partido y del Estado sobre los principales órganos, multiplicados los medios no gubernamentales; perfeccionamiento de la racionalización de las instituciones armadas de acuerdo con las necesidades de la seguridad nacional y la preservación de la estabilidad para el desarrollo pacífico; presencia e influencia creciente de la IED, tanto laboral como empresarial; mayor influencia y presencia de los distintos sectores de la sociedad cubana en los órganos representativos del poder popular, incluida la Asamblea Nacional; crecimiento del rol y la voz de los sindicatos en la vida del país, incluido el sector mixto de la economía.

Precisamente una de las acusaciones que Darío Machado y José Ramón Balaguer, ideólogo del Comité Central, dirigen al CEA y su gente es que han abandonado la reflexión motivadora original sobre América y se han dedicado a tratar de cambiar el proyecto cubano. Las dramáticas vicisitudes del final de CEA, Haguy murió de un infarto de miocardio en plenos agrios debates con el sector ortodoxo, han sido tratadas muy recientemente en un libro sorprendente, al parecer, para todos los protagonistas de una lucha intelectual que enmascaraba el enfrentamiento entre aperturistas y ortodoxos, con Carlos Lage como valedor de los CEA y Raúl Castro como su aparente liquidador, aunque estas alineaciones se establecen desde demasiada distancia del poder, un poder ensimismado.

El libro de Maurizio Giuliano *El caso CEA: intelectuales e inqui-sidores en Cuba*, se comenta en La Habana por sus protagonis-tas activos y pasivos y ambos comparten el enigma de no sa-ber de dónde ha sacado Giuliano informaciones tan detallistas sobre el debate interno suscitado por la liquidación de los CEA, ni las finalidades tácticas del libro, que pueden ser dos: volver a situar en la más absoluta incomodidad a los hetero-doxos o empezar a poner nerviosos a los ortodoxos.

Los sesenta años de Alonso y los todavía no cuarenta de Carranza marcan dos talantes. Alonso pudo conocer a Al-fonso Carlos Comín, el representante del marxismo de la tierra en el cielo, aunque él creía que era el del cielo en la tierra, y está al día sobre las pautas de la conducta religiosa y de la estrategia de las jerarquías. Sus escritos en *Temas* y sus monografías me ayudaron a entender la situación religiosa a la que llegaba el Papa, de la misma manera que los escritos de Julio Carranza, muy especialmente *Cuba: la restructura-ción de la economía*, en colaboración con Luis Gutiérrez Ur-daneta y Pedro Monreal González, me ilustraron sobre la lucha todavía desigual entre una política económica de su-pervivencia y otra posible de modificación del paradigma re-volucionario, modificarlo para perpetuarlo desde la sobera-nía. Porque, para ellos está claro que una de las cuestiones intocables es que la identidad nacional ha sido una conquista revolucionaria, a poco que examinemos la breve historia de la Cuba independiente de España en 1898, pero no de Esta-dos Unidos hasta 1959.

Alonso y Carranza parten del principio de que es prefe-rible estar con una Revolución equivocada que con la con-trarrevolución y avanzan percepciones que desarrollan en sus trabajos. La crítica del capitalismo no puede ser una máscara para no ofrecer una alternativa y hay que superar aquella temeraria previsión *gunderfrankiana* de que el capi-talismo en los años sesenta tenía los días contados. "Hay que aceptar el mercado, no hay otra salida —propone Carran-za—, pero impidiendo que el capitalismo imponga la hegemonía de su lógica. Esa lógica ha de estar marcada por el cerebro social".

Algo parecido a la NEP soviética ha estado varias veces a punto de aflorar en Cuba, pero siempre ha sido contrarrestada por un movimiento fundamentalista que temía sus consecuencias desvirtuadoras. El periodo de rectificación urdido por las dificultades del *periodo especial* fue esperanzador, pero luego ha faltado una estrategia más valiente y la seguridad de reglamentaciones que permitieran la verificación de las nuevas normas, aplicadas con excesiva usura o desde la casuística y el dirigismo. *Socialismo pero eficiente*. Ahí es nada. El nuevo sector emergente establece diferencias sociales de facto y se buscan soluciones corporativas o individuales que sirven de respiradero, sea el recurso de las salidas al extranjero a los artistas e intelectuales, sean los dólares llegados como el maná de Miami o acumulados por el turismo y su sombra, el *jineterismo*. Se vive una cierta esquizofrenia entre la proclamación de los principios inamovibles y la realidad tan tozuda que ha obligado a dejar de llamar gusano al exiliado, previo paso por la palabra gusañero, como ha obligado a aceptar creyentes en el partido, convertido por fin en una institución laica. ¿Es un partido político que tiene ideología o un partido ideológico que hace política?

Ampliar el consenso social es la clave en la actual etapa de la Revolución. Pasaron los tiempos del consenso enfebrecido, los años sesenta, y está por verificar el consenso institucional cuando desaparezca Fidel Castro. Haría falta una renovación de las motivaciones para impulsar con todas sus consecuencias una Revolución dentro de la Revolución. En Cuba la palabra Revolución no quiere decir procedimiento de acceso al poder o de transformación de la realidad una vez en el poder. En Cuba, la Revolución es una cosmogonía. Es una naturaleza, una substancia de la que son simples accidentes todo y todos. En cuanto a las coincidencias ideológicas coyunturales, hay que leer lo que han escrito Aurelio Alonso y Julio Carranza. El paradigma socialista ha cambiado pero la propia dialéctica Norte-Sur de economía dependiente genera una contradicción interna en el capitalismo a nivel global y en este sentido se encuentran la lectura sobre el desorden del mundo de Castro, la de la teología de la liberación y la más reciente de la Iglesia. ¿Eso estaba acordado? ¿Atado y bien atado?

—Ni hablar —responde Aurelio— Fidel se mete en el rollo y no sólo acepta el reto, sino que se convierte en portavoz desde el momento en que deciden la visita del Papa. Luego dejará que las cosas sigan su cauce, con más moderación que teólogos como Houtard, Betto o Girardi, católicos cercanos a nosotros que están en una posición más intransigente que la nuestra y que tienen su propio pleito con el Papa. Es una pelea en otra familia.

—Frei Betto es mucho menos papista que el Papa, pero mucho más castrista que Castro.

—Yo tengo una relación muy estrecha con él. También mucha relación con Houtard, colaboro en *Alternatives* y en su caso es mucho más contestatario con la visita del Papa: "Una visita que quiso ser un punto y seguido y terminó siendo un paréntesis". Vamos a hacer un libro juntos, con los artículos de ellos, los teólogos, y los artículos nuestros, los sociólogos. Es evidente que hay un cambio en la posición de la Iglesia, se percibe en el documento del sínodo de Roma y te das cuenta de que muchos obispos latinoamericanos, fuertemente conservadores, asumen posiciones parecidas a las de la teología de la liberación.

La Iglesia se está resituando después de la guerra fría, pienso yo un tanto irreverentemente, porque se ve venir en el próximo siglo una batalla imprevista en el mercado de las religiones. Pueden aparecer religiones de diseño muy competitivas, incluso subvencionadas por marcas de vestuario religioso alternativo, a la manera del mercado de los vestuarios deportivos. ¿Quién puede impedir diseñar una religión a la medida de los miedos y las insatisfacciones del ser humano en el siglo XXI? Se hizo algo parecido en el siglo I después de Cristo. Ahora les llamamos sectas, pero toda religión legitimada nació como secta. Aurelio precisa.

—En términos rigurosos, a eso se le llama corrientes de conversión. Es el problema más serio de la Iglesia hoy en América Latina y en el mundo en general.

—Crear religiones alternativas puede ser un negocio espléndido.

—Hay una crisis en general de los sistemas religiosos tradicionales, en todas partes.

—Hasta está en crisis el marxismo.

Quedamos emplazados para el acto de presentación del nuevo número de *Temas* en la UNEAC y me voy por La Habana a orientarme un poco, a empezar la casa por el tejado y a preguntar a los entendidos qué queda del imaginario del Che, qué queda del imaginario de Castro, perdón, de Fidel, porque si empleas el apellido Castro te miran como a un agente de la CIA, pero si usas Fidel en algunos sectores te consideran un nostálgico, carne de bolero. Siempre se ha especulado sobre una división de talantes revolucionarios entre el Che y Fidel. Del Che se dice que era un estratega y de Fidel que es un táctico. La historia ha demostrado que los estrategas pueden cambiarla alguna vez, pero también tienen muchas posibilidades de morir bajo los cascotes de sus quimeras y, en cambio, los tácticos casi nunca se equivocan de una vez por todas, pueden rectificar, salvarse en el último momento, incluso pueden recurrir, ya muy desesperados, a rezar un Padrenuestro. De ser cierta la distinción entre el Che y Fidel, esa deseada automodificación de la Revolución estaría en manos de un táctico, de ahí las prudencias de sus pasos adelante y la brusquedad de sus frenazos.

Por gentileza del embajador Ferrero, presencio en la sede diplomática italiana la despedida de una, por lo que veo, muy querida embajadora argentina, excelentísima señora Susana Sara Grané y la intervención en televisión del cardenal de La Habana, monseñor Ortega. Estoy rodeado de diplomáticos, algún político revolucionario y Mauricio Vicent, nuestro hombre en La Habana, licencia metafísica más que literaria, porque Vicent sabe tanto sobre Cuba que parece una agencia de información en persona. El embajador, lector de Sciascia, de Carvalho y degustador de Gardel, me regala un recuerdo simbólico de santería para que recuerde el encuentro y Ana María Guevara, madrastra *post mortem* del Che, me regala su conversación y el reencuentro imaginativo con amigos comunes, sobre todo con Cecilia Rosetto a la que he visto triunfar en Buenos Aires con el espectáculo cubano-argentino *Bola de nieve*. La señora embajadora de Italia es norteamericana y nos propicia un menú de concurso. Hay que puntuar un *risso alla brocola*, *penne* con berenjena, raviolis de remolacha y ganan los macarrones, las *penne*, porque tienen más lugar en la memoria del paladar colectivo aquí presente.

Va a hablar el cardenal Ortega ante las cámaras de la televisión cubana. Constatación rigurosamente posmoderna: puesto que el cardenal Ortega, arzobispo de La Habana, está saliendo en televisión, el cardenal existe. Es la primera vez que un líder filosófico, para utilizar una calificación utilizada por Castro sobre la pluralidad tolerable, dispone de una pantalla televisiva estatal y actuante sobre toda la audiencia potencial posible. En sus intervenciones directas desde el púlpito, el cardenal Ortega es conocido por la contundencia prudente, pero contundencia de sus juicios sobre el *status* del catolicismo en Cuba. Víctima en su juventud seminarista de los UMAP, campos de reeducación de homosexuales o de cualquier persona de poco revolucionario vivir, se esperaba con curiosidad la forma y el fondo de su primera aparición en televisión y los allí reunidos coincidimos en que había estado habilísimo. Jaime Lucas Ortega Alamino, nacido en Matanzas, hijo de padre trabajador del azúcar, luego pequeño comerciante, la biografía oficial circulante estos días no omite su encierro en el campo de trabajo de las UMAP y nos recuerda que es músico, pianista y que compuso la partitura para una misa cubana. Dedicado al apostolado entre los jóvenes, a los 42 años ya era obispo de Pinar del Río, luego introductor de Cáritas en lo peor del *periodo especial* y de ahí al arzobispado de La Habana y al cardenalato.

Ante las cámaras, flanqueado por la foto del Papa y una reproducción de la Virgen de la Caridad del Cobre, patrona de Cuba, el cardenal se subió a las metáforas bíblicas: ¿Quién dice la gente que soy?, preguntó Jesús a sus discípulos y fue Pedro quien mejor le respondió: Eres el hijo de Dios vivo. Premiado con ser piedra y con la promesa de que sobre esa piedra se edificaría la Iglesia, Pedro fue la cabeza visible del cristianismo y así hasta ahora en que esa representación la asume un Papa polaco. El cardenal midió espléndidamente la proporción entre lo inmanente y lo trascendente. Creer en Cristo es creer en el hombre y amarlo, porque, se preguntó con san Juan: ¿Puede ser un buen cristiano aquel que ama a un Dios que no ve y en cambio es incapaz de amar al hombre que ve? La exaltación de la dignidad concreta del hombre concreto no sólo es un legado convencional cultural que abandera a la Revolución, sino también un mandato secular cristiano. El Papa está a favor de la vida y por eso lucha contra el aborto y reflexiona sobre la pena de muerte o reivindica los derechos materiales del hombre: alimentación, sanidad, educación, es decir, muy en la línea del concepto de derechos humanos que Castro ha expuesto a Frei Betto o Gianni Minà o Tomás Borge en tres de sus entrevistas más famosas. Claro que el cardenal no podía eludir la libertad como derecho, pero identificada con la verdad, porque "La verdad te hará libre", aseveración providencialmente próxima a "La verdad es revolucionaria" de Ernesto Che Guevara.

El cardenal Ortega emitió un estudiadísimo sistema de señales y especialmente recibida fue su reivindicación nacionalista recordando el patriotismo polaco de Juan Pablo II, reconvertido en una sobreimpresión ideológica de la renovada lectura nacional patriótica de la Revolución cubana.

CREEMOS EN LA REVOLUCIÓN

El debate ideológico en Cuba prescinde progresivamente de Lenin y asume cada vez más a Gramsci, uno de los inspiradores del nacional-comunismo, desde el supuesto de que la piedra fundamental de la Revolución cubana es el pensamiento de Martí. En un momento en que *lo soviético* es víctima de todos los desdenes por parte de los cubanos, el cardenal recordó que Juan Pablo II y los polacos lucharon contra la impuesta hegemonía soviética y que Juan Pablo II ya se ha pronunciado contra el capitalismo salvaje, contra el liberalismo y contra bloqueos económicos que hacen sufrir a los pueblos.

Como al cardenal Ortega no le preocupa que la "nueva evangelización" dirigida por Juan Pablo II tal vez esconda la búsqueda de una hegemonía de lo espiritual sobre lo temporal, sin precedentes desde la Edad Media, ya no podía acercar más el espíritu de la historia al Espíritu Santo y fue entonces cuando su eminencia reverendísima estuvo en condiciones de pedir a los cubanos que abrieran sus hogares y sus corazones al representante de Cristo en la Tierra: "Como un paso de Dios por nuestra historia". Hay que tener en cuenta el especial momento político-emocional cubano, a medio camino entre las angustias del *periodo especial* y una pequeña, lejanísima intuición de que el túnel tiene salida, para captar todas las significaciones de tan estudiada alocución. Perdida la esperanza revolucionaria tal como se entendió en el periodo en que el Che pedía uno, dos, tres Vietnam, es imposible mantener *sine die* una expectativa revolucionaria rodeada de tan duras condiciones de supervivencia, sin un proyecto que relance o el entusiasmo o la paciencia de las masas.

Ocho años después de la caída del muro de Berlín y de la hegemonía del pensamiento único neoliberal, sin que en esos ocho años el liberalismo económico haya conseguido cumplir el propósito bicentenario de sus fundadores de traer la felicidad a este mundo, desde la redundancia de una Revolución isleña y aislada, Cuba necesita no sólo ayudas comerciales e inversoras, sino instrumentos culturales, si entendemos cultura como conciencia de la relación del ser humano con el mundo que le rodea y con la delimitación de sus necesidades reales y el derecho a satisfacerlas, ahora y en el futuro. La crítica de la Iglesia al neoliberalismo abre una posibilidad de coincidencia ideológica, como la abre un nacionalismo entendido como derecho a la diferencia a pesar de la globalización. Cómo introducir la lógica del Tercer Mundo dentro de la lógica del mercado único, de la verdad única, del ejército gendarme único, he aquí una posibilidad de renovación del discurso teórico y de la estrategia castrista. Desde esa perspectiva, la visita del Papa es un bien de Dios y, desde la milenaria estrategia vaticana, que Dios pase por la historia de Cuba traerá consecuencias en la sociedad civil tan temida por la ortodoxia revolucionaria isleña y aislada.

A la vista de la endeblez demostrada en los países de socialismo real por aparatos de vertebración tan teóricamente inexpugnables como el ejército, los cuerpos de seguridad o el partido, y de lo que tarda en llegar ese *hombre nuevo*, al que han llamado en su auxilio todas las revoluciones desde la humanista de los siglos XIV y XV, el sentido común político y, por qué no, revolucionario exige plantear nuevas expectativas socialmente asumibles y la Revolución bien vale una misa. En un momento en que crece en Latinoamérica la lectura crítica de las consecuencias de la globalización económica llevada al ritmo del economicismo social y políticamente más ciego ¿por qué no historificar a Dios, a Cristo como Dios vivo o a la Iglesia como subalterna compañera de viaje patriótico? No todas las respuestas a esta pregunta son las mismas. Hay quien piensa que el Vaticano va a plantar los huevos de la serpiente y por La Habana circula el chiste, entre mil, de que Juan Pablo II está dispuesto a meterse en el infierno para conocer al diablo en persona. Castro tiene a su alcance el acceso a otra verdad fundamental. Si por su proximidad a la Revolución ya sabe si tan abstracta dama es verdad o mentira, estar tan cerca del Papa, el representante de

Dios en la Tierra, quizá le ayude a despejar otra incógnita que ha dado mucho que pensar, hablar y temer: ¿existe Dios? Me resisto a metabolizar la contradicción de que el Papa haya venido a oxigenar al régimen. Me parece un infeliz final para un siglo que empezó bajo la consigna emancipatoria: no más dioses, no más tribunos, no más reyes y al creador de la consigna se le olvidó añadir no más Papas.

¿Qué piensa de todo ello monseñor Carlos Manuel de Céspedes, vicario general de La Habana, biznieto del Carlos Manuel de Céspedes que en 1868 inicia propiamente la Guerra de Independencia contra la metrópoli española? Miembro de una familia de patricios de la política y la cultura, el vicario general fue universitario antes que fraile entre 1952 y 1956, y conoce y se relaciona en la Universidad con algunos de los actuales protagonistas de la política y la inteligencia cubana y eso le permite hablarles de tú a tú. Cuando triunfa la Revolución, Céspedes es un joven seminarista que se va a Roma a terminar sus estudios en la pontificia Universidad Gregoriana, en la que se licencia en Teología en 1963. Regresa a Cuba en pleno desencuentro de la Iglesia y el Estado, aunque no ha vivido en directo la resaca de Playa Girón, cuando la Iglesia fue acusada de haber colaborado con el intento de destruir la Revolución, señaladas algunas iglesias como depósitos de armas, y expulsados más de un centenar de religiosos, casi todos españoles. Vicerrector del seminario del Buen Pastor, luego rector del de San Carlos y San Ambrosio, párroco de diferentes iglesias, entre ellas la de Jesús del Monte, en la actualidad lo es de la parroquia de San Agustín. Todos sus títulos que le connotan, incluido el de vicario general y episcopal de la zona Marianao-oeste y director del Centro de Estudios de la Diócesis de La Habana, no ocultan que no vive un buen momento según la escala de valores de la jerarquía católica. Fue director del Secretariado General de la Conferencia Episcopal Cubana y quedó siempre a las puertas de ser obispo, tal vez porque se le considera un inmejorable puente entre el Gobierno y los intelectuales católicos, aunque la jerarquía tanto vaticana como cubana prefirieran a pastores como Ortega, obispo y cardenal más afín al espíritu de la guerra fría. Cualquier ser humano que pregunte en La Habana con qué eclesiástico ha de hablar para situarse en el centro de la cuestión de la relación entre la Iglesia y el régimen, recibirá la respuesta: monseñor Carlos Manuel de Céspedes.

Me recibe en su parroquia de San Agustín, barrio Miramar, donde hacen cola feligreses en busca de banderitas de Cuba y del Vaticano, banderas que agitar durante la estancia del Papa. Le planteo a monseñor, si hay un antes y un después del famoso libro de Frei Betto, *Fidel y la religión*, inicio del progresivo concierto entre la Revolución y la teología de la liberación ¿puede haber un antes y un después de la visita del Papa? No se atreve a hacer muchas previsiones acerca del después. El antes, lo conocemos. En cuanto al después, en términos muy generales, podemos pensar en un apoyo del Papa a la Iglesia cubana, no solamente a la Iglesia institucional, sino a una serie de valores que la Iglesia proclama y que no le pertenecen exclusivamente.

—Ya solamente durante la preparación de la visita, la Iglesia ha ganado una serie de espacios en su labor pastoral que pueden mantenerse después. Ha permitido realizar la santa misión, casa por casa, prácticamente en todo el país, como preparación para la llegada del Pontífice.

Recuerdo mi santa misión. Barcelona 1951, hambre y represión. Preparativos del Congreso Eucarístico Internacional, la puerta del definitivo aval del Vaticano al régimen de Franco, poco después convertido en Concordato con la Santa Sede. Los escolares acompañamos obligatoriamente a sacerdotes llegados de toda España con la santa misión de visitar los hogares más pobres de los barrios más pobres, desde la seguridad de que los ricos ya estaban convertidos y habían ganado la Guerra Civil. Acompañante de un cura navarro, se me abren las peores puertas de mi propio barrio a habitaciones y vidas destruidas por la edad, la enfermedad, la guerra, la postguerra.

—La santa misión ha vuelto a poner en contacto a la Iglesia institucionalmente con una serie de sectores del pueblo que estaban apartados de ella en los últimos treinta años. Yo no sé si decir que nace de ahí un mayor aprecio de la Iglesia institucionalmente o si el aprecio estaba ya y ahora simplemente se manifiesta. No tengo una respuesta clara. Incluso, los medios de comunicación cubanos se hacen eco. Hoy por la mañana, he escuchado en la radio que una de las cosas que el Papa va a predicar son los valores de la familia, y el pueblo cubano aprecia mucho los valores familiares. Estas cosas quedarán. Repercusiones en el orden social, político, ahí, realmente, no tengo previsiones y no creo que la visita del Papa provoque cambios espectaculares inmediatos. Me sorprendería mucho.

—¿No hay un pacto ya elaborado de una mayor presencia social de la Iglesia?

—Que yo sepa, no. Si lo hay es tan discreto que yo no me he enterado.

—Las visitas de Fidel y Raúl al Papa.

—Al Papa, no, a Roma.

—Simples preparativos del ceremonial de la llegada.

—Sí, sí, no hubo ningún tipo de pacto con respecto a la presencia de la Iglesia en Cuba.

—Ustedes han pasado un periodo de expiación por el comportamiento de la Iglesia cubana, españolista; todavía se rezaba en las iglesias por las intenciones del caudillo de España Francisco Franco, Iglesia vinculada al poder político bajo Batista.

—No estoy de acuerdo con esa interpretación. Sé que existe, en todas partes menos en Cuba, donde sólo es una interpretación oficial, pero no del pueblo cubano. Es inútil discutir esa tesis. Hace veinte años que he renunciado a discutirla. Es el esquema dominante. Sólo los hechos desmienten, nunca las palabras ni las discusiones. Cuando era niño, mi madre siempre me decía: "Nunca discutas ni de religión, ni de política, ni de deporte, porque nadie cambia de opinión por una discusión." O sea que cada uno crea lo que quiere y los hechos dirán.

—¿Cómo se concierta eso con el espíritu apostólico?

—Yo propongo pero no discuto.

—El Gobierno ha tenido una actitud diferente ante los protestantes, algunos de cuyos dirigentes espirituales han llegado a declarar que Castro es un nuevo Cristo, el Cristo de América Latina. También el Gobierno tiene buenas relaciones con la santería ¿Se trata de una estratagema? Conciliación con una religión vamos a llamarla *anglosajona* y con una religión populista, para mermar el papel de la Iglesia católica?

—No puedo dar una respuesta contundente, pero juzgando por las apariencias, yo diría que hay un poco de las dos cosas. Tampoco se puede generalizar a propósito de la Iglesia evangélica. Muchas iglesias de origen protestante distan mucho de la posición del Gobierno, y tampoco se practica el *fair play* con ellas. Al contrario, sufren tal vez más exclusión, sobre todo lo que llaman sectas, palabra que yo no uso porque no me gusta. La Iglesia que ha tenido posiciones más cercanas al Gobierno, los presbiterianos, algunos grupos de metodistas, o de episcopales o bautistas, tampoco aglutinan la opinión entregada de sus feligresías. Habría que matizar la adhesión de algunos pastores. En cuanto a la intención del Gobierno en tener mayor o mejor comunicación con protestantes y santería o sincretismo, creo que entran todas las motivaciones. En el sector cultural la comprensión del afro-catolicismo procede de que forma parte de nuestra identidad. En el sector más político pueden tratar de poner a todos en el mismo plano a lo cual, en principio, no hay que oponerse. Puede operar también el deseo de mermar la influencia de la Iglesia católica muy mayoritaria, lo era y sigue siéndolo en Cuba; también querer jugar con instituciones religiosas que no tienen la dimensión internacional de la Iglesia católica, ni su estructura

canónica, dogmática y por eso más fáciles de manipular. Pero
he de recordarle que en el núcleo del *periodo especial*, la Conferencia de Obispos Católicos de Cuba emitió en 1993 una pastoral *El amor todo lo espera* que apostaba por el diálogo y la
confianza en Dios, como juez de la historia.

—Por lo tanto queda en manos de Dios decidir si finalmente absuelve o no absuelve a Fidel Castro.

—Esa consideración la hace usted.

—Ante la llegada del Papa ya pueden ustedes descodifi-
car el sistema de señales enviado por el cardenal Ortega y
por Fidel Castro a través de la televisión. El cardenal hizo
una lectura de la figura de Dios en clave de Cristo, como el
dios más humano, encarnado, que representa el valor del
hombre. Descalificó a aquel que cree en Dios que no ve y no
cree en el hombre que ve.

—Eso es del Evangelio.

—A la hora de exaltar los derechos humanos, Ortega se-
leccionó los más materialistas: educación, sanidad, etcétera. Y
se refirió a la libertad condicionada por la verdad, muy próxima a la afirmación del Che de que la verdad es revolucionaria.
Salvo en lo de la pena de muerte y el aborto, quiso demostrar
que no hay seria oposición de fondo entre el discurso evangé-
lico y el vamos a llamarle *espiritualismo* de la Revolución. Y
Castro, hizo una exaltación alucinante del Papa.

—Insólita en los jefes de Estado del mundo entero.

—Ni Walesa ha llegado a tanto.

Céspedes tiene una inteligencia sintética basada no en la
eliminación de lo negado, sino en la acumulación de todas las
posibles afirmaciones. Es un liberal adogmático que milita en
una fe dogmática y así acepta que a Castro le mueve en este
viaje un posible respeto original por la religión, un interés político de estrategia internacional, la voluntad de mantener el
ecosistema ideológico interior del castrismo, pero también
una admiración personal por el Papa, admiración humana,
histórica si se quiere. Nunca ha conversado con Fidel Castro
acerca de Juan Pablo II, pero conoce a mucha gente que lo ha

hecho y, ya a partir del libro de Frei Betto, el comandante se refiere a Juan Pablo II positivamente. Después del encuentro de Roma, el lenguaje pasa a ser muy cristiano, porque habla del Papa como de un hombre santo.

—Recuerdo que en una ocasión dijo, en público, ante un grupo de parlamentarios extranjeros: "Yo he conocido a dos santos en mi vida: a Teresa de Calcuta y al Papa."

—Pero se trata del hombre que ha hecho todo lo posible por destruir el socialismo, el comunismo. Se trata de un Papa que ha combatido la teología de la liberación y ha primado el apostolado en versión Opus Dei.

—Se corresponde con los valores que el Papa aprecia en el Opus. También el Gobierno cubano se entiende muy bien con el Opus Dei. Los profesores del Opus son constantemente invitados por Cuba y hay un convenio entre la Universidad de La Habana y la Universidad del Opus en México. Vienen trescientos estudiantes de la Universidad del Opus acá para la visita. En cuanto a la teología de la liberación, el Vaticano quiere distinguir entre la correcta y la incorrecta. Fidel está siempre muy interesado por los cambios en la relación entre el Vaticano y la teología de la liberación.

—Se ha desarrollado hace poco el segundo encuentro nacional eclesial aquí en Cuba, y el de provinciales de la Compañía de Jesús de América, el texto cubano está muy condicionado por la situación de expectativa, pero la declaración de los jesuitas es la condena razonada teórica más clara del neoliberalismo económico que he leído. ¿Está dividida la posición de la Iglesia cubana ante la globalización económica y cultural?

—La posición del episcopado es muy condenatoria del neoliberalismo. Dentro de la Iglesia habrá sectores diferenciados.

La condena pontificia del liberalismo se remonta a León XIII y a un teólogo catalán, Sardà Salvany. Se le ocurrió deliberar largamente sobre la evidencia de que el liberalismo podía ser pecado, con la misma lógica casuística con la que los ilustrados dilucidaban en el siglo XVIII si el hipopótamo era carne o pescado. Ahora es una condena diferente porque se alinea dentro de una estrategia de dominación global, o sea que suena a trompeterío anunciando la hora de la verdad. Céspedes reconoce que esta cuestión del episcopado cubano la ha tratado muy colateralmente, pero cuando se ha abordado se ha hecho condenatoriamente y cuando la jerarquía cubana ha participado en reuniones de la Iglesia de América Latina, siempre ha asumido esta condena. Cuando le hablo de un posible frente cultural emancipador que vería la Iglesia en clave espiritual y la Revolución en clave material y materialista, me responde que no le satisface el término "frente cultural". Ha habido coincidencias con el Gobierno cubano en ése y en otros puntos. La Iglesia cubana, no es monolítica, el Gobierno cubano, tampoco, o sea que puede haber coincidencias entre sectores mayoritarios de la Iglesia, sectores mayoritarios del Gobierno y entre Fidel Castro y cualquier personalidad invidualizada de la Iglesia.

—Sabemos que Castro es determinante, pero no gobierna solo.

La aparición de estudios autocríticos sobre el neoliberalismo, como *La muerte del trabajo*, de Rifkin, asesor de Clinton, de *L'Horreur Economique*, de Viviane Forestier, coinciden con las tesis anticapitalistas de los nuevos movimientos indigenistas, sin mancha de pecado original marxista: El Salvador, Guatemala, Chiapas. Añado el síntoma de la inquietud manifestada por algunos políticos socioliberales, ante la satelización del poder político en relación con el económico. El premier uruguayo Sanguinetti inició en Montevideo un circuito de reuniones de estadistas, entre quejas por la prepotencia de los economistas y de los centros de poder financiero. Reclaman un nuevo humanismo, como lo reclama Soros, el enemigo público número uno de la estabilidad financiera del universo. Ahora el Papa. Le paso el *ajiaco* de tan extrañas alianzas a monseñor y Céspedes reorganiza mi exposición al contestarme simplemente:

—Coincidencias.

—Pero, estas coincidencias pueden dar lugar a un modelo correctivo del neoliberalismo, aparte de la nueva lectura de la doctrina social de la Iglesia convergente con una crítica neomarxista del neoliberalismo.

—Personalmente creo que se puede llegar a eso, y que de hecho, sí se está trabajando mucho en figuras que no son *neas*, sino que son ya un poco antiguas. Por ejemplo, en Cuba se ha retomado la curiosidad por Gramsci como un pensador marxista que aporta si no elementos para ese encuentro, sí desbloqueos de la rigidez de la dogmática marxista. Se vuelve a Gramsci en muchos círculos, desde la fundación que lleva su nombre hasta en las aportaciones de *Temas*, de la que yo soy colaborador, pasando por la Universidad.

—La revista *Temas* tiene un nivel extraordinario.

—Extraordinario, sí. Es muy buena. Es casi un milagro que una revista así pueda salir en Cuba.

—Junto a la utilización de Gramsci como marxista desbloqueador percibo una latinoamericanización del marxismo cubano. Se vuelve a hablar de Mariátegui, apenas se cita a Marx o a Engels.

—En los años sesenta, ya hubo una inmersión en Mariátegui. Luego se produjo la vinculación filosófico política con el bloque socialista y Mariátegui y Gramsci quedaron algo hibernados.

—Uno de los más destacados representantes del poder cultural me dijo: "Para mí, Marx y Lenin son como Aristóteles o Platón. A mí, los que me parecen vinculados a nuestra realidad son Mariátegui, Martí y Fidel.

—La afinidad entre el castrismo y Martí se ha mantenido a pesar de los pesares. Recuerdo muchas manifestaciones de Fidel sobre la realidad cubana calificándola de marxista y martiana.

—¿Una interesada coartada nacionalista?

—No, eso es algo muy tradicional en Cuba, desde siempre. Forma parte del eterno objetivo de reafirmación de la cubanía frente a la desidentificación que vendría de lo exterior, en el pasado España, luego Estados Unidos, ahora la globalización.

—En el libro de Frei Betto le plantea a Fidel que si la Iglesia católica alcanzara una implantación social en Cuba, sería como la aparición de un partido alternativo, el primer paso de pluralidad, pero Fidel le contesta inmediatamente que se trataría de una pluralidad filosófica. Pluralidad filosófica. Un invento de Castro.

—Yo no lo sé, no tengo la menor idea. No creo que nadie pueda decretar pluralidad filosófica.

—Gramscianos, paulinos, anselmianos partidarios del argumento ontológico de san Anselmo, por ejemplo.

—La pluralidad filosófica no depende del poder. La política sí. La Iglesia cubana nunca se ha inclinado por un partido concreto, ni siquiera antes de la Revolución hubo un partido que se identificara como católico, ni adscrito a la democracia cristiana, o la internacional popular. Había católicos en prácticamente todos los partidos, incluso en el partido comunista de entonces, que se llamaba Partido Socialista Popular. Pienso en un hombre como el cardenal Arteaga, durante muchos años la primera figura de la Iglesia en Cuba, empeñado en que no hubiera ni un partido católico, ni un periódico católico, ni una estación de radio o de televisión católicas.

Sin ahondar en las pluralidades posibles, sean filosóficas o políticas, le planteo a monseñor Céspedes el problema de la sociedad civil en sistemas como el cubano vertebrados por el estatalismo y el partido único. La Iglesia ahora está sacando un pie de la caja de Pandora, ocupa y ocupará un espacio al menos como asistente social, hasta ahora reservado al Estado. ¿No creará eso expectativas entre la población? ¿No aparecerá un poder bipolar y también la bipolarización de la capacidad de transmitir ideología?

—Puede ser, pero eso será a un plazo ya más largo. Por el momento no creo que gane espacio pastoral. En la asistencia social podría ser, pero espacio directamente político, no creo.

—En un artículo de Armando Hart, ex ministro de Cultura, publicado en *Cuba Socialista*, "Materialismo histórico y vida espiritual", revisa la relación entre base material y la superestructura, porque así daría lugar a apreciar los hechos de conciencia y una nueva dimensión de la vida espiritual. Me sonó a preparación filosófica de la visita del Papa. Hart utiliza la palabra espíritu constantemente, como si el espíritu de la historia abriera camino al Espíritu Santo.

—Hace tiempo que está en eso. La primera vez que vi a Armando tocar estos temas ya en plan muy abierto fue a partir del segundo centenario del nacimiento de Varela. Sí. Digamos que bucea en eso y usa el término "espiritual" en un sentido muy global, amplio, pero revisa sus planteamientos de marxista ortodoxo.

Atraviesa por primera vez mi espacio auditivo cubano el padre Varela, en estos días prepapales, luego en los papales y pospapales, será la figura intelectual con más valor de uso y de cambio en Cuba, una auténtica pesadilla acústica, como la sombra de la seguridad acústica de la que habla Sloterdjik, que toda tribu necesita para autorreconocerse.

—Navidad ha sido como un test, por lo menos, así ha sido leído desde fuera. La espiritualidad convertida en hecho social, el retorno a un ritual. ¿Ustedes qué balance hacen de este ensayo general de reculturalización católica?

—Yo creo que positivo. Antes de la Revolución, no hay que decir que todo el mundo aquí fuera católico practicante, y que se celebraba la Navidad como el nacimiento de Jesús. Los católicos sí, para los demás era un día de la familia. Algunas familias, incluso no católicas, lo mantuvieron todos estos años que no ha sido día feriado. El valor que tiene feriarlo es oficializar algo que ya practicaban los sectores religiosos, católicos, protestantes y muchos otros no religiosos pero sostenedores de los valores familiares. Ha habido otros sectores de la población, muy minoritarios pero significativos que no han encontrado bien que sea un día feriado. Yo mismo, en mi parroquia y en otras, he comprobado que personas muy vinculadas al Gobierno no han visto con simpatía que el día de Navidad sea feriado. Como tampoco han visto con simpatía que el Papa venga a Cuba.

Le describo la secuencia de Matanzas que ha impresionado a Lola Albiac, un encuentro de distintas religiones y una ofrenda de regalos al niño Dios como si Matanzas fuera Belén. Ofrenda que alertó a algunos porque se estaban ofreciendo al niño Dios unos paquetes muy bien envueltos, en un papel tan bueno que no parecía cubano, un papel para envolver regalos de árbol de Navidad de película norteamericana. Papel de Miami más que de Matanzas, sugiero. Papel que llevaba el mensaje de un futuro poscastrista en el que todo estará envuelto en el mejor papel, el consumismo bien estuchado como una metáfora navideña del anticastrismo.

—Estos regalos son posibles, sea o no sea el día de Navidad para el que tenga dólares. Antes de ser feriado el día de Navidad, todos los paquetes de regalos que yo he recibido, de familias amigas mías, algunas no creyentes, estaban envueltos en papel bonito como se hace en Nueva York o en Washington.

—Usted habla de los que tienen dólares y plantea la diferencia social entre los cubanos que los tienen y los que no. ¿No es eso más peligroso para la Revolución que el avance de la Iglesia católica y de la ideología vaticanista?

—Eso, de la ideología vaticanista no me gusta mucho. ¿Qué es eso?

—Cabría hablar de una ideología apostólica y ecuménica perenne y de las modificaciones introducidas por cada Papa. No me negará que este Papa ha marcado la estrategia vaticanista y la ideología circunstancial de la Iglesia.

—El Vaticano tiene muchas cabezas. No es un monolito.

—El cardenal español Tarancón me dijo a propósito de este Papa: "Es demasiado polaco y también se cree que todo el mundo es Polonia".

—No creo que piense que todo el mundo es Polonia pero sí trata de buscar las analogías, quizá por un empeño de comprender mejor otras realidades. Usted me preguntaba si es más peligrosa la división social económica o la penetración de la ideología de la Iglesia.

—A eso me refería, desde la lectura revolucionaria de la historia.

—Yo creo que no es peligrosa ni una cosa ni la otra.

—Pero está generando diferencias sociales.

—O servir de aliviadero a tensiones sociales. Con unos pocos dólares han podido rehacer sus casas, concederse alguna ilusión. No, no lo veo negativo. Además se trata de fenómenos todavía minoritarios que afectan a familias en relación con la economía turística o que tienen parientes en Estados Unidos o en otros lugares que les envían divisas controladas por el Gobierno. Tampoco es peligroso el fenómeno de la fe cristiana. El fortalecimiento de la Iglesia como institución, no creo que constituya un peligro, por lo menos inmediato, para la vigencia de un proyecto de sociedad civil. Ni su papel asistencial. En ese sentido era económicamente más poderosa y por lo tanto más asistencial antes del cambio histórico.

—Cáritas existe y se mueve.

—Existe, pero los recursos que puede tener Cáritas hoy en día, no son ni una pálida sombra de lo que la Iglesia como tal tuvo hace unos años para sus proyectos asistenciales: asilos, hospitales, casas de ancianos, casas de niños, escuela gratuita.

—El dinero de Cáritas viene de la propia sociedad en primera instancia y en una sociedad empobrecida como la cubana, podría contemplarse una ayuda exterior interesada en reforzar el carácter asistencial de la Iglesia frente al Estado.

—Hasta ahora, los proyectos grandes de Cáritas buscan la colaboración con el Gobierno. En los proyectos grandes que Cáritas ha emprendido, las mayores donaciones de las iglesias extranjeras, de Estados Unidos, de Alemania, de Canadá, son proyectos de colaboraciones en hospitales, en escuelas de niños minusválidos y cosas por el estilo. Nunca aparece como una institución competitiva sino como una institución colaborante. Muy pocas cosas hace Cáritas, al margen de las instituciones oficiales del Estado. El proyecto que funciona en todas las parroquias es asistir a ancianos con menos posibilidades económicas, que no perciben dólares del extranjero y todos los meses les damos una ayuda económica y leche en polvo, aceite, productos de aseo, de farmacia; eso se hace directamente desde Cáritas. Pero los proyectos grandes, de millones y tal, son colaboraciones con el Gobierno.

Céspedes tiene fama de consultor literario de muy representativos escritores cubanos y le planteo el común denominador testimonial de una literatura imposiblemente crítica, pero sí mayoritariamente desganada con respecto a los objetivos revolucionarios, a las dos posibles esperanzas, la religiosa y la laica.

—El distanciamiento lo empezaron los pintores, luego los escritores, progresivamente, a partir del caso Padilla. El cine también. Ahí están películas como *Guantanamera*, como *Fresa y chocolate*. Estos creadores literarios, artísticos son cubanos que no se identifican con esta oficialidad ortodoxa glosada, paquidérmica, pero tampoco con posiciones que podríamos llamar del exilio cubano, de los movimientos de disidencia radicales. Se han instalado en un distanciamiento irónico, crítico, otras veces en la omisión. Todo eso, a mí me parece bien y literaria y artísticamente o en materia de cine, aquí hay mucho talento.

—¿Todos los miembros de la jeraquía católica cubana leen tanto como usted?

—No sé, habría que preguntarle a ellos.

—No tiene una encuesta elaborada.

—No he hecho encuesta. Yo leo mucho sí, yo estoy vinculado personalmente con este mundo desde hace muchos años, desde siempre prácticamente, desde antes de ser sacerdote.

—Ya que hablamos de estadísticas ¿las hay fiables sobre la verdadera religiosidad de la isla?

—No. Las vocaciones son fáciles de cuantificar. El problema es el número de practicantes. Hay una religiosidad mayoritaria muy difusa, con un mayor acercamiento a la Iglesia católica que tradicionalmente ha sido la única que está presente en todas partes. Pero eso no quiere decir que haya una adhesión o una práctica porque no la hubo tampoco antes. Es un país que mayoritariamente se consideraba católico y sin embargo con muy pocos practicantes.

—Y ahora vendrá el Papa a condenar el aborto, una práctica instalada en las pautas de la cultura cotidiana de los cubanos.

—He hablado con muchas señoras que han abortado, sabiéndolo o no el marido, casi todas están en contra del aborto. Se sienten obligadas por la situación, pero preferirían no hacerlo. No hay que insistirles sobre los desastres del aborto, son conscientes. Hay que cambiar las condiciones que llevan a él.

Los cubanos de Miami suelen dedicar a monseñor Céspedes críticas por su actitud dialogante con el castrismo y en *Cuba, mito y realidad*, Juan Clark, un sociólogo cubano exiliado tras participar en el desembarco de Playa Girón y estar unos años en la cárcel, habla del vicario general de La Habana como de un eclesiástico del que se supuso cierto colaboracionismo con el régimen, colaboracionismo ingenuo, añade Clark que cita un testimonio de las ingenuidades de Céspedes: "El Gobierno hizo un documental deprestigiando la peregrinación de san Lázaro. Entrevistaban a gente de allí, incluso al padre Carlos Manuel de Céspedes que, como siempre, se deja coger de atrás pa' lante". El mismo Clark usa una frase atribuida a Céspedes que supone falsificada por el régimen o una prueba más de lo ingenuas y desinformantes que son sus manifestaciones: "Considero —ha dicho Céspedes— que sí, que los marxistas-leninistas cubanos trabajan por los mismos objetivos que Juan Pablo II llamó la civilización de la verdad y del amor. Si no creyésemos eso no podría haber diálogo, ni colaboración en el diálogo. Si algo nos diferencia es la visión que unos y otros tenemos del mundo y del hombre". Esa diferencia parece distancia suficiente desde la trinchera integrista cada vez más recelosa ante la visita.

—Curiosa la actitud de los católicos de Miami ante la visita del Papa. Se vuelve negativa por momentos.

—No soy un experto en Miami. Estos días veo que llegan gentes de Miami con toda clase de actitudes, pero predominan los que apoyan la visita del Papa.

—La Habana de los espíritus está llena de especulaciones. Quiero poner en su consideración la más sorprendente. Dice que está en la cabeza de Castro promover en vida un directorio de transición para cuando él desaparezca. Y en ese directorio estarían Raúl Castro, lógicamente, algunos de los actuales prohombres más jóvenes de la Revolución, pero también un representante de la Iglesia católica cubana.

—Sé que esa figuración circula, pero de momento no la veo muy posible. Creo que habrá en Cuba una evolución como en otras partes, pero la situación cubana está muy vinculada a la persona de Fidel Castro. Mientras él esté no habrá cambios sustanciales. Su manera de preparar la sucesión es introducir alguna modificación no muy radical y una mayor flexibilidad en ciertas cosas económicas y sociales ¿Qué va a ocurrir el día que él ya no esté? ¿Qué van a hacer las grandes personalidades de la política actual? No lo sé. Ni siquiera sé quienes serán esas personalidades dentro de diez años. Eso, como la relación Cuba-Estados Unidos, es hoy por hoy, política-ficción.

—¿Es muy diferente su percepción de la relación política con la Iglesia católica en Cuba de la que tiene el cardenal Ortega? Por cierto, se habla de él como papable.

—No me extraña. Cuando lo eligieron cardenal escribí un artículo sobre él en una revista de la Iglesia. Debe de haber sido a finales de 1994. En este artículo digo que Ortega es un hombre con muchas cualidades y también con muchas relaciones. Es un hombre que se mueve muy bien entre cardenales.

—En Roma parecen cansados de Papas extranjeros. Añoran un Papa italiano.

—Todo va a depender también evidentemente del Papa. Si el Papa desapareciera pronto, por lo que he podido husmear, el candidato con más posibilidades es el arzobispo de Milán, italiano y una excelentísima persona. Sería un Papa excelente. En ese momento necesitaríamos un Papa con muchos valores pastorales e intelectuales, un hombre con una gran autoridad espiritual.

—Para dialogar con Castro va a llegar un Papa muy disminuido.

—Físicamente sí, pero no intelectualmente.

—No exigirá que Castro se arrodille, como se lo exigió a Ernesto Cardenal durante la visita a Managua.

—Ernesto Cardenal era, es un sacerdote.

—¿Qué espera de este encuentro? El mínimo y el máximo.

—No se escandalice si le digo que no espero mucho en cuestiones concretas. No creo que el Papa, con su presencia en Cuba, vaya a determinar cambios inmediatos, sino apoyar líneas que están presentes pero larvadas. Puede hacer más evidente que la Iglesia está aquí y forma parte de la memoria y el proyecto de las personas.

—¿Sostiene usted relaciones frecuentes con Castro?

—Frecuentes no, pero sí una cierta relación personal, sí.

—¿Ha podido hablar con él sobre la visita de Juan Pablo II?

—Sí.

En los puestos de libros viejos de la plaza de Armas encuentro un devocionario popular, *Los cubanos rezamos a Dios*, editado por el secretariado general de la Conferencia de Obispos Católicos de Cuba. Dentro lleva como prontuario una estampita del ubicuo padre Varela. Entre catecismo y devocionario, casi todos los textos me resuenan desde mi vida prelógica y busco esas oraciones construidas para conectar con las instituciones, agrupadas en este caso bajo el epígrafe "Por la sociedad civil", que impropiamente acoge aquí a los gobernantes, la paz y la justicia, los cambios del mundo, los pobres y necesitados, los emigrantes, los presos, los trabajadores, los estudiantes, los campesinos, los chóferes y ninguna hay sobre los empresarios, ni siquiera para que les salgan bien las cosas a los propietarios de *paladares*. Si la Iglesia cubana rezó por las intenciones del generalísimo Franco hasta 1958, la actual no reza por las de Fidel Castro, pero sí reproduce una oración por la paz de Cuba escrita en 1957 por Evelio, obispo de Pinar del Río:

"Que ningún Caín pueda plantar su tienda bajo nuestro cielo.

Que ningún Abel inocente la bañe con su sangre, cuyo clamor suba hasta tu trono pidiendo justicia."

Estamos ante uno de los viajes más rentables del Papa de Roma. Los anticastristas esperan que, como ocurrió en los países del llamado socialismo real, la visita del Papa signifique el primer piquetazo contra el muro del Caribe. Los castristas consideran que el Vaticano ha burlado el bloqueo político cultural de los Estados Unidos y Juan Pablo II, si bien no bendecirá la Revolución cubana, le prestará unas horas en muchas pantallas televisivas del mundo.

Voy por La Habana reuniendo granos para el granero de mi libro y detecto la inmensa sabiduría en la actitud de un pueblo que ha pasado del vanguardismo de la Conferencia Tricontinental a ser el último reducto del socialismo real en la tierra y supongo que en el cielo. La llegada de Juan Pablo II va a ser para muchos un auto de fe, también para otros un acto de reafirmación patriótico-castrista por activa y por pasiva y, para casi todos, un espectáculo tropical al son, al son entero de Nicolás Guillén y Frei Betto, narrado por un bolero de Milanés, sabio en esos boleros autóctonos capaces de contar vida e historia desde la paciencia, esa energía histórica popular que ha sido la causa de las peores derrotas y las mejores victorias de los pueblos. Instalados los cubanos en la redundancia del isleño aislado, tras la marcha del Papa, ¿volverá a quedarse Cuba más cerca de Estados Unidos que de Dios?

CAPÍTULO III

Conversación en la catedral

Es bueno que por fin haya una apertura política a ni-
vel nacional (en Cuba); pero para mí, lo que tiene que
acompañar a la apertura política es una mayor auto-
nomía de las organizaciones sociales, de trabajadores,
que podrían servir de contrapeso al sector liberal que
está surgiendo en los mercados libres y respecto a la
tecnocracia y a los gerentes que están manejando las
empresas asociadas con el capital extranjero en turis-
mo y sectores. Con esta gente es casi inevitable el giro
liberal.

Conversaciones con James Petras: la izquierda antes y
después de la caída del muro, EDUARDO GIORDANO.

La iluminación consigue un Fidel Castro demasiado delgado, los pómulos saliéndose de la piel, los ojos turbios, grandes y viejos, como si la reducción de la cara los exagerara
hasta la hipérbole, la lengua humedece la boca, prepara la
cámara nupcial del discurso, aunque el director escénico lo
haya organizado como un debate, en el que el moderador
Héctor Rodríguez tratará de poner concierto, ya que no hay
paz donde no hay guerra, entre el comandante y los presuntos entrevistadores, Loly Estévez del Noticiero Nacional de
Televisión, Renato Recio del periódico *Trabajadores,* Marcos

Alfonso de *Granma* y Pedro Martínez Pírez, de Radio Habana Cuba y de la Televisión Cubana, condenados a desintegrarse como los cohetes tras poner en órbita la nave espacial: Fidel Castro. Le preguntan por los resultados de las elecciones y Fidel considera que es una de esas preguntas que se agradecen por necesarias, porque el comandante ha de explicar a su pueblo durante tres horas que la victoria electoral por un 98% es un síntoma de que se han vencido las dificultades subjetivas creadas por la dureza del *periodo especial.* Representa uno de los más grandes triunfos políticos que ha conocido la Revolución. Hemos vivido todo tipo de experiencias a partir del 1 de enero de 1959, desde la guerra desatada contra la Revolución muy al principio hasta episodios de gran importancia como fueron la guerra sucia, Playa Girón, crisis de Octubre en la larga marcha recorrida. Tan larga marcha exige un largo recordatorio, pero, compañeros, están ustedes aquí para preguntar, pregunten. Y le preguntan sobre las especulaciones fallidas a propósito de las abstenciones. "Oye, Pírez, si ustedes no están limitados de tiempo, antes de pasar a este punto de las abstenciones y esas cosas, me gustaría más explicar algunos aspectos de lo que decía anteriormente y en parte quizá se avance en eso. Creo que por ahí está *Granma,* preséntenmelo por favor". Con *Granma* en la mano, ahí está un reducido 3,36 de votos en blanco, 1,64 de papeletas anuladas que los dedos de Fidel señalan como evidencias inapelables. Ya se le ha calentado la víscera de la oratoria. Ya no recurre a circunloquios para perseguir lentamente los circuitos de la memoria, sino que son los circuitos los que se lo llevan, aunque habla despacio, vocalizando, para que se le entienda bien, si se le quiere oír.

Después de tantos años de batallas y más batallas, del bloqueo, de la Ley Torricelli, de la Helms Burton, de las puertas abiertas de Estados Unidos a todos los que nos robaran barcos, aviones y cualquier cosa por el estilo, estas elecciones en un año en el que estamos preparando la visita del

Papa, sin olvidar el trabajo cotidiano, la siembra de caña, agricultura, zafra, etcétera, etcétera, estas elecciones que tanto ilusionaban a nuestros enemigos, a la espera de que la Revolución se hubiera debilitado y ahí está el voto de las generaciones jóvenes, las que no estuvieron en Sierra Maestra, pero que participaron en estos largos años de lucha y cumplieron misiones de todo tipo en muchas partes del mundo, trabajaron en muchos frentes y estudiaron. Éste es el fruto de la obra educativa de la Revolución, del fortalecimiento de la conciencia del pueblo. Se pudo ver a los revolucionarios más revolucionarios que nunca, se pudo apreciar que si, por un lado, hay una decantación de aquellos elementos menos firmes, menos sólidos, menos conscientes, también hay gente más firme, más consciente, más madura. Los documentos que se discutieron, como la Declaración de los Mambises del siglo XIX o hechos políticos como la recuperación de los restos del Che, compensaron el espectáculo de las desigualdades a las que nunca nos resignaremos, el turismo y los problemas que conlleva ¿Serían capaces estos hechos de mellar la conciencia de la gente? Son más fuertes los pueblos que tienen que lidiar con problemas. Si una democracia se mide por la participación y el entusiasmo popular, eso da la mayor medida de nuestra democracia ¡Qué fuerza ha acumulado el país! Ahí está el trabajo del partido, de la juventud, de los estudiantes, de los CDR, de las mujeres, de los pioneros. En nuestra democracia no nos hacen falta soldados vigilando las urnas ¿Contra qué ladrones, contra qué politiqueros, contra qué sargentos políticos, contra qué maquinarias? Tampoco hay que olvidar nuestra prensa, a ustedes que hicieron posible esa movilización descomunal y para los que hablan de coacción, de represión, habría que preguntarles: "¿Han visto ustedes alguna vez en estos cuarenta años de represión a un hombre torturado?" Se habla de que votó un 98,35%, pero les diré que votaron más, porque hubo votos de ciudadanos que no fueron censados. Explica Fidel por qué no fueron censados: "¿Crees que me he explicado bien?" Perfectamente. Este resultado además demuestra la unión de los cubanos, porque la división es el veneno más mortífero que puede ingerir una Revolución, un país del Tercer Mundo y más que nunca en una época como ésta y no hay que equivocarse a la hora de escoger los mejores candidatos, estamos obligados a la calidad.

Comandante, ¿qué misiones debe acometer el nuevo parlamento? Pregunta que me implica una respuesta responsable, porque no se improvisa la tarea de un parlamento. El pasado fue un parlamento del *periodo especial,* tuvo que hacer frente a las dificultades, crear un marco legal y fomentar la conciencia revolucionaria. Analiza el trabajo de Alarcón y verás todo lo que ha hecho en estos cinco años: cuánto ha contribuido a formar la conciencia, al esclarecimiento de los problemas. La Habana y su provincia han votado bien, con un poquito menos de participación relativa, pero con un notable avance, aunque Cienfuegos tuvo la mayor participación. También muy buena, muy buena, la de Las Tunas, Granma y Santiago. Tremendo.

El moderador se alegra por los resultados y propone pasar a otro tema. Por ejemplo: "Comandante, hace un año usted conoció al papa Juan Pablo II en el Vaticano, ¿qué impresiones generales tiene acerca de él?" ¡Qué lástima! Después de hablar durante tres horas de otros temas, empezar a hablar de éste. Pero bueno, responderé a tu pregunta. Me habría gustado estar más fresco para responderla. La impresión fue muy buena. Es un hombre de rostro noble —fue la impresión que me dio— inspira realmente respeto. Habla el español como cualquiera de nosotros, sabe escuchar. Me veo obligado a ser un poquito más breve, pero voy a tratar de contestar todas las preguntas que ustedes quieran hacerme sobre eso; si en alguna tengo que extenderme, me extenderé. La motivación de esta visita no fue la búsqueda de beneficios o ventajas para Cuba y pudo haberse producido hace mucho tiempo. Con motivo de una escala técnica en México hace muchos años, le enviamos un mensaje para que viniera a Cuba, aunque hemos tenido algunas dificultades con la Iglesia cubana, no ha sido así con el Vaticano. Yo me iba fijando en los pronunciamientos del Papa sobre cuestiones sociales, además la teología de la liberación demostraba que obispos y sacerdotes pueden alinearse en la defensa de los más pobres y tanto el Papa como los teólogos de la liberación entendían nuestra batalla contra la deuda externa y en cambio, por ejemplo, en la URSS no la entendían. Algunos compañeros me han contado que estuvieron batallando horas y horas con los soviéticos en un encuentro de juventudes para que incluyeran la cuestión de la deuda externa. Yo buscaba la oportunidad de entrevistarme con cuanto cardenal visitara Cuba, para comentar cuestiones internacionales, por ejemplo, sobre el crecimiento de la población que puede llegar a ser explosivo, lo que conducía a hablar del control de natalidad y de anticonceptivos. Así fuimos haciendo amistad con muchos cardenales, buenas relaciones que ha reflejado Luis Báez, por ejemplo, en la entrevista con monseñor Casaroli, al que fui a ver y conversamos dos horas. En Roma tuvimos un almuerzo con cardenales y con los que habían pasado por aquí, como Etchegaray, Zacchi, Gantin y hablamos de medicina y de la necesidad de ayudar médicamente a África. Nosotros tenemos el nivel médico, no los recursos económicos, pero si el Vaticano nos ayudaba económicamente estábamos dispuestos a enviar asistencia médica a África. Me invitaron en Roma a una sesión de la FAO y he de deciros que los dos discursos más parecidos que se pronunciaron en la Cumbre sobre Alimentación fueron el del Papa y el mío.

Yo me he reunido con prelados de todo el mundo, pero en especial con los de América, como ocurrió con el episcopado brasileño cuando estuve en Brasil en 1990. Fue aquella época en que todos nos aconsejaban que hiciéramos las barbaridades que estaban haciendo los amigos de Europa del Este. No faltaban consejeros. Llegaban por oleadas, se estrellaban contra el Morro, como las olas provocadas por los vientos que pasan por encima del muro del Malecón. Nosotros hemos tenido que resistir presiones y sobre todo consejos; sin embargo, ninguno de aquellos obispos brasileños, que tenían posiciones muy progresistas, nos transmitieron semejantes consejos. Mi encuentro con el Papa provocó un gran impacto en Europa y esos son los antecedentes históricos de una visita no improvisada, sino analizada y apoyada por todos los miembros de la dirección de nuestro partido.

Después del derrumbe del campo socialista nos habíamos quedado solos denunciando la brutalidad del sistema y, si bien durante la guerra fría el imperialismo trataba de utilizar los sentimientos religiosos contra el socialismo, al acabar resultó que el Papa empezó a coincidir con nosotros en sus denuncias. No hay que olvidar que este Papa es polaco y vivió una experiencia muy especial en un país muy especial, donde incuestionablemente se cometieron muchos errores. Por ejemplo, hay que pensar en la suerte corrida por los oficiales polacos prisioneros cuando entraron las tropas soviéticas en Polonia. No me gusta criticar a los antiguos países socialistas ahora que es fácil, pero a veces les había preguntado a los visitantes soviéticos por qué el pacto Molotov-Ribbentrop. Eso ocurrió en 1939 y yo tendría 13 años, pero ya leía los periódicos todos los días, con el mismo fanatismo con el que algunas familias siguen las novelas brasileñas o cubanas ¿Por qué habían invadido Polonia? ¿Por qué la guerra con Finlandia? Aquello le costó muy caro al movimiento comunista internacional, a sus disciplinados cuadros que tuvieron que asumir aquellas decisiones, incluso la ocupación de Checoslovaquia haciendo concesiones a Hitler. Yo creo que el pacto germano-soviético aceleró el inicio de la guerra mundial. ¿Qué habría hecho Lenin en Polonia? Él había dado la independencia a Finlandia. ¿Qué habría hecho Lenin al acabar la II Guerra Mundial y empezar la guerra fría con la explosión de la primera bomba atómica? Lo cierto es que en Polonia se construyó un marxismo dogmático en un país fundamentalmente católico, con un 93% de la población antirrusa. En Polonia, Iglesia y nación surgieron juntas y el Papa se educó en el periodo del que he hablado. Lógicamente estaba en conflicto político, filosófico y religioso con los soviéticos y luchó contra el campo socialista, contra la URSS y contra el régimen socialista en Polonia. Debemos comenzar por conocer la verdad histórica tal como es. De lo que he leído de la historia de este Papa, tengo la convicción de que alcanzó tan alta jerarquía por su talento, su carisma y sus cualidades personales. Hay veinte teorías sobre que le ayudaron, que Occidente le apoyó, pero, sin que nadie pueda decir que me gusta halagar para conseguir amistades, he de decir que creo en los méritos de este Papa para serlo. Se le atribuye el papel de principal urdidor de la desaparición del socialismo en Polonia, pero este Papa no era el secretario general del PCUS, ni dirigía el CAME, ni dirigió el campo socialista. Les advierto que a pesar de cuanto estoy diciendo sobre el Papa, no soy militante ni predicador católico. No estoy haciendo una prédica en favor de ninguna iglesia. Yo soy un revolucionario y me interesa por encima de todo la Revolución. Me considero modestamente un discípulo de Marx, de Engels y de Lenin y tuve además el privilegio de contar con un maestro como Martí.

A este Papa los reaccionarios que quieren acabar con nuestra Revolución lo presentan como un ángel exterminador cuya visita a Cuba favorece sus fines. ¿Conocen al Papa? No lo conocen. Porque este Papa partiendo del Concilio Vaticano II ha estado realizando las críticas más duras que en los últimos años se han hecho sobre los problemas sociales y económicos que sufre el mundo. Este Papa tiene una gran influencia por doquier, pero especialmente en América Latina donde están la mitad de los católicos del mundo. Este Papa es un dolor de cabeza para el hegemonismo unipolar de los Estados Unidos. Es muy difícil encontrar algún problema social de los que están azotando América Latina, África y los países del Tercer Mundo que no haya sido abordado por el Papa, y los ha denunciado en plena

Asamblea de las Naciones Unidas. Ha llegado a decir: "La tierra nunca ha producido tanto antes, pero tampoco antes había tantos seres hambrientos como en nuestra época; los frutos del progreso siguen repartiéndose sin equidad, a esto se agrega el abismo inmenso entre el norte y el sur". Ha dicho que nadie tiene el derecho de explotar al otro en beneficio propio y me pregunto si no es bueno que el Papa plantee todo esto en el momento del derrumbe del campo socialista y que su mensaje haya sido recogido por los episcopados latinoamericanos, hasta el argentino hizo una dura declaración contra el neoliberalismo, contra la deuda externa. El sínodo de los obispos está contra todo lo que preconiza el Banco Mundial, el Fondo Monetario y enarbola banderas que han sido las del Concilio Vaticano II, la teología de la liberación, la Revolución cubana. Pero hay gran expectación porque el Papa va a Cuba para encontrarse con ese demonio de Castro, 3.000 periodistas están llegando, el nombre de Cuba se menciona en todos los lugares del mundo. En vez del encuentro del diablo con el ángel, ¿no se podría pensar en el encuentro entre dos ángeles? Tal vez sería más justo para el Papa, más modesto por mi parte, que sigan considerando un demonio a quien simplemente es un amigo de los pobres. Ahora tenemos que demostrar toda la sabiduría de nuestro pueblo, toda la sabiduría de la Revolución. Yo estoy absolutamente seguro de las buenas intenciones y el espíritu de amistad con que el Papa realiza la visita a nuestro país. Como no tenemos ningún conflicto con ninguna religión o Iglesia y como coincidimos con muchas demandas sociales que plantea, bienvenido sea. Nuestro reino es este mundo y hemos demostrado que somos capaces de respetar las creencias de los demás. El Papa ha salido en primera página de *Granma* para desconcierto de Miami, que pendiente de que se caiga el comunismo en Cuba no va a darse cuenta del comienzo de la caída del capitalismo y ahí está el resultado de las elecciones del 11 de enero para demostrar la fortaleza desde la que asumimos la visita del Papa.

No nos ha de preocupar que se digan cosas con las que no coincidimos. Miles de millones de personas en el mundo van a ver imágenes y leerán noticias sobre Cuba. Unas favorables, otras desfavorables. Hay que demostrarles que este es el mejor país del mundo, el que puede atender al Papa con más hospitalidad, con más organización y con el máximo de aceptabilidad. Es nuestro huésped, nuestro invitado como jefe de Estado y como jefe de la Iglesia más influyente en el mundo occidental y en el hemisferio donde estamos ubicados. Debemos recibirlo como un hombre preocupado por los problemas del mundo, un hombre de gran talento, de gran cultura, que domina numerosos idiomas, que ha estudiado las religiones fundamentales del mundo, que ha estudiado Filosofía, como un hombre que practica y defiende sus convicciones, que sufrió una gravísima agresión, que ha soportado enfermedades con gran estoicismo, que ha realizado ochenta viajes por el mundo, un personaje histórico. Un presidente de Estados Unidos, con todas sus armas nucleares, acorazados, aviones y cohetes, no se atreve a venir. El Papa se atreve a venir y debemos hacerle un gran recibimiento desde el aeropuerto y acudir a las misas. Estaremos dando una prueba del respeto de una Revolución socialista, comunista, a los creyentes. Este pueblo que alcanzó la colosal victoria electoral del 11 de enero debe participar con el mismo espíritu unido en la visita del Papa. Deseamos las plazas llenas y que nadie tema. La Historia nos dará la razón. Que participen nuestros cuadros y militantes, pero sin ni una consigna política, nadie debe llevar ni un solo cartel, nadie debe dejarse arrastrar por la más mínima provocación. Nadie debe dar vivas a ningún dirigente de la Revolución. Nadie debe emitir un chiflido, nadie debe protestar ante cualquier palabra que se pronuncie en cualquier altar. Yo también estaré en misa junto al pueblo. Les pido a ustedes como representantes de la prensa que nos ayuden a convencer a nuestros compatriotas, y en especial a los jóvenes, que ésta es la política correcta.

Hay muchos que deben estar durmiendo hace rato, pero por lo menos... comandante, ha valido la pena. Y si no se comprende lo que quería decir, estoy dispuesto a volver, porque a veces se forman unas bolas con lo que digo. Por ejemplo, al comienzo de la Revolución, al hablar a propósito de la discriminación racial, salieron unas bolas. Creo que el tema ha sido abordado ampliamente por nuestro comandante en jefe. ¿Tienen algo que decir ustedes? Comandante en jefe, usted respondió realmente las inquietudes que incluso nosotros habíamos planteado y fue muy completo, a mi modo de ver, no hay casi nada que agregar en este sentido.

Me predispuse a oír la alocución de Castro sin saber que iba a durar siete horas, pero desde la confianza de que al día siguiente saldría íntegra en *Granma* o en *Trabajadores*. Hace casi cinco años que no veo a Fidel Castro en persona y, no por anunciada, la delgadez no me sorprende. La última vez hablamos de pulpo gallego y de queimada, final lógico de una audiencia para escritores asistentes a una feria del libro, que comencé a la zaga de Tomás Borge, su joven esposa, su joven suegra, su joven hija todavía en el cochecito, empeñado el guerrillero poeta y teólogo en entrevistar largamente a Fidel para *Un grano de maíz*. Ahora, a primera vista, Fidel parece un anciano de barbas y cabellos canosos, ojos viejos que se mueven como evocando un pasado escudriñador, ojos exagerados por lo enjuto de las mejillas, oratoria iniciada con pausas insufribles ¿A dónde se va en busca de las palabras? Pero a medida que pasa el tiempo el orador se crece y se acerca a sus tiempos de esplendor. Inevitable el *flash back* de las primeras fotos de los *barbudos* entrando en La Habana, el fervor con que comentábamos estos hechos en las formaciones políticas clandestinas de la Universidad de Barcelona, la dificultad de entender cómo gente situada entre nuestra edad y diez años más había ganado una revolución con las armas en la mano, imposible pensar en algo parecido en una España mutilada y acobardada todavía por la Guerra Civil y la administración de la victoria. Pero en nuestras reuniones iniciáticas, allí estaba Carlos Puebla junto a Ives Montand, las canciones de la Guerra Civil española, los coros del ejército soviético, *Bella Ciao, Sante Caserio passegiava per La França, La Varsoviana*, la palma del martirio crecía en un rincón interrogante y tersa y uno tras otro, en mayor o menor medida, la tuvimos en nuestras manos, ¡ay!, desarmadas.

Igual ocurría con cuanto se escribía de o sobre Cuba y así estoy en condiciones de recuperar incunables como *Huracán sobre el azúcar* de Jean Paul Sartre o las apologías de nuestro admirado Sweezy, ¡un marxista norteamericano, un marxista en la América de los hermanos Dulles! Debatido *El socialismo en Cuba de Sweezy y Huberman*, sorprendidos por la polémica entre Dumont y los castro-guevaristas a propósito de la reforma agraria, comedido Dumont tanto en *Cuba: intento de crítica constructiva* como en el monográfico de *Tiers Monde* dedicado al mismo tema, acomplejado por su condición de teórico enfrentado a revolucionarios de verdad, muy poco comedida en cambio la respuesta cubana, que con el tiempo se hizo agria condenando al infierno de la CIA al mismísimo Dumont, a K. S. Karol, a Bettelheim que había polemizado con el Che y Ernest Mandel sobre el funcionamiento de la Ley del Valor. Ernest Mandel, trotsquista belga, le daba la razón al Che, porque las categorías económicas son irrefutablemente producto de la realidad histórica: "La naturaleza de la propiedad social de los medios de producción no reside, en último análisis, en el hecho de hacer posible la disposición integral a la que se refiere Bettelheim, sino en el hecho de hacer posible una 'disposición' de los medios de producción suficiente para eliminar el juego de las fuerzas motrices del capitalismo y para asegurar un crecimiento conforme a otras leyes económicas, las de una economía socializada, planificada." Es decir, Bettelheim tal vez no fuera de la CIA, pero según Mandel y el Che era un flagrante reformista, como sonaron a reformistas y blandas las indecisiones sancionadoras de Hugh Thomas en *Cuba, la lucha por la libertad, 1958-1970*, tercer volumen de su estudio sobre Cuba. Han pasado treinta y muchos años de todo aquello:

Con OEA y sin OEA
ya ganamos la pelea

o bien

¿Qué tiene Fidel
que los yanquis no pueden con él?

o bien

Te canto porque estás vivo Camilo
y no porque te hayas muerto

Guarachas, guaguancós revolucionarios de Carlos Puebla que sabíamos de memoria, acomplejados porque luchábamos contra el franquismo, la contradicción de primer plano, y contra el capitalismo, la contradicción fundamental, sin armas en la mano, aunque algunos compañeros del FLP en el pasado habían insinuado la posibilidad de una guerra de guerrillas en la sierra de Cazorla, mis nuevos compañeros comunistas sólo se planteaban la lucha armada si la burguesía no respaldaba su política de reconciliación nacional. Se trataba de un ejercicio retórico para compensar los miles de camaradas que caían todos los años en una lucha pacífica o el recurso de bolero: *De lo que pudo haber sido y no fue.*

Estoy rodeado de periodistas y presuntos comensales para la presentación de una variedad de cigarros Cohibas, naturalmente en el Meliá-Cohiba y en la espera contemplamos el nuevo maratón verbal de Fidel. Me duermo de vez en cuando víctima del cambio de horario y del descontrol de mi metabolismo, más que de la parsimonia empleada por Castro en el primer tercio de su monólogo disfrazado de rueda de prensa, de cuerpo presente, eso sí, cuatro representantes de los medios que casi se limitaron a hacer compañía al comandante. Castro empieza con una valoración colosalista de la victoria electoral mediante largos periodos para el precalentamiento de la mente y la lengua. Recuerdo el análisis estilístico de la oratoria de Fidel que aparece en *Fin de siglo en La Habana*, de los franceses Fogel y Rosenthal: "Desde el punto de vista técnico utiliza sobre todo el apólogo y la parábasis, es decir, que una parte del discurso —a menudo un episodio de la guerrilla— está dispuesto a ilustrar una idea y, por otra parte, la disgresión que permite al narrador dar a conocer sus opiniones, sus puntos de vista, pero a la manera de un paréntesis abierto dentro de un discurso sostenido en nombre de todos. Su genio —muy real en este campo— es encontrar, como Scherezade al final del día, el hilo de un relato que el auditorio habría podido perder".

Dejo al comandante en plena parábasis ilustrativa del fabuloso éxito de las elecciones, presiento obligadísima parábasis para poder pasar a analizar la visita del Papa como algo perfectamente asimilable por una realidad político social tan indestructible. Me voy a cenar y a probar el nuevo puro habano y recibo la primera distinción que me llega en tierras de Cuba: un carnet de socio honorario de la Peña Barcelonista de La Habana que dirige Artur Cabré, responsable comercial de Meliá-Cohiba, uno de mis guías por La Habana la *nuit*, compañero de mesa de las generosas invitaciones de Víctor Moro hijo, a base de pesquería gallega. Cabré hace por Cataluña en La Habana, lo que no ha hecho Jordi Pujol, presidente de la autonomía catalana que dedica ascos al castrismo, abandonando a su suerte a la comunidad catalana cubana. A mi lado izquierdo, mi peor oreja, se sienta el embajador de México, pero es tan interesante lo que dice que me vuelco hacia él, dispuesto a que mi oreja buena se ponga en la trayectoria de las palabras. He aquí la historia.

115

Y DIOS ENTRÓ EN LA HABANA

El excelentísimo señor Claude Heller, entonces embajador a punto de ser cambiado, me contó ser hijo de dos brigadistas internacionales que se conocieron en Albacete durante la Guerra Civil española, él austriaco, con apellido de discípulo de Luckacs y ella francesa. Cada vez que me pasa una cosa así me entran ganas de emocionarme, incluso de llorar, pero no es el momento porque tal vez sólo entendería mi emoción ucrónica el señor embajador. Entre dos culos de bronce, dos estatuas diríase que *liberty*, veo a Víctor Moro negociando con Artur Cabré, a mi lado derecho, la posibilidad de ver en su casa el Barcelona-Valencia de fútbol, pero siguen siendo emociones difícilmente transferibles entre hombres de negocios españoles que me parecen del Real Madrid y latinoamericanos, y diplomáticos que nunca se emocionan del todo, ni siquiera ante un Barcelona-Valencia. Por cierto, vimos el partido, hicimos la primera comida profunda que nos proporcionó Víctor, magnífico anfitrión, y viví una escena épica que merece pasar a cualquier reedición futura de la formación del espíritu nacional. Ganaba el Barcelona por 3 a 0 y el Valencia empezó a remontar hasta conseguir el 3-4 y, en el momento justo del gol de la victoria valenciana, uno de los allí presentes, personaje cordial, se puso en pie como impelido por un resorte emocional incontenible y gritó con voz de teniente coronel de infantería años cuarenta: ¡Viva España! Pasa Juancho Armas Marcelo detrás de un puro más largo que el mío y retorno a Castro que está cerrando la fundamentación: si la Revolución se ha reafirmado tanto en las elecciones, ahora podemos recibir tranquilamente al Papa. Extraordinaria lectura marxista de las bondades del Papa y propuesta de una acogida hospitalaria, como si se recibiera a un aliado, al mejor aliado en estos momentos. Tras siete horas de intervención aún charla con los periodistas y a mi alrededor crecen las especulaciones. Lo que más gusta a los anticastristas moderados es que Castro un día u otro le entregará el poder al Papa y se irá a Galicia a cazar urogallos con Fraga.

Me voy a mi habitación a no dormir. El *jet lag* ataca de nuevo, se me abren los ojos a las escaseces de los programas de televisión que permite la parabólica del hotel, patrióticamente me presto a ver Televisión Española Internacional y recibo la esperable ración de españolidad incolora, inodora e insípida, más alguna película idiota, prueba evidente de que el cine español comercial de los años sesenta es casi tan malo como el cine fascista de los cuarenta, también ampliamente vehiculado por esta nuestra autopista de la desinformación. Por La Habana se mueve el responsable de TVE, López Amor, el excelente corresponsal fijo Sanclement que comienza una emisión estable desde Cuba y una nutrida representación de profesionales de paso. López Amor es un personaje tristón, melancólico, como si sospechara ser mal visto incluso cuando no le ve nadie, porque no hay nadie.

Al día siguiente de la alocución de Fidel me pego a una cola obstinada ante un quiosco erosionado por el salitre que llega del mar y por la poquedad de bienes industriales del *periodo especial*. Observo la estrategia de los perros de La Habana o la de La Habana con respecto a sus perros, animales sagrados según la santería. Siempre hay un cartón en toda acera para un perro o un perro para dormitar su digestión de racionamiento en un cartón, como si fuera un servicio municipal para perros, delgados, miméticos, pregonando con su patética delgadez que no son comestibles. La cola que secundo mientras contemplo el heideggeriano estar-en-el-mundo de estos perros que sueñan comidas profundas, obedece a la voluntad de comprar *Trabajadores*, semanario que reproduce en su totalidad la intervención de Fidel Castro sobre la visita del Papa. No creo que la lectura de las palabras cosificadas por la impresión sustituya la complejidad de la lectura en directo de la combinación de eufonía, silencios, gesticulación de la que se valió Castro para convertir a Juan Pablo II en un compañero de cruzada antineoliberal: Pedro

117

el Ermitaño y Ricardo *Corazón de León*. El cardenal Ortega trataría en la rueda de prensa de rescatar a Juan Pablo II de la embarazosa sospecha de complicidad con la teología de la liberación, pero la curiosidad despertada por el sorprendente discurso de Fidel se convierte en incontrolable fiebre de augur descodificando las tripas de la bestia sacrificada. De ahí las colas de ciudadanía interesada en repasar las palabras, como si apuraran uno por uno los huesecillos de dos Esperanzas, la laica y la teologal.

Con su semblanza tan positiva del Papa, Castro ha ratificado su habilidad tacticista, convertido en anfitrión y árbitro, papeles ratificados por su presencia en la misa presuntamente más multitudinaria, la de La Habana. Si en Santiago el Papa aparecerá enmarcado entre la Virgen de la Caridad del Cobre y Raúl Castro, en La Habana el Che, el Sagrado Corazón, Martí y Fidel cooficiarán en un encuentro simbólico que fijará la memoria de una visita tan abierta como la despedida, porque hoy, día de la llegada de Juan Pablo II, de lo que más se habla en Cuba es del día siguiente de su marcha. La Habana está llena de geómetras que han venido con la vara de medir la rentabilidad de la visita papal, mientras desde Miami se la empieza a contemplar con recelo. El Papa atraviesa los cielos del bloqueo y durante cinco días pondrá a Cuba en las mejores pantallas de TV, incluidos los mejores salones del imperio.

La Habana es una ciudad llena de brujos, sean cardenales o geómetras del final o de la permanencia del sistema, mientras Marta Harnecker me entrega algunos de sus trabajos situados entre *Los conceptos elementales del materialismo histórico*, noventa ediciones, y su última obra inédita, panorámica de la actual y plural izquierda latinoamericana. Dirige una institución cultural cuyo título es casi una provocación: Memoria Popular Latinoamericana y titula sus libros *El sueño era posible* o *Haciendo camino al andar*. Al tiempo que por La Habana se afanan los buscadores de oro o de petróleo, la discípula chilena de Althusser, que compartió el estrellato ideológico de los mayos floridos con Poulantzas, Mao, Marcuse, Rimbaud, Foucault y el Che, parece una arqueóloga paciente haciendo balance de las memorias y deseos de la izquierda, a partir del inventario de los hechos de conciencia que todavía hoy condicionan su necesidad. Arqueología y compasión. Memoria y solidaridad. La misma reflexión de fondo a favor de la gente, esos olvidados pobladores de las ciudades que hacen cola para acceder a las palabras mientras los geómetras miden el suelo que pisan los ciudadanos, calculando el tamaño de la fosa común del tiempo.

Marta y Piñeiro nos invitan a cenar en su casa a Mauricio y a mí, y ella disculpa sus poquedades culinarias frente al prestigio cocinero de Carvalho, poquedades activadas por lo poco que come o cena Barbarroja en casa, dedicado a poner oreja e ironía en todos los aquelarres. Nos ofrece más o menos un plato único de espaguetis perfectamente comestibles si tenemos en cuenta que los ha guisado según los conceptos elementales del materialismo histórico y que no ha tratado de imitar la receta de espaguetis de Fidel o la de Celia Sánchez.

Camila, la hija de ambos, despide la noche y se despide de nosotros. Piñeiro entrega su osamenta a una hamaca que se le adapta como una segunda piel y Marta me habla de aquellos tiempos en que París era una fiesta, de su condición de discípula de todos los profetas del 68 y de compañera de pupitre de tanto líder revolucionario más tarde o más temprano acogido a todas las coartadas de la postmodernidad. Esta mujer conserva la estructura física de las muchachas doradas en los años sesenta, abstemia, se nota que ha hecho gimnasia, mucha gimnasia, física y mental, y se reconoce años después desconectada de los rigores del trabajo intelectual de escaparate, aunque ha publicado mucho análisis funcional, de uso político, sólo en la Biblioteca MEPLA, hasta trece monografías entre 1990 y 1995. La descubro al día de cuanto se escribe sobre el pasado y el futuro, y muy impresionada por *La era de la información* de Manuel Castells o al menos por los dos primeros volúmenes publicados, *La socie-*

119

dad red y *El poder de la identidad*. Me entrega dos ejemplares de una precaria prepublicación de su último trabajo, *La izquierda en el umbral del siglo XXI*, amparada bajo el lema posweberiano *Haciendo posible lo imposible*, un ejemplar para mí y otro para Manolo Castells, que le remitiré a la Universidad de Berkeley, y me intriga la extraña síntesis que haya podido establecer una revolucionaria finisecular, del siglo XX se entiende, con un profeta de la postmodernidad rehistorificada. Piñeiro no interviene en la conversación, aunque presumo que en su cabeza bulle el aquelarre de brujos en que se ha convertido La Habana, y contempla el libro de su compañera como se contempla el mensaje de un náufrago de la razón crítica del siglo XX. Lo importante para él es que la Revolución no pierda la cara antes de que el milenio nos separe y que su hija conozca Galicia, la tierra de sus abuelos.

Del recuerdo de mi castro-guevarismo de juventud, mitómana y desarmada, me voy a la necesidad de encontrar a otro refugiado revolucionario en Cuba, también intelectualmente procedente del París que fue una fiesta en mayo del 68, García Pleyán, un español que decidió nacionalizarse cubano en los años setenta, que sigue aquí a pesar de todas las dificultades, también él vinculado a los sectores intelectuales que trataron, sin explicitarlo, de componer el intelectual orgánico colectivo en el sentido gramsciano, aquella fórmula que iría a parar a la proposición "la unión de las fuerzas del trabajo y de la cultura" que tanto éxito tuvo en los partidos comunistas de Europa en los años setenta. Decidió nacionalizarse cubano para ser admitido plenamente y así dejarían de considerarle un turista revolucionario bienintencionado y hubo un cambio de actitud hacia el extranjero que quemaba las naves de regreso.

—Ya no había excusas para excluirme de ciertos trabajos, de ciertas cosas. Ya era un cubano más.

Perdió la nacionalidad española porque en la embajada de España se habían enterado de su nacionalización y se negaron a renovarle el pasaporte. Entonces se dio cuenta de las dificultades que reporta cruzar fronteras con el pasaporte cubano, necesitado de visado especial en cada país.

—Si salía de España, no podía volver a entrar si no volvía a pedir el visado. Finalmente me enteré de lo fácil que era que te reconocieran la doble nacionalidad. Como ya tienen tanta historia de la emigración sobre sus espaldas, ya está todo previsto, por ejemplo, el impreso te sugiere que digas: "por razones laborales tuve que renunciar a mi nacionalidad, pero ahora vuelvo a solicitarla...".

García Pleyán se integra en la Revolución cubana a pesar de que llega en 1970, no en un momento de euforia, sino, como él dice, en un momento bajo, muy difícil. Un poco antes del *affaire* Padilla y en pleno desánimo por el fracaso de la zafra del 70, cuando todo el mundo estaba arrastrando la depresión por los suelos. A pesar de sus estudios sobre urbanismo en París, durante las primeras semanas trabaja como traductor en Prensa Latina, pero pronto consigue un puesto en Planificación Física. Tiene sus ventajas llegar en un momento bajo, porque a partir de esa impresión todo lo que queda por hacer es reiniciar la ascensión, retomar la esperanza: si no sigues bajando tienes la sensación de que subes, me dice. García Pleyán, como tantos otros convocados por la llamada revolucionaria, hizo abstracción de sus veleidades teóricas trotsquistas o prochinas de juventud y asumió una Revolución real, a la que podía contribuir, a pesar de que su llegada coincidía con la vinculación de Cuba con el CAME (Consejo de Ayuda Mutua Económica —especie de Mercado Común del bloque socialista—) y la acentuación del vínculo soviético.

—Pero tenías la sensación objetiva y subjetiva de estar empujando el país para arriba a una velocidad entusiasmante. Los ritmos de crecimiento eran, en ese momento, realmente espectaculares. Yo estaba trabajando en un departamento que, desde antes de los ochenta, estaba planificando el territorio de la Cuba del 2000. En aquellos años incluso se percibía una mejora considerable en los niveles de consumo del pueblo, no entendido el consumo a lo occidental sino a lo socialista, es decir, no escasez de lo realmente necesario. Cada año había más cosas en la libreta, los *per cápita* eran mayores, se empezaron a abrir tiendas, acceso a productos industriales largamente ausentes, la calidad mejoraba. Tenías la sensación de construir algo hermoso, impresión compartida por una mayoría.

La integración en el CAME implicaba que los Estados socialistas aplicaban *precios justos* a los productos cubanos, para intentar superar el normal intercambio desigual entre países fuertes y países débiles. Además, Cuba recibía créditos muy importantes que se gastaban en dispendios a veces absurdos. Se dejaba atrás la economía moral del Che, aunque Castro la había secundado y adoctrinado a lo largo de los años setenta en la nueva dirección, desde una notable capacidad de autocrítica. Mientras los economistas y técnicos en previsiones sociales y económicas vivían tiempos de euforia para una Revolución por algunos calificada de subvencionada, aunque fuera más legítimo decir compensada por los Estados socialistas ricos, los intelectuales llaman a ese periodo *quinquenio gris*, porque la dependencia soviética estuvo demasiado presente en la cultura y en el discurso ideológico. Curiosamente, un científico social de izquierdas como García Pleyán vivió el entusiasmo constructivista de los setenta sin participar de las zozobras de los intelectuales —vamos a llamarles— especulativos.

—Realmente lo de Padilla y todo aquello sí que era un poco desagradable, pero entonces no tenía referencias para decir si era gris o negro o blanco. Algunos escritores y artistas han vivido en su propio territorio y yo tampoco estaba tan metido en ese circuito. Entré en Planificación Física, en un ambiente, no sé si llamarlo técnico, a veces tecnócrata, más preocupado por realidades económicas que por lo que vivía el mundillo cultural. La economía había entrado en las pautas de la ortodoxia soviética y así se mantuvo hasta 1984, cuando empieza la gran crisis del socialismo real y nuestro llamado *proceso de rectificación*. Los intentos de diversificación económica fueron más especulaciones que realidades, porque la estrategia económica soviética pedía especialización en unas partes determinadas de la producción, más o menos coordinadas con las del resto de los países del CAME: seguía dominando la monoexportación, el monocultivo, la monoproducción. Se hacían intentos locales de diversificación y de sustitución de importación, pero no tenían una real significación económica a escala nacional.

—La exportación de la Revolución era vivida popularmente como una epopeya.

—Quizá no por todos, pero sí por una inmensa mayoría. Recuerdo también el día que vinieron a preguntarme si estaba dispuesto a ir a África si era necesario, y te sentías obligado a esa participación. Tenías que pensarlo de verdad y asumir si estabas dispuesto a pasar uno o dos años lejos de todo y con posibilidades de no volver. Lo coherente era la solidaridad internacional y combatir. A pesar de la ofensiva feroz del capitalismo en la década de los setenta, Cono Sur de Latinoamérica como prueba evidente, nosotros éramos David contra Goliat. Una pulga en África que ganaba a los surafricanos.

Supongo que no ha circulado por la isla *Cuba, la isla posible*, reflexión sobre el prefuturo más que sobre el presente de la creatividad cubana y, cómo no, del problema de la identidad como una creación. Reunidos por el joven ensayista cubano residente en Barcelona, Iván de la Nuez, él mismo y otro insolente talento, Rafael Rojas, autor de *El arte de la espera*, reflexionan sobre identidad, diferencia y fuga, más allá de cualquier complejo de materialismo histórico, tal vez como una reacción desintoxicadora ante su empacho. La búsqueda de la identidad, lo diferente, la nación, ha sido un traspaso conceptual de la burguesía criolla al fidelismo, y ni siquiera el Che, dice De la Nuez, lo reclama, llamado por un perpetuo vanguardismo. Revolución y nacionalismo no casan bien. Antes de la Revolución, después de la Revolución ¿o acaso desde la perspectiva crítica del postmodernismo rehistorificado, De la Nuez y Rojas nos están diciendo, como tantos otros, que hay que retomar el discurso de la identidad tal como estaba en 1958 para abandonarlo inmediatamente y no volver a caer en la tentación de falsificar la diferencia? El tono y el código de estos jóvenes ensayistas, partidarios de la no frontera entre la movilización del pensamiento y del lenguaje, parece un lujo intelectual cuando lo comparamos con la conciencia realmente existente en Cuba, en la que sigue siendo imprescindible historificar para entender, en la que Gramsci es, tras treinta años de exilio interior, arriesgada vanguardia, y Martí el más remozado y solvente profeta del castro-guevarismo.

García Pleyán me hace volver al inicio del periodo llamado de rectificación, que en el capítulo económico repercute en una mayor apertura —lo que pasa es que evidentemente no había un modelo—, y en el del pensamiento marca el despegue de lo que había sido el manualismo, aunque toda actividad intelectual venía marcada por la relación orgánica con el Comité Central del Partido. Existía la conciencia de lo que funcionaba mal, pero a veces las correcciones eran incoherentes ¿Cuántas conciencias cubanas sobreviven y se oponen? Le pregunto y yo mismo me respondo: aún está la batistiana, la constitucionalista del 40, el fidelismo, el castro-guevarismo, el guevarismo, el nacional-catolicismo, los poscastristas convencionales, los castristas poscastristas, los posmodernos, los pos-posmodernos. Pleyán admite la variedad cultural de todas las Cubas, para siempre imposibles los tiempos del monolitismo, como si se hubiera consumado el sueño del pintor Antonio Elígio: un mapamundi totalmente lleno de Cubas.

—A veces los científicos y técnicos habláis de la incoherencia del paradigma establecido que se corresponde con situaciones pasadas, que no se ha adaptado suficientemente a las nuevas pautas. ¿Esa incoherencia de dónde venía? Porque lo que caracteriza a un poder socialista es que la política está por encima del economicismo, pero la opinión de los que saben economía también se ha de tomar en cuenta.

—Fidel desconfía del enfoque técnico de los problemas económicos. Cuando se produjo la primera intervención de José Luis Rodríguez, el actual ministro, en la Asamblea Nacional, para mí es el primer ministro de economía que sabe de economía, Fidel le tiró dos o tres andanadas porque le pareció más técnico que político. Esa ha sido su posición siempre y vigila muy de cerca la política económica.

—Cuando cae el muro de Berlín, la reacción no es de pesimismo absoluto, pensáis que ahora podrá desarrollarse una nueva creatividad revolucionaria.

—Mi paso por la economía ha sido fugaz y mis conocimientos escasos. De lo que sí puedo hablar un poco más es del ordenamiento territorial y de gestión del territorio. Lo que hicimos en aquel momento, de 1990 a 1996, fue fundamentalmente el diseño y puesta en práctica de un sistema de planificación más participativo, más descentralizado. Le llamamos el proceso de "municipalización del planeamiento". Es decir, bajar el nivel administrativo y cambiar las formas de hacer los planes en urbanismo y en ordenamiento territorial.

—Pero sin modificar el estatuto de propiedad.

—Sin modificar el estatuto de la propiedad. Otra fijación que no entendemos muy bien, porque podríamos pasar a otras formas de propiedad socializada, pero forzosamente estatalizada. ¿Por qué debemos polarizar el asunto entre el microscópico trabajador por cuenta propia y la enorme y anónima maquinaria de Estado?

—En esa línea iría el informe del CEA sobre economía de Carranza y otra gente, que proponían el mercado bajo control.

—En versión económica podría ser eso. El diseño que estamos haciendo de ordenación de territorio iba en esa dirección. Hay que tener en cuenta el papel que podrían tener las cooperativas de servicio o de producción. La pequeña y mediana empresa. Se trataba de crear redes horizontales de cooperación en el territorio. El sistema económico y político-administrativo es fundamentalmente vertical y sectorial. Es decir, tanto los recursos como los modelos, las órdenes y las imágenes de planeamiento descienden desde arriba por los ministerios y todos los niveles jerárquicos territoriales: provincia, municipio, consejo popular, comunidad. Nosotros creemos en el sentido inverso. A partir de redes como cooperaciones interempresas a cooperaciones entre distintas formas de propiedad, personal, cooperativa, estatal, ir negociando los planes con la administración. Participativamente.

—Esta socialización participativa ¿formaría una red defensiva y estimulante de la evolución de la Revolución?

—Al inicio de los noventa, hay muchas señales de que ése es el diseño. Por ejemplo, aparecieron los consejos populares, una instancia de base, que planteaban la posibilidad de no estar siempre mirando hacia arriba a la espera de las orientaciones, sino escuchar, organizar y servir de portavoz de las ideas e intereses de la comunidad. Tenían una gran potencialidad que dudo mucho se haya aprovechado. Pero el único camino para defender nuestro proyecto social en el XXI va por la vía de la participación popular, de la incorporación de la juventud. Eso significa información y debate.

—La distribución territorial puede ser resultado de un diseño. Tú diseñas un cambio. Pero en el campo de una economía dependiente del monocultivo, ¿cómo se puede resolver un paso de una economía compensada por los demás países socialistas a una situación de globalización no controlable o de autarquía? ¿Se especuló sobre eso?

—No sólo especulaciones, sino hechos. Hubo en los noventa una primera apertura hacia otras formas de propiedad, hacia el capital extranjero y una serie de cambios llamados *liberalizadores*, llevados desde el propio Estado. La entrada del capital extranjero, pienso yo, se autorizó únicamente con la idea de revitalizar sectores de la economía, como la gran industria, que es otro de los descomunales problemas de reconversión que tenemos aquí, porque se han hecho industrias a escala del CAME pero no a escala nacional. Las zonas industriales tienen unas escalas a nivel de América Latina que evidentemente se rompen, son absolutamente rígidas ante los cambios inesperados y súbitos del mercado y de la tecnología. Una de las tragedias tecnológicas y organizativas en ese momento era la reorganización de la industria e incluso de la agricultura. Dado que las empresas estatales y concertadas agrícolas no funcionaban, se tomó una decisión que podía ser vivida como un paso atrás: la cooperativización de toda la agricultura. Lo que pasa es que son cambios puramente institucionales, pero que representaban mantener la socialización de la propiedad. Esas cooperativas han seguido supeditadas a planes que vienen desde arriba, aunque las cooperativas sean propietarias de los medios de producción y el resultado del producto del trabajo del suelo para no desnacionalizarlo haya quedado en propiedad estatal, con lo cual no pueden especular con él. Ahora, ¿quién decide qué es lo que se va a producir? ¿A qué precio? ¿A quién se lo vendo? Todo el funcionamiento de la maquinaria decisoria está intocado.

García Pleyán forma parte de una generación marcada por la utopía intelectual realizable, los que eran jovencitos en los años sesenta o setenta, y continúan aquí fieles al impulso original de contribuir a hacer la revolución o ver a dónde va a parar eso que sigue llamándose Revolución cubana y que ya es vida, su vida. Pero también encuentro otros sectores instalados totalmente en el desencanto, normalmente más jóvenes, todavía no acuarentados asalariados de la cultura, de diversos códigos, y ya se reconocen demasiado mayores para marcharse: "Ya hay demasiados exiliados cubanos en el mundo, ni siquiera sorprendemos ya. El mercado está saturado de cubanos exiliados. Hay que permanecer. Poner la cara y evadirte".

Muchos intelectuales o profesionales de la cultura instalados en el pesimismo de la inteligencia, aún conservan el optimismo de la voluntad. Otros tienen la inteligencia y la voluntad bajo mínimos, sin caer en el abismo de la disidencia. Esa actitud la captas también en muchos trabajadores que utilizan el capicúa: "Ya que hacen ver que me pagan, yo hago ver que trabajo". Y aunque persiste la mística del *héroe del trabajo* glosado en los paneles de las fábricas, los talleres, las oficinas, basta ver la cara con la que asisten al *teque*, la explicación política del responsable de concienciaciones, para llegar a la conclusión de que están pero no están, conformados con sobrevivir sin esfuerzo. Si hace veinte años las divisiones entre el exiliado y el que se quedaba se prestaban a las bipolarizaciones y a un cierto maniqueismo, hoy las actitudes se han diversificado tanto en la Cuba insular como en todas las Cubas. Por ejemplo, Floreal Borau, por qué no llamarle Floreal Borau, me habla a la sombra mañanera de la catedral de La Habana, la catedral más bella de América según Grophius. No quiere que reproduzca su nombre verdadero a pesar de que no se autoreconoce como disidente, y por lo que pude comprobar comparte actitud con un sector de la intelectualidad crítica, pero no abandonista.

—No quiero ser protagonista de nada. No me interesa ser héroe del trabajo ni disidente. Dejaré que todo ocurra a mi lado, sin marcharme y procurando que no se me caigan encima los cascotes de la Revolución.

Contempla la catedral con sorna y me pregunta:

—¿Quieres saber en qué momento se jodió la Revolución?

Estaba escrito. Me viene de la memoria a los labios el arranque de *Conversaciones en la catedral* de Mario Vargas Llosa: "Desde la puerta de *La Crónica* Santiago mira la avenida Tacna, sin amor: automóviles, edificios desiguales y descoloridos, esqueletos de avisos luminosos flotando en la neblina, el mediodía gris: ¿En qué momento se había jodido el Perú?". El mismo Borau se responde: el día en que se produjo la reacción Thermidor, la reacción conservadora que suscita toda revolución cuando está a punto de ser definitivamente creativa. Y ese día fue aquél en el que Fidel apoya a los soviéticos en la invasión de Checoslovaquia y deja de improvisar para entregarse a las pautas del capitalismo de Estado soviético. Fíjate que a partir de ahí pasó todo. El caso Padilla. El divorcio con los intelectuales. El envaramiento del lenguaje como traducción del envaramiento del pensamiento. Para Floreal Borau, la situación actual se caracteriza por un empantanamiento aliviado por el flujo de dólares que aligera tensiones en algunos sectores.

—Esos dólares, al igual que la inversión extranjera, permiten no entrar en estado de bancarrota completa, pero realmente no hay ninguna sensación de cambio controlado y sistematizado. Al revés, lo que sí notas es que hay todo un sector verde, el de los dólares, que va por delante y cada vez abre más cosas e invade más tiendas y terrenos. Y tú lo miras ambiguamente, porque es bueno que esté ahí, y si hace falta algún día, ya veré lo que hago para meterme en el sector del dólar. Pero el salario social, lo asistencial, se va debilitando y si a mí me pagan en pesos, ¿qué carajo voy a hacer yo cobrando en pesos frente a los que tienen acceso al dólar? La capacidad de control que sigue teniendo el Estado no la emplea realmente para modificar el proceso revolucionario, sino para conservar unas determinadas estructuras de poder, y se podría dar que la propia dinámica social acabará siendo un elemento de ruptura, cuando el Estado no tenga mecanismos flexibles para poder encajar esa ruptura. Dicen que sí, pero no aprenden nada de lo ocurrido en el bloque socialista o sólo aprenden para bunkerizarse más, no para abrirse. Resistir es vencer, piensan. Hay quien cree que volverá la URSS cuando fracase la Rusia de Yeltsin. A su manera, el propio régimen se ha convertido en un ajiaco criollo, aquella metáfora culinaria utilizada por Fernando Ortíz. El ajiaco es un comistrajo que mezcla tasajo, gallina, carne de puerco y de ternera con malanga amarilla, plátanos verdes, yuca, boniato, malanga blanca, plátanos maduros, limones, grasa de cerdo, cebolla, ajo, ají, tomate y sal ¿Qué te parece? El propio concepto *revolución* es un *ajiaco*

¿De qué Revolución están hablando? Fidel repite continuamente: "Estoy aquí hasta el final porque es mi obligación y mi deber como revolucionario". En la última añadió: "En el puesto que sea necesario" porque ya era muy fuerte lo que estaba afirmando y alguien le habría insinuado que modificara el disco. No sólo él parte de esa actitud, sino todo el entramado confía en eso.

Ignoro si hay un doble juego en las alturas; a medida que bajas por el aparato ese doble juego aparece entre lo que se dice y lo que se hace. Es lo que se llama la doble moral, el doble estilo, el doble todo. Las medidas de encargar a militares la gestión de crear empresas públicas se llevan con tanto personalismo por algunos militares *managers* que casi son empresas privadas. La gente piensa, comenta, debate que pueda ser el embrión de una futura privatización a través de los *managers*, pero es difícil pensar que sea el primer paso hacia la propiedad privada, porque serían necesarias medidas hoy impensables para llegar a eso. Me da la sensación que durante este periodo de 1984 a 1990, el periodo de rectificación, hubo varios disparos en varias direcciones, buscando rumbos sin parar. En los periodos de máximas dificultades se creó la ilusión óptica de la participación popular, de autoorganización. Todo quedó en embrión. Iba madurando poco a poco, hasta que en 1996 empantanaron. Ahora no llega el chorro del mundo socialista, sino el chorrito de los países capitalistas que sólo sirve para que la mierda no te llegue a los labios. Hace uno o dos años el PNB subió al 7,8%, y la gente se ilusionó pensando que los modelos chino o vietnamita podían tirar de la economía aunque el control político siguiera rígido. Ahora estamos en el 2% y sigue la indecisión a la hora de elegir un nuevo paradigma socialista.

Una incógnita muy presente en el debate cotidiano es la óptica de la situación desde la perspectiva de un economista científico como el actual ministro de Economía, José Luis Rodríguez, o de un hombre de la experiencia política de Lage. Todo el mundo me ha hablado muy bien de Rodríguez, pero Borau tuerce el gesto. Recientemente el señor ministro dio cuatro largas conferencias sobre "Política económica de la Revolución cubana", y se esperaba que, al menos para iniciados, tratara de demostrar que no estaba burocratizado, que todavía pensaba, pero los asistentes se encontraron ante un frontón de ortodoxia pura en defensa de las pautas oficiales ¿Cómo no iba a defenderlas si es corresponsable? Pero cuando mi interlocutor emplea la palabra *ortodoxia*, después de su metáfora del *ajiaco*, me pregunto y le pregunto: ¿Qué es la ortodoxia pura hoy día?

—Marx pasado por Lenin. Lo que dicen los manuales, lo que decían los manuales en los años setenta y ochenta. Todo lo hacemos bien, hemos encontrado el camino, lo que ahora hay que tener es paciencia, perseverancia y disciplina. Léete lo que declara Machado Ventura, el organizador del partido, o los escritos de José Ramón Balaguer, el responsable de ideología y de las Relaciones Internacionales en el Comité Central. Son la ortodoxia nacida de madre carnal. Los sectores más abiertos del propio Gobierno no les quitan el ojo izquierdo a los ortodoxos puros y el ojo derecho al padre de todas las batallas, Fidel. El consenso social está bajo mínimos, pero fíjate que no hay ningún ruido y eso ayuda a actuar como si nada pasara. El único momento desde 1961 hasta hoy, en el que yo he tenido la sensación de que algo podía pasar y no bueno, fue en agosto de 1994, cuando la bronca a propósito de los balseros y las manifestaciones callejeras. Cuatro bofetadas, la contundente actuación de los cuerpos de respuesta rápida y se acabó. Y allí se asustó todo dios, hasta Dios. Se demostró por la cantidad de medidas tomadas en los tres o cuatro meses siguientes a agosto de 1994. La punta del cambio está ahí y empieza una semana después de las bofetadas. Cuando se dice que el consenso está bajo mínimos: sí, no digo que no. Pero, ¿dónde se ve? ¿No se ve? Tranquilos ¿Siguen yendo a las convocatorias de la plaza de la Revolución? Tranquilos ¿Sigue votando el 95%? Tranquilos. Aquí no pasa nada. Habría que hacer un poco más de ruido, no para destruir, sino para forzar a construir. Pero, ¿quién? ¿Eso que llamamos la sociedad civil? Lo tiene muy difícil para vertebrarse y organizarse dentro de la legalidad. El poder teme perder el control y sobre todo compartirlo con otra izquierda, porque la derecha es fácil delimitarla y la tienen exiliada en Miami. ¿La Iglesia? La gente va a la iglesia porque reciben la asistencia de las llamadas *farmacias alternativas* o a pedir ayudas asistenciales concretas.

La religión sirve pues para algo, pienso y recuerdo la observación de Aurelio Alonso: la disposición de las masas ante la visita del Papa no es enfervorizada sino expectante, van a ver si pasa algo, a ver si este señor consigue que lleguen más dólares de Miami. La estructura mental religiosa de la gente en Cuba, coinciden casi todos, es instrumental, muy cerrada a lo profético, y quizá esa religiosidad pragmática también marca las actitudes ante lo político, donde en general se espera que pase algo, pero después de Castro. Hables con quien hables, lo dice Borau, todo lo hacen depender de la desaparición biológica de Castro, lejos ya aquellos temores o esperanzas de comienzo de los noventa cuando la acción exterior entraba en lo previsible. Todavía una minoría espera la emergencia de una energética revolucionaria que reconduzca sus objetivos por la vía de la participación, de la libertad crítica, de la pluralidad, tal como propone James Petras en su conversación con Eduardo Giordano sobre la izquierda después de la caída del muro. Al referirse a Cuba, Petras, recuerda que se mostró crítico con la integración de la economía cubana dentro del CAME y que antes de la crisis económica ya planteó una reforma política basada en la profundización del socialismo: "Mi concepto de pluralismo consiste en que todos los sectores populares deben tener su organización y su representación política. Eso excluye a priori a los partidos burgueses, porque la burguesía como una tendencia en Cuba está vinculada al Gobierno norteamericano y a intereses imperialistas". Hasta aquí un

Petras perfectamente metabolizable, pero añade: "Hay que trazar una línea a los que quieren mantener un sistema socialista, pero que tienen diferentes intereses y diferentes perspectivas. Y eso implica múltiples tendencias, incluso organizaciones políticas alternativas; pero en función de defender la Constitución cubana, excluyendo al partido único como elemento integral." La reclamación postrotsquista de pluralismo dentro del socialismo ni siquiera entra en los esquemas vigentes del cambio. En el fondo mucha gente cree en la Revolución porque teme romper el espejo en el que se ha mirado tantos años, pero cada vez hay menos seguridades en la manera de conducirla. Cuando se desmoronaba el mundo socialista, llegaban los diarios de siempre de Moscú pero con un contenido sorprendente; decían todo lo contrario de lo que siempre habían dicho bajo el efecto, diríase que etílico, de una intoxicación de *glasnost*, y los cubanos vivieron durante dos, tres meses, la ilusión de que la realidad del cambio estaba tan cercana como aquella prensa que había sido soviética, hasta que fue prohibida porque ya no era soviética y la noticia del proceso del cambio socialista desapareció por un agujero negro, ignorado por la inmensa mayoría de la población y sólo accedieron a él las élites políticas e intelectuales de distinto signo. Cuando tras escuchar el sorprendente silencio de esta catedral que no suena, le digo a Borau que es increíble que una Revolución que nació tan creativa haya podido anquilosarse, emite una respuesta inconcebible hace cinco o seis años.

—No pueden reaccionar porque ya son de otra época y se miran en espejos trucados que les siguen devolviendo la imagen de guerrilleros verde olivo.

Hace cinco años había mala leche, rebeldía, voluntad de que saltaran los tapones. Ahora percibo la explicación escasamente científica de que se trata de un problema generacional, que los que hicieron posible la Revolución están intelectualmente agotados. Es evidente que la lucha de clases sigue existiendo aunque cambiemos los nombres. En el momento en que se globaliza el capitalismo, las contradicciones también se globalizan, y aquí había una oportunidad para que la inteligencia revolucionaria hiciera una nueva lectura del desorden, como la están haciendo los nuevos movimientos emergentes. Borau se desespera cada vez que yo me refugio en la racionalidad.

—En China han creado un sistema que garantiza la alimentación a centenares de millones de personas, y ésa es la coartada para cambiar la economía, pero no el sistema político. Aquí no es el caso. En Cuba hay once millones de personas, o sea que el experimento podría ser más abierto, sobre todo porque aún funciona el carisma de Fidel y la Revolución tiene algún sentido. La gente que ha contribuido a la caída del socialismo es esa nueva mesocracia creada por el mismo socialismo, profesionales competitivos que han viajado, que han visto como vive un biólogo en San Francisco y que ellos debían esperar 10 años para conseguir un recambio de las escobillas de un coche viejo y feo. Esa gente ha pensado: "En una economía de mercado, en una cultura de mercado, yo tengo un papel y en cambio aquí no lo tengo". Y esta conciencia se extrema en Cuba por el efecto de lo que llaman *la pirámide invertida*, según la cual el botones de un hotel se saca en propinas mucho más que el mejor especialista universitario o el mayor héroe del trabajo. Y lo mejor que le puede ocurrir a un cubano es trabajar para una empresa extranjera, porque el capitalista paga al Estado cubano los salarios de los trabajadores en dólares y al Estado le interesa subir los salarios de cualquier trabajador de esas industrias porque recibe su porcentaje. El Estado paga al trabajador en pesos, pero son numerosos los empresarios extranjeros que bajo mano les dan unos dólares a sus trabajadores.

La economía como ciencia lúgubre, pero ¿también ciencia arbitraria? En España critiqué suavemente a dos economistas porque fueron intervencionistas en versión marxista o falangista hasta los sesenta años y luego se hicieron liberales ¿Tan versátil es esa ciencia? Ante la crisis del Japón y de los *ti-*

gres del sureste asiático, el *guru* de los pijoliberales españoles admitía los límites de "...nuestro conocimiento en materia de vaivenes cíclicos de las economías", pero añade que los buenos resultados del modelo asiático se deben al capitalismo y los malos "a los defectos de su marco institucional" ¿A la supervivencia del emperador del Japón o de los samurais? Desde el riguroso cientifismo económico se critica la aplicación de la subjetividad ideológica en la economía y se desprecia el intervencionismo político. A la contra, hasta políticos liberales como Sanguinetti o socioliberales como Felipe González, reclaman la recuperación de la autonomía de la política frente a la dictadura del economicismo. Precisamente, a la Revolución cubana se le reprocha que haya situado la economía por debajo del voluntarismo político. Según las tesis desarrolladas por Julio Carranza y los economistas del CEA, Gutiérrez Urdaneta y Pedro Monreal en *Cuba: La restructuración de la economía*, la pertenencia de Cuba a un bloque económico socialista le permitió llevar adelante una política económica muy condicionada por el objetivo revolucionario y ahora hay que encontrar la manera de no traicionar ese objetivo pero resituándolo en las nuevas condiciones. "Las preguntas que los autores se proponen responder podrían resumirse en la siguiente formulación: cuáles son las transformaciones que deben llevarse a cabo en la sociedad, la economía y el Estado cubanos para dinamizar la actividad económica, imprimiéndole estabilidad al crecimiento, mejorando las condiciones de vida a los cubanos y preservando los componentes estructurales del funcionamiento de Cuba, aquellos que derivan, por cierto, de la propia Revolución".

Lúgubre o no, exacta o inexacta, la economía se ha ceñido al ganador del debate en cada época, desde el que el Che impusiera que los Estados socialistas más desarrollados tenían que ayudar a los menos desarrollados. Así pudo la Revolución cubana fijarse una gran cantidad de objetivos políticos y sociales avanzados porque disponía de los excedentes acumulados hasta entonces, y la inserción en el CAME la liga a la complementariedad económica del bloque socialista, a la posibilidad de una economía de trueque, azúcar por petróleo, por ejemplo, fundamental para el desarrollo cubano entendido en clave revolucionaria. En el discurso del Che de la conferencia de Argel, considerado como la base de su ideario económico, dice que los países socialistas tienen la obligación política y moral de ejercer una conducta económica de apoyo y solidaridad a los procesos revolucionarios del Tercer Mundo: ahí nace la denominación *economía moral*. Creía que había que trabajar de una manera muy acelerada para industrializar el país y alcanzar así la independencia económica y política. La organización de la economía debía orientarse a propiciar por todos los medios la acumulación socialista. Y para estimular esa capacidad de acumulación, junto a la ayuda de los países socialistas, confiaba en el esfuerzo extra de los trabajadores, movidos fundamentalmente por lo moral, lo ideológico, lo político, aprovechando la situación de conciencia que produce el periodo inicial de la Revolución. No está claro si el Che veía esta organización de la producción como una táctica o una estrategia, es decir, como un periodo circunstancial o como un modo de concebir para siempre las relaciones de producción. Algunos que trabajaron con él me dijeron que en cierta ocasión había dicho: "Hay cosas que hay que hacerlas ahora, porque después no será posible". Las revoluciones esperan ese hombre nuevo capaz de sacrificarse por el futuro colectivo y suele tardar tanto en llegar que la Revolución se agota antes. Tal vez sea consecuencia del cuarto mojito, pero Borau corta mi monólogo pregunta algo irritado: "¿Pero por qué te vas a Adán y Eva? ¿Por qué te crees los análisis de los chicos del CEA? Todo eso es arqueología y dentro de diez años ese planteamiento reformista del CEA habrá sido barrido por la brutalidad de la quiebra". La Revolución se consolida en una década clave, los sesenta y empieza a autodestruirse en los setenta. El pulso entre capitalismo y socialismo se ha escenificado en todo el mundo y en los setenta empieza el desenlace. La descolonización africana, las insurgencias latinoamericanas, las acciones de los movimientos sociales tradicionales y de nueva planta, la contracultura, la rebelión en los campus, los *black panthers*, el mayo francés, el socialismo de rostro humano, todo eso representa la edad del entusiasmo y la inocencia.

—Los *progres* de Europa no érais del todo conscientes que se estaba jugando la tercera guerra mundial en un momento cumbre y hay quien sostiene que pudimos ganar, en el supuesto de que ganar junto al bloque soviético significase que también ganábamos nosotros. Personalmente, creo que no me hubiera sentido ganador. Recuerda que Gunder Frank profetizaba el final inminente del capitalismo, y el voluntarismo del Che proponía una praxis que confirmara el análisis de la derrota del capitalismo. Castro no podía negarse a la exportación de la Revolución ¿Hasta qué punto la exportó de una manera voluntaria o porque estaba presionado por lo que podía significar el guevarismo? ¿Y cómo eso condicionó el modelo de desarrollo dentro de la propia Cuba? Este es un punto importante en el debate sobre interpretación de la Revolución cubana en el contexto de la guerra fría y cómo eso influyó en su paradigma cultural. Ante todo, la gran operación cubana no se monta en América, sino en África. En América hay respaldos concretos, operaciones de ayuda o intentos de exportación revolucionaria como el de Bolivia. Lo de África fue una intervención en toda la regla. No hay que olvidar que el Che estuvo en el Congo durante un año, ni tampoco la contribución cubana a la derrota de Suráfrica en el caso de Namibia. Eran tiempos de Ben Bella en Argelia, de aquel encuentro del Che con Ben Bella y Ben Barka, el líder marroquí luego asesinado por el general Ufkir. África era en ese momento un continente muy interesante, las potencias coloniales se están yendo y Estados Unidos aún no ha llegado, salvo a Marruecos. Hay como un vacío de poder y el Che plantea la alianza con los líderes más importantes de la izquierda africana.

Recapitulemos los propósitos: por una parte, la voluntad de ayuda del bloque socialista a la política económica cubana y por otra la respuesta cubana al bloqueo imperialista mediante la intervención revolucionaria en el mundo. Hay que ensamblar las dos perspectivas. En aquel momento había una coincidencia estratégica entre Fidel y el Che y el gran ejecutor en el subsuelo de esa política secreta y a la vez evidente fue *Barbarroja*. Piñeiro lo sabe todo. Habla con Piñeiro, si quiere hablar contigo, que lo dudo porque sabe que sabe demasiado, y vete de Cuba. Todos los demás sobramos. Piñeiro sabe que a la Unión Soviética la intervención en África le iba más o menos bien, aunque siempre receló de que Cuba pudiera llegar a liderar el movimiento de los No Alineados tomándose en serio la lucha entre Norte y Sur. En cambio, la URSS no estaba de acuerdo con las intervenciones en América Latina y ese desacuerdo el Che lo pagó muy caro en Bolivia. Aunque se diga que Fidel es un tacticista y el Che un estratega, en aquel momento, hasta que llegó lo de Bolivia, la visión de ambos era coincidente pero no era compartida por todo el mundo. Es la parte más complicada de esta historia. Una parte del antiguo partido comunista cubano estaba en contra, porque temían que se estaba jugando temerariamente con la seguridad de la URSS, en un momento además en que había estallado con todas sus consecuencias el conflicto chino-soviético. Si te lees las memorias de Benigno, bueno, las memorias que Elizabeth Burgos le ha sacado a Benigno en *Memorias de un soldado cubano*, lo más fiable es la descripción del tira y afloja de los comunistas bolivianos, de si ayudan o no ayudan al Che y cómo finalmente lo dejan tirado porque a Moscú no le va ese acto voluntarista en Bolivia. El análisis del Che coincidía con el que empezaba a extenderse por todo el Tercer Mundo: "La contradicción principal, sigue siendo la contradicción entre rico y pobre y se manifiesta en la contradicción Norte-Sur, no Este-Oeste". Se llega a proponer, desde posiciones tercermundistas, una alternativa al modo de producción capitalista y al socialista: el modo asiático de producción. Incluso el lenguaje se acerca a esa realidad dialéctica. Se propone que no se hable de países subdesarrollados, sino de países subdesarrollantes. La teoría de la dependencia fue el término que más se usó en América Latina. En el discurso del Che en Argel está presente todo eso. Este discurso representa un vuelco en relación con el proyecto socialista triunfante. Una puesta en primer plano de la contradicción Norte-Sur.

—Se replantea el conflicto latente en la III Internacional desde los años veinte. Consolidar las conquistas del socialismo en un solo país o avanzar hacia la universalización.

—Es el problema de la dialéctica reforma y Revolución, no de la contraposición. Es decir, ¿hacia dónde vamos? ¿Hay un objetivo estratégico o de lo que se trata es de perpetuar lo conseguido? ¡La reacción Thermidor! También es el problema de Cuba hoy.

—Cuba es la penúltima Revolución que sobrevive y que aún conserva un debilitado carácter emblemático. Aquí todo os puede sonar a retórico. Para lo que queda de la izquierda en el mundo salvo los frentes intelectuales distanciadores, Cuba sigue siendo aquella foto que nos hicimos cuando éramos tan revolucionarios, tan listos y tan jóvenes. En América Latina se compara cómo se vive en Cuba a cómo viven las masas en Perú, en Colombia, o en Sao Paulo. El capitalismo no ha creado allí ningún modelo ejemplar para las clases populares.

—Ese valor de uso de la Revolución no está aprovechado. Les encantaría utilizarlo sin riesgo, pero temen que a poco comience lo imprevisto y o son muy mayores o son demasiado jóvenes como para jugarse la carrera política que tienen por delante o por detrás. Y se equivocan. Cuba aún infunde mucho respeto estratégico al imperialismo, y perdona la palabra imperialismo, ya sé que no se lleva. No, no están aprovechando absolutamente lo que queda de fidelismo. No lo están aprovechando en la medida en que pudieran. O lo aprovechan solamente para pensar en mañana y en subsistir hasta mañana, y hasta los que vienen aquí dispuestos a defender esto salen horrorizados, y dime tú, si ni siquiera se puede utilizar el poder totalitario para imponer la creatividad revolucionaria sino para imponer la usura de lo que queda, ¿para qué coño sirve la represión si ni siquiera ayuda a recrear la Revolución? Es como si le hubieran *dado por culo* a Robespierre. Han tenido que transigir con los dólares de Miami y con los de las *jineteras* y no se atreven a dar pasos fundamentales. Cuando aceptan, por ejemplo, la remesa familiar, el dinero que viene de Miami y otros puntos de Estados Unidos, no saben vincularlo a una dinámica económica con voluntad de futuro, no saben cómo insertar ese flujo en algo más que ganar una semana de tiempo no se sabe a qué, no saben en qué lógica de transformación hay que meterlo. Una transformación de la dinámica económica debería resolver dos problemas: devolverle la política económica a la Revolución cubana o sostener algunos principios fundacionales y básicos del sistema, en términos de estructura de clases, en términos de redistribución con arreglo a las necesidades, como es la educación, la salud, la seguridad social, pero introduciendo también una dinámica de mercado que es necesaria en el contexto en el cual nos movemos. Lo cual implica muchos cambios y sobre todo una visión distinta del propio socialismo como sistema. O sea, la búsqueda de un modelo diferente al que fue, pero también diferente por supuesto del capitalismo dependiente que hay en el resto de América Latina. Se está martirizando la poca iniciativa privada individualizada que hay. A los que tienen *paladares* se les han puesto unos límites insoportables y en cambio el mercado de la prostitución es imparable. Me fijé el otro día. Desde el hotel Cohiba hasta la Quinta Avenida, era el no parar de oferta *jinetera*. Es impresionante. Más que en el año 1992. Y absolutamente tolerado, hablando las chicas con los policías, las *jineteras* pagan a los policías para que las dejen en paz. Como un peaje. Y aún crecerá eso cuando venga más turismo. El turismo que está viniendo a Cuba son chotos de Valencia y de Turín que vienen a eso, y algunos poscomunistas europeos en busca del muro de las lamentaciones.

—¿Dónde está el muro de las lamentaciones en La Habana?

—En La Bodeguita del Medio, como siempre. Te he dicho que aquí no hay ruidos, pero hay silencios que son ruidos. La ruptura del consenso se ve, no ya con la gente más humilde y de menos nivel. Cuanto más nivel tiene la persona y más conocimiento de lo que está pasando, mayor es la ruptura, porque todavía el prieto que vive abajo de mi casa, al final prefiere que esto no cambie, quiere pero no quiere. A mí me lo dice: "Yo no quiero irme a Miami, aquí no hago nada, estoy todo el día tumbado debajo de un árbol y vivo, allí yo sé que no va a ser igual. Y que cambie esto ¿para qué?". La gente que quiere el cambio es la que se correspondería con una clase media en otros países de América Latina, aunque esa clase media vive cada vez peor en América Latina.

—Hay clases medias reconstruidas tipo Chile, tipo Argentina, que están viviendo bien, pero las tradicionales están rotas y en fase de proletarización. La gente ha tenido tiempo de examinar como factor empírico qué ha ocurrido con las caídas de los países del Este. Todo el mundo ha podido ver esto, desde la nomenclatura hasta el último ciudadano, ése que tú dices que está todo el día tumbado pensando que estará peor cuando vuelva el capitalismo y el mercado precario de trabajo. Hasta el propio poder. Por otra parte, observo que se extiende el fatalismo biológico. ¿Nadie tiene un diseño de futuro?

—Aquí no se puede hablar con soberbia intelectual, porque al día siguiente te has de tragar lo que has dicho. Hay una falta de comprensión sobre la diferencia entre la dinámica de corto plazo y la de largo plazo. A veces se presenta como algo óptimo a largo plazo lo que sólo lo es a corto plazo. ¿A qué me refiero? Yo creo que uno de los éxitos importantes es que se ha logrado impedir que la crisis económica se transforme en crisis política. Y el país ha vivido con un nivel de estabilidad política bastante superior al deterioro que ha tenido la situación económica, y eso constituye un éxito importante. Hemos ganado tiempo y espacio para manejar soluciones a largo plazo, pero no lo hemos aprovechado y aparecen continuamente contradicciones que pueden llevar a una crisis no solamente económica sino también política muy difícil de manejar.

—¿Qué sujeto puede activar esa crisis política según tú necesaria y a la vez controlada? No se conforma así como así una sociedad civil con poder, ni un sujeto crítico, porque en España bajo el franquismo, cuando se produjo una situación parecida, empezaron a emerger movimientos sociales, de vecinos, de colegios profesionales, eso vertebró una sociedad civil crítica que acabó siendo tan poderosa que incluso los partidos de izquierda tuvieron miedo y cuando llegó la legalidad democrática, la izquierda contribuyó a eliminar esos movimientos acusándolos de basismo, de espontaneísmo, de pretender una democracia asamblearia.

—Aquí, no hay presión organizada, porque toda presión organizada se convierte objetivamente en disidencia. La gente se traga en silencio el agravio comparativo de que su trabajo no le da para satisfacer sus necesidades o sus aspiraciones elementales porque su dinero está deteriorado y, en cambio, hay quien se enriquece mediante actividades ilegales o casi. El hecho de que crezca la distancia entre precio y salario causa contradicciones superadas mediante ese consenso revolucionario que va agotándose.

—¿Qué va pasar cuando todo dependa de los herederos de Castro?

—Más que indagar en las intenciones psicológicas de esas personas, me fijo más en cuáles son las contradicciones que se están dando objetivamente y a qué conduce esa voluntad de ganar tiempo. Las contradicciones del capitalismo a nivel internacional se están agudizando a una velocidad tremenda, es evidente la repetida impotencia del sistema para regular los mecanismos financieros cuando se desata la especulación. Por otra parte, el sufrimiento social que está generando el neoliberalismo. Todo eso ayuda a que Cuba reivindique ese espacio diferente para el Tercer Mundo, pero poco podrá reivindicar si no crea suficientes fuentes de acumulación por un lado y condiciones de estabilidad político social por otro. No todas las fuentes de acumulación son tan precarias. El turismo es una industria que puede ser poderosa si se quiere que lo sea. Puede desarrollarse algún sector de la minería y pronto se va a encontrar petróleo. Con todos sus problemas y precariedades, en Cuba no se conocen los niveles de corrupción y violencia de casi toda América Latina.

—¿Crees que la dinámica de cambio pueda ser acelerada? En este viaje por primera vez me he encontrado con una interpretación inesperada. Fidel ya no es la garantía o el tapón de todo. Se rectifica a sí mismo. Me dices que su problema es la edad. Incapacidad de comprender el presente de toda una promoción.

—En efecto, alguna vez, no muchas, ha aparecido: "Nota de corrección del compañero Fidel". Me lo dicen. Porque no leo *Granma*. No estoy suscrito. Tengo que hacer unas colas tremendas para comprarlo y no puedo hacerlas, me las ha prohibido el médico.

—Es decir que tú vives día a día sin contactos con la verdad.

—Accedo a la verdad a través de las ondas radiales ¿Cómo un intelectual va a permanecer de espaldas a la verdad? A partir de las siete de la mañana concedo media hora a cada radio y a las ocho y media ya estoy al día.

—Para volver al origen del diálogo. La economía es una ciencia exacta o puede ser modificada por la subjetividad, sobre todo por una finalidad política.

—Yo creo que depende mucho de lo que se haga, porque no hay paradigmas estables.

—Me contaron que un general responsable de un importante aparato de gestión fue muy felicitado por los resultados obtenidos y cuando tomó la palabra el eficaz militar dijo: "He conseguido este éxito violando 29 disposiciones legales". Fue muy aplaudido y felicitado. Eso te lo ofrezco como la contraposición. Desde el pesimismo del intelectual y desde el optimismo del revolucionario, así me invento una fórmula nueva, ésta no estaba escrita.

—Plagiando de otra manera a Gramsci: como intelectual tengo muchas dudas, como revolucionario ninguna. Vas a oír hablar mucho de Garrasí. Vuelve a estar de moda.

Del local salen muchachas y vasos floreados, en los cielos el sol que nos expulsa, pero aún hay tiempo para plantearnos un quinto mojito y gracias a él llegamos a la conclusión pavorosa de que el Estado socialista podría llegar a la situación de no poder acumular para hacer frente a la distribución de bienes. La crisis asistencial previa a la crisis política. En la URSS, cuando Gorbachov empieza a juguetear con la reforma, confiaba en que había dos elementos vertebradores inapelables: el ejército y el partido. Y ni el uno ni el otro salvaron el sistema, un sistema hundido además por su propia guardia pretoriana. Me parece que en Cuba hay que apreciar dos consensos revolucionarios diferentes y ambos deteriorados. El deterioro en La Habana es más lógico porque es la ciudad donde se escenifica el quiero y no puedo de la reforma y a donde llegan las influencias más disgregadoras del turismo. Pero en el interior llegan noticias pesimistas de cómo funcionan las cosas, por ejemplo las escuelas campesinas con problemas casi de abastecimiento de agua.

—Eso se dice y hasta circula que, a veces, para beber utilizan el agua del tercer aclarado de los platos. Esto contado por una profesora. O es una infiltrada de Miami dedicada a la propaganda enemiga. Mira, para describir la crisis no hay que llegar a esos extremos. Hay escuelas donde no hay iluminación y cuando se va la luz solar, se acaba la clase.

—¿Aún se puede esperar algo de los mecanismos racionales para el cambio o se va a producir según una mecánica dictada por las reglas del mercado cuando el sistema se autoconsuma?

—Aquí hay como una dinámica entre el paradigma y la realidad. El paradigma socialista anterior cae en una especie de parálisis paradigmática y todo lo que haces es modificarlo con aquellos elementos que la coyuntura inevitablemente te impone.

Borau insiste y en esto coincide con la actitud crítica de los intelectuales del CEA, en que no se ha creado un nuevo paradigma. Se ha agarrotado el anterior y lo único que se hace es denunciar lo mal que va el capitalismo y los evidentes daños que causa. Muchas veces cuando se plantea una discusión así, los argumentos para defender el modelo vigente pasan por demostrar las contradicciones y problemas del modelo capitalista, y eso no soluciona la ausencia de un nuevo paradigma claro, estable, referenciador ¿Qué papel tendría la sociedad civil? ¿Hay que vertebrarla?

—¡No! Qué carajo. La sociedad civil existe. La sociedad civil soy yo y el problema consiste en cómo me relaciono con los que están en el castillo, con su política articulada, autosuficiente. Pero la sociedad civil no debe ser considerada únicamente como oposición, también articulada, entonces hay una confrontación entre una institucionalidad que articula y una institucionalidad que se opone. Yo pienso, que la única configuración institucional que se ha mantenido por un discurso individual diferenciado con vocaciones de confrontación, casi siempre moderada, desde el triunfo de la Revolución hasta ahora ha sido la Iglesia. Me *jode* que haya sido así, pero es el único discurso orgánico alternativo. Y este discurso ha tenido distintos acentos. Yo te diría que después de la visita del Papa, ese discurso se va a oficializar para ganar espacios extramuros del castillo, ya se ha moderado mucho en relación con la pastoral de 1993, por ejemplo. Pero por supuesto, tiene que ver también con el peso político de la presencia del Papa aquí y de la resultante que salga de la visita. Yo creo que siguiendo la lógica de Tad Szulc, que es quizá quien más conoce a los dos personajes directamente, en realidad los dos jugarán sus mejores cartas.

—¿La Iglesia y Castro?

—No, el Papa y Castro.

—Pero el Vaticano no se lanza a una inversión mediática como ésta para satisfacer el capricho individualizado de un Papa. El Vaticano ha actuado según una estrategia común.

—Tanto en el Vaticano como en la Iglesia cubana hay posiciones encontradas. Es un país lleno de rabias aplazadas y, bajo la piel de cordero, la Iglesia tiene rabias aplazadas. Para empezar, Ortega estuvo en un campo de trabajo por conducta sospechosa. Meurice el arzobispo de Santiago, tiene un disidente en la familia que fue condenado y la madre murió en Miami. Tiene toda la familia en Miami. Meurice es el más viejo de los obispos y un obispo, a diferencia de muchos cardenales, tiene mando en plaza.

Necesito que alguien corrija discurso tan descreído y tengo en cartera la generosa prestación de Alarcón de Quesada, presidente de la Asamblea Nacional, para sostener una conversación reencuentro, porque en cierto sentido nos encontramos sin vernos en Nueva York, de la mano de Inocencio Arias el embajador de España en la ONU. Nos invitó Ignacio a almorzar en su residencia a Eduardo Haro, Ángel Ezcurra y al que esto suscribe, expositores en la Universidad de Nueva York de lo que había sido y ya no era la revista *Triunfo*, y al acabar el ágape me entregó un ejemplar de *Quinteto de Buenos Aires* para que se lo dedicara a Alarcón.

—Está de visita en Nueva York y le ilusionará que le lleve un libro tuyo dedicado.

Alarcón me cita en una discreta residencia sin apenas control de entrada, por la que han pasado muchas delegaciones de países hermanos, a juzgar por los objetos obsequio *souvenir* revolucionario que reposan en las estanterías, verdaderas pesadillas formales entre las que agradeces la nitidez de los bustos de Lenin, junto a las orgías simbólicas de los demás regalos fraternos. Hasta ahora, Alarcón ha sido después de Castro y el Che Guevara, el político cubano que más ha asumido la identidad revolucionaria ante el gran mercado mediático del mundo. No sólo por su valoradísima gestión al frente de la delegación cubana en la Organización de las Naciones Unidas, sino porque fue el implacable antagonista de Jorge Mas Canosa en un debate de la CBS, retransmitido en septiembre de 1996 a veinte Estados latinoamericanos, no a Cuba. Repasar el debate significa comprobar un choque de monólogos, como no podía ser de otra manera: Mas Canosa iba a destruir el imaginario de Fidel y Alarcón a demostrar la unidad del pueblo cubano en medio de las tremendas dificultades del *periodo especial*. Así, cuando el moderador le pregunta si la historia absolverá a Castro, Alarcón reconoce errores, pero alza sobre los errores la virtud de un pueblo capaz de sacrificarse para superar la guerra económica que padece, sin aliados desde la caída de los países de socialismo real. Mas Canosa arremete contra las mentiras de Castro, los falsos logros de la Revolución hinchados por la propaganda y recuerda los fusilados tras la entrada en La Habana y tras la victoria fidelista de Playa Girón, según las cifras habituales en la propaganda de Miami, así como los balseros muertos en su desesperada huida hacia la libertad. "Ni siquiera en ese libro —contesta Alarcón— de una organización tan activa como Amnistía Internacional, se menciona esas novelas que está contando el señor Mas Canosa". Exagera Alarcón cuando dice que los cubanos no huyen de Cuba a causa del hambre, sino porque les prometen que en Miami serán tan ricos como Mas Canosa y el debate termina en una interesante apuesta postrimera: después de la muerte de Castro, ¿apoyaría Alarcón un Gobierno elegido por el pueblo presidido por Mas Canosa y Mas Canosa apoyaría un Gobierno elegido por el pueblo presidido por Alarcón? El actual presidente de la Asamblea Nacional contestó: "Al Gobierno electo por el pueblo, sí. Pero a un norteamericano que representa a un gobierno extranjero, no. No, porque Jorge Mas Canosa no es cubano". En cuanto a Mas Canosa prometió aceptar a Alarcón o a Perico de los Palotes si eran elegidos en condiciones democráticas.

Fidel ha depositado en Alarcón toda su confianza para la estrategia a seguir sobre el pleito con Estados Unidos. Fue Alarcón quien negoció en 1984 secretamente, en Canadá, los primeros acuerdos migratorios con los norteamericanos, pero también quien describía la Santísima Trinidad de Cuba formada por patria, Revolución y socialismo y aseguraba que los disidentes cubanos estaban financiados por los Estados Unidos. Fino estilista, como se calificaba en el pasado a los boxeadores y luchadores que recurrían a la esgrima y al talento para vencer por KO técnico, se le conocen sutilezas diplomáticas como la que empleó ante un amigo y colega español en un momento de tensión hispano-cubana: "Sólo os pido que nos tratéis como si fuéramos Marruecos".

—Usted me obliga a un tratamiento dual.

—Veamos en qué consiste eso.

—Por su experiencia como responsable de la política cubana en la ONU y por su condición de presidente del Parlamento cubano. Estuvo usted en Nueva York, en un mirador privilegiado de la estrategia del capitalismo, y está ahora en la platea de la evolución política cubana, desde un cargo determinante ¿Usted ve un antes y después de la visita del Papa?

—Yo sí lo veo, pero no desde el ángulo que me parece que se está manejando. Yo creo que hay una cierta simplificación, que es casi inevitable, comprensible a causa de la urgencia informativa. Pero así no se puede llegar al fondo de las cosas. Hay un antes y un después, si uno se sitúa desde Cuba y se ve venir que la visita va a ser un gran éxito. Y por supuesto, va en dirección opuesta a la teoría de que el Papa ha cambiado a Polonia y va a cambiar a Cuba. Fidel, sin ir demasiado lejos en el análisis, explicó el caso polaco y no hay que explicar el caso cubano porque los cubanos lo conocen bastante bien. La historia de la nación polaca está íntimamente ligada a la de la Iglesia católica, no es el caso de Cuba, más bien al contrario. No es para nosotros el momento de salir a refrescar esa parte crítica, porque los que así hacen expresan la intención deliberada de ir en contra del espíritu que rodea esta visita. Precisamente para terminar con lo que fue el antes, diré que la Iglesia cubana ha tenido altibajos y una evolución que es la que explica cómo se ha llegado a la visita del Papa. Durante el periodo colonial, la Iglesia cubana no fue un reducto de la nacionalidad cubana frente al colonialismo europeo sino al revés, fue uno de los principales instrumentos de este colonialismo. Tuvo un carácter extranjerizante que está en la raíz del conflicto de la jerarquía con la Revolución a partir de 1959, fue en gran medida una extensión de la problemática cubano-española, tan interconectada. Al igual que en Cuba había republicanos organizados que luchaban por la república española, también había falangistas y, un poco inevitablemente, aquí se reflejaba bastante la realidad española. Cuba fue la colonia de más duración que tuvo España, la de más implantación y la más recientemente independizada. Cuando llegó la Revolución apenas había pasado ni medio siglo desde el fin del dominio español en Cuba. La isla siguió siendo un polo de atracción de una buena parte de la emigración española de este siglo y continúa esta vinculación, cualquiera de nosotros tenemos parientes cercanos que fueron emigrantes españoles. En mi caso, muy cercanos, o sea que por ahí me llegaba. Yo de niño, recuerdo la victoria de Franco y las tomas de posición familiares, desde la suerte de pertenecer a una familia andaluza de izquierda. Digo de paso que este origen andaluz, español, ha hecho que mucha gente me atribuya un catolicismo del que carezco. Se olvidan de que de España nos llegaban los curas, pero también el anticlericalismo. Bueno, después de un periodo crítico en las relaciones entre la Iglesia y la Revolución, la Iglesia cambia, no sólo la cubana, la Iglesia en general con motivo del Concilio Vaticano II, luego la teología de la liberación, la lucha en América Latina con una participación importante de católicos progresistas. En fin, había también una tradición progresista estrictamente cubana, como es el caso del padre Félix Varela, en cierto sentido el fundador intelectual de la nación cubana. No fue hasta ahora, hasta los años ochenta, una figura reivindicada por la Iglesia. Sus cenizas están depositadas en una urna del Aula Magna de la Universidad laica.

—¿Trata la Iglesia cubana de convertirse en una Iglesia nacional?

—Esa línea empezó en los años ochenta, con motivo del Encuentro Nacional Eclesial Cubano, ENEC, cuando asumen la figura de Varela, incluso se plantea su posible beatificación. La Iglesia integra expresiones de mayor compromiso social, el compromiso con la opción por los pobres, mientras en América Latina ya avanzaba la teología de la liberación y fenómenos muy profundos de compromiso temporal de los cristianos. Aquí bajo el batistato tampoco se caracterizó la Iglesia por su carácter resistente. No hubo un obispo asesinado por el poder como Romero o un jesuita como Ellacuría en El Salvador, no hubo una Iglesia de los pobres como la hubo en Brasil, Casaldáliga, Helder Cámara, Frei Betto. Pero hubo compromisos revolucionarios de católicos, en el 26 de julio, en Sierra Maestra. Aquí hubo un movimiento muy interesante, compuesto por un grupo de franciscanos vascos encabezados por el padre Villarín, sin olvidar a Ángel Gastelu, un poeta de renombre. Sacaron una revista que se llamaba *La Quincena*, muy avanzada en los años de mi adolescencia, la única revista católica que yo recuerdo. Ahora tienen más revistas que entonces. Aquí había muchos curas falangistas pero también había un grupo de curas vascos, republicanos y antifranquistas. *La Quincena* no fue cerrada por el Gobierno revolucionario, desapareció después y no tuvo nunca el favor de la jerarquía.

—¿Cómo contempla ese brote de nacional-catolicismo? El Papa puede intentar hegemonizar el discurso crítico ahora que no puede hacerlo el socialismo.

—Yo creo que han dicho muy claramente lo que quieren: aspiran a un papel más importante de la Iglesia católica en la Cuba de hoy, ganar espacio, ganar influencia. Los análisis del Vaticano se caracterizan por su sabiduría, por su experiencia, incluso su relación con la Revolución cubana siempre ha sido más inteligente que la de la Iglesia de aquí. Hubo problemas con la Iglesia cubana, no hubo ninguno con el Vaticano.

—El paso dado implica la aceptación de una cierta estabilidad de la situación cubana.

—Hubiera sido un error pensar lo contrario, yo no puedo creer que haya pasado por la mente de ningún dirigente católico serio. Sería volver a caer en el error que una parte de la Iglesia cometió con las decisiones tomadas a principios de la Revolución. Error que se puede comprender históricamente porque era una Iglesia demasiado vinculada a un estrato de la sociedad que era la perdedora a partir de este momento. Y que para colmo emigró, no fue una burguesía que se quedó en Cuba peleando por sus privilegios, sino que se fue para Miami y con ella también una parte de la Iglesia católica. Durante un cierto tiempo, aunque fuera inconscientemente, algunos católicos de acá, veían su Iglesia en Miami y algunos dirigentes católicos veían en Miami a su feligresía, porque se les fueron los que en la misa llenaban el cepillo. Era una Iglesia muy desvinculada de la realidad. Mi madre murió hace dos años siendo católica practicante de toda la vida, oriunda de la provincia a la que se le atribuye, no sin razón, las características de ser la más conservadora, católica, blanca, de Cuba: Camagüey. Pero cuando mi madre tuvo que estudiar no había allí ninguna iglesia católica solvente y tuvo que ir a una protestante. Usted habla de intento de crear una Iglesia nacional, yo tengo mis dudas.

—En Polonia, una Iglesia nacional tiró adelante un nacional-catolicismo, el principal antagonista del comunismo.

—Es que la Iglesia en Cuba está marcada por sus malformaciones de origen. Hay que recordar que aquella Iglesia europea que vino para acá fue un brazo fundamental de la colonización. En el caso de Cuba, esa colonización tuvo sus características propias que no son las mismas que en México o que en Perú. Acá, no se encontraron una fuerte cultura indíge-

Y DIOS ENTRÓ EN LA HABANA

na, lo poco que había fue aniquilado y un elemento fundamental para entender a Cuba es la esclavitud. En los tiempos de Varela, llegó a ser africana y esclava la mayor parte de la población cubana. Esos africanos trajeron su cultura, sus religiones, y esas religiones pervivieron durante cuatro siglos de opresión, de persecución, y nunca fueron permitidas. Fragua lo que alguna gente llama un poco a la ligera, sincretismo, y esa es la religión hoy dominante. ¿Cómo construir una Iglesia nacional? ¿Qué puede ser una Iglesia nacional en Cuba? ¿Un mestizaje religioso afro-católico? Sumemos una religión católica evolucionada y distintas entidades protestantes que se movieron a veces más inteligentemente en la sociedad cubana real y en relación con el poder revolucionario. Hubo un debate por la televisión entre Fidel y los representantes de los evangelistas, sin límites. Los protestantes sí tuvieron que evangelizar en Cuba, ellos se propusieron una labor de evangelización, por eso fueron a pequeños poblados, por eso acudieron a la base, no podían confrontarse en el territorio de los sectores sociales instalados, controlados, por la Iglesia católica. Tenían que ir a buscar al pueblo dependiente de las religiones que habían traído de África. Recuerdo que cuando yo estaba en Nigeria contemplábamos manifestaciones de cultura yoruba, me acompañaba el embajador nigeriano en Cuba y me hacía observaciones sobre el lenguaje: esta gente está hablando una lengua similar a la de los yorubas en Cuba, un yoruba clásico, conservado entre los esclavos sin haber tenido la posibilidad de usar la imprenta, de haberlo aprendido en la escuela. Los esclavos africanos sobrevivieron espiritualmente por el culto. Un culto que para ellos jugó el papel que el catolicismo desempeñó en Polonia. Ese culto para los africanos fue su referencia espiritual.

—Conservaron así la identidad.

—La de los yorubas, la de los congoleños, en fin, la de todas las culturas africanas que llegaron. Religiones además muy rechazadas por prejuicios sociales y religiosos porque eran de esclavos e infieles. Pero religiones que se caracterizan por su apertura, porque en ellas caben todos, no son religiones de una raza y ahora es difícil en Cuba asociarla con los negros. Hay muchos *babalaos* blancos, yo tengo amigos *babalaos* blancos ¿Por qué mucha gente que se dice católica y que va a la iglesia, que confiesa, que comulga, también reza a Obabala, a Changó?

—Estuve hablando con Aurelio Alonso y me dijo que el uso que se hace de la religión africana es muy pragmático, que se utiliza a los dioses para pedir cosas muy concretas, favores económicos, que salgan bien las cosas. Es un uso muy instrumental, que se ha trasladado al uso de cualquier otra religión.

—De todas formas mi amigo Miguel Barnet...

—Está muy ofendido porque el Papa no va a recibir a los *babalaos*.

—Sí, lo comprendo. Pues bien, Barnet me evidenció lo que voy a decirle: ¿En qué religión existe una patrona de las lesbianas? En la afrocatólica cubana. Eso sí que es apertura.

—Traduce una estrecha relación entre creencia y vida. Algo que religiones como la católica y la islámica han reprimido.

—La madre es el centro de la familia y de la religión, muy marcada por el referente de la diosa del amor que también es la patrona de las lesbianas y de las prostitutas. Todo el mundo cabe, por eso hay gente que va a pedir favores a esas divinidades, sin el rigor estructural de las iglesias formales ¿Alguien me puede contar cuál es la religiosidad nacional en Cuba? Yo diría que es mestiza, que es una gran mezcla, y por lo tanto implica una gran tolerancia. Ahora bien, si la Iglesia católica busca su afianzamiento asumiendo ese marco de pluralidad, de tolerancia , yo saludo su posible cambio.

—En una sociedad en la que el poder lo representa un partido único, ¿cómo puede asumir la consolidación de otro referente de vertebración social, esa Iglesia dotada de capacidad de intervención social y respaldada por una multinacional de la fe? Además esa propuesta la hace en un momento de reconducción del discurso ideológico de la Revolución, y en cierto sentido de la primacía de una visión nacionalista de la Revolución.

—La gran ventaja de tener familia católica, es que te permite comprender la sensibilidad del otro. Porque esta madre que murió hace dos años, hasta el último día daba clase en una escuela dominical, cuidaba la casa, cantaba y enseñaba el catecismo a los niños. Son cosas de la realidad cubana. Es verdad que nacionalizamos las escuelas, pero no se le prohibió a nadie ni siquiera catequizar. Lo que pasa es que los católicos no están acostumbrados a eso. Mi mayor recuerdo de la escuela, de mi parroquia, en tiempos prerrevolucionarios, son las quejas del cura contra una aparente religiosidad oficial pero superficial, la escasez de militancia real de los católicos. Ese era el mensaje cotidiano. En cierto sentido, yo diría que hay más catolicismo auténtico en Cuba hoy que nunca, hay que reconocerlo sin oportunismo. Pueden crecer en influencia social, repartir medicinas, asistir a los niños, a los viejos, facilitar alimentos.

—En una situación de grave crisis económica del Estado socialista, que la Iglesia pasara a detentar un nivel importante de asistencia social, ¿no le daría un protagonismo peligroso para la legitimización social del Estado?

—No es la Iglesia católica la única asistente social de Cuba. Las iglesias norteamericanas se han mostrado muy activas al respecto, en abierto desafío al bloqueo. No nos importa esa asistencia si no tiene un carácter oportunista y hay que llamar compañero a un pastor protestante como Raúl Suárez, diputado, un excelente religioso, Hermano Suárez, como lo llama todo el mundo, un reverendo bautista ejemplar que regenta una escuela en Marianao, un barrio muy popular que lo adora y lo cubre de votos para que vaya al Parlamento. ¿Qué idea, qué imagen tienen de él? Que está preocupado por los pobres, que los ayuda y nadie está viendo esto como un instrumento político inmediato, aunque esa iglesia tiene una fuerte implantación social. La gente no la ve contraria con los ideales del socialismo, de la independencia. Como agradecemos que una ciudadela del centro de La Habana sea restaurada por una ONG canadiense, de la misma manera que aquí la gente aprendió a querer y respetar a las monjitas porque siempre se dedicaron a cuidar a ancianos y enfermos. Esta imagen de la Iglesia benefactora tiene una dimensión noble y caritativa que nadie discute. Me preocuparía que se instrumentalizara la beneficencia aprovechándose de nuestras carencias, para desacreditar nuestras conquistas y objetivos.

—El que algunos cubanos puedan acumular dólares y otros no, ¿no representa la aparición de factores de división social y de ruptura del consenso revolucionario?

—Va a ser un problema, indudablemente, pero hay que ser realista. El Gobierno no ha hecho otra cosa que legitimar lo que ya se hacía y es comprensible que se hiciera. Por ejemplo, las remesas de dólares desde Miami o desde otros puntos de Estados Unidos. Si usted conociera las dificultades por las que pasa un pariente, ¿no haría todo lo posible para enviarle dinero y ayudarle? Por más que lo prohiban los gobiernos y se creen filtros represivos, ese dinero atraviesa las fronteras. Ese dinero lo puede meter un periodista, un periodista español, por ejemplo.

—Admita que también podría meterlo una periodista suiza.

—También. O Carvalho en una misión especial. No hay que extremar la rigidez y hay que entender que esa posibilidad de acceso al dólar ha extendido la posibilidad de un consumo social que en nada se parece al consumismo capitalista. Ha aliviado del complejo de carencias y se han dado casos que demuestran que el dólar que viene de fuera no está reñido con la solidaridad. A veces gentes que reciben dólares tienen detalles con los que no los reciben, como esa vecina que un día regala un jabón a otra vecina amiga que no forma parte de la red del dólar.

—En la situación actual de la crisis general del socialismo, con China como un híbrido, Cuba aparece como doblemente una isla. ¿Qué papel debería cumplir en un momento en que se presentan nuevas insurgencias, como la zapatista, por ejemplo, pero ya no inspiradas en el modelo cubano? ¿Qué posibilidades tiene Cuba después de la visita del Papa de romper el bloqueo? La visita del Papa como símbolo, no como realidad, ¿es incluso una coartada para una mejora de las disposiciones de algunos países europeos, España incluida?

—El bloqueo va seguir haciéndonos daño durante algún tiempo. Ese bloqueo en la práctica plantea incluso dificultades en la relación entre Estados Unidos y sus aliados europeos. Cada vez son más frecuentes las tomas de posición de medios de prensa importantes en Estados Unidos coincidentes con las que han tenido tradicionalmente las Iglesias. En primer lugar, el Consejo Nacional de Iglesias Norteamericanas, los protestantes, que hace mucho tiempo que no sólo se oponen al bloqueo sino al conjunto de la política contra Cuba. La de la Iglesia católica norteamericana, que acaba de reconocer la necesidad de cambios en unas declaraciones categóricas que se hicieron, me parece que ayer, en una ceremonia religiosa en Nueva York. Últimamente hay algunos académicos, intelectuales, grupos liberales de izquierdas en esa línea e incipientemente se suma un pequeño sector empresarial. Algo se mueve porque eran muchos los que pensaban que tal movimiento nunca se haría con relación a Cuba por una realidad económica. Cuba no es un gran mercado como China y, sin embargo, ese movimiento contra el bloqueo se está fraguando. Es interesante ver cómo aparecen impugnaciones del bloqueo en la Cámara de Comercio de Estados Unidos, en la *National Society of Manufactors*. Una coalición de empresarios que se llama *USA Engage*, ha respaldado públicamente una propuesta de ley introducida en ambas Cámaras, en la de Representantes con predominio demócrata, pero algunos republicanos importantes también avanzan en esa dirección y el *lobby* creado para levantar el embargo de medicinas y alimentos es una excelente señal, por la cualificación de sus miembros ¿Qué preocupación subyace en este sector empresarial?

Que están perdiendo un mercado, que será pequeño pero que está muy cerca y que se llevan otros. Es que están a 90 millas. Están aquí al lado y pueden recibir una oferta turística de Cuba sin comparación con la que están recibiendo en otros lugares de la zona. Es otra cosa Cuba. En un país donde el tema económico, el del empleo, de las oportunidades para el empresariado norteamericano está cada vez más en el centro del debate interno en Estados Unidos.

—Hay dos factores a considerar, la llegada del Papa y...

—A eso iba a ir...

—... la muerte de Mas Canosa, su contrincante televisivo, porque es muy difícil que aparezca alguien como él, vertebrador de un *lobby* tan agresivo.

—Pero este *lobby* lo inventaron ellos. Repase aquel famoso documento de Santa Fe que elaboraron algunos teóricos republicanos en víspera de la toma de posesión de Reagan: mayor dureza sobre Cuba, acentuar el bloqueo y dejar abierta la puerta a una opción militar no producía sus efectos. Hasta entonces nadie sabía quién era Jorge Mas Canosa. A partir de ahí, aparece una fundación cubano-americana y un presidente. Lo que pasa es que ha sido el único presidente de esta fundación hasta que muere. Algo hay que hacer con esa institución y están buscando una persona que lo reemplace. La cuestión radica en si esa persona mantiene el enfoque o no. Ahora lo del Papa es muy relevante porque esa visita, con toda la carga simbólica, indica que Cuba no está aislada y que la Iglesia católica no va a venir aquí a abogar por el bloqueo, sino a condenarlo. Como efecto secundario, miles de peregrinos y miles de periodistas van a situar a Cuba en el foco de atención de mucha gente. Con respecto a Estados Unidos, el país del bloqueo, recuerde la encuesta que sacaron no hace mucho algunas empresas norteamericanas de estadística sobre la información del norteamericano medio y su preocupación por los problemas del mundo. El 98% no se interesa en los asuntos internacionales. Cuando debatimos que si el bloqueo sigue o si se modifica, estamos hablando de lo que pueda pensar el 2% de la población norteamericana. El otro 98% tiene una idea parcial y esporádica de Cuba. En estos días, los están atiborrando de imágenes de Cuba. A ver qué pasa. Esperemos el balance final de tanta información. Va a ser positivo porque va a demostrar que Cuba existe.

—Si sale en la televisión es que existe.

—Me televisan, luego existo. Sacarán elementos deprimentes, un edificio en mal estado o escenas de precariedades. Pero también saldrá nuestra gente bailando, cantando, rezando. Y en medio de toda esa manifestación, verán a Su Santidad ¿Qué hace el Papa allí? ¿Cómo es posible? ¿Acaso no estamos bloqueando a Cuba? Van a caer muchos esquemas y eso nos ayudará a vencer muchas dificultades. Piense usted que, tras la caída del muro de Berlín, con lo que significaba de aislamiento técnico, energético, estratégico, nuestra nación corrió incluso riesgo de desaparecer, del mismo modo que se decretaba el final de la historia. En realidad, sólo se ha tratado del final de un periodo histórico marcado por el debate de qué tipo de sociedad queremos en la Tierra, debate asociado a la confrontación de dos bloques y a la posibilidad de la destrucción del planeta bajo el terror nuclear. Ya sin bloques, sin la amenaza nuclear, podemos discutir pacíficamente el mejor modo de organizar la vida en este planeta. El gran instrumento ideológico es la solidaridad humana, la posibilidad de verificar la sociedad de la utopía, donde el hombre fuera el hermano del hombre. Esas ideas y posibilidades no han quedado aplastadas bajo el muro. Son más necesarias, urgentes y posibles que nunca.

—Los que dicen que ha ganado Occidente, se han encontrado de pronto con Sarajevo. Ahora tienen, al parecer, el mundo en sus manos y han de dar respuesta a todos los conflictos que ya no provoca la guerra fría. Usted no puede decirles a sus jubilados en Estados Unidos o a los ancianos, a la gente que no tiene asistencia médica, que hay que destinar fondos a la guerra de las galaxias porque el imperio del mal los quiere destruir.

—Ahora se atreven a decir lo que ya pensaban, que los vencidos sociales, los perdedores sociales, se lo merecen por su incapacidad para ser ganadores.

—Que le expliquen eso a alguien que sigue teniendo hambre. Le planteará: "Usted que es un ganador, que fue capaz de manejar la revolución industrial, el progreso científico técnico, ¿cómo va a resolver el problema del crecimiento de la pobreza en esa aldea global?" No basta con seguir criticando el modelo que fracasó en determinados lugares sin probar que el suyo resuelve los problemas que sirven para medir el fracaso del otro. En el momento de la globalización todo se sabe, todo se comunica, por más biombos que el sistema mediático ponga ante lo que no quiere que se vea. De manera que la gente se puede hacer más preguntas y puede buscar más respuestas, en condiciones mejores para el debate ideológico. También el capitalismo tiene que buscar respuestas ante este espejo que se encontró de pronto, porque no se esperaba que se derrumbase el imperio del mal tan rápido, tan fácilmente. También tiene que buscar respuestas la izquierda, y rápido. Tras el golpe recibido se nos exige mucho más esfuerzo creador y ya Mariátegui en los años veinte, cuando aún el marxismo mundial no recibía la sombra del estalinismo, dijo que el socialismo en América no puede ser una copia sino una creación heroica. Y ese discurso lo hizo precisamente en Cuba.

—Lástima que no le hiciera caso Carlos Prestes, ni Codovila, ni la mayoría de los partidos comunistas americanos.

—Es verdad, era más que difícil hacerle caso entonces que ahora. Era una anticipación de lo que ahora es evidente.

—He leído el libro *Secretos de generales*, de Báez, y ya se sabe la cantidad de intervenciones militares que Cuba emprendió solidariamente con los pueblos en lucha. Eso ha pasado a la historia. ¿En qué consiste ahora la lucha de clases internacional?

—Yo no conozco a nadie que sea capaz de dar una respuesta coherente a esto. Pero lo que hay que dar es el primer paso, ofrecer una creación heroica y posibilista. De lo perdido saca lo que puedas y de la liquidación del Este hemos sacado consecuencias: hemos aprendido a darle importancia a la energía, al ahorro de luz, a la búsqueda de fuentes alternativas o nacionales de energías, el desarrollo de la agricultura ecológica, entre otras experiencias. El socialismo merece ser construido y vamos a hacerlo. El Che lo veía muy bien y aunque no pudo dedicar todo el tiempo que hubiera querido a esos asuntos, cuando supo que Jruschov había dicho que el socialismo sería capaz de vencer al capitalismo en los términos del capitalismo, aseguró que eso era absurdo, eso lleva a la derrota del socialismo. Ahí están las raíces del mal, como decía el Che, y por eso fijó como uno de nuestros objetivos la aparición del hombre nuevo, la importancia de la conciencia junto con el cambio en la vida material, la búsqueda de una nueva idea de progreso y crecimiento ¿Quién no se está planteando eso ahora, cuando el crecimiento sin control se convierte en un enemigo, no de capitalistas o socialistas, sino de toda la humanidad? Todo debe replantearse y, a la vez, mejorar la vida de la gente, porque la gente tampoco se puede mover pensando en el más allá.

—Pero el principal enemigo de la Revolución cubana no es el hiperconsumo, sino la escasez.

—Efectivamente. Necesitamos insertarnos en la globalización pero sabiendo superar el envenenamiento que implica o inventando las vacunas, y eso es lo que estamos haciendo. Nos critican porque no nos entregamos atados de pies y manos a esa globalización.

—Me está diciendo que la estrategia no consiste en un choque frontal, sino en introducir la lógica interna del Tercer Mundo dentro de la del Primer Mundo y que reconozcan las diferencias y modifiquen su sistema productivo.

—Pero es que, por encima de criterios sobre modos de producción está el de la racionalización del crecimiento global ante los peligros que afectan al ecosistema. Yo estuve muy vinculado a la Cumbre de Río y se logró una concienciación diplomática sobre este problema que luego no ha tenido suficientes resultados efectivos. Allí se alcanzó el consenso para definir como cuestión central la necesidad de cambiar los patrones de producción y consumo prevalecientes. Muchos analistas advierten que de continuar esos patrones de producción y consumo, la simple incorporación de millones de seres humanos a esa manera de crecer, por ejemplo el parque automovilístico, puede representar una catástrofe ecológica sin remedio. Y cambiar esos paradigmas de producción y consumo significa cambiar el canon de conducta que nos ha tratado de transmitir el capitalismo.

—El Estado capitalista parece incapaz de lanzarse a una reforma de sus propias relaciones de dependencia y producción. Es como si hubiera dejado la iniciativa en manos del economicismo.

—Cuando se logra convencer a muchos políticos de la necesidad de ponerle un cerebro social y ecológico al economicismo, el poder económico se revuelve contra el Estado y llega a proponer planteamientos antidemocráticos de autoritarismo económico implícito o explícito. La idea neoliberal del Estado es en sí misma profundamente antidemocrática. El Estado neoliberal es exactamente lo opuesto a la idea de Gobierno de, por y para el pueblo. De ahí el desencanto que empieza a cundir sobre la democracia representativa tal como ha degenerado en las potencias puntales del neocapitalismo. Un político, no precisamente socialista, me dijo en Valparaíso: "Hay una contradicción entre el tipo de Estado que estamos diseñando y la idea de que los políticos seamos creíbles ante la gente, porque la gente sigue necesitando que el Estado, el Gobierno, sean la esencia de la democracia". Yo creo que esto también es una de las facetas de esta reconstrucción ideológica que se tiene que dar en el terreno de las ideas, de la filosofía, del pensamiento, de la historia. Yo no entiendo por qué la izquierda socialista no reivindicó lo suficiente la línea positiva del pensamiento liberal burgués y se la entregó a la burguesía. Yo veo una continuidad de Platón, Jesucristo, Rousseau, Revolución Francesa y pensamiento socialista. En muchos aspectos me encuentro muy cerca de Rousseau.

—Llevemos esta reflexión al análisis concreto de la situación de Cuba. La victoria de una Revolución que fue euforizante, entusiasmante, y que creó adhesiones que todavía no han desaparecido del todo, incluso en sectores de las derechas actuales que en su juventud fueron amantes platónicos o aristotélicos de la Revolución. Esa es la legitimidad, vamos a llamarla histórica. Luego, vienen unas instituciones que tratan de conseguir legitimidad institucional, usted es presidente de la Asamblea tal como la entiende la Revolución, pero más tarde aparece la quiebra económica, la exacerbación de la escasez y el riesgo a la pérdida del consenso social. La Asamblea es un instrumento fundamental en cualquier proceso de futura legitimación de las reformas o del proceso político, sea el que sea. Esas quiebras sociales, ¿no ponen en peligro la Revolución? ¿Qué puede pasar cuando no se cuente con la presencia carismática de Fidel, al que todavía un sector crítico le atribuye un papel de conductor del cambio?

—La clave está en la búsqueda constante del consenso y en no adoptar la táctica del boxeador que cierra los brazos para parar los golpes. Tenemos que desplegar nuestras capacidades y las posibilidades democráticas de la sociedad cubana mediante un desarrollo cada vez más consecuente y profundo. Hemos de subrayar lo participativo, ahí está la verdadera profundización democrática. El pueblo ha de ser el protagonista real y, aunque no se pueda llegar a la república ideal, hay que extremar esos mecanismos participativos.

—Ustedes están convencidos de que cuando Fidel desaparezca, los instrumentos de consenso serán suficientes para perpetuar la legitimidad revolucionaria.

—El otro día le ponía este ejemplo a un periodista norteamericano. Tengo entendido que George Washington falleció hace algún tiempo, pero Estados Unidos sigue siendo un país independiente. Mozart murió y su música vive. Cuba después de Fidel o Cuba después de la generación de Fidel. ¿Vamos a tener otro Fidel? Cada persona es irrepetible, entonces es tan sencillo como eso. Pretender que va haber otro Fidel, otro Martí, otro Alarcón u otro cualquiera es imposible. Ni poetas de la talla de Martí salen tan fácilmente, ni políticos o pensadores como Mariátegui, ni revolucionarios y constructores de Estados como Fidel. Por supuesto que en el futuro podrán aparecer otros personajes similares, incluso equivalentes. En una canción de Martí, *No me quiero morir*, se refleja aquella angustia de la etapa de la independencia por la responsabilidad de los líderes carismáticos, irrepetibles. Martí no fue fácil de sustituir, Fidel tampoco lo será. Lo que está planteado es la continuidad de la obra de esa persona, aunque no fue obra sólo de una persona, sino de todo el pueblo. Reducir la continuidad de la Revolución cubana al papel o a la presencia de determinados protagonistas me parece que sería simplificar el asunto. Sería justo si no hubiera habido por parte de esta generación un esfuerzo por desarrollar las premisas para la continuidad.

—La mayoría de los cuadros de dirección a medio nivel en Cuba tienen treintitantos, cuarentitantos años. Es decir, gente nacida después de la Revolución o que eran niños cuando se produjo. Recuerdo que en 1989 visité Moscú al comienzo de los ensayos del parlamentarismo, y en un *poster* se reproducía la imagen de Gorbachov dirigiendo una orquesta; la partitura ante él, pero la partitura en blanco. Los impulsores de la *perestroika* y la *glasnost* confiaban en el ejército, el partido, la KGB para respaldar las reformas controladamente. Todo se hundió. No había partitura.

—Indudablemente esa experiencia ha sido una ventaja para nosotros, una especie de vacuna. Lo tenemos asimilado como experiencia, como cosa vivida, no como receta teórica. Piense que tuvimos mucha relación con aquellos países y que muchos cubanos estudiaron, vivieron, trabajaron allí. No podemos vivir aquello como una noción teórica, ajena, como un socialismo que se desbarató. Nuestra distancia no viene de ahora, sino de nuestro origen. La bandera unitaria, independentista, antiesclavista, que levantó Céspedes marca el camino de un nuevo consenso renovado. Hemos pasado del relativo pánico de parte de la gente durante el *periodo especial*, si no pánico sí una cierta sensación de abandono cósmico, a expectativas positivas. Estábamos solos frente al imperio norteamericano.

—Además era el imperio del bien.

—Además eso. Pasamos años muy duros y no hemos salido del *periodo especial* del todo, pero la gente compara positivamente cómo vive hoy a cómo vivía hace tres años.

—Pero no si lo compara con hace diez, e incluso se ha construido una operación nostalgia planteando lo bien que se vivía antes de la Revolución.

—Ese es el mito de lo que queda de la burguesía cubana. La mayoría de los cubanos no tenemos alternativa, porque todo el mundo sabe que si esto se viniera abajo lo que nos caería encima sería el acabose, como lo ha sido en la mayoría de los Estados socialistas. La respuesta nacional patriótica permanece, y no ya en la llamada Cuba profunda, la no contaminable por el contacto con el turismo y la circulación de dólares. Aquí, en La Habana, esa expectativa se mantiene y crece. En los barrios muy populares tenemos las votaciones más entusiastas.

CAPÍTULO IV

Primero el estómago y luego la moral

La nueva sociedad en formación tiene que competir muy duramente con el pasado. Esto se hace sentir no sólo en la conciencia individual, en la que pesan los residuos de una educación sistemáticamente orientada al aislamiento del individuo, sino por el carácter mismo de este periodo de transición, con persistencia de las relaciones mercantiles. La mercancía es la célula económica de la sociedad capitalista; mientras exista, sus efectos se harán sentir en la organización de la producción y, por ende, en la conciencia.

ERNESTO *CHE* GUEVARA,
El socialismo y el hombre en Cuba.

Para Fidel, la cosa estaba clara. veinte emisoras de Estados Unidos bombardean cada día Cuba durante más de 5.000 horas por semana, se gastan 100 millones de dólares al año para ensuciar los oídos de nuestro pueblo, informa a Fidel el Comité de Medios de Comunicación del Partido Comunista. Radio Martí, la Cubanísima, Radio Mambí, Radio Fe, Cadena Azul, Radio Centro, la Voz del CID, Radio Caimán, más una serie de emisoras en onda corta. 1994 será un año movido, lo anuncia la petición de asilo político en España del ex coronel de la Fuerza Aérea Cubana, Álvaro Prendes, a pocas semanas de la convocatoria de un diálogo en La Habana entre el exilio y el Gobierno, con la exclusión expresa de la Plataforma Democrática que se ha montado Carlos Alberto Montaner. Nada que hablar con la CIA, dicen las autoridades cubanas. También excluido Mas Canosa y su Fundación Nacional Cubano-Americana, nada que hablar con un gángster, además nacionalizado norteamericano. Pero que entren incluso batistianos o invasores de Playa Girón, que entren hasta 225 a los que Fidel recibirá en el palacio de la Revolución, vestido de verde olivo, gentil como siempre ante las mujeres, especialmente con Patricia Gutiérrez Menoyo y nostálgico con los viejos exiliados, alguno incluso amigo, como Max Lesnick, que declarará que el encuentro con Fidel ratifica la apertura del diálogo con Miami. Y así se llega a autorizar la salida de Cuba de la poetisa disidente María Elena Cruz Varela, el gran escándalo de 1991, acosada, insultada, agredida en un *acto de repudio* organizado por los CDR, ahora incluso recibida por uno de los teólogos de la Revolución, José Ramón Balaguer, interesado el proyecto de montar el Pen Club en La Habana.

Los disidentes del interior hablan de síntomas de liberalización, pero los sondeos de opinión del partido indican que la población sigue más pendiente de la quiebra económica que de la apertura política. En julio de 1993, Fidel escuchó el resumen de la situación económica de labios de Carlos Lage, el administrador de la crisis, y se resumía en tres puntos pavorosos: la falta de divisas impediría que Cuba recibiera el petróleo esperado en agosto; se tendría que recurrir a las reservas estatales para cubrir las actividades prioritarias: salud, alimentación, turismo; casi toda la industria y los servicios quedarían paralizados en la isla. Las medidas adoptadas se convirtieron en premonición de catástrofe final cuando llegaron a las masas y afectaron su vida cotidiana: suspensión de la actividad en las oficinas públicas, centros docentes y de investigación e industrias no prioritarias, extensión de los cortes de energía eléctrica al uso industrial y doméstico entre ocho y catorce horas diarias. No se descartaba la posibilidad de tener que recurrir a la "Opción cero": la adopción de una autarquía económica total y la reducción de todos los servicios del Estado, hasta el punto de proponer que todas las intervenciones quirúrgicas se hicieran sólo con anestesia local y que los tanques funcionasen con gasógeno. La caída del bloque socialista representó que Cuba perdiera el 85% de su comercio exterior y en cuatro años (1989-1993) un 80% de su capacidad de compra y que la isla se quedara más aislada que nunca "en un mar de capitalismo", dijo Fidel, pero aunque fuera sola defendería hasta la muerte al socialismo: "Nunca hemos aspirado a que nos entreguen la custodia de las gloriosas banderas y los principios que el movimiento revolucionario ha sabido defender a lo largo de su heroica y hermosa historia, pero si el destino nos asignara el papel de quedar un día entre los últimos defensores del socialismo, sabríamos defender hasta la última gota de sangre este baluarte". "Socialismo o muerte", comienza a sustituir a "Patria o muerte" y Fidel intenta convertir la quiebra en victoria moral. ¿Hubiera podido soportar un país capitalista una caída económica de este tipo? Sólo un pueblo imbuido de ética socialista es capaz de hacerlo. Pero no todos están de acuerdo y en la V Bienal de La Habana algunos artistas han rozado la provocación al pintar a José Martí con las orejas convertidas en alas portadoras de los colores de la bandera nacional, como si el padre de la patria estuviera a punto de echarse a volar en busca de otros cielos. Del parque automovilístico residual, los artistas no utilizan en sus instalaciones conceptuales los remendados coches socialistas Lada, sino un Cadillac, año 1953, de los que circulan por La Habana como fetiches de la nostalgia de antes de la Revolución, junto al lema: "Aquí no se rinde nadie". Pero tal vez la instalación más ofensiva sea la de Kcho, *Regata*, expuesta en el castillo de los Tres Reyes del Morro, compuesta por una procesión de esquifes, zapatos viejos, neumáticos, planchas, cajas de cartón, corchos, cajas de chocolate para turistas, velas, todo, todo lo que evoca los vehículos cubanos para llegar a la otra orilla en las balsas de la diáspora.

Ciento catorce cubanos refugiados en la Embajada de Bélgica. Demasiadas coincidencias, pero ¿cómo han podido ponerse de acuerdo los artistas conceptuales y los 114 allanadores de embajadas? Por algunos muros de la ciudad comienzan a aparecer *graffitis*: "¡Abajo Fidel!", los refugiados en la embajada también lo exhiben en un cartelón más allá de las verjas. Otros refugiados se meterán en la Embajada de Alemania, nueve, sólo nueve, ocupan el consulado de Chile y Pepe Horta, director del Festival de Cine de La Habana, que estaba en México con el fin de seleccionar películas para el festival, declara que no piensa volver a Cuba. Que le pregunten a su protector, Alfredo Guevara, presidente del ICAIC, ¿cómo ha sido eso? "¿Qué cómo ha sido? ¿Acaso soy guardián de la conducta de mi hermano?"

La instalación *Regata* es una pálida broma conceptual al lado de las huidas cotidianas de los balseros hacia Miami, hasta que un grupo de fugitivos secuestra un remolcador, posteriormente asediado por los guardacostas, hasta que lo abordan, chocan, se hunde y casi cuarenta desaparecidos en las aguas se convierten en cuarenta ausencias expuestas sobre la mesa en torno a la cual la cúpula de poder ha de tomar decisiones. "Han pasado muchas cosas, pero esto no ha hecho más que empezar", avisan a Fidel a altas horas de la madrugada y el comandante extiende los brazos como para desentumecerse o como para ampliar los límites de la isla y enumera las medidas tomadas desde el comienzo del periodo especial. El Partido Comunista repartió armas entre obreros y campesinos, rifles del calibre 22, viejas carabinas milicianas utilizadas contra la insurgencia del Escambray, escopetas de caza, fusiles, revólveres, pistolas que servirán para defender la Revolución de sus enemigos exteriores e interiores. No se cometerá el error de Allende de no armar a las masas. Entre los enemigos interiores cada vez es más importante la delincuencia común, reducida hasta que la escasez la ha hecho aumentar en un 27% y esa delincuencia se ejerce en un 67% contra la propiedad, es decir contra el Estado, en un país donde casi toda propiedad es estatal. Frente a los enemigos exteriores e interiores, un sistema único de vigilancia y protección que integre todas las fuerzas defensivas, incluida la Policía Nacional Revolucionaria.

"Cuba está dispuesta a desaparecer antes que ser entregada a los Estados Unidos, porque si los Estados Unidos se apoderan de ella no la soltarán jamás." Habló Fidel de anexionismo en el Congreso de la Federación de Estudiantes de Enseñanza Media. "Estamos dispuestos a resistir aunque no nos llegue ni una tonelada de petróleo." Los comicios locales de 1992 fueron como un plebiscito. "Cuba está en la vanguardia de la democracia". Las palabras de Fidel se vuelven progresivamente desafiantes a medida que aumenta el cerco y, como prueba de la democracia revolucionaria, ahí quedan el juicio contra Ochoa y los hermanos De La Guardia y la destitución de Aldana, el tercer hombre del régimen. Cuando contempló a través de un vídeo el fusilamiento del general Ochoa, oficialmente el héroe de tantas guerras solidarias, posiblemente un aspirante al trono que había construido su propio espacio de poder con los hermanos De La Guardia, Fidel cerró los ojos para vivir, de la misma manera que los había cerrado para aceptar la pena de muerte. En cuanto a Aldana bastó que se cayera desde la altura excesiva que él mismo se había buscado. Acusado de haber prevaricado con un empresario a cambio de la utilización de una tarjeta de crédito en el extranjero, fue destituido en octubre de 1992 por serios errores personales y deficiencias en su trabajo y expulsado del Comité Central y del partido, enviado a las tinieblas exteriores. Concretamente había favorecido las operaciones ilícitas de la empresa Audiovisuales Caribbean, S.A y el gerente, Eberto López, le entregó una tarjeta de oro Visa para que el considerado tercer hombre del régimen pudiera hacer compras en el extranjero.

Se habla de una delación de Patricio De La Guardia, uno de los generales implicados en el caso Ochoa, el gemelo de oro que no fue ejecutado, y el Parlamento otorga poderes especiales a Castro por si alguien quisiera pescar en río revuelto. Al mismo tiempo se abren las puertas a la privatización de empresas y bancos, se debate la Constitución y se reforma la de 1976, en pleno caos económico. Desaparecen por el foro las referencias a la URSS, se declara la laicidad del Estado y del partido, pero a las gentes un laicismo más un laicismo menos apenas les afecta, lo que oprime es un servicio eléctrico con más apagones que luces y que de 1.600 autobuses se pase a 750, a pesar de que un millón de bicicletas chinas conviertan a cada cubano en un potencial vencedor del Tour de Francia. Por si faltara algo se tiene que sustituir a Alicia Alonso al frente del Gran Teatro, aunque siga siendo responsable del Ballet Nacional, y la propaganda enemiga atribuye la destitución a que el marido de la bailarina organiza orgías en su casa con los más prometedores talentos de la compañía y uno de ellos, Jesús Jaramillo, lo denunció por acoso sexual. Fidel también denuncia a los especuladores de alimentos que vienen de la pequeña propiedad agraria y pueden alcanzar veinte veces el valor tasado. Hasta *Granma* reduce su formato para gastar menos papel. Cal y arena: no se tolerará el capitalismo pero la apertura económica es inevitable. Se legaliza el trabajo por cuenta propia, se dolariza la política monetaria y José Luis Rodríguez, del Centro de Investigaciones de la Economía Mundial, un *técnico* para distinguirlo de los *ideólogos,* es nombrado ministro presidente del Comité Estatal de Finanzas. Fidel le escucha y le observa y a veces ha de recordarle que la Revolución está por encima de la economía y no al revés, como los bueyes van delante de las carretas y no al revés. A pesar de que Fidel gana las elecciones por un 88%, los virus continúan su acoso y se produce una epidemia de neuritis, más tarde de dengue, enfermedades de tiempos coloniales, que avergüenzan al poder revolucionario y por eso considera su divulgación como "propaganda enemiga". "Jamás volverá la politiquería a Cuba", insiste Castro, a quien quiera preguntárselo, pero al comienzo del verano de 1994, los factores adversos se parecen más que nunca a una operación de acoso y derribo tramada por los astros y por la CIA, a partes iguales. Colomé Ibarra, ministro de Interior, vuelve a advertir: "Esto no ha hecho más que comenzar".

El 5 de agosto se esponjan grupos de gentes por el muelle de La Luz, porque se ha corrido la voz de que una lancha va a ser secuestrada y un grupo de fugitivos intentará zarpar hacia Miami. Es un espectáculo anunciado por emisoras de Miami, concretamente Radio Martí da el nombre de la lancha que hay que secuestrar, *Dos Ríos,* y el número de balseros, veintiuno, y los presuntos fugitivos llegan con aspecto de fugitivos, bolsas de viaje, alimentos, agua, el atrezo del balsero con vocación de náufrago. Pero también llegan camiones de tropas especiales y del "¡disuélvanse!" pasan a empujar y finalmente a la carga con porras. Es la primera vez que hay que reprimir una manifestación popular desde enero de 1959, es el momento de quiebra social esperado por los enemigos de la Revolución para iniciar la escalada subversión-represión. Parece que van a conseguirlo. No bien disueltos los mirones, de nuevo se reagrupan y desafían a las fuerzas del orden al grito de "¡Libertad, libertad, libertad!", miles de personas se arraciman por las esquinas desde las que se ve el Malecón, donde una vanguardia de unos cien manifestantes llega al cara a cara con la policía y trata de alcanzar el edificio destinado a la representación de los intereses norteamericanos: "¡Esto se acabó! ¡Abajo Fidel! ¡Libertad!" y tras los gritos piedras y botellazos contra la policía, espectáculo no visto desde los tiempos batistianos, contemplado por sobrecogidos mirones desde ventanas y balcones. La manifestación se incrementa, se desperdiga por las calles, se producen asaltos de tiendas que venden productos en dólares, pero pronto los establecimientos saqueados ya no están en el núcleo de la protesta indignada, lo político ha dejado paso a lo forajido y almacenes como Ultra, muy distante del Malecón, o la peletería Roxana de la calle Neptuno son expoliados y al Hotel Deauville le rompieron todos los cristales. Ya hay un cuerpo a cuerpo repartido por las calles cuando aparece el contingente Blas Roca de obreros de la construcción, convocados por la información de que un grupo de contrarrevolucionarios intentaba tomar La Habana, y arremeten a puñetazos, patadas y palos contra los manifestantes con una contundencia que hasta ahora no había empleado la policía. Agresión respondida, hasta el punto de que un miembro de las brigadas perdió un ojo. Fidel está informado de cuanto ocurre, pero deja hacer a Raúl y al general Colomé Ibarra, intercomunicados y tomando decisiones sobre la marcha. En el cuarto piso del Ministerio de las Fuerzas Armadas Revolucionarias, los periodistas esperan que Raúl informe sobre lo que está sucediendo, se retrasa y el general Ulises Rosales del Toro, les tranquiliza, Raúl llegará. Raúl Castro está comunicando con el ministro de Interior que reclama instrucciones porque las cosas empeoran por momentos, Raúl le pide calma y avisa: "Si esto se pone peor tendremos que sacar los tanques". Pero las cosas no se pusieron peor, salvo en el hospital Hermanos Ameijeiras donde no había plazas para atender más urgencias, en las camillas un centenar de heridos. Ante las noticias del alboroto y sobre todo de los saqueos, empezó a conformarse una contramanifestación: "Esta calle es de Fidel, pin pon fuera, abajo la gusanera". Pero aún se producían duras escaramuzas cuando apareció Fidel de verde olivo, inmenso sobre un *jeep*. A su lado Carlos Lage sin perder detalle con sus ojos grandes, periscáficos, valorativos, el *jeep* avanzaba hacia donde había estado el centro de los disturbios y, a medida que lo hacía, tras el comandante en jefe se congregaba una manifestación de adhesión a la que se sumaban algunos de los que acaban de gritar: "¡Abajo Fidel!" Ahora se clamaba: "¡Viva Cuba!" o "¡Hasta aquí llegamos. Llegó el Caballo!" o "Este tipo sí que tiene cojones para meterse aquí" o "Este Caballo no cambia, no hay nadie que lo tumbe". Fidel todavía no había dicho nada que corrigiera las medidas tomadas por Raúl y Colomé, pero en olor de multitud, en cuanto los periodistas le pusieron un pasillo triunfal de magnetofones, dijo: "Si los Estados Unidos no toman medidas rápidas, efectivas y honestas, nosotros nos veremos en la necesidad de no obstaculizar ni impedir la salida de todos los que quieran irse. Ni tampoco impediremos que embarcaciones de Miami vengan a recoger familiares". Y en Estados Unidos empezaron a preocuparse. El éxodo de balseros llegaría a ser de 35.000 y lo que había comenzado como una operación de acoso al régimen de La Habana, se convirtió en un factor de desestabilización de Miami. "Oiga, ¿y usted por qué huye de Cuba? ¿Por el hambre? ¿Por la carencia de todo? ¿Por la represión? No, yo me he ido porque me sentía asfixiado por tanta ideología muerta, que tal vez sirvió pero que ahora no sirve para nada". El ex cuñado de Fidel y ex ministro de Interior de Batista, Rafael Díaz Balart, no quiere más balseros en Miami: "Los únicos balseros que nos interesan son Fidel y Raúl".

Tras el final infeliz de la interdependencia económica de Cuba con el socialismo real, Fidel, el gran pragmático, indagó diferentes posibilidades de salvación sin que se pusiera en peligro su personal diseño revolucionario. Trasladó sus indagaciones al propio Felipe González y al jefe del Gobierno español no se le ocurrió otra contribución que ofrecerle el asesoramiento del ex ministro de Economía, Carlos Solchaga, inspirador del *socialsolchaguismo*, denominación que me atribuyo, versión española del socialiberalismo que ha marcado una de las opciones de la socialdemocracia desde que lo patentara el *Labour Party* en los años sesenta. Es la historia de un encuentro sorprendente y de un desencuentro previsible, en el que todas las partes se predispusieron a cargarse de razones, de paciencia revolucionaria los cubanos y de paciencia economicista Solchaga. Fidel recurre en 1993 a supuestos amigos y evidentes conocidos en demanda de consejo, en la fase más aguda del *periodo especial* y en agosto Solchaga presenta en La Habana un plan de liberalizaciones "para salvar las ventajas de la Revolución", entre èsas ventajas no sólo figuraban las conquistas sociales, sino también la identidad, el orgullo por una independencia ratificada.

En líneas generales Solchaga proponía que el Estado no pretendiera asumirlo todo, que permitiera pequeños negocios y servicios en manos privadas, generar riqueza y soltar el lastre de empresas no rentables, así como privatizar otras que tendrían mejor gestión privada, una profunda reforma tributaria, con la fijación de aranceles, impuestos al consumo, tasas sobre sociedades y un impuesto sobre la renta, "quien gane más que pague más, puesto que es inevitable que en Cuba vuelva a haber diferencias estables y legales entre pobres y ricos". Solchaga estaba proponiendo la social-democratización de la Revolución y hay que decir que tanto Fidel como Raúl o Carlos Lage, quien mantuvo el peso de las didácticas conversaciones, respetaron los argumentos del ponente, y Solchaga renunció por una vez en su vida al tono impertinente con el que suele dirigirse a los que, en su nada modesto entender, no saben lo que hacen o lo que dicen. El diario *El Mundo* sintetizaba velozmente la propuesta de Solchaga y era de prever lo peor: "El ex ministro propone a Castro salir del comunismo a toda velocidad".

Lo que Solchaga propuso en Cuba lo ha puesto por escrito en sus colaboraciones con *Actualidad económica*, "La transición cubana" de octubre de 1994, "Invertir en Cuba" de mayo de 1995, a lo que hay que añadir su colaboración en la revista *Encuentro*, bien acompañado del más prestigiado economista cubano en el exilio, Carmelo Mesa Lago. Partidario de una transición hacia la economía de mercado y de las inversiones españolas, condicionadas a la progresiva apertura de las leyes cubanas, Solchaga juzga el aligeramiento del clima vivido en los peores tiempos del *periodo especial*, como una consecuencia de las medidas liberalizadoras, que, en el artículo de *Encuentro*, considera irreversibles y llamadas a crear un gran número de contradicciones internas, pero si el Gobierno controla la transición puede evitar el desorden que el cambio produjo en la URSS. La prudencia de extranjero que emplea Solchaga, no la precisa Carmelo Mesa Lago en su diagnóstico, un artículo de análisis de la veracidad de los crecimientos cubanos, que hay que leer dentro de la lógica del autor con respecto al presente y al futuro de la economía de Cuba expuesta en su obra *Breve historia económica de la Cuba socialista*. El trabajo de los economistas y politólogos del CEA aporta el ya citado informe de Carranza, Gutiérrez Urdaneta y Pedro Monreal: *Cuba la reestructuración de la economía*, como una propuesta de reconversión del paradigma revolucionario desde dentro y el de Silvia M. Doménech, *Cuba: economía en periodo especial*, es una descripción técnica de las medidas tomadas durante el periodo. Mesa Lago se arriesga a todas las hipótesis políticas, desde la consideración de que será la propia dinámica de la economía global, en la que fatalmente se inscribe Cuba, la que cree unas condiciones modificadas por la relación política-economía de la Cuba castrista. *Breve historia económica de la Cuba socialista*, termina con un interesante mano a mano tan economicista como politólogo, entre Mesa Lago y Horst Fabian, en el que juegan a la futurología a partir de los datos en presencia.

El casi colapso violento del sistema económico al comienzo del *periodo especial* ha creado una situación de enfermedad prolongada, según Mesa Lago, que puede tener diferentes derivaciones: 1°- continuación del *statu quo*, modelo ya abandonado aunque de vez en cuando se perciben tendencias para replantearlo; 2°- militarización y represión crecientes sin cambio económico profundo, lo que eliminaría las reservas de credibilidad revolucionaria que quedan en las masas; 3°- movimiento hacia el modelo chino de socialismo de mercado con autoritarismo político, todavía no hegemónico, pero que se impondrá si Castro tiene que elegirlo frente a la única alternativa de la democratización; 4º- democratización y reforma económica de mercado, según controlara el proceso Castro o si se desarrollara después de Castro. Aquí se pueden prever muchas combinaciones de reformas, desde la apertura del régimen a partidos socialistas diversos o nacional-antimperialistas, al desbordamiento de los mecanismos de control institucional una vez desaparecido Castro; 5º- colapso violento del sistema que tendría, según Mesa Lago, como sujeto determinante al poder militar, el único capaz de evitar que el síncope se convirtiera en Guerra Civil. Cuatro años después de la edición del libro, hay más elementos para juzgar lo que no va a ocurrir que lo que pudiera ocurrir.

Precisamente, en enero de 1994, Castro, mediante una dura condena de los negocios privados pronunciada en una sesión del Parlamento, rechaza el reformismo que le propone Solchaga, propuesta considerada hoy por algunos sectores del Gobierno y del partido poco menos que como una conspiración española para imponerles el pluripartidismo y la democracia capitalista. Todavía en junio de 1994, González, en el transcurso de la IV Cumbre Iberoamericana de Cartagena de Indias, insta a Castro a que se tome en serio las propuestas de Solchaga, y el equipo Solchaga sigue debatiendo con Lage su especial estrategia para el cambio. Se consiguió que el Gobierno cubano accediera a organizar en Madrid un encuentro con el exilio no agresivo, Cernuda, Menoyo, Durán, pero los planteamientos reformistas de Solchaga salieron por la puerta trasera de las negociaciones, considerados, según me revelaron economistas cubanos, como una tecnología liquidacionista de la Revolución. Lage marcó la diferencia entre el camino seguido por Europa del Este y el que quería seguir Cuba: "Ellos quieren ir hacia el capitalismo y nosotros preservar el socialismo".

Quiero que el *liquidacionista* me lo cuente y me voy a por Carlos Solchaga, retirado de la política, a la espera de tiempos en los que las almas ideológicas de la I Revolución

Industrial se decidan a abandonar la usurpación de los cuerpos de la tercera o la cuarta. Al frente de un departamento de estudios, situado, como todos los departamentos de estudios de Madrid, en los pisos más altos de la ciudad de los prodigios económicos, Solchaga recuerda aquellos tiempos en que estuvo a punto de salvar una Revolución nacional-popular convirtiéndola en nacional-socioliberal.

—¿Quién te dio vela en aquel entierro?

—Acabo de dejar el Ministerio de Hacienda, se celebra una de las cumbres iberoamericanas. En este caso tocaba celebrarla en Salvador de Bahía y ahí, como en muchísimas ocasiones anteriores, hay una discusión entre algunos y Fidel Castro, particularmente entre Fidel y Felipe González. Felipe critica las posiciones ya numantinas de Castro al respecto de la situación económica y la Revolución. Se debate sobre si el embargo norteamericano, el bloqueo como les gusta decir a los cubanos, era el causante del deterioro que había sufrido en los últimos cinco años la situación económica cubana o es que se había agotado el modelo socialista de acumulación y de desarrollo, en un mundo cambiante. González era partidario de esa segunda hipótesis explicativa y "mira, te voy a mandar a Solchaga". Esas cosas que se le ocurren a Felipe. "Para que te diga qué es lo que piensa." Se lo tomaron los dos muy en serio y recuerdo que cuando Felipe volvió el 28 o 29 de junio de Brasil, me llama por teléfono y me dice: "Que te vayas a Cuba", le opuse: "Bueno, en septiembre, ya iré". "¿En septiembre? ¡Que te vayas ya!" y entonces yo que iba a tomar mis vacaciones de agosto como todo buen español, no tuve otra salida que irme a Cuba. Tuvimos una serie de encuentros para ver cómo estaban las cosas, acumulé precipitadamente informes sobre la situación. Me fui para La Habana y los primeros contactos fueron muy interesantes.

—¿Quién fue tu interlocutor sobre economía?

—Fundamentalmente Carlos Lage. En aquellos días en que yo llegaba, habían tomado una decisión que ha sido crucial en los cambios de la producción cubana: la legalización de las transferencias de dólares que siempre hay entre parientes o de otra naturaleza, hacia la isla. Ése ha sido un cambio fundamental porque es lo que ha traído la poca liberalización buena o mala, que hay en estos momentos allí. De alguna manera, la sustitución de la moneda mala ha hecho que este cambio sea relativamente irreversible y el coste político será prácticamente inasumible por el castrismo. En mis contactos con Lage actuaba como edecán, por decirlo así, el que ahora es ministro de Economía, José Luis Rodríguez. Recuerdo que en un aparte, cuando ya nos íbamos, Castro me dijo que iba a cambiar todo el equipo de su Gobierno. Yo no sabía si considerarlo como la señal de que asumían parte de lo que yo había sugerido. Me dijeron que los economistas más competentes del Comité Central llevaban ya tiempo estudiando los procesos de adaptación en parte de Europa Oriental, pero sobre todo en China y Vietnam, con cuyos procesos creían tener algo más en común.

—¿Eso te lo dijo Castro?

—Sí, me lo dijo Castro, y la presencia de Rodríguez, un economista muy respetado, ahora creo que vicepresidente dentro del propio Gobierno, era un síntoma de esa renovación. Rodríguez formaba parte de un equipo económico formado por gente joven que en su día había sido apoyada por el mismísimo Raúl Castro, al igual que la ascensión de Robaina y por eso, en una segunda o tercera visita, pedí verme con Raúl Castro para conocer su opinión. Me había llamado la atención un discurso suyo relativamente famoso, de 1994, en el que redefine lo que han sido sus objetivos estratégicos de la política de defensa y del ejército en la línea de: "¡Nuestro primer deber es dar de comer a la gente!". Éste es el primer deber del ejército revolucionario y a mí me pareció que había una dosis de realismo tremenda y por eso me interesaba verle. Pero cuando yo fui a verle o habían cambiado sus actitudes o decidió disimularlas o quizá desconfiaba de mí. Total que yo quería oírle hablar de cambios económicos y me encontré con que primero, me invitaba a la celebración de los actos de Bahía de Cochinos en la base militar de Managua, me enseñaba luego sus tanques escondidos en galerías subterráneas que vienen cavando desde hace años pensando en una guerra a la vietnamita, ante la sospecha de no podrán resistir la cabeza de puente de cualquier desembarco de envergadura. Raúl argumentaba las razones de una estrategia de resistencia y nos acompañaban Lage y Rodríguez, por lo que cuando yo pasaba a hablar de economía eran ellos dos quienes intervenían y no pude enterarme de las posiciones de Raúl ante la reforma.

—¿Te enseñó los tanques?

—Me los enseñó y me dijo: "Verás Solchaga, están como en un condón." Y era verdad, estaban en un largo túnel de plástico, me parece que con nitrógeno para estar perfectamente conservados y yo le dije, recuerdo los detalles: "Pero Raúl, como los norteamericanos los detecten a través de los satélites, esto va ser tiro al blanco, lo único que tienen que hacer es esperar a que salgan por la puerta". Me dijo: "No, tenemos sistemas de salidas secretas" y no sé qué más, ah, sí, "allí están puestas unas cargas de dinamita y nos esperan por aquí y salimos por el otro lado del monte." No pude ir más allá. Me seguía interesando hablar directamente con él de las otras cuestiones y lo conseguí, más adelante, pero no tan directamente como hubiera deseado. Luego he sabido que Raúl fue de los más decididos en aceptar determinadas reformas económicas allá por 1992 y 1993, pero ahora no está en esta posición. Bueno, el primer viaje concluyó con una cena relativamente formal en el palacio de la Revolución. Allí estaba Fidel Castro y todo su equipo económico y no sé si algún vicepresidente más. Por mi parte, yo había ido con un par de personas de la delegación técnica, José Juan Ruiz, Armando Gutiérrez, más el encargado de negocios allí, un chico muy sensato y que había mantenido muy buenas relaciones tanto con el régimen como con grupos de opositores. Lo había hecho muy bien.

Fue una reunión interesante en la que, con la sorpresa de todos los presentes, pude tener a Castro callado durante treinta o cuarenta minutos. Hablé yo solo de lo que creía que se podía hacer e hice un ejercicio que a mí me parecía de seducción, tratando de venderle la tesis de que, en última instancia, uno no puede ser nacionalista y anti-imperialista a noventa millas de Florida en la época de guerra fría sin ponerse en brazos del otro, y que hay sin embargo una interpretación histórica del castrismo que no es necesariamente marxista, es nacionalista. Les dije: "Pero ustedes no han tenido casi historia nacional después de 1898. Están ustedes en parihuelas con los norteamericanos hasta 1940. Luego vienen todos los problemas que han tenido durante el periodo relativamente corto de democracia que se corrompe relativamente rápido con Batista en los últimos años cincuenta. Ustedes tienen mucha razón para sentirse muy orgullosos de ser seguramente el único país en todo el continente, quitando los del Cono Sur, que tiene un sentido de la patria, un sentido de sus señas de identidad, de una vertebración de la vida nacional extraordinariamente nueva. ¡Ya la quisiera México! México la tiene en su pequeña burguesía, pero no en el conjunto de los indígenas que viven en Chiapas, en Oaxaca o en Sonora. Yo creo que eso es importantísimo. Tú has hecho un país que juega un papel en la historia, que tiene además principios morales elevados como la solidaridad, la tendencia a la igualdad, al que le repugna la injusticia. Principios tal vez establecidos en todos los seres humanos pero no en todas las sociedades desarrolladas. Creo que tú puedes ponerte —le decía a Castro— a la cabeza de la manifestación de aquellos que dicen: 'Queremos un país independiente y que se autorrespete". Me referí a la victoria popular ante el desembarco de Bahía de Cochinos. En fin. Necesitaba aquella introducción para lo que iba a proponerles. Les dije que había conquistas de la Revolución que deben ser salvadas ¿Cuáles son las principales? La democracia, en el sentido de los sentimientos políticos de la gente, no la democracia formal y en segundo lugar, las conquistas sociales. Ahora bien, para salvar las conquistas sociales, se necesita financiación. Durante un tiempo, funcionó dentro de un modelo de acumulación socialista y, reconozcámoslo, recibíais ayuda de la Unión Soviética, nunca por vosotros mismos hubierais sido capaces de mantener una sanidad pública de tan alto nivel.

—Le estabas diciendo que habían realizado una Revolución subvencionada. Algo que no soporta.

—Como no me interrumpía me atreví a darle algunos consejos: Bueno, tú ahora, lo que tienes que decirle a la gente es que te ves obligado a cambiar algunas de las consideraciones que tenías sobre la propiedad de los medios de producción y tal ¿Para qué? Para conseguir mantener las conquistas sociales de la Revolución. Ésa fue mi tesis de partida, en aquel encuentro y en los restantes. No hay que olvidar que son nacionalistas y muchas más cosas, pero sobre todo, en mi opinión, son nacionalistas. Fidel parecía interesado, le gustaba que un españolito comprendiera sus posiciones nacionalistas, un españolito que le había llegado con fama de social-liberal. Lo que no le gustaba es que se restaurasen las relaciones de propiedad y por tanto, como él diría, las relaciones de explotación, pero sobre todo por su consecuencia más inmediata: la ampliación de las diferencias de renta y de riqueza. Y digamos que en un momento determinado, se le escapó lo siguiente, algo así, si lo recuerdo bien: "Mira Solchaga, es posible que tengas razón pero esto que tú dices, lo tendrán que hacer otros".

—¿Exactamente así?

—Casi literal. Era una cena para unas veinte personas, a lo largo de una mesa, algo parecido a un consejo de administración pero cenando. Lage hizo alguna consideración de carácter técnico, económico y tal. En aquella primera reunión, nos ganamos aparentemente la confianza, comprendieron que cualquiera que fuera el grado de diferencia que existiera en nuestra visión del mundo, lo que menos haríamos es dar lecciones. Nos limitábamos a decirles: "Oye, en nuestros países cuando pasa esto, la gente suele salir por aquí". Y yo hice ese esfuerzo adicional de no hacer un discurso político, yo sabía que una persona con la experiencia de Fidel o lo tomaba o lo dejaba. Ante todo yo buscaba una salida de conciliación. Me informaron sobre algo que me preocupaba, la corrupción, en Cuba no tenía envergadura. La verdad es que yo hice una transposición de preocupaciones que sentía en España y que algunas veces le expresaba a Felipe González sobre la corrupción. Le decía a Felipe: a ver si la corrupción va a hacer que nos vayamos por el desagüe de la historia. Doce años aquí, en España, transformando el país, modernizándolo, cambiándolo y al final la corrupción se nos lleva por delante. Nos desagua. Algo parecido le dije a Castro: "Es que los esfuerzos de la Revolución, el intento semi fallido pero también semi acertado de una vida mucho más igualitaria, el desarrollo extraordinario de la alfabetización, de la educación del país, el sentido de la historia y de la opinión política, a mí me parece que os ha dado una gran estatura frente a la mayoría de los países del mundo. Entonces no hay que malgastar esos logros, que no vaya a producirse una negativa sanción histórica. En un mundo en que ya los sistemas de acumulación socialista prácticamente habían desaparecido incluso en China, es un disparate empecinarse. No vaya a suceder que mañana, cuando vuelvan las gentes del exilio, los de aquí tengan la impresión que tuvimos muchos en España durante el franquismo: que habíamos perdido treinta años de la historia de nuestra patria". En España nos salvó el reconducir en cierta medida el proceso económico durante los años sesenta.

—¿Llegásteis a establecer encuentros periódicos, plataformas estables de trabajo?

—Hicimos cuatro o cinco viajes de trabajo con una periodicidad de seis u ocho meses y envíos continuos de papeles y de propuestas, así por ejemplo, enviamos la ley que está ahora en vigor sobre inversiones extranjeras. Yo tenía la esperanza un tanto maquiavélica de que por la vía de la inversión extranjera, como ellos la necesitaban porque si no no podían importar lo indispensable, íbamos a deteriorar los principios rígidos de la economía socialista. Lo que hicieron finalmente fue una ley relativamente liberal, parecida a cualquiera otra de los países de la OCDE, pero sujeta a ulterior desarrollo del reglamento, lo que allí implica una aplicación política, muy subjetiva, de la ley.

—Tal como se vendió la imagen de tu colaboración parecía como si estuviérais preparando un plan de cambio del modelo o de adaptación sustancial del modelo. ¿La propuesta no llegó a esa dimensión?

—Yo creo que no, al menos sería injusto para ellos. Yo acariciaba esa idea, pero incluso yo que soy bastante poco modesto, como sabes, no quiero ser injusto con ellos. Por otro lado, cuando un país queda tan aislado, casi no se puede permitir el lujo de decirle que no a España, aunque España no le guste. Nosotros representábamos una ayuda imprescindible. Las escuelas en el año 1994-1995 se abrieron porque este país mandó cuadernos y lápices porque no se producían en Cuba. Ya representabas casi la última esperanza de un país que estaba energéticamente ahogado, sin posibilidades de acceder a petróleo soviético a precios subvencionados o de vender el azúcar a precios políticos al CAME. Por *realpolitik* tenían que estar bien con España. Soportaban de buen grado algunas de nuestras críticas y de nuestras consideraciones, pero siempre arrastrando los pies, con una enorme lentitud, porque en el fondo no eran capaces de concebir cómo iba a funcionar la estructura política o a dónde iba a parar su visión del mundo al organizar Cuba como una sociedad libre en la base económica.

—¿Se percibían diferentes talantes o todos miraban a Castro a ver qué cara ponía?

—Las dos cosas. No olvidemos que Cuba es lo más parecido que hay a una autocracia y cuando se planteaban reformas que pudieran chocar con la ideología oficial, se suscitaban muchas vacilaciones. Me recordaba a lo que comentaba Suárez cuando se estaba discutiendo en España la revisión de

los principios del movimiento: "En caso de duda, abstente".
Cuando se topaba con un problema, se pasaba a otra cosa. La
reflexión colectiva del Comité Central no había avanzado lo
suficiente, lógico si tenemos en cuenta la cantidad de elaboración ideológica que habían dedicado a criticar todos los re-
formismos socialistas: desde el economicismo chino hasta la
glasnost y la *perestroika*. No hay nadie del partido comunista
que en su fuero interno no piense que uno de los mayores hijos de perra de la historia de la humanidad es Gorbachov. Las
inercias, los frenos eran y son las actitudes mentales predo-
minantes.

—¿Apreciaste la efectividad de algunas de vuestras propuestas?

—Sí, lo notamos por ejemplo con el mayor desarrollo del
autoempleo, en el tratamiento mucho más realista de las inversiones extranjeras o en la estrategia empleada por el sector
turístico. La notamos en la flexibilidad con que acogían contratos de gestión con compañías extranjeras, por ejemplo
con la Tabacalera, en la admisión de la ayuda de bancos españoles para comprar semillas, plaguicidas y fertilizantes.
Notabas que te escuchaban, casi siempre con gran respeto y
atención, y lo discutían en sus propios términos, pero luego
te desesperabas viendo que las decisiones se tomaban poco o
mal, se tratara de la creación de una pequeña y mediana empresa, o de cambiar la legislación sobre cooperativas. Yo no
entendía esas morosidades con la vertebración social relativamente consistente que hay allí, el carisma de Fidel todavía
no agotado, una organización política a prueba de bomba.
Todo eso propicia una transición pacífica que evite el Big
Bang. Yo era partidario de un cambio gradual. Cuando se
planteó lo del autoempleo, nos opusieron un dilema moral y
yo les dije: "Sabéis igual que yo, que vosotros tenéis el monopolio de las ofertas de empleo del país porque los medios
de producción son del Estado. Desde este punto de vista
cualquier particular que emplea a otro entra en el proceso
de explotación y de usurpación de la plusvalía. Si vosotros

tenéis el monopolio de dar trabajo y resulta que no podéis dar trabajo real a un 35 o 40% de la población, dejad que se busque la vida a través de eso que vosotros llamáis autoempleo. Si además hay cooperativas, mejor. Si se forman pequeñas y medianas empresas, mejor". Era como hablar con una pared .Te aseguro que no entiendo las restricciones con las que por fin deciden crear el autoempleo. Lo lógico hubiera sido vigilar para no empobrecer la oferta pública, por ejemplo de profesores o médicos, pero deja que la gente si quiere y si lo necesita se autoemplee. Lo hicieron al revés. El decreto sobre autoempleo pertenece a la literatura de lo grotesco porque lo que se permitía era el autoempleo de profesiones como forradores de botones, instructores de animales domésticos.

—¿Esas profesiones existen en Cuba?

—Existen, aparentemente existen. Al final para llegar a doscientos mil parados. El procedimiento debía pasar por la criba del partido comunista en cada sitio y donde el partido era más restrictivo era en La Habana. En Oriente, por ejemplo, tenía la manga más ancha. Así nacieron rodeados de restricciones los restaurantes privados, los famosos *paladares.* ¿Sabes el origen de la palabra?

—No.

—Pues te lo contaré. Por lo visto en una serie, una telenovela brasileña de gran éxito, había una mujer muy pobre que de jovencita había conseguido montar una cadena de restaurantes que se llamaba Paladar.

—De culebrón.

—No termina ahí el culebrón. Un día Castro, en la Asamblea, o no sé dónde, dijo: "Fui allí y vi lo menos veinte mesas, cien personas. ¿Qué es esto? ¡Qué escándalo! ¿Cómo es posible? Otra vez estamos aquí en la acumulación capitalista ¿esto qué es?". La nueva ley dice que los *paladares* pueden tener hasta doce sillas, pero hecha la ley hecha la trampa, porque hay poca legitimidad moral para reprimir, porque a partir del *periodo especial,* sobrevivir ha sido el impulso ético fundamental y quien más quien menos ha tenido que aceptar pequeñas, a veces ingenuas corrupciones. Hasta a los regímenes más duros se les escapan las cosas, entre los dedos, como los peces.

—¿Hablas de una complicidad burocrática?

—La realidad es así. Y a pesar de todo, muchos de esos pequeñísimos negocios privados han sido asfixiados por los impuestos o las inspecciones. El peor de los problemas que tienen allí, procede de los aspectos negativos y mezquinos que a veces aparecen cuando se está persiguiendo la igualdad. Por ejemplo, imagina el desaliento de muchísimos profesionales de alto nivel, que después de seis o siete años de estudios van a ganar lo mismo o menos que quienes no se han esforzado en nada para ser lo que son. Pero a pesar de tanto recelo, la reforma se movió y ahora sería imposible el regreso al dogmatismo económico. Si dijeran: a partir de mañana están prohibidos el dólar y el autoempleo, eso provocaría una tensión social irresistible. Sólo Estados Unidos tiene la clave para acabar con esta situación practicando una invasión amable, simpática y llena de dólares. Eso el sistema cubano no lo aguanta. No lo aguanta porque ya se ha instalado en Cuba la doble moral, la falta de convicción en las posibilidades del país, la desesperanza respecto al futuro. O el Gobierno se adapta a la realidad o puede pasar cualquier cosa.

—Lo sucedido en los países de socialismo real puede servir de vacuna. ¿Qué piensan realmente dirigentes como Alarcón, Lage, Robaina, Rodríguez, Prieto?

—Están buscando un acomodo.

—Un acomodo o una salida digna a la Revolución.

—No creo que estén en condiciones de buscar una salida. No digo que no lo quieran, pero no pueden, aunque, claro, yo no puedo ponerme en su lugar. A lo mejor, llegan a creerse que buscan una salida, pero si son un poco autocríticos, saben que no están en el buen camino. Todo debería conducir a una platajunta, como la que se formó en España en los momentos terminales del franquismo, de gentes interesadas, así en Cuba como en Miami, en una solución pactada. Veo difícil que se presten los viejos comandantes revolucionarios. En cambio sí lo veo posible en hombres como Alarcón, buen conocedor de los mecanismos políticos internos e internacionales. Lage es un médico convertido en economista que afronta reformas en las que no cree. No se puede seguir acariciando la idea de que es posible mantener lo básico del sistema de acumulación socialista y que la economía funciona bien. Desde esa perspectiva todas las decisiones son precarias, transitorias, a la espera tal vez del día en que pueda morir Castro y se produzca el gran cortocircuito. Porque Castro puede morir. Si Castro muere antes de propiciar una reforma en serio, esos tecnócratas indecisos y bien intencionados serán barridos. No podrán cumplir el papel que en la transición española desempeñaron Suárez y los postfranquistas jóvenes e inteligentes, porque están mucho más retrasados de lo que estaban Suárez o Martín Villa en aquel momento y porque además, allí habría que conciliar a vencedores y vencidos en una Revolución. Hay un millón de cubanos exiliados que reclaman las raíces perdidas y los cuadros creados por la Revolución, ¿cómo van a cambiar su visión del mundo o de lo que es justo o injusto económicamente? Quizá esos tecnócratas no tendrán más remedio que pactar y después desaparecer en la noche de la historia.

—Toda Revolución tiene sus guardianes. Los que piensen que realmente han sido sus beneficiarios, esos campesinos que han podido llegar a la Universidad o esos trabajadores que han recibido una asistencia sanitaria de ricos ¿La resistencia revolucionaria sería en Cuba tan débil como en Rumania, como en la propia URSS?

—Para mí, los cubanos han creído bastante en la Revolución y en sus frutos. De hecho la Revolución les ha dado conciencia nacional, una identidad buscada desde los primeros gritos insurgentes del siglo XIX. En los países del socialismo real algo ha quedado de la fe revolucionaria, aunque hoy sólo emerja el desencanto, las mafias, eso es la espuma de los días. Pero en el sustrato ha quedado la esperanza, las expectativas creadas y el orgullo de haber participado en esa creación.

—El día siguiente de la contrarrevolución puede ser terrible.

—¿Qué parte de responsabilidad corresponde a la bunkerización del castrismo? ¿Por qué han dejado estos bárbaros que se deteriore hasta tal punto la vida económica? Han permitido la reaparición de enfermedades epidémicas, la neuritis y el dengue, cosa que no existía con la gran política sanitaria de los años mejores. Tienen problemas de subalimentación de niños y viejos. Y ahora, es extremadamente difícil sostener que con el capitalismo vaya a empeorar su situación. Otra cosa es que puedan aparecer los agravios comparativos, pero ésos ya están apareciendo y la gente sabe que hay fortunas personales muy importantes en Cuba. Y eso que el nivel de corrupción no es exagerado, mucho menos que en la URSS de Bréznev. He visto cómo viven los ministros en Cuba, he estado en casa de algunos y es verdad que hay una proporción de uno a tres con respecto al nivel de vida de la gente, pero es un desnivel mínimo.

—Los agravios derivados del mejor vivir de cualquier nomenclatura del pasado o del presente no pueden compararse con los que genera una sociedad jerarquizada por el capitalismo.

—Pero por eso han de darse prisa en controlar el proceso de transición. Yo les encarecía: miren ustedes lo que está pasando en Europa central y oriental, miren ustedes lo que ha pasado en Rusia, mire usted la aparición de mafias, que tiene mucho que ver con que exista o no exista Estado. No es el caso previsible en Cuba si se reacciona a tiempo y si el Estado persiste puede controlar la transición y evitar el papel de las mafias. De momento ya ha cuajado en La Habana una red de proxenetismo que puede ser un anticipo de malformaciones sociales peores. Hay que estimular la aportación de capital, la creación de empleo privado para que aumente el producto interior bruto y del despegue de la economía parta el despegue social y político. Esa era mi tesis.

—Que el actual Estado socialista cree un marco jurídico capaz de estimular un desarrollo económico y un nuevo modo de producción ¿Es eso?

—Eso es. Si tienen un marco jurídico, entonces pueden permitirse controlar el nacimiento del mercado, al revés de Rusia que después del golpe de Estado se impuso la ley salvaje del mercado por encima de todo. Además en la URSS no había antecedentes legislativos o estaban olvidados en la noche de la historia sobre el funcionamiento de una economía de mercado, las seguridades de los derechos de propiedad, garantía del tráfico mercantil y todo eso. En Cuba, hay un pasado de economía liberal no tan lejano y desde ese sustrato la transición podría producirse suavemente y en sentido ascendente.

—Cuba ya figura en la economía global, pero, según tú, en la peor posición.

—Está pero de espaldas a ella.

—Llega tarde al reparto del gran mercado, además con un monocultivo que no es rentable. Sólo el turismo es y será rentable ¿Qué van a hacer esos seiscientos mil universitarios calificados progresivamente como obsoletos, pero que pueden considerarse una clase emergente frustrada, sobre todo si se comparan con sus equivalentes en el mundo capitalista?

—Difícil de determinar. Yo pertenezco a la escuela de los optimistas sistemáticos. Las conclusiones son las que son y yo con respecto a Cuba soy bastante optimista sobre las posibilidades de salir del empantanamiento. En los procesos de acumulación modernos, importa mucho menos la dotación de factores naturales y mucho más la dotación de capital humano y Cuba en ese sentido es muy solvente. Primero, el único país serio desde el Río de la Plata hasta el Río Grande, el único, lo sé, he estado en Colombia, en Venezuela, en México y en ninguna parte he encontrado profesionales tan solventes como en Cuba. Por otra parte, el hoy por hoy irresoluble problema de la relación entre producción de azúcar, precio y garantía de mercados, se solucionaría en cuanto terminara el pleito con Estados Unidos, no te quepa la menor duda. Luego, lo que podríamos llamar cultivos tradicionales, bien cuidados, esmerados, con plaguicidas, y con estímulos a la gente, porque hacer la zafra es una cosa muy dura. Se puede promocionar una industria ligera, en parte relacionada con la agricultura y en parte no. Finalmente, Cuba será una isla de servicios, y eso no tiene nada de malo, en el mundo en que vivimos. En los países más adelantados el 70% del PIB ya procede del sector servicios ¿Qué servicios pueden dar allí? Si tienes en cuenta la extraordinaria formación de capital humano, y lo que puede aportar la colonia cubana de Florida y en parte también de Nueva York y la formación básica, la alfabetización, el nivel de educación superior de la población , puede dar todo tipo de servicios al más alto nivel. Y esa capacidad extraordinaria de los profesionales cubanos no es sólo de ahora, ya en los años cincuenta daba que hablar a todos los observadores extranjeros, fuera en la arquitectura o en el *management* de empresas. El comercio en grandes superficies nació en Cuba y uno de sus creadores, el asturiano Pepín Fernández, lo exportó a España. El presidente de la Coca-Cola es cubano. Allí hay una sociedad notable que puede proporcionar exactamente lo que la sociedad del futuro quiere ¿Y dónde está Cuba? Al lado de la sociedad del futuro que es Estados Unidos. De manera que, una parte importante del desarrollo sobre todo, en los últimos tiempos, pasará por los aspectos menos brillantes del turismo masivo. Si se hacen bien las leyes desde el principio no tiene por qué sufrir barbaridades, puedes haber aprendido de los errores de otros en materia de urbanismo relacionado con el turismo. Cuando cuentan los cayos, quizá no haya menos de diez mil kilómetros de litoral, de manera que tienes playas para lo que quieras. Lo que no hay que olvidar es que en 1959, esta isla tenía una renta *per cápita* de quinientos dólares cuando en España, seguramente no llegábamos a los trescientos. Las posibilidades son extraordinariamente elevadas. Como en todos los procesos de ajuste o de cambio rápido se producen daños y quedan los perdedores en la cuneta, pero es uno de esos casos donde los beneficios serán superiores a los desastres.

—Un economista cubano, me sostenía que la clave está en introducir el mercado pero sin dejar el mercado a la hegemonía del capitalismo. Se trata de la famosa aspiración de ponerle un cerebro social al mercado.

—Crear un mercado sin darle la hegemonía a la lógica capitalista me parece algo metafísico.

—Tal vez sea la única manera de superar la metafísica reinante.

—Difícil se lo pones. Yo no veo ni siquiera que Castro se sienta tentado, claramente, por una salida a la china. Cuba no es China, no ha heredado las pautas culturales de un imperio chino traspasadas al imperio comunista. Cuba es una isla en medio del Caribe, una isla de plantación durante 150 años y antes fue un lugar de servicios para la potencia imperialista que era España, luego, durante 30 años, ha sido un satélite de los Estados Unidos. Y en el contexto de globalización yo creo que cualquier salida a la china simplemente no funciona. Lo que les está funcionando es la resistencia al cambio, mucho mejor que en Europa porque una isla es una isla y puede conservar el aislamiento mejor que los Estados europeos del socialismo real.

—De nuevo las verdades elementales: una isla es una isla.

—Y un tapón es un tapón. Castro es un tapón.

—A Castro aún le queda la posibilidad de encabezar una Revolución cultural contra el neoliberalismo, contra el economicismo.

—Contra el famoso pensamiento único...

—Es evidente que no puede tener la misma perspectiva global un país del Tercer Mundo que una potencia del metafórico Norte.

—Lo lógico sería entrar en el sistema con algunos elementos de fuerza para corregirlo, no desde una rendición total, pero el castrismo ni siquiera acepta el marco.

—Oficialmente se empieza a utilizar el término globalización.

—Están desfasados de información con respecto a lo que pasa en el propio continente. Están instalados todavía en aquellos tiempos de la Revolución y siguen obrando según esquemas interpretativos demasiado elementales sobre lo que ha sido el ajuste de las economías, el crecimiento del mercado, la disminución del sector público. Están más instalados en la propaganda política que en la política económica. Te he dicho que ni siquiera han captado los cambios en el propio continente americano, donde la derecha económica ya no puede recurrir a los militares y ha de afrontar necesarios procesos de consenso social que pasan por una democracia representativa real. No se dan cuenta de que eso es un cambio absolutamente crucial.

—¿Dónde está esa derecha americana tan democrática y responsable?

—En Chile, en Uruguay, por ejemplo.

—Sanguinetti se queja de la hegemonía del economicismo sobre la política.

—Sanguinetti es uno de los mejores oradores que conozco. De lo que hablábamos, dudo que Castro haya comprendido que Estados Unidos ya sabe que no necesitan dictadores hijos de puta para controlar América y que el sistema democrático les garantiza la hegemonía por mejores procedimientos.

—Por primera vez han intervenido a favor de la democracia. En Haití.

—Dejando de lado la América Central, que todavía es muy confusa, muy desordenada, en el resto están pasando cambios importantes en este sentido. Estados Unidos admite, concilia, acepta una derecha democrática cuando antes desconfiaba de ella. Esta derecha viene con el neoliberalismo a cuestas, con ideas conservadoras muy fuertes pero, al mismo tiempo, con ideas que hacen una crítica al funcionamiento del Estado que te gustarán o no te gustarán pero deben ser escuchadas porque tratan de superar la alianza tradicional entre estatalismo y caciquismo. Una derecha moderna no puede asumirlo. Enfrente, la izquierda sólo tiene una respuesta ideologista.

—Marta Harnecker me ha entregado el original de una obra futura sobre el panorama de la izquierda y la posible estrategia futura.

—¿Marta Harnecker aún vive? Pensaba que estaba muerta. Lamentablemente, las ideas nuevas las impulsa la derecha.

—¿Cómo se contempla desde los grandes centros de decisión económica o desde el BID por ejemplo, la situación cubana?

—Piensan que se autoliquidará. Se apuesta porque sea con el menor coste posible. Ésa es la actitud de Enrique Iglesias, el director del BID. Iglesias es asturiano. Es un caso interesante. Salió con su madre viuda en los primeros días de la Guerra Civil o recién terminada la Guerra Civil y se fueron a Uruguay. Podría ser presidente del Uruguay, pero la Constitución no se lo permite por su condición de extranjero.

Los organismos financieros internacionales que marcan las pautas de comportamiento económico, sean el Fondo Monetario Internacional, sea el Banco Mundial o el Banco Iberoamericano de Desarrollo, plantean ante Fidel Castro la prevención contra el dirigente que se sitúa ideológicamente fuera del sistema y denuncia la deuda externa como una estrategia de control y de dominación, especialmente a partir de 1985 cuando Fidel acaudilla la protesta latinoamericana contra la asfixia crediticia, lo que no le salva de renegociar la deuda externa si quiere permanecer dentro de los planes de los bancos mundiales. Cuba no pertenece al FMI, aunque sobre todo a partir del hundimiento del CAME, ha tenido contactos con la institución, a veces por intercesión española, como ocurrió en el encuentro secreto entre Carlos Lage y *míster* Camdessus presidente del FMI, en Madrid, en pleno periodo de solchaguización de la economía cubana. Con respecto al BID, Enrique Iglesias ha marcado repetidamente su ideario: para resolver los problemas sociales las economías latinoamericanas tienen que crecer a partir del 7% anual. Nacido en Asturias, nacionalizado uruguayo, ministro de Asuntos Exteriores, secretario ejecutivo de la CEPAL (Comisión Económica para América) fue uno de los más decisivos negociadores de la Ronda Uruguay en pro de la liberalización comercial mundial. El BID es la principal fuente de financiación de América Latina, y los datos que aporta Iglesias son relevantes: un 57% de los fondos del BID van a parar a países pobres y no olvida que un 40% de la población latinoamericana vive en la más absoluta pobreza. Pero el BID e Iglesias, sólo conciben como ejemplares las economías que ofrecen balances macroeconómicos positivos. Si a Iglesias le preguntan ¿qué economía va bien?, contestará que la chilena. El BID se integra en la lógica de que el desarrollo consigue desarrollar hasta a los subdesarrollados y en su filosofía no consta la diferenciación entre buenos y malos que no se corresponda a la de buenos y malos pagadores. En plena globalización, en una economía a remolque de las grandes multinacionales, las instituciones globales de regulación parecen haber tomado al pie de la letra la arriesgada afirmación de Umberto Eco: la lucha en la etapa de las multinacionales se da entre grandes fuerzas, no entre demonios y héroes.

Pero los héroes en Cuba se están convirtiendo en *managers*, especialmente los héroes formados en las guerras solidarias, y tengo que indagar sobre ellos ante el político responsable de la transustanciación entre la economía política y la política económica: Carlos Lage.

—Ya son varios los militares situados al frente de ministerios de gestión económica. Me interesaría hablar con ellos. Pero los militares son muy tímidos y si no reciben autorización de más arriba...

—Autorización, no. Lo que ocurre es que la gente tiende más bien por razón de modestia a no dar entrevistas y a veces por razones de trabajo. En estos días, les dijimos a todos los ministros que concedan las entrevistas que les piden. Hay tres mil periodistas en Cuba y sería una lástima que no aprovechen la oportunidad para conversar.

—Me interesaría preguntarles por qué es más eficaz una gestión militar, de militares no de academia, como en Europa, sino fraguados en la Revolución o en las guerras solidarias. Claro que en mi libro todas las entrevistas se complementarán, porque trato de ofrecer un cuadro general de la expectativa latinoamericana al borde del milenio, tal como se la ve desde Cuba o desde los nuevos movimientos indigenistas encabezados por Rigoberta Menchú o el subcomandante Marcos.

—¿Tiene que entrevistarles a ellos también?

—Sí, tenía casi concertado un encuentro con el subcomandante Marcos y después de la matanza de Chiapas se aplazó. Lo más importante del libro es situar a Cuba dentro de esas nuevas condiciones de globalización, a partir de las expectativas creadas por el viaje del Papa. Se suscita la aparición de un nuevo imaginario cubano, vamos a llamarle espiritualista, un frente contra el neocapitalismo y el neoliberalismo, Fidel y el Papa en un mismo frente.

Curtido como dirigente de las juventudes del partido, también en las guerras solidarias como jefe médico de la expedición a Etiopía, Carlos Lage es considerado el tercer hombre del régimen, posición que en el inmediato pasado ocupara el defenestrado Aldana. Se nota su posición porque para hablar con él tengo que pasar por el filtro de los rayos equis y el registro de mi bolsa de trabajo, lo que no ha ocurrido con Alarcón o Abel Prieto. Y es que Lage ejerce en el palacio de la Revolución, a unos cientos de metros de Fidel y con una inmediatez telefónica que se revela mientras conversamos. Me transmite saludos del comandante y sus mejores propósitos. Como todos los dirigentes cubanos estos días, Lage es carne de magnetófono, asaltado por periodistas de medio mundo que le preguntarán cosas muy parecidas a las que a mí me interesan, a las que responderá según las pautas de lo revolucionariamente correcto, al menos de lo revolucionariamente correcto en enero de 1998.

—Esta mañana, yo recorría La Habana Vieja con Leal y nos metió en una casa porque llovía y estaban contemplando en la tele la intervención del arzobispo de Santiago, Meurice. Ha sido el discurso más violento pronunciado hasta ahora contra la Revolución.

—No compartimos las ideas del obispo de Santiago, pero el discurso demuestra el carácter absolutamente abierto de la visita del Santo Padre.

—En cambio las intervenciones del Papa hasta ahora son de lo más moderado. Gracias al padre Varela dice lo que quiere sin que suene a ataque al poder. Los del Vaticano son prudentes.

—Meurice no solamente es crítico equivocadamente, sino también desconocedor de toda la obra de la Revolución y desconocedor de las circunstancias en las que vive la Revolución.

—¿Cómo puede ser desconocedor si vive en Santiago de Cuba?

—Es lo que se desprende del discurso. Según Meurice, el bloqueo no existe, la Revolución no ha hecho nada. Que se haya expresado libremente forma parte de la política con la que hemos decidido recibir la visita del Papa. En algunos momentos, hubo aquí contradicciones con la jerarquía de la Iglesia católica, pero en lo substancial ha habido siempre libertad religiosa, libertad de creencias. Nunca se ha cerrado un templo, nunca ha habido una agresión sobre un sacerdote, nunca ha habido un sacerdote asesinado, eso se hace prácticamente en todas las revoluciones en el mundo. Pero ha habido en determinados momentos conflictos con la jerarquía católica, por tanto no voy a decir que me sorprende totalmente la reacción del obispo de Santiago. Ahora, yo diría que la consecuencia más importante de este discurso es negativa para la Iglesia, para la jerarquía de la Iglesia, para la Iglesia como institución.

Santiago de Cuba tiene una población muy revolucionaria, con mucha memoria sobre lo que fue la época de Batista y una intervención como la de su obispo va a tener efectos negativos sobre el pueblo y la prueba es que cuando dijo que en los años cincuenta, cuando gobernaba Batista, la Iglesia vivió su mejor época, se fue mucha gente. En Camagüey pasó algo parecido, a pesar de que nosotros hemos pedido a la gente que vaya a los actos, sin consignas revolucionarias, que vaya en tono respetuoso, que se quede hasta el final. Pero en Santiago mucha gente no aguantó.

Acepta que la Iglesia pueda tener dos lecturas de la situación y que algunos eclesiásticos lleguen a pensar que ha llegado el momento de una mayor audacia para, dadas las dificultades sociales y económicas, aprovecharse y crear un protagonismo social protector, mientras los otros se conformarían con la movilidad social ganada por la Iglesia. También contempla un proceso de mayor cooperación entre las instituciones del país y la jerarquía católica en Cuba, proceso que viene transcurriendo desde hace años, pero que ahora puede activarse. Las coincidencias ideológicas con respecto a la globalización también ayudan, aunque es cierto que este Papa ha contribuido a la derrota del socialismo real y ha combatido la teología de la liberación. Es decir, en total coincidencia con la verdad oficial, Lage pasa por las relaciones Iglesia-Estado y se sube a la situación económica percibida no sólo como consecuencia de la caída del amigo socialista, sino también de los cambios objetivos de la economía mundial.

—Una economía más internacionalizada, más globalizada, un comercio y una finanza invadidos por la informática o transformados por la informática. Y eso, indiscutiblemente, implica cambios en la economía interior de todos los países. El país tiene hoy una economía mixta, pero con un peso predominante del Estado, factor esencial para preservar el ideal socialista, aunque haya una participación mayor de la propiedad cooperativa y de la propiedad privada.

—Sería como una tercera vía, el mercado seriamente controlado por el Estado. Pero aún así aparecen diferentes capacidades de acumulación y la aparición de clases sociales según la capacidad de acumular y consumir.

—Las economías de mercado generan eficiencia a través de la competencia y lo duro, en cierta medida lo cruel, son las exclusiones que provoca esa competencia. Esa competitividad reclama un máximo esfuerzo de las personas, de la sociedad por rendir, por trabajar, por buscar resultados económicos y productivos, eso es indiscutible, pero no genera justicia social, no genera igualdad social. En las economías de mercado, cada vez hay más diferencias, entre las clases y entre los pueblos. Las desigualdades favorecen la corrupción y otras consecuencias sociales muy negativas. Nosotros creemos que la economía de mercado puede tener un espacio en nuestro sistema económico, pero sin ser predominante. Es un reto que las empresas estatales puedan ser eficientes. Pero si la empresa estatal no logra ser eficiente, no podemos garantizar su continuidad.

—¿Con su sistema queda garantizado el pleno empleo? Se habla de un 20% de paro real.

—La voluntad de garantizarlo debe corresponder a la productividad de los trabajadores.

—Ante lo atípico de su modelo ¿en qué medida les permitirá ensamblarse en el sistema productivo mundial? Sumemos el bloqueo norteamericano, los intereses a pagar por la deuda externa.

—Yo creo que podemos ensamblarnos y un elemento importante para ello es la descentralización progresiva de la economía cubana. La economía socialista se asocia a economía muy centralizada, nosotros creemos que la economía socialista necesariamente precisa un predominio de la propiedad estatal, pero también una gran autoridad de las empresas. Una empresa del Estado con autoridad, con independencia económica, puede integrarse en la economía mundial como si fuera de propiedad privada. El capital ha evolucionado hacia una separación entre la propiedad y la administración. En el siglo pasado, el que administraba era el dueño, hoy cada vez más, el dueño no es una persona o una familia, sino miles de accionistas y los que administran son gerentes profesionales. Es decir, una empresa propiedad del Estado, administrada eficientemente puede ser competitiva con empresas de propiedad privada. Con la ayuda de la introducción de nuevas tecnologías conseguiremos hacer una empresa estatal eficiente. Tecnología, buena administración asimiladora de la experiencia de empresas en las economías de mercado y podemos lograr una empresa eficiente interrelacionada con esa economía mundial.

—La conformación de factores modificadores de la base social y económica provoca cambios políticos. Al menos así ha sucedido en los lugares donde se ha producido una amplia libertad de mercado, de penetración del capital extranjero o del fomento del turismo, como en España en los años sesenta. Se forma un tejido social diferente y ese nuevo tejido social acaba pidiendo cambios en el sistema productivo y en las superestructuras.

—Una evolución de ese tipo, parte de un peso creciente y mayoritario de la propiedad privada y efectivamente, si ese sector privado crece indefinidamente y se hace mayoritario, la base económica promueve una modificación. Por eso, nosotros queremos que la economía del Estado mantenga un predominio sobre la estructura económica del país. Es una garantía del sistema político, pero sobre todo una garantía de buscar la justicia y la igualdad en el conjunto de la sociedad. El peligro no viene por las transformaciones tecnológicas o administrativas. El peligro vendría de un cambio de naturaleza de la propiedad. Lo de las privatizaciones es muy contradictorio porque se privatiza para buscar eficiencia, pero en general se privatizan las empresas más eficientes porque son las que se venden mejor y el Estado termina vendiendo patrimonio de todos. En los países capitalistas, los procesos de privatización dan lugar a mucha corrupción, no sólo con la gente sino porque los partidos se vinculan de una manera o de otra con las empresas que se privatizan, sobre todo el partido en el poder. Además, en la medida en que el Estado da más poder al sector privado, el propio sistema electoral va siendo más insustancial. Usted elige unas personas que cada vez mandan menos y si elige un Gobierno, un presidente y ese presidente privatiza, pasa el poder económico al sector privado y las autoridades elegidas, Gobierno, Parlamento, cada vez tienen menos capacidad para influir en el destino del país.

—Pero una economía como la que ustedes están desarrollando requeriría una gran complicidad social, que sólo se puede conseguir en periodos excepcionales y ustedes ya lograron alargarla muchísimo. Primero se crea el entusiasmo revolucionario, luego viene la defensa ante la agresión imperialista, las expediciones de solidaridad revolucionaria. En un momento en que no aparece una gran causa que cubrir, ese consenso pasa por encima de las dificultades cotidianas, el racionamiento, las carencias, como usted mismo las ha calificado. ¿Y ahora? ¿Dónde están los objetivos enfervorizadores? ¿No puede producirse una quiebra del consenso?

—Esa observación de que nuestras medidas, nuestro esfuerzo requieren un consenso social, es básica. Una tarea revolucionaria como la que nos estamos planteando en condiciones muy difíciles, requiere un consenso social. Por eso, una parte importante de las medidas adoptadas han sido consultadas con la población. Las medidas que tomamos para un saneamiento financiero y que significaron un incremento de precios e impuestos, se discutieron con los trabajadores porque la Revolución necesita consenso.

—¿Los mecanismos de participación democrática les parecen suficientes para conseguirlo?

—Habrá que mejorarlos e impulsarlos, pero podemos mantener el consenso, en la medida en que la población respete al Gobierno porque está trabajando por sus intereses.

—Ese consenso es algo enigmático. En las elecciones se produce un 98% espectacular de adhesiones, pero el estado de ánimo general de la gente cuando opina en privado es fatalista y nada entusiasta. Pasaron las grandes expectativas y parece que sólo queda la de sobrevivir. En Cuba, como en la llamada democracia formal, ¿también se establece una doblez entre lo que el ciudadano vota y lo que el ciudadano piensa?

—Si nosotros comparamos el grado de adhesión de la población a la Revolución, el grado de esperanza y de confianza en comparación con las limitaciones que hay, por muy lesionada que esté, es extraordinario. Hemos vivido en situaciones extremas, desde el punto de vista material. Pero hay en la población una capacidad grande para confiar en la Revolución, con independencia de que en la vida cotidiana esté insatisfecha en muchos factores. Si las condiciones materiales van mejorando, la disposición subjetiva de las gentes será cada vez más positiva.

—Una economía como la cubana, que en cierto sentido está en una fase preautárquica de supervivencia ¿cómo puede conexionarse, ensamblarse con el sistema productivo mundial? ¿Cómo contempla Cuba afrontar la globalización económica, el difícil papel que le queda dentro de una posible nueva división internacional del trabajo? ¿Con qué apoyatura externa? ¿Necesitará crear algo parecido a lo que fueron los países No Alineados, un movimiento de los perdedores de la globalización, para dar un paso adelante?

—Ese fenómeno de la globalización se ve cada día con más claridad. Ahora mismo, estamos ante la crisis en el sureste asiático y se revela una conspiración consciente o inconsciente a cargo de los especuladores, porque si la economía no se abre, no hay apoyo del Fondo Monetario. Los países necesitan ese apoyo pero si la economía se abre, se crea el espacio para los especuladores. Y luego las medidas restrictivas, las pagan las capas más pobres de la población. Es decir, efectivamente, los países subdesarrollados han entrado en esa globalización en condiciones muy desiguales, pero no hay que pensar que esto es el fin de la historia de la economía mundial.

Precisamente a partir de la crisis asiática, hay una toma de conciencia mayor por parte de muchos países del Tercer Mundo: han visto la necesidad de regular esos movimientos especulativos del capital. Y hablar de eso era un pecado hasta hace muy poco. Un pecado contra la teoría de la economía de mercado.

—En la misma línea estarían los recelos de los poderes políticos de Estados capitalistas ante la pérdida de iniciativa frente al poder económico.

—Se van dando cuenta, además, de que esa globalización comporta un duro castigo para los países subdesarrollados y determinados países empiezan a querer regular el mercado y empiezan a cuestionar algunas de las medidas hasta ahora sacralizadas por el Fondo Monetario Internacional. Un país bloqueado por Estados Unidos, difícilmente accederá a esa globalización en buenas condiciones, pero hay síntomas de que la situación debe cambiar y son muchas las voces críticas y autocríticas de las consecuencias del capitalismo salvaje.

—¿Qué fuerza real modificadora pueden ejercer los países subdesarrollados? África vive una crisis económica, política, cultural, sanitaria casi en los límites de la autodestrucción. En Asia tendrá que acentuarse mucho la crisis para superar el prestigio del modelo desarrollista japonés o de los *tigres* del sureste asiático. Sólo queda, otra vez, América Latina. Aquí aún resta un sustrato de conciencia crítica, pero la división es tremenda, la aniquilación de la izquierda en el Cono Sur y la alianza del poder militar y los *masters* de Chicago, ha significado un retroceso de la capacidad de reacción crítica.

—No hay que ser tan pesimista.

—Basta ser lúcido.

—Se debe contar con una recuperación de la izquierda en Latinoamérica, aunque la izquierda se haya debilitado, a veces desintegrado a partir del momento en que desaparece la URSS y el campo socialista. Pero no han desaparecido las ideas socialistas y el mundo va a necesitar una solución de izquierdas ante las debilidades que está demostrando la economía neoliberal. Por ejemplo, en Uruguay, hay una izquierda que hay que oír, es una izquierda que tiene una alternativa de Gobierno, que consiguió el Gobierno en la capital. La izquierda en México ha accedido al Distrito Federal, no es una izquierda que se pueda silenciar porque también puede acceder al Gobierno. La izquierda en Brasil es fuerte, alternativa, no llegó al Gobierno, perdió las elecciones el Partido del Trabajo pero tiene un peso en aquella sociedad. Y ha sido así a pesar de los golpes tremendos que ha sufrido en estos años.

—Sí, pero en Chile, el Gobierno está vigilado por Pinochet. Sobre Argentina se cierne la sospecha de relaciones con el narcotráfico. En México, Cárdenas es una lectura determinada de la crítica al PRI y el neo-indigenismo de Chiapas es otra historia, interesantísima, pero de una fragilidad que puede activar su exterminio. En Guatemala y El Salvador, se realiza con muchas dificultades la conversión de guerrilleros en políticos. Todo es aún tan precario, es como consolarse porque después del diluvio empiezan a salir los caracoles ¿cómo se podría ir más allá? y ¿qué papel jugaría Cuba?

—Nosotros vemos que en la medida en que este modelo neoliberal va mostrando que no tiene la solución de los problemas sino que se le agudizan, se va a ir fortaleciendo la necesidad de una alternativa. Ahora ¿qué diseño tendrá? Es imposible, por lo menos para mí, predecir eso. Pero si nosotros podemos resistir desde nuestro modelo y nuestro desarrollo socialista y si podemos demostrar que, en estas condiciones de hegemonismo de Estados Unidos, de una economía neoliberal globalizada, nos estamos recuperando, incluso, desarrollando, estamos haciendo una gran contribución a la solución de nuestros problemas, pero también a la izquierda latinoamericana.

—¿No se trata de una actitud merante resistencial?

—Nosotros pensamos que ese mundo globalizado no va a continuar tal como está, pero nuestro objetivo no es sólo ganar tiempo, sino desarrollarnos, recuperarnos económicamente y buscar fondos para insertarnos en la economía global.

—¿Usted llega a esa conclusión desde un análisis marxista o simplemente contemplando la realidad?

—Sobre todo contemplando la realidad. Las crisis, las insatisfacciones que aporta el sistema, son evidentes.

—El mensaje ideológico cultural que se está lanzando desde Cuba se basa en el imaginario que tiene dentro del mercado mundial de los imaginarios. Una Revolución que ha sido capaz de intervenir en medio mundo, ahora puede encabezar una ofensiva ideológica contra el capitalismo. La visita del Papa ¿forma parte de esa reconversión de imagen?

—La visita del Papa, nunca la concebimos como algo para buscar provecho. Vino como un compromiso en nuestras relaciones con la Santa Sede, como un derecho de los católicos cubanos, como algo que era conveniente hacer no buscando beneficios por ello. Pero, indiscutiblemente, tiene repercusión internacional, de muy diversos tipos y de muy diversas formas. Una de ellas será una demostración de la libertad de creencia y también de una excepcional libertad de expresión que se transmite por los medios de comunicación en estos días. Pero nosotros no somos aficionados a la política de gestos. Hemos de ganar el derecho de que se respete nuestro modo de desarrollo económico y social. Los gestos no sirven de gran cosa en la política mundial. Cuba ha dejado de estar en Angola, en Etiopía, ha dejado de apoyar el movimiento de guerrilla en América Latina, ha hecho una apertura a la inversión extranjera, ha impulsado el turismo. Cualquiera de esos elementos pudiera ser interpretado como un gesto, y en los mismos años en que han tenido lugar esos llamados gestos, ha aparecido la ley Torricelli, la ley Helms-Burton, el endurecimiento del bloqueo. Es decir, no son las supuestas medidas internas democratizadoras las que van a cambiar el bloqueo. Yo creo que el bloqueo se debilita en la medida en que nosotros fortalezcamos nuestra economía. Yo creo que el bloqueo se debilita en la medida en que los países, los Gobiernos son más independientes, son menos débiles ante las presiones de Estados Unidos. Y yo creo que el bloqueo se debilita si conservamos el sentido de la solidaridad. Una vez superado el bloqueo, la llegada cada año a Cuba de un millón, dos millones de turistas norteamericanos ¿calcula lo que podría significar en ingresos?

—¿Han calculado lo que significaría la llegada de un millón o de dos millones de turistas norteamericanos, el impacto que causarían en el ecosistema político-social de la Revolución?

—Sí. Efectivamente, el turismo tiene un aspecto negativo, ya se puede ver. Pero hoy el turismo es el principal sector de la industria cubana, ya no es el azúcar, es el turismo. Aunque el azúcar se recupere en los próximos años ya no volverá a ser el primer sector de la economía. El turismo es la fuente de ingresos directos que repercuten sobre toda la economía del país, los españoles ya han vivido esa experiencia. Es un trabajo relativamente agradable que desarrolla a la persona, en el sentido de que promueve el conocimiento de idiomas y de otras culturas. Intentamos ahora trabajar con expertos de otros países para que enriquezcan la industria turística cubana. Las secuelas negativas, las tenemos que afrontar. No tenemos alternativa. Si tuviéramos el petróleo de Kuwait, diríamos turismo reducido y selectivo, pero no lo tenemos. Debemos afrontar las secuelas negativas más visibles en nuestro país, pero en cuanto a la más negativa, la prostitución, puedo decirle que yo he visto en muchos países, en tres calles de cualquier ciudad, más prostitutas de todas las que veo en la Quinta Avenida de La Habana.

—No hay turismo casto.

—Siempre hay unas secuelas negativas, tenemos que reducirlas en lo posible.

—Tal vez la visita del Papa aporte a continuación más turistas europeos que norteamericanos. Una visita de Clinton desbloquearía a los turistas norteamericanos.

—Lástima que a Clinton le hayan atrapado en tantos escándalos sexuales.

—Cierto, no se necesita del turismo para provocar escándalos sexuales. Pero la solución de la confrontación entre Cuba y Estados Unidos, tal vez dependa de otros intereses creados, no tanto de los problemas sexuales de Clinton. Yo he leído en una publicación de 1994, "La evolución democrática de Cuba y el diferendo con los Estados Unidos", artículos muy interesantes sobre las razones del disenso y el diseño de un difícil consenso. El artículo de Rafael Hernández pronosticaba para 1999, sin salir de la lógica revolucionaria, una serie de pasos que podían ayudar al desbloqueo, hablaba de la previsible evolución del modelo económico y político. ¿Se ha cumplido?

—Nosotros manteníamos un 80% de la propiedad del Estado en la agricultura, hoy, el 66% es cooperativo y privado. En otros sectores, no necesariamente, pero en la agricultura sí se ha avanzado en las cooperativas.

—¿Cuántas personas trabajan por cuenta propia, en diferentes sectores?

—El trabajo individual, no sólo se puede limitar al de los trabajadores por cuenta propia que son 160.000, tal vez 180.000 También están los campesinos que han recibido la tierra, está la persona que alquila su casa o su apartamento.

—Se dice en esos sectores que el Estado llega a asfixiarles para que la capacidad de acumulación no se dispare.

—El Estado vigila que no se robe y que se paguen impuestos, porque aquí no hay cultura de impuestos. Ese sector ha surgido y el país tiene que entrar en una administración tributaria que no tenía. Y luego, este sector surge con una diferencia importante sobre América Latina donde hay miles de técnicos trabajando doce, catorce horas diarias para buscar cómo vivir. Aquí, estos trabajadores por cuenta propia tienen la salud y la educación gratis, no pagan la vivienda, reciben subsidiados los alimentos, la electricidad, el agua, el gas, y por tanto, cuando tienen determinados ingresos, pueden conseguir una acumulación importante. Esa acumulación no nos preocupa si es fruto del trabajo, pero si es fruto de evasión de impuestos, de mercado negro de recursos, desestabilizan las finanzas internas. No podemos permitirnos excesos de circulación monetaria. Por un dólar, hoy se dan 22 pesos, hace tres años eran 150.

—¿La irrupción del mercado soberano significaría una hecatombe social y cultural tras cuarenta años de tutelaje del Estado? Parece como si el Estado hubiera perdido la capacidad de acumulación que le permita el tutelaje social casi absoluto.

—Nosotros hemos reducido indiscutiblemente lo que el Estado subsidiaba. Antes, por ejemplo, dábamos la seguridad social a partir de un salario mínimo o un ingreso medio y ahora la seguridad o la asistencia social tiene en cuenta otros ingresos de la población. Estamos tomando medidas para que el Estado tenga menos cargas evitables y así poder atender las cargas inevitables y auténticamente igualadoras. Pero creemos que es necesario mantener esos niveles asistenciales y por tanto, de ahí la idea de que el Estado tenga una participación directa en empresas. Si el Estado se dedica solamente a recaudar impuestos no puede lograr esa acumulación. Si el Estado, además de esa recaudación de impuestos sobre el sector privado acumulativo, tiene una participación directa en la economía, puede lograr una acumulación que permita un determinado nivel de igualdad social.

—Mantener esa hegemonía sobre la relación de oferta y demanda social y que no la ganen otros sujetos sociales, exige una tensión constante y un cierto recelo ante las ayudas que puedan venir de la sociedad civil. ¿Para qué sirve entonces el Estado socialista? Por lo visto en el Este durante la caída del socialismo, esa pregunta la divulgan y la convierten en factor de abandonismo, personajes de la nomenclatura que quieren volar por su cuenta en el futuro liberalizado.

—En primer lugar, la educación y la salud no son tan caras, la educación y la salud no reciben mucha atención por un problema más bien de política y de comprensión de la política y de las tendencias de las economías de mercado que por un problema de recursos. La salud en cualquier país subdesarrollado puede dar un salto muy importante con una inversión relativamente pequeña. La atención primaria de salud es el salario de los médicos y del personal auxiliar y no se lleva muchos recursos. La salud un poco más cara es la atención hospitalaria, la atención asistencial. Nosotros, hemos podido preservar un sistema de salud gratis, y lo hemos podido sostener con limitaciones materiales, de medicamentos y de consumo de todo tipo y nos parece que el Estado puede asumirlo no limitando los materiales, pero sí aplicando una economía más rigurosa. Si hemos preservado los indicadores de salud, una expectativa de vida de 75 años, con el índice de mortalidad infantil más bajo del Tercer Mundo, en las condiciones precarias del *periodo especial*, podemos afrontar los desafíos del presente y del futuro.

—A la exigencia de garantizar los derechos humanos *materiales*, una sociedad liberalizada suma la exigencia de los otros derechos, las llamadas libertades formales, lo que implica modificar las superestructuras.

—Nosotros tenemos una apreciación diferente del concepto de democracia. No ligamos democracia social a la existencia de muchos partidos. Vemos un concepto de democracia asociado a la participación popular. La competencia en economía genera eficacia, pero la competencia en política genera oportunismo y corrupción.

—Están obligados a ser muy eficientes, porque sólo si recibe eficiencia el individuo está dispuesto a abdicar de sus reivindicaciones personales.

—Si no hay eficiencia, no hay socialismo.

—Esa no ha sido la regla en la historia del socialismo.

—No podemos olvidar que el socialismo se ha desarrollado cercado por un enemigo impresionante y que la URSS por ejemplo, en menos de treinta años, pasó de ser un país precapitalista a ser una potencia industrial y económica, la segunda del mundo y una potencia científico-técnica capaz de pujar en la carrera espacial y en la disuasión nuclear.

—Utilizando para conseguirlo trabajo esclavo y terror político. Las épocas de más desarrollo se consiguen en tiempos de campos de trabajo de prisioneros políticos y de guerra. En la URSS la gente recordaba como los años más prósperos, los de después de la II Guerra Mundial, cuando estaban a tope los campos de trabajos forzados.

—Hubo un salto económico de un país en ruinas a una potencia económica mundial. Pudo haber trabajo esclavo, pero no creo que eso determine el desarrollo económico.

—Había también factores subjetivos : una fe revolucionaria, luego nacionalista movida por la guerra patriótica contra los nazis. Esas situaciones fideistas son difícilmente repetibles.

—En situaciones más frías que las que usted describe, la URSS consiguió una eficacia tecnológica extraordinaria.

—Tanto el desarrollo científico-técnico de la URSS como el norteamericano han venido marcados por la necesidad y la eficacia armamentista.

—Puede buscar una explicación a todas las cosas en contra, pero lo que quiero decir es que el socialismo demostró tanta eficacia como capacidad de error. Y hemos de aprender de lo uno y de lo otro.

—¿Son conscientes de la responsabilidad histórica que han contraído? Son doblemente una isla y un referente mundial de cuya liquidación dependen catástrofes ideológicas y culturales. Tienen todos los números para figurar como ejemplo de la teoría de la catástrofe.

—Sólo les pido que confíen en Cuba.

Es una adecuada respuesta final y cuando me despide, examinados por Celia Sánchez desde una fotografía, este sagaz político perteneciente a la generación alternativa o la de la usura calculadora, según los puntos de vista, me presenta a su hijo que está dale que te pego con el ordenador, miembro el muchacho ya de la generación de las autopistas de la información. Lage es en Cuba como la lámpara de Aladino y me acepta tres deseos que se reducen finalmente a uno, cumplido: Poder hablar con algún general de los pasados a la gestión económica, difícil Ulises Rosales del Toro porque cada vez que lo solicito está en plena campaña de inspección azucarera y me lo imagino recorriendo las zafras subido a una cuadriga de caballos o a un tanque de los que Raúl Castro guarda en condones, más prudentes que los empleados por el presidente Clinton en la cámara oval de la Casa Blanca.

En el libro de Báez sobre los militares, Ulises Rosales del Toro aparece entre la mayoría de oficiales vinculados desde la infancia a las capas populares o en cualquier caso a posiciones pararevolucionarias, pero en cambio es de los pocos que cursó estudios militares como cadete en tiempos de Batista y conoció a los revolucionarios en las cárceles donde realizaban prácticas los alumnos, presos que, son sus palabras, le impactaron por su hidalguía. Decide alzarse en armas e incorporarse a la guerrilla, pero lo consideran demasiado joven, finalmente lo consigue y entra en La Habana con la Caravana de la Libertad el 8 de enero de 1959, tenía 17 años. Sus padres se dedicaban al comercio en Oriente, pero cuando estalló la guerra pusieron todas sus mercancías a disposición de la guerrilla por lo que don Ulises Rosales Garcés, padre del general, fue considerado colaborador del Ejército Rebelde. De Ulises Rosales del Toro se habla más que de cualquier otro militar, aunque haya dejado de ser jefe del Estado Mayor. A sus 57 años ha conseguido una relación entre edad, jerarquía, prestigio y legitimidad revolucionaria difícil de equiparar. La dimensión internacionalista, tan fundamental en el currículo de los militares cubanos, la tiene sobradamente cubierta: Argelia en 1963 después de haber pasado por diferentes academias militares, entre ellas la Vorochilov en Moscú; luego fue guerrillero en Venezuela porque no pudo ir a Vietnam; luchó en Angola, participando activamente en la victoria de Namibia y formó parte de la delegación cubana en las conversaciones sobre el África suroccidental en las Naciones Unidas; era jefe de Estado Mayor en los peores años del *periodo especial* y aunque Colomé Ibarra, ministro de Interior, controle poder directo de intervención, inmediatamente después de Raúl Castro, el prestigio militar de Ulises Rosales sólo podría compararse al de Ochoa cuando fue fusilado.

Las gestiones con Lage y con el amabilísimo factótum del Meliá-Cohiba, Carlos Villota, me llevan a una cita con el general Tomás Benítez, jefe de la Corporación Gaviota, una de las empresas clave para el desarrollo turístico. Están las oficinas en un hotelito anocturnado y al entrar confirmo la baja intensidad de las luces de interior, no ya en las domésticas o en las instituciones oficiales, sino incluso en esta empresa estatal punta dedicada a la única industria lucrativa sin reservas con que cuenta la Revolución, el turismo. Me recibe inicialmente el que considero lugarteniente del general, amabilísimo, escucha mis deseos y una clara exposición de mi proyecto. Me interesa una visión de militar del porqué del prestigio de la gestión empresarial en manos de militares y qué papel puede jugar la experiencia en la diversificación estructural de una economía mixta. No le parecían excesivos mis propósitos al introductor, cuando de pronto irrumpe en la habitación el general Benítez, cruzamos frases de presentación e imbuido del principio de que los militares van siempre directo al grano, le digo lo mismo que a su ayudante. El general nos mira interesadísimo pero está en otra parte. Y se va aún más cuando saco papel y rotulador, pero ya en el instante en que sobre la mesa instalo un pequeño magnetófono Sony, el general Benítez desmesura su mirada, como si el artefacto fuera una ametralladora checa y la situación una emboscada: "Un momento. Yo no estaba preparado para esto. A mí nadie me había dicho...". "Le ofrezco renunciar al magnetófono o que lo pongan ellos y me dan luego la cinta". "Es que a mí nadie me había dicho..."

—Informé a don Carlos Lage de lo que pretendía.

—Lage, sí, Lage, claro. Un momento.

Nos deja y creo recordar que durante su ausencia hablamos con su ayudante no del tiempo pero si de algo parecido y volvió el general Benítez como se vuelve de una consulta fallida con el alto mando. La ofensiva se retrasa. No. La entrevista no era posible. Comprenda usted. Yo soy un militar y he de consultar con mis superiores. ¿Con qué otro militar quisiera usted hablar? ¿Ulises? ¿Ulises se ha prestado? ¡Claro que no se ha prestado!

—Me debo a mis superiores, han de autorizarme. No he podido encontrarles.

—Pero Lage parece autorizar este encuentro.

—Bueno, Lage es Lage y tiene muy buenas intenciones, pero yo me debo a una disciplina militar ¿Me comprende? No es que yo no tenga mis ideas al respecto, pero yo pensaba que era otra cosa, comprenda, turismo, infraestructuras, playas. ¿Usted es de España? ¿De Barcelona? Pues fíjese, qué interesante. Yo he estado en Lloret, que está cerca, creo de Barcelona. Tenía unas instalaciones estupendas.

—No se preocupe, he de volver dentro de pocos meses. Tiene tiempo de solicitar el permiso.

—Cuando vuelva usted igual no lleva esto un general. Sería otra cosa.

—No creo que vayan a encargarle la empresa a un obispo.

El ayudante sonríe, el general me ofrece un café antes de marcharme y busca por la estancia folletos de Gaviota. Por fin me entrega *Cuba, para vivir al natural* y el bilingüe *Business Opportunities/Oportunidades de negocios*. Son pequeños tratados filosóficos: El lema de Gaviota, para vivir al natural, denota la alta vocación ecologista del grupo y su compromiso con el entorno natural, sus instalaciones procuran insertarse en la naturaleza y vivir armónicamente con ella, en busca siempre de la belleza, el sosiego y la pureza ambiental. La mayor recompensa de Gaviota es la sonrisa de satisfacción de sus clientes y ofrece una isla cuyo perímetro lo ocupan yacimientos de plazas hoteleras. El catálogo general informa sobre las instalaciones al detalle y sobre la flora de la isla, dotada de 8.000 especies vegetales y una fauna compuesta por 900 especies de peces, en su mayoría comestibles, alrededor de 300 especies de aves, 4.000 moluscos y 7.000 insectos, dato éste más estimulante para un entomólogo que para un turista. Leo los catálogos a la luz vacilante del zaguán de entrada, porque he de dar tiempo a que llegue el coche que me trae y me lleva. Llueve y el bochorno del interior me empuja a esperarlo bajo la marquesina exterior, a una luz enferma pero que me permite ver bajo su halo a una parte importante de los 7.000 insectos de la isla.

Siempre me han quedado muy bien las entrevistas que no me han concedido y meses después supe que el general Benítez seguía siendo general, pero ya no era el gerente de Gaviota. A pesar de no haber contestado a mis preguntas, había sido destituido y enviado a una empresa subalterna, Marina Puerto Sol, dependiente, eso sí, de la Corporación Gaviota.

CAPÍTULO V

Las comidas profundas

Por fin llegaron los panes y los mojitos. La conversa-
ción decayó durante unos instantes. Comieron con la
pasión del peregrino que agoniza en el desierto y des-
cubre, a punto de morir, un puñado de frutas dejadas
allí por la mano de Dios; comieron con el desespero del
que padece un hambre tan antigua que ya forma par-
te de su memoria genética. Y mientras saciaban aquel
apetito secular experimentaron una rara comunión,
como si el ritual de comer —tan escaso que su celebra-
ción cobraba visos de magia— anunciara vínculos que
trascenderían el presente. Eso los hizo sentir reconfor-
tados, en el bíblico sentido del término: habían cele-
brado la sacra misa del cubano.

DAÍNA CHAVIANO, *El hombre, la hembra y el hambre.*

¿En qué se parece una nevera cubana y un coco? En que
los dos nada más que tienen agua, era quizá el chiste más
inocente sobre las hambres del *periodo especial,* y el más
cruel hacía referencia al zoo donde se contaba que habían
ido sustituyendo los letreros: "Prohibido dar comida a los
animales..., prohibido comerse la comida de los animales...,
prohibido comerse a los animales". Los materialistas históricos recordaban que durante La Comuna de París los anima-

215

les del zoo fueron sacrificados y se convirtieron en menú de restaurantes importantes, pero el corresponsal de *La Vanguardia* en México fue invitado a salir de Cuba porque había escrito que habían desaparecido todos los gatos de la ciudad. Fidel extremó su insomnio en búsqueda de soluciones alimentarias de urgencia y supervivencia, pero seguía propiciando agriculturas y ganaderías de arte y ensayo: campos de arroz cerca de La Habana; planes de cultivos frutales especiales; vacas frisonas de Canadá según uno de los más tenaces empeños ganaderos del comandante; fábricas de quesos franceses excelentes pero al alcance del poder adquisitivo de los franceses; whisky Old Havana, que evidenciaba las preferencias de Fidel pero sólo distribuido en tiendas para extranjeros; *foie-gras* experimental de gansos criados bajo el especial cuidado del comandante en jefe, del que abasteció a los mandos sandinistas en la fiesta conmemorativa del acceso al poder de Daniel Ortega. Fidel estudiaba cada una de las materias de sus sueños alimentarios hasta el punto de poder discutir con los expertos desde un compartido saber y lenguaje, dispuesto a luchar tozudamente por sacar adelante sus proyectos, pero también a rectificar, uno de los placeres más intensos al alcance de todo hombre con convicciones: asumir el error.

A Fidel le gustaba hablar de cocina y Frei Betto ha dejado constancia escrita de la atención que puso ante una conversación del dominico brasileño con *Chomi* Miyar sobre la receta de la cocina brasileña *bobó de camarón*, que el religioso había facilitado a Chomi, con la advertencia de que era capital el aceite de *dendé*, de coco. Pues no tenía y no pudo ser. Ya te enviaré aceite de *dendé* la próxima vez. En las conversaciones con la madre de Betto, Fidel le explica las comidas mexicanas a las que se aficionó mientras preparaba la expedición del *Granma* y también cómo se cocinan camarones y langostas: "Lo mejor es no cocer ni los camarones ni las langostas porque el hervor del agua reduce sustancia y sabor y endurece un poco la carne. Prefiero asarlos en el horno o en pincho. Para el camarón bastan cinco minutos al pincho. La langosta once minutos al horno y seis minutos al pincho sobre brasas. De aliño sólo mantequilla, ajo y limón. La buena comida es una comida sencilla. Considero a los cocineros internacionales derrochadores de recursos; un consomé desperdicia buena parte de los subproductos al incluir la yema del huevo; debe usarse sólo la clara, para poder usar luego en un pastel la yema con la carne y los vegetales que queden. Uno de estos cocineros muy famosos es cubano. Estuvo preparando no hace mucho pescado al ron y otras mezclas con ocasión de la visita de una delegación. Lo único que me gustó fue el consomé de tortuga, pero con los desperdicios señalados".

El intervencionismo culinario de Fidel es bien conocido. En cierta ocasión regaló a un matrimonio visitante norteamericano un buen lote de carne de cordero, chuletas y pierna, y también regaló su presencia en la cocina y como *chef* supervisor aconsejó que empanasen la carne y la frieran con aceite, pero la mujer y presunta cocinera opuso amable y poco imaginativamente la posibilidad de asar la carne en una barbacoa. Fidel le dijo que lo hiciera como quisiera y les retiró bruscamente su presencia, no las chuletas. Cuando era un joven estudiante y el profesor Moreno Fraginals, casi tan joven como él, le invitaba a su casa, el hambriento atleta se metía en la cocina, examinaba los preparativos de cena y desplazaba a la anfitriona: "Déjame que fría yo los plátanos, voy a enseñarte a freírlos debidamente". Salvada la estupefacción inicial, la señora Moreno Fraginals le preguntaba si se creía que lo sabía todo: "Casi todo, sólo casi todo". Luego el matrimonio Moreno Fraginals y el vehemente sabelotodo hablaban de política y Fidel diseñaba una revolución que tenía en la cabeza, pero no una revolución de pronunciamiento o intuitiva como la del general Gerardo Machado, "una revolución profunda", decía. Cuando caza patos silvestres le gusta supervisar su cocinado, y su afición por el *foie* y los quesos franceses impulsó la investigación para cebar patos en Cuba y conseguir las leches necesarias para tan selecta quesería, experimentos que ensaya primero con los instalados del régimen, con los *pinchos*, la élite militar, con los *mayimbes*, la élite civil, porque a Castro le gusta saberlo todo, incluso el lenguaje despectivo que los cubanos han inventado para referirse a esos privilegiados relativos que toda revolución necesita como adictos inmediatos y eco ratificador.

Fidel relaciona la cocina con las mujeres, porque la asocia a lo que guisaba su madre, por la que sentía más compasión que geometría, aunque la vieja se puso brava cuando apareció el decreto de confiscación de las tierras; para empezar las de la United Fruit y las de la familia Castro Ruz. La vieja María Mediadora cogió la escopeta y declaró que sus tierras no se las quitaba ni su hijo Fidel por el que tanto había mediado. Tuvo que ir Ramón, el hermano mayor, a convencerla o a desarmarla. También esa asociación entre las comidas y las mujeres profundas procede de que ha cocinado o ha nutrido de saberes culinarios y en ocasiones de viandas, a las mujeres que lo han esculpido como un atlante de la historia. La primera que comprobó casi cotidianamente que su marido creía saber cocinar fue Mirta Díaz Balart, tan bonita como todas las mujeres que Fidel ha amado, perteneciente a una familia de Oriente, hacendados de derechas, batistianos hasta el punto de que un hermano de Mirta, Rafael, compañero de Universidad de Fidel, llegó a ministro de Interior de Batista y con el tiempo escribiría un libelo titulado *¡Viva a Fulgencio Batista!* Con Mirta y Fidelito, el hijo recién nacido, aprendió Fidel las derrotas de lo cotidiano, el no tener dinero para pagar el alquiler o las medicinas del niño, el sentirse una calamidad como padre y tener que aceptar la ayuda de los compañeros. Aprendió también a trabajar en oficios tan fronterizos como cobrador de morosos o presunto industrial de pollos fritos en la azotea de su apartamento en La Habana. Habían pasado la luna de miel en Nueva York y fue allí donde Fidel compró los primeros libros de Marx y Engels, *El Capital*, octubre de 1948. Luego Mirta fue a la zaga de la obsesión activista de su marido, sin espacio ni tiempo en su vida, a remolque de sus finalidades, incluso de la cárcel cuando le detuvieron tras el asalto al cuartel Moncada y desde la cárcel le envió Fidel algunas cartas, la demanda de una lista de libros, entre otros *La Filosofía en sus textos* de Julián Marías, los *Fundamentos de Filosofía* de García Morente, las obras completas de Shakespeare y algunas novelas. También le enviaría desde la cárcel la petición de divorcio, en 1954, porque se había hecho público que Mirta estaba en la nómina del Ministerio de Interior que conducía su hermano Rafael, el actual flagelo de Miami, el que quiere ver a los Castro, Fidel y Raúl, de balseros.

A rey muerto rey puesto. Fidel se carteaba con Natalia Revuelta, que había vendido todas las joyas de la familia y las que le había regalado su marido para ayudar a financiar el asalto al cuartel Moncada y ejerció de ninfa constante y prudente, tratando de dejar de ser una burguesa para ser una mujer nueva, una militante comunista ejemplar, siempre a prueba, como si fuera la heroína de *El árbol de la vida* de Lisandro Otero, haciendo méritos para que Fidel pasara las más veces posibles por su vida y por su casa, ansiedad contemplada tierna y críticamente a través del filtro de la histeria de la hija común, Alina. Las mejores visitas de Fidel a casa de Natalia, según Alina, eran las que hacía cargado de manjares inasequibles para la cartilla de racionamiento, aunque a veces se trataba de comidas de *periodo especial,* como semillas de marañón o de calabaza... "Alina, las de calabaza se meten en una olla de hierro previamente embarrada de aceite, como para tostar café, y se van dorando hasta que la cáscara casi se despega". Incluso actuó de padre proveedor de la comida y bebida de la primera boda de Alina con un yerno que, como todos los sucesivos, no le gustaba: dulces, una ensalada de espaguetis con mayonesa y pedacitos de piña, diez botellas de Havana Club "y una de whisky para él, todo servido en bandejas de plata por la seguridad personal, que se había encargado de vetar a todos mis invitados, incluida Hildita Guevara y su marido indeseable".

Para Fidel, una de las principales Marías Auxiliadoras de la Revolución era la divulgadora televisiva Nitza Villapol, que ya venía de los tiempos de Batista y que durante el *periodo especial en tiempos de paz* estuvo dos años dando recetas de cocina en las que no intervenía la carne: patatas asadas, puré de patatas con cebolla o con *ajiaco* o con grasa de cerdo y zumo de naranja, mayonesa de papa, postre de papas con corteza de naranja y azúcar, platos que Alina recitaba con voz gangosa, asqueada. Alina. Alina. La rebelde Alina compone con Juana Castro el dúo de mujeres desafectas dentro del gineceo fidelista, pero la desafección de Alina es una protesta por el insuficiente afecto o dedicación de su padre.

En la cárcel, Fidel metabolizó las comidas más profundas de literatura, la que podía darle respuesta a sus ejercicios espirituales de autista: Víctor Hugo y Marx, el *18 Brumario* le pareció aleccionador y le ha servido para prevenirse de los cansancios revolucionarios, *La feria de las vanidades* de Thackeray, *Nido de Hidalgos* de Turguenev, la biografía de Carlos Prestes un líder comunista *kominteriano, El secreto del poderío soviético* del deán de Canterbury, *El Capital* relectura en profundidad de una obra asociada a su luna de miel, las obras completas de Freud, *Crimen y castigo*, Von Clausewitz, *La estética trascendental. Del espacio y del tiempo* de Kant, *El Estado y la revolución* de Lenin, escritos de Roosevelt, de Einstein, de Shakespeare y, sobre todo, su *Julio César*, un *clic* mental que le llevó a la conclusión de que César era el revolucionario y Bruto el reaccionario. Julio César, personaje de cartas más eruditas que amorosas dirigidas a Naty Revuelta: "El pensamiento humano está indefectiblemente condicionado por las circunstancias de la época. Si se trata de un genio político me atrevo a afirmar que depende exclusivamente de ella. Lenin en época de Catalina habría sido, cuando más, un esforzado defensor de la burguesía rusa; Martí, de haber vivido cuando la toma de La Habana por los ingleses, hubiera defendido junto a su padre el pabellón de España. Napoleón, Mirabeau, Danton, Robespierre, ¿qué habrían sido en los tiempos de Carlomagno sino siervos humildes de la gleba o moradores ignorados de algún castillo feudal? El cruce del Rubicón por Julio César jamás habría tenido lugar en los primeros años de la República, antes de que se agudizara la intensa pugna de clases que conmovió a Roma y se desarrollara el gran partido plebeyo cuya situación hizo necesario y posible su acceso al poder".

Otra mujer fundamental en su vida fue su hermanastra Lidia, que le prestaba su casa en La Habana para preparar el asalto al cuartel Moncada, que le ayudó mientras estuvo en la cárcel, incluso forzó la visita carcelaria de Lina, la madre que desde Birán seguía sin entender nada. Lidia, tantas veces canal clandestino de su hermanastro. Con Melba Hernández y Haydée Santamaría plancharon las arrugadas cartas de Fidel que contenían *La historia me absolverá*, recuperaron la letra oculta a base de zumo de limón, las mecanografiaron, las fotocopiaron y consiguieron una edición de miles de ejemplares repartidos militantemente mediante el correo más manual de este mundo. También fue Lidia quien recibió la carta en la que Fidel presumía de haber superado el golpe de la ruptura con Mirta, carta evidentemente dirigida a su gineceo: "No os preocupéis por mí, ya sabéis que tengo un corazón de acero y seré mesurado hasta el último momento de su vida". Sólo Raúl fue un familiar tan incondicional como Lidia, capaz de hacerse destacada dirigente del Comité de Familiares para la Amnistía de Presos Políticos para que liberaran a su hermanastro.

Fue en torno de la campaña de amnistía como llegaron a la vida de Fidel otras dos mujeres del gineceo protector, Vilma Espín y Celia Sánchez, la primera, ayudante y chófer de Frank País en Santiago, dirigió los movimientos estudiantiles pro-amnistía, la segunda premonitoriamente asociada a comidas poco profundas, enviaba latas de carne en conserva y golosinas a los prisioneros de la isla de Pinos. Vilma se casaría con Raúl Castro y representa a la mujer revolucionaria, antes y después del divorcio. Ahora viven divorciados en domicilios separados. Cuando Fidel salió de la cárcel le acogió Lidia y le lavaba la única guayabera que tenía, fue Lidia quien se las ingenió para sacar a Fidelito de Cuba y así poder ver a su padre exiliado, la que le acompañó a veces en el exilio mexicano, siempre incondicional de su obra hasta que murió discretamente, sin pedir nada, sin molestar.

Haydée Santamaría, superviviente del Moncada, accedió a altos cargos representativos de la política cultural a partir de 1958 y fue la creadora de Casa de las Américas, lo que no le impidió antes de suicidarse traspasarle a Castro una receta familiar castellana de la tortilla de patatas no frita, sino cuajada. Otra compañera de los primeros tiempos, Melba Hernández, tan eficaz en la logística que preparó la expedición del *Granma,* figuraría también en cargos responsables relacionados con la política asiática, la dirección del Centro de Estudios de Asia, el más importante.

Pero Celia Sánchez acabaría siendo la mujer más determinante del gineceo, su devota secretaria durante 23 años, con ella trabajó en el palacio, pero también en el pequeño apartamento de Celia en la calle once, la casa más propicia para el comandante, que muchas veces se quedaba allí a dormir. En ocasiones, Fidel cocinaba para los dos, para no interrumpir la labor, pero más frecuentemente era Celia la que guisaba y le enviaba a su amigo los guisos allá donde estuviera, conocedora de sus preferencias, comida sencilla, poco elaborada pero sabrosa y necesaria, a Fidel le desagrada desperdiciar y entre todos los platos escoge la sopa de tortuga fresca. Celia sabía que detrás de la austeridad de Fidel hay una sensualidad de *gourmet,* salvo en el sentido del oído, para el que se reconoció negado ya el joven Castro cuando trató de aprender a tocar la guitarra.

Pero en las situaciones más extremas, Fidel ha conservado los cinco sentidos y jamás prescindió del sentido del gusto, como demostró antes del asalto al cuartel Moncada, cuando encargó a Melba y Haydée Santamaría que prepararan arroz con pollo para los expedicionarios y que plancharan los ciento veinte uniformes de que disponían, porque no se puede dar un golpe con el estómago vacío y a lo desarrapado. Y en mayo de 1958, antes de empezar la gran ofensiva contra Batista, escribió a Celia una queja irónicamente patética: "... no tengo tabaco, no tengo vino, no tengo nada. Una botella de vino español, rosado y dulce, se quedó en la nevera de la casa de Bismarck, ¿dónde está?". Celia entendía el sentido del autismo de Fidel, un gran solitario que detesta la soledad total, que necesita a alguien que le escuche, incluso que le conteste, que le escriba. Szulc dijo que le protegía de la presión exterior y de sí mismo. Queda una mujer muy importante cuantitativamente en su vida y de ocultado valor cualitativo, Dalia Soto del Valle, madre de los últimos cinco hijos de los siete u ocho que imprecisamente se le censan, mujer que tiene los ojos verdes como Naty Revuelta y un mismo origen social en la vida, mansión y muerte de la alta burguesía cubana.

Aunque nunca haya devuelto a sus mujeres tanto como le han dado y por eso le dijo a su hija Alina, en un momento de debilidad: "Tu mamá tiene un defecto. Es demasiado buena. Nunca seas buena con ningún hombre". Fidel se siente guardián de la grandeza de las mujeres que le han permitido ser el que es y recordó hasta comienzos de los noventa que la Revolución se hizo, entre otros motivos, para evitar que Cuba fuera el prostíbulo de los norteamericanos y que los marineros borrachos de la Infantería de Marina yanqui se mearan en el monumento a Martí, como él les había visto hacer. Le repugna visceralmente referirse a la prostitución y su eufemismo: las *jineteras*, las mujeres trotacalles, una plaga que ha traído el turismo, una prostitución que según él no se debe al hambre, sino al fetiche occidental del consumo, a la asfixia económica del bloqueo que no ha permitido una suficiente socialización de los bienes de consumo, a la tardanza en llegar del hombre nuevo, de la mujer nueva. Pero precisamente se hizo la Revolución, entre otras cosas, para que La Habana no fuera el prostíbulo de los norteamericanos, no para que lo fuera de los espa-

223

ñoles, de los italianos, de los canadienses, de los turistas del sur de Río Grande. Cuando se superen las dificultades, cuando no haya bloqueo, entonces podremos plantearnos seriamente un retorno de aquella situación de 1965, cuando en Cuba no había ni un prostíbulo porque no había ni una puta y sin prohibir la prostitución, simplemente proponiendo a las profesionales que aprendieran otro oficio y mientras tanto el Gobierno les pagaba alimentación y vivienda para ellas y todos los familiares que de ellas dependieran, incluidos los abuelos. De momento hay que ser intransigente con los que hurgan en esa herida y, para humillar a la Revolución, lo hacen a través de la mujer cubana. Que sea inmediatamente expulsado el corresponsal de France Press por haberse pasado de listo encabezando su crónica: "Alta o baja, gorda o delgada, blanca o negra, joven o vieja, toda mujer cubana vale 7.000 dólares". Y aunque el corresponsal explicaba más tarde que ésta era la tarifa jurídica para asesorar matrimonios con extranjeros, la cabeza del reportaje llevaba toda su mala fe.

Benedetti salió un día por las calles de La Habana y se dio cuenta de un prodigio: estaban llenas de flores carnales. Mario Benedetti cogió unas maracas y se puso a cantar una *Habanera*.

> *Es preciso ponernos brevemente de acuerdo*
> *aquí el buitre es un aura tiñosa y circulante*
> *las olas humedecen los pies de las estatuas*
> *y hay mulatas en todos los puntos cardinales*
>
> *los autos van dejando tuercas en el camino*
> *los jóvenes son jóvenes de un modo irrefutable*
> *aquí el amor transita sabroso y subversivo*
> *y hay mulatas en todos los puntos cardinales*

nada de eso es exceso de ron o de delirio
quizá una borrachera de cielo y flamboyanes
lo cierto es que esta noche el carnaval arrolla
y hay mulatas en todos los puntos cardinales

es preciso ponernos brevemente de acuerdo
esta ciudad ignora y sabe lo que hace
cultiva el imposible y exporta los veranos
y hay mulatas en todos los puntos cardinales

aquí flota el orgullo como una garza invicta
nadie se queda fuera y todo el mundo es alguien
el sol identifica relajos y candores
y hay mulatas en todos los puntos cardinales

como si Marx quisiera bailar el mozambique
o fueran abolidas todas las soledades
la noche es un sencillo complot contra la muerte
y hay mulatas en todos los puntos cardinales

Cuando ejercí de jurado del premio de cine del Festival de La Habana, bajo la presidencia de Miguel Littín y en compañía de Adolfo Aristarain, Alejandro Pelayo, Luis Britto, Ana Carolina Teixeira y Rodríguez Feo, aparte de la ganadora *Helow Hemingway*, de Fernando Pérez, una de las películas que vimos, presentada como muestra de la apertura cultural mantenida por el ICAIC, reflejaba el *jineterismo* en una Cuba en la que ya casi sólo se podía ir a la Revolución a pie o en bicicleta, porque no había gasolina para los coches moralmente buenos, los Lada soviéticos de después de la Revolución, ni para los coches moralmente malos, los Chevrolet que a veces se remontan a los años cuarenta, antes, siempre antes de la Revolución. Pero aún se hablaba a media voz de aquella variedad de prostitución que ni siquiera era oficialmente considerada prostitución, sino una forma autóctona de demostrar el cariño entre los seres humanos, sin otra compensación extrasexual que algún regalo de recordatorio de lo que pudo haber sido y no fue. Algo así como un bolero con sexo y con *souvenir*.

No hacía mucho que se había publicado *Cuba hoy y después* (1990) de Jacobo Timerman y de todas las observaciones que allí hacía el mítico periodista argentino, la que más me llamó la atención fue el augurio de que el desarrollo del turismo cubano significaría el desarrollo paralelo y convergente de la prostitución. Era tan lógico que me alarmó mi sorpresa, como si se tratara de un síntoma de inmadurez, hasta que descubrí que mi imaginario de la Revolución cubana era lo más opuesto al de la prostitución. Si se había hecho la Revolución, entre otras cosas, para que La Habana no fuera el prostíbulo de los norteamericanos y este lema se había repetido, se sigue repitiendo, como una de las ideas fuerza, ¿cómo es posible el retorno de tan vieja práctica, indispensablemente asociado además a la economía del dólar? En el año en que yo como jurado del premio de cine asumo que una película sobre *jineteras* revela la existencia de un conflicto entre la realidad y el deseo, Senel Paz acaba de tener el premio Juan Rulfo en París por *El lobo, el bosque y el hombre nuevo*, relato que dio origen al film *Fresa y chocolate*, premio especialmente vivido por el jurado de cine porque la esposa de Senel, Rebeca, era nuestra auxiliar delegada por el ICAIC e Ignacio Ramonet, hoy director de *Le Monde Diplomatique*, jurado de guiones, tenía una copia del relato e hilo directo con París, donde Senel acababa de triunfar. Si el cine cubano empezaba aquel año a exponer *jineteras*, la literatura ofrecía el tema inédito del homosexual acosado, que a pesar de no ser un contrarrevolucionario no tiene otra solución que escapar de una realidad asfixiantemente machista.

Pasó algún tiempo hasta que Fidel asumiera la homosexualidad en la entrevista concedida a Tomás Borge, aunque la califica de desgracia que puede afectar a algunas familias. Y pasó bastante más tiempo para que el Gobierno reconociera que el *jineterismo* es un seudónimo de prostitución, pero se reserva una línea de defensa ética: no es una prostitución equivalente a la de los países capitalistas, porque no es una prostitución condicionada por el hambre y la pobreza, sino por la insatisfacción que reporta la austeridad, a veces la escasez, de una economía socialista en un mundo intercomunicado, en el que la oferta de consumo salta por encima de todas las interferencias. Incluso los ministros coinciden en que los treinta mil matrimonios con extranjeros conseguidos mediante la *jinetería* demuestran una finalidad bien diferente a la prostitución convencional, aunque los diplomáticos que trabajan en . La Habana conocen la casuística de todos estos matrimonios y el segundo embajador de Italia , encargado de estos lances, me hablaba de una petición de matrimonio, y por lo tanto de nacionalidad, que implicaba un curioso capicúa. Una muchacha nacida en Cuba en 1982, quería casarse con un italiano que tenía 82 años de edad. El hermoso y sensorial poema de Benedetti *Hay mulatas en los cuatro puntos cardinales* hay que relacionarlo con la cuarteta de una canción popular construida durante la ocupación inglesa:

> *las muchachas de La Habana*
> *no tienen temor de Dios*
> *y se van con los ingleses*
> *en los bocoys de arroz*

Del *jineterismo* peculiar a la paidofilia. Ya son varios los casos de turistas detenidos, procesados y condenados por corrupción de menores. A un turista francés le aplicaron doce años de cárcel por proponer a unas niñas de quince años dejarse tocar a cambio de unos dólares, igual ocurrió con dos españoles y un británico en busca de *partenaires* tiernos, y se dan casos de vídeos pornos filmados a costa de materia prima habanera. Uno de los españoles condenados aseguró haber sido denunciado cuando se negó a pagar la cantidad que la muchacha le pedía y todo indica que se abusó de la escasez de sus entendederas. El *jineterismo*, como comida caníbal y por lo tanto profunda, se hizo cine y literatura, con lo que no hubo más remedio que convertirlo en indagación sociólogica. Los periodistas independientes lanzaban al espacio sideral informaciones sobre *jinetería*, como Tania Quintero que describe el espectáculo del muelle de los embarques a Regla y Casablanca "... con dúos y tríos de *jineteras* yendo y viniendo por la avenida del puerto. En la bahía no hay muchos barcos anclados, pero ellas se han vestido y perfumado como si fueran a conquistar a Imanol Arias, el actor español protagonista de la película que se está rodando esta noche. En el bar Two Brothers, recientemente remozado, una decena de muchachas aguarda. Sólo una al parecer ha tenido suerte: está en una mesa bebiendo con un cliente, mientras tres se contonean al ritmo de *Toca, Toca*, la canción con la que Adalberto y su son hacen bailar a la juventud en este insípido fin de año".

Pero el contingente importante de prostitución está en el Vedado, en Miramar, en la Quinta Avenida, porque allí los *fulas* (dólares) se consiguen con mayor facilidad. Cuando instalaron al Papa en una residencia del barrio de Miramar, en la calle 12 que desemboca en la Quinta Avenida, las muchachas fueron desplazadas del lugar y del descarado Malecón y se concentraron en torno de los hoteles, como si allí repartieran visados de salida o de entrada, sensuales pero espectrales, como expatriadas de sus territorios propicios. Otras *jineteras* permanecen detenidas mientras Su Santidad permanece en la ciudad de los espíritus, viejo truco de barrer bajo la alfombra que se practica sin distinción de ideologías: hay que aligerar la presencia del comercio sexual, mientras por Internet se banaliza hasta dejarlo en drama el tráfico de flores carnales. Los *internetianos* aplican a Cuba el ofensivo eufemismo de "El paraíso del chochito", pero afortunadamente aún quedan poetas dotados de lenguajes balsámicos:

> *Brotan, rebrotan*
> *explotan por la Quinta Avenida*
> *son arrancadas y parten con aire veloz*

dicen que es duro el oficio de flor
cuando sus pétalos se ajan al sol
pálidas flores nocturnas
flores de la decepción

Silvio Rodríguez dedicó una canción a las *jineteras*, Daniel Chavarría una novela publicada por la revista de la UNEAC, nunca fue libro en Cuba, aunque sí ha sido traducida y publicada en Francia: *Adiós muchachos*. También un novelista español, Jordi Sierra, decía una novela de política ficción a la *jinetería*, *Cuba, la noche de la jinetera*, en la que *l'amour fou* por una *jinetera* apasionada mezcla al viajero español con una trama que conduce nada menos que al intento de asesinato de Fidel Castro. De lo mejor, esa escena final en la que dependiente de un sustrato de pasadas fidelidades ideológicas, el protagonista vive el fallido atentado con su conciencia escindida. Esta macroficción sobre el *jineterío*, se complementa con la delicadeza nacionalmorbosa del relato de David Mitrani, "1980", contenido en *Santos lugares*. Una muchacha quiere ser *jinetera*, pero desea que la desvirgue un extranjero, un norteamericano a poder ser y la desvirga un compatriota que se ha hecho pasar por yanqui, no en balde se llama Frank. Cuando ella descubre el engaño, le pide que le pague para compensarla y a Frank le asalta un prejuicio nacionalpatriótico: ¿pagar un hombre cubano por hacer el amor? Finalmente le da una cantidad excesiva para los precios del mercado, 200 dólares. La muchacha está contenta, se viste, se pone unas gafas de sol:

—¿Cómo me quedan?

—Bien, muy bien. No va a haber *yuma* que te resista.

—Bueno, muy bien. Chiao, chiao, Pipo —dijo ella, tirándole un beso.

Acaba de nacer una *jinetera* cantada y advertida por Silvio Rodríguez:

Flores que cruzan las puertas prohibidas
que saben lo que no sabré

que ensartan su sueño de vida
en guirnaldas sin fe
flores de sábanas con ojos
flores desechables
campanillas del antojo
flores sin primavera ni estación
flores comiendo sobras del amor

Si se compara el duro retrato del *jineterío* que publica *Encuentro* en su número 4/5, de la pluma de Coco Fusco, con *Flores desechables: ¿prostitución en Cuba?*, de Rosa Miriam Elizalde, periodista de *Juventud Rebelde*, se viaja de una utilización antigubernamental de los aspectos más crudos de la *jinetería*, incluida la corrupción de menores, a un intento de metabolizarla críticamente en función de la situación especial de la realidad socioeconómica cubana. Para Coco Fosco fue el Gobierno quien propició la *jinetería* al optar por el turismo como industria y crear "... un mundo de placer que estaba más allá del alcance de la mayoría de los ciudadanos". Llegan al *jineterío* muchachas que se han formado en la enseñanza media, incluso en la superior y añaden a su prestancia un saber decir y estar poco habitual en una profesión reclutada casi siempre entre el *lumpenproletariado* en todo el resto del mundo. Estas muchachas, o muchachos, porque hay un *jineterío* masculino hetero y homosexual, como hay un *jineterío* travestido, pueden llegar a proclamar que están haciendo un servicio a Cuba y a sí mismas, porque los extranjeros llegan a sus cuerpos muy impresionados por el exotismo e incluso se boquiabren si les recitas un son de Nicolás Guillén y se casan si les tratas como a viejos niños que nunca tuvieron una cubana que les cantara al oído lo mismito que le cantaban las sirenas a Ulises o al personaje del poema de Eliot:

...y entonces cantan las sirenas y nos ahogamos

Coco Fusco sentencia que la *jinetera* es una víctima, pero también "un símbolo de la frustración del pueblo cubano frente a la intervención del Estado, a las crueles realidades del embargo y a las presiones para que entren en la economía global. Lo descorazonador es que, como es tan frecuente, sean las mujeres las que soporten lo peor del malestar de la sociedad". Rosa Miriam Elizalde reúne los artículos publicados en *Juventud Rebelde* sobre *jineteras*, meritorios porque se trata de un periódico oficial, la primera publicación de este tipo que analiza el problema y no lo dulcifica, pero sí le aplica la ética defensiva oficial. La autora entra en contacto con una *jinetera* que le brinda sus confidencias y a la vez el retrato de una gama de *jinetería*:

"Un español la había 'instalado' tres días en el chalet al que ella solía llevar a sus clientes y regresaba 'de hacer el pan' con más de trescientos dólares en la cartera, un fin de semana 'en otro mundo' y probablemente una próxima cita dentro de seis meses... Se considera 'luchadora' y hasta 'divertida', pero no prostituta. El término le disgusta. No explica por qué, sólo que ella se diferencia de esas que le 'fajan' a cualquiera o se dejan 'agitar' el dinero por un chulo. Esa fue una etapa que quedó atrás. Ahora se da 'su lugar' y si se para al pie del túnel de la Quinta Avenida es para atravesarlo junto a un extranjero que le guste, lleno de dólares y en dirección a un restaurante o a una discoteca o como esta última vez, en dirección a Varadero". Hilda de las Tunas, así se llama la *jinetera*, sabe cómo deshacerse de la competencia desleal, por ejemplo, pocos días atrás, ante la osadía de una novata que quería levantarle a un italiano, la acorraló en el lavabo de señoras con una navaja: "Ten cuidado mi hijita, que te puede costar la cara". Para sus vecinas es bailarina de Tropicana, mentira que comparten ella y las vecinas.

Tras la presentación del prototipo más elevado, menos alienado de *jinetera*, Rosa Miriam Elizalde pasa a extraer consecuencias y líneas de defensa frente al tópico extranjero de que Cuba es un puerto franco sexual: "Ni siquiera en una relación como ésta que cosifica y devalúa humanamente a la mujer, las cubanas que se dedican al comercio sexual pueden despojarse de valores que puso en ellas la Revolución, como la educación, ciertos hábitos de lectura y un nivel de instrucción muchas veces bastante alto y un sistema de salud gratuito que las protege de enfermedades venéreas, dentales y otras que abundan en ese medio en cualquier país subdesarrollado". Ya está dicho. Luego se compara la prostitución cubana con la extranjera y se concluye reafirmando que la *jinetería* no es la expresión de necesidades fundamentales, sino de necesidades impuestas por nuevos hábitos de vida y el reflejo del consumo capitalista en los habitantes de la caverna, nunca mejor calificada, platónica.

Sartre y Fidel, en su famoso diálogo itinerante recogido en *Huracán sobre el azúcar*, se plantean el humanismo condicionado por la necesidad más que por el trabajo o la cultura, y cuando se dice que el *jineterismo* no es hijo de la necesidad de comer, se obvia que las necesidades son graduales y pasan por el filtro de cada persona, cada persona convertida en un pequeño sistema de necesidades generalmente frustradas, las no frustradas dejan de ser necesidades. Los novelistas cubanos se han acercado al *jineterismo* según diversos enfoques, pero escojo el de un hombre, Daniel Chavarría, miembro de la generación del entusiasmo y el de una mujer, Daína Chaviano, nacida un año antes de la entrada de Fidel en La Habana.

En *Adiós muchachos*, Daniel Chavarría diseña una *jinetera*-pícara, en la tradición del barroco español, que desde técnicas artesanales de seducción como mover los glúteos sobre el sillín de una bicicleta probablemente china, accede a niveles superiores de instrumentalización del sexo. En sus tiempos de *jinetera* convencional, gracias al trueque ha conseguido almacenar, en 18 meses de actividades, ocho relojes valorados en 2.200 dólares, dos frigoríficos, un piano, tres guitarras finas, cinco equipos para disco compacto, una computadora de mesa y otra portátil, una motocicleta, aunque subraya Chavarría que ella sigue pedaleando, y un equipo de aire acondicionado. Luego llegan a su vida la sexualidad en vídeo, la estafa, el crimen y la pícara que más de una vez ha cantado los logros de la Revolución —ella misma es una demostración de esos logros—; abandona el *jineterismo* artesanal por una prostitución de alta tecnología y largo alcance. Chavarría fue un revolucionario internacional que en plena juventud secuestró un avión de su país, Uruguay, y se ha integrado en Cuba y su Revolución, con todas las consecuencias. Parte de la idea de que al *jineterismo* se va por razones del estómago, pero también de la imaginación insatisfecha y le atrae más la fenomenología del comportamiento del *pícaro*, en este caso *la pícara*, que la sanción moral o sentimental o política. Ni siquiera ve el *jineterismo* como un fracaso revolucionario, sino como la evidencia del retraso de la llegada del hombre nuevo, de la mujer nueva.

Daína Chaviano que prefiere vivir en Estados Unidos desde 1991, nos ofrece un título que es un triángulo, *El hombre, la hembra, el hambre* relacionador del sexo y el hambre mediante una reflexión de fondo próxima, aunque metodológicamente distante, de *Las comidas profundas* de Ponte. En la novela de Chaviano, el *jineterismo* es un recurso de supervivencia a partir del absurdo de una economía degradada que ni siquiera permite la salvación individual mediante prácticas artesanales. El encuentro del sexo y las ganas de comer procede de una ansiedad acumulada durante años que la autora disfraza a veces de ansiedad metafísica: "Siento un hambre milenaria, de esas que corroen la bilis y el alma. Es un mal inextinguible que ya era mío antes de nacer porque mi madre ya lo padecía. No logro imaginarme como sería la vida sin ese afán por devorar, por apoderarme de cada trocito del mundo y convertirlo en parte mía.

Así comienza nuestro génesis: 'En el principio fue el hambre y su espíritu se deslizó sobre la superficie de los campos devastados y fue el año treinta y cinco de su advenimiento'. Yo caníbal en esta isla que se engulle a sí misma... ¿De qué nos sirvieron los tratados sobre arte, las discusiones de las escuelas filosóficas en tiempos de Pericles, las lecturas sobre los orígenes hegelianos del marxismo, las disquisiciones sobre el neoclásico, los paseos por la Habana Vieja para estudiar los edificios entre los cuales pasamos tantas veces sin darnos cuenta de que eran los más bellos ejemplares del barroco caribeño? ¿Para terminar en la cama con un tipo a cambio de comida?". La protagonista se salva utilizando la imaginación con la que controla, incluso, la entrega de su cuerpo porque la imaginación "es el mejor afrodisiaco. Y con ella hasta el hambre se convierte en un perpetuo orgasmo". Y cuando un turista italiano le comenta sus sorpresa porque las mujeres se venden por jabón o desodorantes, ¿dónde está la dignidad de la mujer cubana?, ella le contesta el balance político de toda la novela: "... le recordó que en Europa, después de la II Guerra Mundial, las mujeres se vendían por un par de medias de seda. Y es que los pueblos cuando han dejado atrás la pobreza empiezan a padecer la amnesia; pero todos han compartido debilidades comunes. Cuando unas pasan luego llegan otras. Y ésta es la hora de Cuba, el momento de su máxima miseria, de su peor degradación, aunque no debido a una guerra. Y eso era lo más triste: que aquella degradación no tenía ninguna causa que la justificara. Parecía más bien la obra de alguien movido por un odio pertinaz hacia todo un pueblo, que se hubiera dedicado metódica y sistemáticamente, a minar cada rincón de su espíritu, destruyendo cada antiguo pilar que lo sostenía, desde su dignidad hasta su historia."

Cuba tuvo y tiene todavía mucho turismo revolucionario de lo que queda de los naufragios de la izquierda internacional, también de militantes de ONG, aunque estos se sienten más atraídos hacia otras propuestas emancipatorias menos historificadas, como Chiapas. Pero buena parte de su turismo actual se debe a la baratura del mercado turístico y al sexo, produciendo esos espectáculos en el pasado exclusivamente thailandeses de aviones cargados de subalimentados sexuales en busca de sentirse reyes del mambo. Tuve ocasión de ir del cielo al infierno sin moverme del Teatro Nacional, notable edificio de 1958, de los arquitectos Arroyo y Menéndez, que da a la plaza de la Revolución y cobija en sus alturas un bar salón para unas doscientas personas. Asisto a la actuación de café teatro en torno al grupo vocal Trío de la Habana, acompañado entre otros por Nisia Agüero, la actual directora del Nacional, no sin haber pasado un cerco de *jineteras* en flor que rondan los sótanos del edificio donde una estruendosa discoteca alberga a empresarios, *managers*, ejecutivos y tímidos sexuales en general, con guayabera y moviendo sus masas cárnicas construidas y deconstruidas con las mejores dietas al son que les mandan las cientos de mulatas que han salido de todos los puntos cardinales. Y cómo bailan los descarados, con el pubis por delante y las caderas *mulinex* y hasta consiguen ponerse lingüísticamente al día cuando dicen *amol* por amor, *Mrs Hydes* en la isla donde ni el cartero ni la secretaria nunca les llamará dos veces por su nombre. Para que luego llegue a La Habana el malvado de Manuel Vicent y envíe a su diario una columna en la que describa los comportamientos concupiscentes de estos inversores y compradores, con el riesgo de luego encontrárselos en el avión de vuelta: ¡Pero qué ha escrito, hombre de Dios! ¿Cómo le sigo yo explicando a mi mujer que es indispensable ir a La Habana por asuntos del negocio? Alienado por una extranjería catártica, no me atrevo a juzgar la explotación del otro que implica su fácil aventura, porque esta discoteca parece un salón de terapia para fugitivos del primer mundo y basta mirarles a la cara y a la guayabera para descubrir que son otros y lo serán durante unas breves vacaciones de sus paradigmas, antes de volver a su destino de ejecutivos de acero inoxidable. Tal vez a esa extranjería liberadora se deba el que muchos de ellos pretendan y algunos lo consiguen, casarse con estas flores de la noche, desde el error de suponer que cuando se las lleven de vuelta a Europa también se llevan la guayabera, la isla y la catarsis.

Cuando las situaciones totalitarias se ablandan, uno de los síntomas que lo evidencian es la mayor tolerancia hacia las otras circunstancias consideradas *aberraciones sexuales*, y a partir de 1995 travestidos y transformistas volvieron a subir a los escenarios de La Habana, después de un largo exilio interior, cuyo final atribuyen a la elevación de los techos de tolerancia después del éxito de *Fresa y chocolate*. Estas permisividades no impiden que de vez en cuando se produzcan redadas de profesionales del sexo, no tanto para erradicar su comercio, como para recordar su prohibición y sobre todo para frenar la expansión del proxenetismo y de las redes de prostitución organizadas, aunque el proxenetismo existe e incluso se manifiesta peligroso, como cuando a un proxeneta se le cruzaron los cables y mató a un cliente italiano habitual, monógamo de *jinetera*, de su protegida.

Voy hacia el ICAIC para hablar con Alfredo Guevara, mi conductor se equivoca de edificio y me deja en otro también dedicado a cine y televisión, pero a muchas cuadras de donde ya me están esperando. No hay taxis a la vista. Pregunto a una mujer que camina con su hija si hay alguna parada cercana. Me mira y me enseña a la muchacha.

—¿No le va bien este taxi?

La *jinetera* distinguida presume de hacerlo por amor al arte o por algún regalo y el tren de vida que puede proporcionarle el extranjero. Pero también hay *jineteras* que se escudan en la necesidad más elemental, comer, comer algo más que la *masa cárnica* de que abastecen las cartillas de racionamiento. Si la prostitución es una forma de canibalismo y comer es la única manera de moralizar la muerte de lo vivo, sea animal o vegetal, en la Cuba sitiada por grados progresivos de escasez desde 1959 la metáfora de las comidas profundas pasa del sexo al estómago, y me parecen situadas al mismo nivel de metáfora esa mujer que me ofreció a su hija como taxi o aquella gallina que al frente de sus polluelos atravesaba bajo la lluvia una calle lateral de la Quinta Avenida ¿De qué corral clandestino habrá partido la aventura del animalito? De algún corral clandestino y principal, porque estaba en un barrio residencial, donde el espectáculo de madre gallina y sus polluelos parece una metáfora encarnada de un posible verso lorquiano, *La gallina y sus polluelos atraviesan la Quinta Avenida bajo cuchillos de hambre.*

Le recordé la escena a una especialista mexicana en alimentación, Cristina Padilla Dieste, descendiente de los gloriosos Dieste de nuestras letras y casada con el agregado cultural de la Embajada de México, Manuel Díaz Reinoso. Cristina se dedica a estudiar lo que comen, cómo lo comen, por qué lo comen, los cubanos. Nada peor que una cena para sostener una conversación sobre escaseces, porque las cenas están hechas para recordar cenas equivalentes o mejores o prometer encuentros para desafíos del paladar. Cristina empezó a trabajar en la cuestión de la empresa en Cuba en esta última etapa, escribió y publicó *Nuevas empresas y empresarios en Cuba* y no pudo seguir adelante, porque la ley Helms-Burton y todas las leyes antídotos imaginables alteraron la situación. Derivó entonces hacia el estudio de diferentes escenarios sociales de Cuba y apareció la alimentación como problema y como ensueño. Había trabajado sobre abastecimientos en relación con el mercado de Guadalajara, que surte a toda la región del occidente de México, pero aquí se trataba de comprender qué quiere decir el racionamiento, incluso qué quiere decir la cartilla de racionamiento como fetiche, como símbolo de una asistencia y también de una dependencia social. Le pregunto cómo es una cartilla de racionamiento, si se parece a las que yo conocí en España durante toda mi infancia; una cartilla gris llena de cupones, en cada cupón se te iba o se te venía la vida. Padilla me ha prometido una cartilla cubana. Cumplió. Me evoca la de mi infancia y es que todas las cartillas de racionamiento se parecen, aunque probablemente cada racionamiento sea distinto según su finalidad histórica. Esta que tengo entre las manos es un librillo encuadernado en papel acartonado, entre el gris y el marrón, color de preguerra o de posguerra, en cualquier caso un color poco amigo. En su portada números de identificación y algunos avisos: "Control de ventas para productos alimenticios. Esta libreta no constituye un documento de identificación". Pero ahora se trata de que la investigadora me razone sus conclusiones, porque entre ellas figura la de que la cartilla de racionamiento sí es un instrumento de identificación.

—Aquí es una libreta chiquita, con el nombre de todos los que pertenecen al núcleo familiar, porque en una casa puede haber varios núcleos, por ejemplo, al romperse el núcleo familiar por un divorcio, uno de los miembros puede generar otro núcleo. Pero tampoco es la familia estrictamente el referente, puede ser el vecino de no sé dónde, de tres casas para allá, que se quedó sin núcleo y yo lo asumo al mío. En principio, es por parentesco.

—Una pareja de homosexuales que viven juntos...

—Constituyen un núcleo, pero no por sus afinidades sexuales o sentimentales. Son un grupo, de alguna manera. Ahora, tú comentabas lo de los cupones en España. En los racionamientos que ha habido en Europa, según tengo entendido, se utilizaba el sistema de cupones, en Estados Unidos el de estampillas. Tú cuentas tus cupones y vas y dices, como traigo diez cupones, quiero comprar ese café, porque ese café cuesta diez cupones, o tengo cinco cupones, y por cinco cupones, puedo comprarme un paquete de espaguetis ¡Déme los espaguetis, por favor! Aquí, no ¿Cuál es la diferencia? Que el racionamiento aquí está puesto desde la oferta, el racionamiento allá, en aquellas experiencias, está puesto en la demanda ¿Entiendes la diferencia? Tú si tienes diez cupones, compras lo que quieras, es tu asunto. Aquí te lo ofrecen y es lo que estrictamente vas a recibir.

—Igualmente te dan el mínimo para sobrevivir.

—Es el mínimo. Pero hay una diferencia en la concepción misma del asunto. Uno está puesto en la demanda y el otro en la oferta. Es decir, aquí, *per cápita*, por mes, para cada cubano hay esto. Punto. No me importa que me discutas. Tú no tienes nada que decirme a mí, ya está dicho. Es la oferta. Oiga, es que yo... No, no. Ya está escrito lo que puedes coger. Debido a las dificultades económicas, algunos productos han ido desapareciendo de esa oferta estatal. Entonces se abren otros canales de distribución para posibilitar el consumo por vía del mercado. Estamos en un sistema híbrido: estatalización y planificación por una parte, por la otra el mercado. El mercado se constituye de la venta directa de productos agrícolas o de ganadería y esas tiendas en las que los cubanos ya pueden comprar con dólares lo que haya. Además hay que contar con el mercado negro alimentario y no preguntes de dónde salen las carnes que compras, por favor, porque pueden venir de un cuatrero. Hubo una libreta de cliente, con el *periodo especial* desapareció, porque no había nada. En el origen hubo dos libretas: una de productos alimenticios y otra de productos industriales. La industrial fue desapareciendo.

—La maldición, casi metafísica, de que un Estado socialista no pueda cumplir los mínimos de abastecimiento de la población, en Cuba, ¿a qué se debe? ¿A que no han organizado bien la producción, a que han confiado suicidamente en las importaciones soviéticas y de países del Este?

—Todo se combina. Por un lado, evidentemente, la producción no daba, ni da para satisfacer la demanda que hay. De aquí debo decir que el Gobierno reconoce algunos errores, y los reconoce desde 1962, como reconoció en su momento haberse dejado llevar por la confianza que daba pertenecer al CAME. Pero la dramática palabra *comida* no aparece hasta que Raúl Castro declara que es más importante la comida del pueblo que las armas. La frase textual: "Son tan importantes los frijoles como los cañones".

Los frijoles son la base de la alimentación cubana. El Estado acumula a partir de la productividad de los trabajadores y distribuye desde criterios de igualación. Pero cuando el Estado distribuye no hambre, sino escasez, ¿cuánto tiempo estará en condiciones de suponer consenso social? O no tiene qué distribuir o no sabe hacerlo. En el caso de un país acosado tal vez gaste más de lo debido en armamento y Fuerzas Armadas y en el caso de un país socialista la burocracia hace el resto. Mi interlocutora supone que otra causa puede ser la aplicación de esquemas productivos soviéticos que no funcionan en Cuba. El rechazo del mercado privado campesino que en otro tiempo solucionó en el bloque socialista problemas de abastecimientos que el Estado no podía aportar, mercados prohibidos por la ampliación del principio igualitarista que impidió el enriquecimiento del comerciante privado o en pos de la demostración de la suficiencia del Estado como distribuidor.

Recuerdo *La única salida,* la biblia autocrítica de la *perestroika* soviética cuando aún estaba en condiciones la URSS de seguir siendo una unión de repúblicas socialistas. En aquella biblia autocrítica, un economista acusaba al economicismo socialista de ser el culpable de los déficit económicos y asistenciales del sistema: el plan como medida de todas las cosas, y luego ni siquiera se cumplía el plan. Planteo si igual ocurría en Cuba y mis coloquiantes asienten. Sí, luego ni siquiera se cumplía el plan o se cumplía desde un punto de vista cuantitativo pero no cualitativo. Por ejemplo, en la producción de libros: se han de publicar tantos libros al año. Luego las cifras salían, pero a base de editar decenas de miles de ejemplares de un solo libro en detrimento de la variedad y de la pluralidad. En la planificación de la supervivencia alimentaria, se produce para abastecer de lo estrictamente necesario y la cartilla de abastos promete pasta de soja o masas cárnicas de diseño indescifrable que abastecen de proteínas pero excitan el ensueño por las proteínas animales directas, a ser posible las que contiene la mitificada, casi invisible, *carne de res.*

—Ha habido casos de neuritis, consecuencia de falta de proteínas y de vitaminas a causa de una dieta desequilibrada.

Se le echa la culpa al cigarro, se le echa la culpa a todo, pero no. Obviamente es un problema nutricional.

—¿Y si desapareciera el racionamiento?

—Hoy por hoy sería el caos. Yo ahora me doy cuenta de lo que significa la libreta para los que no tienen ingresos para comprar en el mercado campesino o en el negro. Se morirían de hambre como se mueren de hambre sectores enteros en el Tercer Mundo y en América Latina, aquí al lado. De suprimir el racionamiento, el Estado debería buscar otra manera de abastecer al sector más débil dentro de los débiles. Mira, en Cuba no se habla de pobres sino de *grupos vulnerables* ¿A qué se refieren? Enfermos, mujeres, jubilados, los niños.

El lenguaje tiene la capacidad de desdramatizar la realidad. En la España de Franco tampoco se utilizaba oficialmente la palabra pobre, sino *económicamente débil.*

—En Cuba, a los indigentes se les llama *ambulantes.*

A las putas *jineteras.* Los pequeños empresarios son *trabajadores por cuenta propia.* También hay un glosario de sucedáneos lingüísticos aplicados a sucedáneos alimentarios ¿Sabes tú qué es un *perro sin tripa?* Pues un perro caliente pero sin salchicha.

—Algo así como la *masa cárnica* sin carne.

—Te voy a invitar a *masa cárnica* para que te enteres.

—He de consultarlo con mi asesor gastronómico y con mi cardiólogo.

—Lo interesante es que el proceso ha generado un nuevo vocabulario, no únicamente para la cuestión alimentaria, para muchas otras cosas. Pero en la cuestión alimentaria es muy notable. Porque además, hay nuevos actores sociales que antes no existían. El bodeguero ha existido aquí en Cuba toda la vida, pero ha renacido por ejemplo el mensajero. El mensajero es un trabajador por cuenta propia.

—Esos que llevan mensajes como si fueran carteros.

—No, llevan el mandado, la canasta con la compra. Te lleva diariamente el pan, cuando hay café te lleva café.

—Y utiliza la llamable *fuerza motriz muscular.*

—Me parece que estás queriendo decir que va en bicicleta. Sí, va en bicicleta.

—¿Y esos *coolies* no chinos que llevan pasajeros en bicicleta también son trabajadores por cuenta propia?

—También. Se llama a eso: Taxi-bici.

—Volvemos al problema alimentario y al papel del Estado. Por ejemplo, aquí la hora del almuerzo es más que sagrada, es sagradísima y el Estado daba de comer todos los días, antes del *periodo especial*, a cuatro millones de cubanos. Con el *periodo especial* se ha reducido la cuota por motivos obvios, pero sigue dando de comer a mucha gente. Eso representa una movilización económica impresionante, aunque el menú se reduzca a una bandejita con arroz y frijoles, tal vez un pedacito de pollo, de masa cárnica o de chicharro.

—Sigo con los almuerzos para que te hagas una idea. Hasta ahora el Estado ha asumido todos los almuerzos de todos los cubanos en los centros de trabajo. Para que el Estado pueda liberar algunos recursos, en los casos donde hay inversión mixta, las empresas, como tales, asumen los comedores de sus trabajadores. Y a su vez, cada centro de trabajo que genera determinados ingresos se encarga de mantener, si quiere, los almuerzos de sus trabajadores.

—Pero eso debilita el imaginario del Estado. Si los empresarios y la Iglesia se convierten en referentes asistenciales, ¿qué papel distribuidor le compete al Estado? ¿A dónde va a parar el modelo socialista?

—Esa es la parte política del asunto. El Estado garantiza el racionamiento, el consumo social a través de esas comidas en los puestos de trabajo. No es sólo la libreta, el consumo social es también una parte importante de este racionamiento. El Estado no puede seguir dando almuerzos a toda la población, es imposible, tal como están las cosas. Hay que imaginar nuevas maneras de asegurar la alimentación a los grupos vulnerables.

—En Europa, el capitalismo corregido por la izquierda ha otorgado un salario social de una cantidad de dinero al mes para que, al menos, no se mueran. Pero las bolsas de pobreza crecen.

—Aquí le corresponde al Estado, no tiene vuelta de hoja pero no a todos, no a todos los sectores. Estamos hablando de sectores vulnerables. Es que además, fíjate, también hay asistencia alimentaria para enfermos. Para diabéticos, para embarazadas, para los que tienen problemas digestivos. La Revolución obtuvo conquistas sociales espectaculares, sin precedentes, pero ahora no sabe cómo mantenerlas y las va achicando hasta convertirlas en sombras o parodias de lo que fueron. Eso es socialmente peligroso porque hoy asistimos a una capacidad asistencial no del todo agradecida, que no suscita una conciencia adicta, porque la gente, al cabo de 38 años de racionamiento, tiene hambre no de productos que le permitan sobrevivir, tiene hambre de todo lo que imagina y desea. El Estado puede tener consumidores, pero no tiene clientes. El consumidor se come lo que le dan, el cliente elige.

—Y aún queda la memoria de aquellos tiempos pre-revolucionarios.

—Memoria que puede llegar a ser nostalgia y mitificación. Hay un chiste genial de una vieja que va a la carnicería y dice: "Carnicero, quisiera que me dieras dos libritas de filete". "Mi vieja, no hay filete". "Entonces, dame dos libritas de punta de costilla". "Mi vieja, no hay costilla". "Dame un jarretico que pese dos libras". "No hay jarrete". Ella se va y el carnicero comenta: "¡Menuda memoria tiene la vieja!". El sentido del humor negro no tiene límites. ¿Sabes que en los cementerios ya no ponen RIP sobre las lápidas, sino NR, no resistió? A unas hamburguesas hechas de carne de cerdo y catsup, en lugar de McDonalds las llamaban McCastro y en el mercado negro han aparecido rones que se llaman Alcolibán, Hueso de tigre, Saltapatrás, Bájate-el-blume, Espérame en el sueño. Aquí se ha comido picadillo de pieles de plátano o de cortezas de naranja y lógicamente el lenguaje se ha adaptado a ese humor negro y así a los de Miami se les llamaba *traidores* y ahora *traedólares*. La quiebra alimentaria conduce a la quiebra educacional. En el pasado el racionamiento sirvió para elevar el nivel nutricional de masas desasistidas, pero hoy no es así.

Presencié aquí el inicio del *periodo especial* y ya empezaban los problemas de utillaje o de cortes eléctricos en los hospitales, pero dentro de un nivel asistencial todavía correcto. La situación ha ido degenerando y ha alcanzado a la producción farmacéutica, un ejemplo para todo el mundo, ahora socavado por la carencia de materias para elaborar productos genéricos

—Se está deteriorando el aparato asistencial, no sólo el sanitario o el de la nutrición, la misma enseñanza. Las escuelas agrícolas por ejemplo, funcionan a medio gas, sin reformas, en edificios que se caen, en un pésimo régimen de convivencia, sin los aspectos positivos que tuvieron durante la primera mitad de la Revolución. La gente está cansada de comer poco y siempre lo mismo, sólo le falta que fallen las compensaciones sociales ¿Cómo decir entonces, de pronto, dentro de tres meses, la libreta va a dejar de operar?

Coralmente todos los presentes se oponen a tal medida. Pero, ¿qué dices? Eso dejaría a media Cuba sin comer, sobre todo en las ciudades. Es decir, el racionamiento es indispensable, pero es utilizado como una prueba del fracaso de la relación entre producción y abastecimiento y una de las mayores causas de desencanto.

—¿Tanto desencanto hay?

Pregunto días después a un grupo de jóvenes que ha tardado en darse cuenta que no estoy contra ellos, pero tampoco contra la Revolución.

—Hemos llegado al desencanto de desencantarnos.

Pero es un desencanto pasivo. ¿Por qué esa pasividad? Por más que se atribuya al miedo al aparato represivo, nadie me ha demostrado que ese aparato se caracterice por una ferocidad superior a aparatos represivos que se han visto de pronto contestados por la revuelta. En agosto de 1994 hubo un conato de protesta con motivo de la marcha de los balseros desde el Malecón, pero los que vivieron aquella situación y conocen auténticas protestas populares, no van más allá de la palabra conato, por más que desde Miami se magnificara aquel altercado. Bastó que se presentara Fidel en persona en el escenario para que el atlante consiguiera restituir la distancia entre el cielo y la tierra. Creo que hay que tener en cuenta que viejos y jóvenes viven todavía a la sombra alargada del prestigio de la Revolución y de Fidel y, aunque en privado despotriquen y no hablen de otro sueño que la huida, la condición de isleños de la geografía y de la historia actúa como un factor de parálisis. Tampoco el panorama de las realidades creadas por el capitalismo en el resto de América Latina o en los países de socialismo real de otro tiempo es demasiado estimulante para amplios sectores de la población que saben que pasarían de la dictadura de la escasez a la libertad de la miseria. La progresiva impotencia del Estado para alimentar suficientemente a la población genera soluciones intermedias, en algunos casos ya ensayadas por las empresas extranjeras que han propiciado comedores de fábrica bien abastecidos porque necesitan trabajadores bien alimentados.

—Eso es por la productividad. No son hermanitas de la caridad alimentaria. De la misma manera que propician el automóvil para uso de sus ejecutivos, por lo mismo, por una cuestión de movilidad y productividad. Pero fíjate, en esta realidad, estar mejor alimentado y disponer de un automóvil son elementos enormes de diferencia social. Fíjate en que todo esto es sumamente pragmático, y si alguna característica tiene el proceso cubano desde hace unos pocos años es el pragmatismo. Buscar respuestas rápidas, directas al problema. De lo contrario no te explicarías cómo han sucedido todos estos cambios en el fondo inexplicables desde una lógica revolucionaria, aunque se haya recubierto muy bien de medidas encaminadas precisamente a mantener la Revolución y aunque en cierto sentido lo son, deberíamos ponernos de acuerdo en qué Revolución están salvando.

La Revolución se debate entre la subsistencia y la supervivencia, sustantivos no sinónimos, el uno cargado de significación de instalación perpetuada y el otro de latencia, de vida por lo tanto no letárgica. Pero si la Revolución no puede crecer y se ha quedado sola en el Atlántico, medio viva, medio muerta, ¿para qué? Las gentes la soportan por diferentes motivos, muy pocos ya porque crean que con ella asaltarán los cielos ¿Por qué la secundan esos políticos jóvenes que no tienen que salvar su estatura de guerrilleros en Sierra Maestra, porque apenas eran unos niños entonces o no habían nacido? Lage, Rodríguez, Prieto, Robaina, han visto como han caído los países del socialismo real y cómo ha sido inútil el control del ejército y de la policía y del partido, porque todos los aparatos vertebradores estaban minados por el escepticismo social. Han visto cómo hasta en la URSS casi toda la nomenclatura es comunista hasta las doce de la noche y a partir de esa hora se recicla volviéndose socialdemócrata o ultraliberal o zarista o democristiana. Ni Dios iba a tirar aquello al suelo y de pronto se descubre que era de cartón piedra. En casi todas las situaciones, la deconstrucción previa a la autodestrucción revolucionaria se hace desde arriba, salvo en Rumania pero también encauzada por miembros del aparato que convierten a los Ceaucescu en los chivos expiatorios y muestran al mundo entero el oprobio de las reservas de JB que el dictador acumulaba. Vaya dictador. JB, cuando la misma destilería produce el Knockando que es un malta excelente.

La metafísica de la libreta y del abasto cubano no es cosa baladí. La libreta es un cordón umbilical con el Estado y el gasto se organiza según la oferta de consumo, es decir, se produce para cumplir con lo que reclaman las cartillas o con el abastecimiento sofisticado que reclaman los turistas. No se sale de esta mecánica, y cuando el campesino o el ganadero se espabilan por su cuenta para ofrecer productos extras al mercado, vamos a llamarle libre, el Estado le vigila o le penaliza para que no se enriquezca demasiado, condición más importante que contribuir a debilitar la angustia de la escasez. El Estado es muy sensible al enriquecimiento personal y ha creado una manera tolerada de acumular dólares, el *jineterismo* por ejemplo, y otra llena de controles entre las que se incluyen los *paladares* o restaurantes privados o el mercado de productos campesinos, abierto en 1980, luego cerrado y de nuevo abierto. Fidel es un formidable diagnosticador de los excesos de la economía de mercado, pero no ha encontrado en Cuba la vía socialista a la prosperidad que pasaría, según los expertos no contrarrevolucionarios, por una economía mixta y por un mercado no asfixiado sino pensado para cumplir una función social.

Durante la guerra fría, Cuba se convierte en un centro exportador de luchas revolucionarias en todo el mundo, lo que significa una organización de la economía en pos de esa finalidad y la necesidad de una maquinaria tecnomilitar adecuada. Ahora todo aquello pasó a la historia, pero el aparato militar permanece, disuasorio frente a un intervencionismo exterior. A partir del *periodo especial*, las fuerzas armadas han jugado un papel protagonista en relación al sistema alimentario, a la seguridad alimentaria. Dato importante por el papel que juegan las Fuerzas Armadas en un Estado como éste y porque las dirige el presunto heredero: Raúl Castro. Un general, Ulises Rosales del Toro, se ha hecho cargo del Ministerio del Azúcar, otro del de abastos. Las Fuerzas Armadas se han convertido en productores importantes de alimentos para los soldados durante el todavía largo, dos años, servicio militar, y si salimos del estómago y vamos a la conciencia, el controlador de la ideología de la prensa es un coronel, Rolando Alfonso. Hay que tener en cuenta que el ejército cubano nunca ha tenido un papel represivo dentro de Cuba en los cuarenta años de Revolución. Los oficiales cubanos suelen estar muy bien preparados y la mayoría son personas interesantes con las que puedes sostener conversaciones culturales de cierta envergadura y hasta los más jóvenes tienen en su currículo experiencias de alguna guerra solidaria. No se trata de anunciar un *nasserismo* a la cubana, según el cual serían los militares quienes, sustituyendo a una precaria sociedad civil, impulsarían un proceso de cambio hacia una democracia autoritaria, pero lo cierto es que precisamente por la precariedad vertebradora de la sociedad civil, casi todos piensan que los militares son los garantes de cualquier cambio más allá de Fidel Castro.

Los chistes sobre el hambre superan el humor negro, colándose por los sumideros de los peores agujeros negros y las conversaciones sobre la escasez se escuchan a todos los niveles. No extraña pues que los escritos de periodistas independientes sobre abastecimientos gocen de buen mercado en el exterior. Así, el número 5 del boletín de la Fundación Hispano-Cubana reproducía notas de Tania Quintero y Raúl Rivero sobre el patetismo gastronómico. Tania Quintero explica las excelencias de unas salchichas canadienses que cubren el expediente de suministrar proteínas y ser relativamente baratas, si tenemos en cuenta que hay que pagarlas con dólares y el baremo de precios es: medio kilo de manteca de cerdo cuesta un dólar y medio, un kilo de carne de segunda clase casi diez dólares, medio kilo de carnero veinticinco pesos, en un país donde el sueldo medio no supera los doscientos pesos. Raúl Rivero evoca lo que se ha comido en Cuba durante el *periodo especial* y convoca, para el futuro, a una comisión de expertos ayudados por psiquiatras y politólogos para iluminar la zona oscura de la vida cotidiana de once millones de cubanos. Así, promete Rivero, conseguiremos saber qué es el *fricandel*, o el *picadillo texturizado, la extensión cárnica*, el *perro de pollo* o el *producto sazonador.* De todas sus informaciones retengo una imaginativa propuesta de alimentación de supervivencia que me recordaba escenas de posguerra civil en mi barrio barcelonés. Receta. Picadillo de cáscaras de plátanos: "Cómase la carne del plátano, reserve las pieles, píquelas, sazone el picadillo obtenido con ajo, limón, tomates y cebollas y se puede servir como un entrante". No tiene desperdicio, nunca mejor dicho, el bistec empanizado de hollejo de toronja: es decir —escribe Rivero—, "el hollejo puesto a hervir para que pierda todo su amargor, no su amargura, se empaniza y se fríe con un mínimo de grasa y toda la imaginación posible (algunos *chefs* muy refinados recomiendan que se sirva con unas rodajas de limón y unas papas doradas)".

Me cuentan que cuando algunas familias han conseguido meter un cerdo en sus casas, lo mantienen en la bañera con la ayuda de algún veterinario que le extirpe las cuerdas vocales para que no gruña. Si se quiere ir más allá en un viaje sin retorno al fondo del humor negro o de la realidad negra, es chiste o su contrario que las funciones del veterinario pueden llegar a ir troceando al cerdo en vida, con la ayuda de la anestesia y los cosidos, porque así puede ser consumido poco a poco. Variante de esta alucinación es el cuatrerismo consistente en asaltar un cercado o llevarse la pata, sólo una, de cualquier vaca, condenando al animal a una cojera de por vida, que no será mucha.

Tras la lección asimilada sobre la cartilla de racionamiento y el humorismo negro alimentario tratando de huir de mis retinas interiores, Villota, el director del Cohiba, me encuentra y lamenta no haberme informado sobre una reunión de *gourmets* habaneros en el hotel. Me parece haber oído un ruido, pero no, ha habido un encuentro de expertos en gastronomía para probar la nueva carta del Cohiba y a su cabeza estaba el gran Smith, considerado el rey de los cocineros cubanos. La carta aprobada versa sobre cocina tradicional cubana, "... siendo el resultado de un profundo estudio sobre las costumbres culinarias de la burguesía de la época: sopa a la habanera, *ajiaco* criollo, aporreado de tasajo a lo bayamés, ternera con almejas, guinea con almendras, cherna compuesta a lo caimanero, camarones a lo Puerto Príncipe, pensamiento habanero, helado de crema con flor de naranja, cioquimol, flan de piña". Como otras veces, Villota me ayuda ahora a buscar al rey de los *gourmets* de La Habana, y así dos días después desembarcan en mi *suite* de trabajo el gran Smith, acompañado de un asesor, Fernando Fornet Piña, amable vigilante de la generosidad verbal de Smith, no vaya a ser traicionado el candor discursivo del cocinero septuagenario, memoria viva de lo que se ha comido o se podría comer en Cuba. El intermediario se presenta como un conseguidor de que la maestría del gran Smith no se pierda por un agujero negro y que su experiencia profesional acceda al nivel de la teoría. Es su amigo y quiere ayudarle a pasar de la mortal memoria del paladar a la inmortal de la escritura. En sus conversaciones reproducidas aparecen experiencias profesionales y personales de un cocinero que empezó en el Riviera, antes de la Revolución, cocinando para aquella Habana mercado de placer norteamericano. Adquiere nuevamente sentido la frase de Talleyrand sobre el haber o no haber vivido antes de la Revolución, en una facilona paráfrasis sobre el haber comido antes de la Revolución: "No se sabe lo que es comer si no se ha comido antes de la Revolución".

—En este momento tenemos tres proyectos. De los tres, uno está prácticamente concluido. Un libro de experiencias, también un recetario. Por cierto en el libro de las experiencias aparece Barcelona. Aquí le traigo un sumario.

El gran Smith escucha los prolegómenos, tiene ganas de intervenir.

—Barcelona me encanta.

Su *manager* me habla del libro, de las vivencias cocineras de Smith, sus comensales distinguidos: Meyer Lanski, el gángster yanqui propietario del Riviera, Joan Manuel Serrat, Gabriel García Márquez, Nat King Cole, Hemingway.

—Me consta que a Gabo le gusta comer bien.

—Bien que lo sé —asevera el gran Smith—. Después de la Revolución, antes de que volvieran a establecerse estos grandes hoteles, casi todos los grandes cocineros se habían marchado y yo cocinaba a veces para Fidel y Raúl cuando preparaban alguna recepción. También cocinaba para los embajadores. Gabo es un admirador de mi cocina y me ha prometido un prólogo para el libro de mis vivencias, que está casi concluido. Luego tengo otro de investigación de cocina cubana, estilizada, no la cocina criolla, sino su modificación a partir de mi experiencia.

—Como si dijéramos la cocina cubana pasada por la *nouvelle cousine*.

—Un poquito, y modestia aparte compartí la creación de la nueva cocina, que empezó en Francia. Yo tengo ciento sesenta recetas que son originales. La langosta *Kayak* tú no la has comido en ninguna parte, a la *Papillon*, que se sirve ahora en algunos restaurantes de La Habana, también es mía. ¿Sabes por qué compañero? Porque durante veinte años trabajé para el Ministerio de la Pesca haciendo la promoción de los fondos exportables. Ahora mismo tengo una serie de sesenta recetas que hice para una televisión española, para una cosa que se llamaba o se llama Pesca fina. No me pagaron compañero, me dijeron a doscientos dólares diarios y se fueron. Yo no les reclamo porque no me gusta molestar a la gente y eso que tengo la tarjeta del presidente y del director. No les reclamo aunque sean dos millonarios. Fontanals se llama uno de ellos ¿No lo conoce en Barcelona?

—No, ¿a qué se dedica?

—Es un millonario, tiene una fábrica de tejidos. Hace quince años que no lo veo. Era muy amigo de Celia Sánchez.

El introductor me habla de una receta titulada Langosta Barcelona, el gran Smith insiste en que Gabo le va a hacer el prólogo, pero su valido vuelve a la carga sobre el recetario del libro, gambas al limón, por ejemplo, plato de mucho aprecio por parte de Juan Carlos I cuando sólo era príncipe. Se lo guisó Smith en una feria de muestras de Barcelona. Le pido algunas recetas. Recela el interlocutor y el gran Smith recupera el hilo para hablarme de una señora de Barcelona que estaba dispuesta a editar sus recetarios.

—Es una mujer muy poderosa entre los escritores y muy amiga de Gabo.

—Carmen Balcells.

—La misma, compañero. Me dijo que si algún día yo quería publicar mi libro de recetas, ella lo editaba. Es una señora gruesa, más bien gruesa ¿Qué hace ahora?

—Régimen.

—Qué triste es eso. Yo hice un libro que se editó en México. ¿No lo trajiste?

No, no lo traía, pero me lo consiguió días después Leonardo Padura, mi conseguidor de fetiches culinarios. El gran Smith está en activo. Ha cocinado recientemente en distintas ciudades ecuatorianas y peruanas, está a disposición de los notables que pasen por La Habana y quieran paladear la nostalgia de una cocina al margen del racionamiento, cocina estilizada, insiste una y otra vez el gran Smith, y de síntesis, criolla pero también con influencias española, francesa, italiana, oriental, porque el gran Smith ha estado en todas las islas del Japón.

—También estuve cocinando en Canadá, enseñaba y aprendía a la vez. Conocí todos los hoteles de Canadá. Cocinar y aprender ha sido mi tónica desde que trabajaba en el Riviera para Meyer Lanski. En la cocina del Riviera había una brigada norteamericana y una brigada cubana y eso era muy estimulante. También puedo cocinar para hebreos. Conozco todas las normas del corte de las carnes, todas las prohibiciones. En cocina hay muchas prohibiciones: lo que no se puede comprar, lo que no se puede comer por la religión y lo que no se puede comer por la salud. Yo tengo 76 años y lo que habré visto en todas las cocinas, yo que empecé a los 16 años.

—Él se ha especializado mucho en la cuestión de la langosta, del marisco.

Me recuerda el interlocutor y por ahí iría el tercer proyecto. Un libro dedicado a la langosta, unas cincuenta recetas de langosta, auténtico récord en un mundo que sólo suele cocinar la langosta a la Thermidor o a la Armoricana.

—Mira —irrumpe el gran Smith— yo me he leído el Escoffier, el Brillat-Savarin, el Jules Buffet, que es él que más leo porque para mí es el más grande cocinero que produjo Francia. Escoffier, Brillat-Savarin, Buffet...

—Brillat-Savarin da más filosofía que recetas.

—Yo creo que hay que darles recetas a la gente. En Francia he trabajado para varios millonarios, entre ellos el actual presidente de Francia, he cenado con él cinco veces. El dueño de los productos Primel, Laing o Petrossian. Yo les cocinaba y les hablaba y veía que a ellos les gustaba eso. A Laing que era un millonario le he cocinado en su casa, tenía un chalé, y me dijo: "Va a cocinar para mí sólo". Y se fue la luz. Entonces, le hice los platos en la chimenea y le hablaba. Y él comía y decía: "Háblame de esto, de aquello". Y yo hablaba. Yo creo que ésa es la mejor forma de hacer libros de cocina. Hay libros de cocina para profesionales, pero no para el que quiere leer cosas lindas de la cocina y no es un cocinero. Tiene usted que probar la langosta Barcelona. Hay muchos pueblos en España, pero Barcelona hay una sola. La señora esa gordita, la amiga de Gabo, me dijo que cuando quisiera publicar el libro contara con ella.

Les doy mis señas en Barcelona, me tomo la libertad de darles también las de mi agente Carmen Balcells y gran Smith vive un ensueño lleno de personajes célebres que han comido en su mano.

—Carpentier era mi hermano.

—¿Nunca se le ocurrió hacer un libro para el racionamiento? ¿Cómo se puede cocinar con el racionamiento?

El interlocutor asegura que sí y que me va a dar recetas especiales para racionamiento. El gran Smith recita más que habla.

—Yo, en Francia soy muy feliz porque soy miembro de la Academia Francesa, miembro efectivo, soy miembro de la Toque Blanche de Francia, del Club de la Casserole de París, el Club de la Marée. El mejor restaurante de mariscos del mundo es La Marée, *rue* Daru y avenida des Ternes.

También soy feliz con mis amigos, con Serrat y su mujer Candela, Serrat es mi hermano. Tengo una fotografía con él.

Recibo días después el sumario del libro de Gilberto Smith Duquesne y Fernando Fornet Piña, libro de vivencias en el que las recetas se asocian a los personajes para las que han sido imaginadas y guisadas, por ejemplo: Langosta a lo Macondo para Gabriel García Márquez o Liebre de mi rancho, para Nat King Cole. El tabaco, el ron, los habanos, la cocina, la música pasan por la vida del gran Smith al lado de personajes singulares: Serrat y Hemingway, Jacques Chirac y Agustín Lara, Paco Rabanne y el Rey de España. Así como Juan Carlos I aparece asociado a las gambas al limón, Jacques Chirac tuvo acceso a la Langosta a la naranja y para el gángster Meyer Lansky, el joven Smith tuvo tiempo de guisarle en el Riviera un Rosbif de mi patrón. A veces aflora el humor del cocinero cuando ofrece a los campeones japoneses de *sumo* un plato de pata y panza tripa campeón, y su sentido del tiempo en la historia cuando asocia el consomé de tortuga a Fidel Castro, por cierto plato citado por el comandante en el libro *Fidel y la religión* de Frei Betto, según recuerda el cocinero. De las glorias del gran Smith queda constancia en un libro del que tengo la edición brasileña: *Eu sou o chef (Yo soy el chef)*, de Ciro Bianchi. El entusiasmo del cocinero por reavivar las naturalezas muertas suscita preguntas tan incontestables como: ¿Hay algo más lindo que una langosta?".

Durante el *periodo especial* gozaron de gran audiencia los programas televisivos de cocina de la señora Nitza Villapol. Los conocimientos de esta cocinera telemática se basan en la antropología y la historia de la nutrición y fundamenta la cocina cubana en dos fuentes principales: la española y la africana, es decir, los componentes fundamentales de toda la cubanía hasta la llegada del *hot dog* y el *rock and roll*. Sus programas de divulgación gastronómica y su libro *Cocina al minuto*, eran *best sellers* antes de la Revolución y siguieron siéndolo después, aunque su propuesta culinaria en la Cuba del *periodo especial* y para la inmensa mayoría de los cubanos hoy, formaría parte de la conspiración de la memoria del paladar: arroz con pescado a la jardinera, arroz con costra, carnero en chilindrón, jarrete asado en cazuela, huevos con picadillo de carne o pescado, calamares rellenos, aguacate relleno de pescado, pastel de merluza, fricasé de pollo con berenjena. Demasiado para la imaginación, aunque la autora brinde fórmulas sobre cómo ahorrar arroz que traducen la realidad gastronómica más sincera, fórmulas inencontrables en cualquier otro libro de cocina del mundo entero: "... cocínelo correctamente para no tener luego que botar la raspa y sirva en cada plato solamente el arroz que se va a comer. Aproveche de diferentes maneras el arroz que sobra de un día para otro. Cuando usted ahorra arroz, ahorra también parte del presupuesto destinado a comprar alimentos. Estos centavos o pesos servirán para obtener otros productos necesarios en una alimentación balanceada". Alina, la hija díscola de Fidel, dedica un suculento varapalo a Nitza Villapol por sobrevivir en tiempos de hambre.

Pero la gran metáfora del hambre y las ganas de comer la hallaría en Miami, donde, entre otras muchas cosas, encontré un libro del que me habían hablado en Cuba: *Las comidas profundas*, del poeta Antonio José Ponte, libro editado por Delatour en Angers (Francia) en castellano. El autor dice que su plan imposible, su castillo en España, es escribir sobre comidas: "Sentarme a la mesa vacía y tapar con la hoja en blanco los dibujos de comidas y escribir de comidas en la hoja". Asistimos a un relato espléndido de especulación histórica y vivencial. En la sutileza del libro introduce la historia de la piña cubana que rechazó el emperador de España Carlos V, un glotón gotoso que se hacía traer a Yuste (Extremadura) marisco del Cantábrico, reventando todos los caballos que fueran necesarios: "Las comidas cubanas podrían

comenzar por esa piña cubana que el emperador no come".
Recuerda el autor que el primer libro de ese país imaginario
llamado Cuba, es el *Espejo de paciencia* y ya ese libro habla de
comidas. Ponte se plantea el arduo problema de esas pitan-
zas de lenta preparación que no nos gustaron y que vuelven
a nuestro paladar treinta años después, enriquecidos por la
distancia y la información, factor importante que permitió a
Bertrand Russell apreciar más el albaricoque desde que se
enteró de que era un fruto chino. ¿Estamos ante otro ensayo
sobre el conocimiento inútil?

Lezama Lima fue un gran ensamblador de la cubanía del
paladar con la cubanía metafísica y así supo describir que el cubano al comer se incorpora al bosque. Ponte coge la palabra
incorporar, la etimologiza y la historifica, meter en el cuerpo
como apropiación de la naturaleza y participación con ella.
"En los años setenta en Cuba incorporarse no podía querer
decir otra cosa que volverse sumando de organizaciones políticas, entrar a la obligatoriedad del servicio militar o marchar a
cortar caña. La propaganda gubernamental repetía ese verbo,
no ha dejado de repetirlo. Designaba con él la desaparición del
individuo por requerimientos históricos". Viaja el autor por el
anecdotario de la comida capaz de dejar sedimentos en el imaginario y retorna al mapa de ágapes de su mantel, para recordar una costumbre culinaria del oriente cubano donde se identifica la vida humana con la vida de las comidas y se prepara un
aliñado de frutas troceadas metidas en una botella a lo largo de
los nueve meses de un embarazo. A la fruta se le agrega leva-
dura, azúcar, agua, trocitos de caña y hay quien añade puñados
de arroz. Los hombres de la familia aportan botellas de aguar-
diente: "Puede estimarse que las virtudes masculinas de quien
nacerá dependen del alcohol, las féminas de las frutas". La familia cuida paralelamente las dos barrigas, la de cristal donde
fermentan las frutas y la de la mujer preñada y beberá el aliño
en el momento del nacimiento o del bautizo.

¿A dónde conduce este retorno al bosque para reencontrar el origen mismo de la vida? Es una metáfora de la histo-

ria, de su inutilidad frente al potencial de la eternidad que acaba por imponerse a todas las historificaciones, a las más voluntaristas. Del *Shatapatha-Brahamana*, elige Ponte la leyenda que relaciona vida y sacrificio, la vida humana y la de los alimentos. Las comidas se revuelven contra los hombres, se comen a los hombres, porque la tierra finalmente siempre se come a los hombres. Sólo un cubano conocedor de la *masa cárnica* es capaz de urdir una metáfora tan masoquista en 45 páginas. La última es el capítulo séptimo, completo y brevísimo, una página, una línea, una frase: *Una mesa en La Habana*, y sobre ella se ha construido la nostalgia del bosque perdido y la ironía por la inutilidad de la nostalgia.

CAPÍTULO VI

Disidencias

Os advierto que acabo de empezar. Si en vuestras almas queda un latido de amor a la patria, de amor a la humanidad, de amor a la justicia, escuchadme con atención. Sé que me obligarán al silencio durante muchos años; sé que tratarán de ocultar la verdad mediante todos los medios posibles; sé que contra mí se alzará la conjura del olvido. Pero mi voz no se ahogará por eso; cobra fuerzas en mi pecho, mientras más solo me siento y quiero darle a mi corazón todo el calor que le niegan las almas cobardes.

FIDEL CASTRO RUZ, *La historia me absolverá.*

Creo que los gobernantes y también parte de nuestro pueblo y de nuestra tradición nunca han podido tolerar la grandeza ni la disidencia; han querido reducirlo todo al nivel más chato, más vulgar. Quienes no se ajusten a esa norma de mediocridad han sido mirados de reojo o puestos en la picota. José Martí tuvo que marcharse al exilio y aun en él fue perseguido y acosado por gran parte de los mismos exiliados; y regresa a Cuba no sólo a pelear, sino a morir.

REINALDO ARENAS, *Antes que anochezca.*

Tenía que encontrar una frase y la encontró. Se notaba que los países socialistas ya no lo eran en que les importaba un carajo que se hundiera el único país rigurosamente socialista que quedaba. Tenían prisa hasta en que sus tropas abandonaran Cuba. A la URSS le urgía rendirse, desidentificarse para burlar a sus acreedores históricos, sin importarle sus niños radioactivos atendidos en la Ciudad de los Pioneros José Martí de Tarará, las víctimas de Chernobil tratadas en Cuba como no podrían serlo en la propia URSS. Habían desmantelado un sistema comercial internacional e intersocialista, solidario a regañadientes, basado en el trueque de las producciones dominantes, sustituido por un sistema de riguroso mercado. Lo que se presta se paga en dólares. Lo que se debe se paga en dólares. Lo que se necesita se paga en dólares. Cuba quedaba abandonada como un náufrago a las puertas del imperio. La frase tan característica del Che "...Dios me guarde de mis amigos, que yo me cuido de mis enemigos" volvía a tener sentido.

Fidel presenció la caída de todos los muros de Berlín a través de la antena parabólica especial que le abre las fronteras del mundo, y de vez en cuando, Alfredo Guevara volvía de París y le explicaba, tan fascinado como angustiado, el espectáculo del bloque socialista derrumbándose como si fuera de cartón piedra. Fidel le recordaba que ya le había dicho que Gorbachov no sabía lo que hacía, a pesar del coro de intelectuales, incluso de izquierdas, que jaleaban el proceso soviético, a pesar de que Aldana llevaba su prosovietismo hasta el exceso de serlo también en el momento de la autodestrucción de la URSS. *Granma* había publicado el 17 de octubre de 1990 un revelador artículo de James Petras, por entonces muy seguido en Cuba, en el que hablaba del lenguaje del engaño de los intelectuales prooccidentales, pregoneros del paso a una economía de mercado beneficiosa para el conjunto de la población. Utilizando la palabra *reforma,* los intelectuales que rodeaban a Gorbachov, manipularon el lenguaje político tal como en el pasado lo hubieran podido manipular los comisarios culturales estalinistas o los de la etapa del empantanamiento posjruschoviano y consiguieron una ceremonia de la confusión para ocultar que la *reforma* escondía el abandono de los objetivos socialistas.

Confirmada la caída, Fidel no quiso entonces resucitar su pasada hostilidad a los comunistas cubanos tradicionales, capaces de seguir siendo prosoviéticos cuando ya no existía la URSS, en parte porque Carlos Rafael Rodríguez peleó como un bravo en Moscú tratando de prolongar el trato especial a la economía cubana, también porque debilitar la posición del ortodoxo Machado Ventura en el Politburó significaba desequilibrar el ecosistema de la cúpula de poder. Se dice que los ortodoxos le encarecen a Castro que resista, que no tardará en producirse una reacción procomunista en Rusia y volverá la antigua URSS a poner el orden internacional en su sitio. Pero, en sus discursos, Fidel salvó el marxismo-leninismo para condenar las aplicaciones que de él se habían hecho y recordaba que también los rusos se comportaron como unos colonialistas cuando se plantearon diferentes crisis de relación, por ejemplo la de los misiles. Jruschov pactó con Kennedy la retirada de Cuba de los proyectiles sin acordarlo con La Habana y las cubanas gentes cantaban por la calle:

Nikita, mariquita
lo que se da no se quita.

Tampoco la camarilla de Gorbachov les avisó de que les retiraban la escalera y les dejaban colgados con la brocha en la mano pintando en los cuatro horizontes del mundo ¡Viva el socialismo! En 1992 cambió el uso de la enseñanza del marxismo leninismo en toda la docencia cubana y el inglés sustituyó al ruso como segunda lengua del país, lo que dejaba en la estacada a 1.200 profesores de enseñanza media y a 220 de educación superior. El marxismo-leninismo, presente en la enseñanza desde los 14 años a través de la asignatura Fun-

damentos de los Conocimientos Políticos, sufría un recorte y
el jefe del departamento de marxismo-leninismo del Ministerio de Educación comunicaba que la asignatura Fundamentos del Marxismo Leninismo sólo se mantenía en los grados
11 y 12, para estudiantes de unos 18 años, con temas como
la ley de la negación de la negación, la regularidad de la
construcción del socialismo y crisis general del capitalismo.

Quedaba claro el giro desde la primera lección que iban
a recibir los escolares, ya no titulada "La filosofía y su objeto,
papel de la realidad" sino "Somos martianos y marxista leninistas". Los manuales procedentes de la Academia de Ciencias de la URSS, el Konstantinov, el Rumiancev, Oleinik, Fedo-
seiev fueron convertidos en pulpa de papel para poder editar
otros libros, y de pronto fue evidente que la URSS no estaba
llegando al comunismo como se había dicho y leído, sino es-
capando de él. Fue entonces cuando a Fidel le crecieron los
enanos como a los propietarios de algunos circos y salieron
liberalizadores y disidentes por todas partes, incluso especulaciones sobre la nomenclatura, dividida en *aperturistas* y *ortodoxos* o *dogmáticos*; entre los primeros Lage, Prieto, Robaina y, entre los segundos, Balaguer y Machado Ventura,
dejando la especulación siempre a Alarcón en tierra de nadie
y a Raúl cambiando de sensibilidad según una especial lógica intransferible pactada entre los dos hermanos. Frente al
imaginario de la disidencia hay que ofrecer el de la defensa
numantina, aunque sea a efectos disuasorios y Ramón Machado Ventura se reconoce el palo de pajar de la ortodoxia
marxista-leninista. "Ya sé que me consideran un obstáculo
para eso que llaman la transición. Es mi papel. El de otros es
provocarla, trabajar para que llegue. Ya se ha visto a donde
han ido a parar los países socialistas". Si Fidel presume de
saber lo que quieren las masas mediante el mitin y el eco directo de sus palabras, Darío Machado, sociólogo que no debe
confundirse con Machado Ventura, complementa la democracia directa desde la dirección del Equipo Nacional de la
Opinión del Pueblo y sus encuestas semanales de opinión

pública, escrutadas por 45 profesionales especialistas, más la ayuda de las informaciones recibidas a través de una red de 20.000 militantes del partido comunista repartida por todo el país. Entre el 85 y 95% de las respuestas coincidían con las percepciones directas que Fidel experimentaba en sus contactos cuerpo a cuerpo con las masas. Como si se tratara del espejo mágico de la madrastra de Blancanieves, el pueblo respondía: "Aún eres el mejor de los líderes revolucionarios posibles". Por si las apariciones en directo o los sondeos de Opinión del Pueblo no fueran suficientes, los CDR y centros de investigación estatales, acarrean información por la vía vecinal, laboral, intelectual y las asociaciones que los representan. Fidel se considera bien informado y cree avaladas sus conclusiones y legitimadas sus exigencias, sin necesidad de recurrir al pluripartidismo para metabolizar las diferentes conciencias sociales.

"No. La Revolución no ha fallado", le dice cada día esa trama informativa, este espejo mágico. Tampoco el sistema que la regula y que él supervisa en todos los detalles, sabiendo más que cualquiera de cualquier cosa. Los que han fallado han sido los hombres, esos trabajadores que tienen un índice de absentismo intolerable, baja productividad, desidia ante el trabajo bien hecho, que desperdician materiales y tiempo porque los materiales y el tiempo son del Estado. No han entendido que la Revolución no es un bien del comandante o del Politburó, sino un bien para la mayoría y para las futuras generaciones, la Revolución es la participación moral de las masas en el cambio político. Los que han fallado han sido los intelectuales que llenos de orgullo y soberbia pequeño-burguesa han jugado al ensimismamiento del exilio interior, del sarcasmo o al exilio silencioso a lo Lisandro Otero o dando un portazo como Jesús Díaz. Todo disidente es un mercenario original o potencial como demuestran Hernando Calvo y Katlijn Declercq en *¿Disidentes o mercenarios?*, donde quedan retratados los grupos más incordiantes de Miami como Hermanos al Rescate o el paramilitar Alpha 66, sin descuidar la Fundación Nacional Cubano-Americana creada por Mas Canosa. Del espectro de los reivindicadores de los derechos humanos, la posición del dialoguista Ramón Cernuda es aceptable con reservas, pero no la de Ricardo Bofill que ya en Cuba era un juguete de la CIA y un fantasma que se inventaba resistencias inexistentes y que en Miami no puede ocultar sus verdaderos deseos, que poco tienen que ver con los derechos humanos. Y así cuando le preguntan si hay posibilidad de una guerra civil en Cuba si cae el sistema y regresa el exilio con voluntad de venganza, Bofill responde: "¡Es muy posible! Porque el exilio y los norteamericanos están dolidos por muchas cosas con los comunistas. ¿Acaso Castro no les declaró la guerra cuando les quitó las propiedades a las grandes empresas y propietarios de las tierras? Escuchen bien, antes hace falta más reacción de los exiliados y del Gobierno norteamericano contra esos comunistas! Y entonces ¿qué creen que va a suceder si regresan?". Le vuelven a preguntar con falsa ingenuidad qué va a suceder y Bofill concluye: "¡Parece que ustedes no supieran que la política no es cosa de soñadores!".

Una cosa son los disidentes del interior controlados por la seguridad del Estado, con las cabezas de siempre, difícilmente vinculables con la CIA como Elizardo Sánchez, Vladimiro Roca, hijo de un secretario del Partido Comunista, Gustavo Arcos luchador de Sierra Maestra y Oswaldo Payá, Dagoberto Capote, Jesús Yáñez y Rodolfo González que si no están en la cárcel, pueden hablar con quien quieran, venga de donde venga, pero siempre vigilados de cerca por la Seguridad. También ha cuajado aunque precariamente el grupo de Periodistas Independientes, favorecido por su figura más relevante, Raúl Rivero, jaleado por la internacional de intelectuales contrarrevolucionarios, como demuestra la portada que le ha dedicado la revista anticastrista europea *Trazos de Cuba* tras ser víctima de un *acto de repudio* el 12 de febrero. Otra cosa es el arco de presión disidencial que se forma desde Puerto Rico a Miami, con un pie puesto en Madrid a través de la Fundación Hispano-Cubana y del Grupo Liberal de Montaner y Marta Fraide. En Puerto Rico se edita *Disidente Universal* y San Juan es centro de la conspiración de disidentes en sentido estricto, Carlos Franqui, originalmente un revolucionario o Manuel Ray Rivero, ex ministro de Obras Públicas de la Revolución o Emilio Guedes, luchador contra Batista. Desde Madrid, Carlos Alberto Montaner se multiplica para demostrar una instalación de la que carece y Martha Frayde vive de la renta de haber sido una pequeña pieza dirigente en los primeros años del castrismo, mientras que Rolando Cubelas es un superviviente a su fracasada vocación de asesino de Fidel.

En Miami están los peores pero también los más conocidos y de allí parte la onda expansiva crítica más influyente, porque la de Puerto Rico y Madrid apenas si tiene incidencia social. No obstante los números de *Disidente* son estudiados por intérpretes de la seguridad cubana y muy especialmente el de enero de 1998 en el que se plantea: "¿Quién ganará con la visita? Castro o el Papa", artículo firmado por Tad Szulc, biógrafo de Fidel y de Juan Pablo II, en el que aparte de algunas afirmaciones molestas para Fidel: "...para Castro, por su parte, los derechos humanos excluyen todas las formas de libertad política y él los ha violado hasta el máximo, encarcelando y ejecutando a sus opositores políticos", adopta el criterio de no adoptar ningún criterio y dejar que el tiempo decida quién ha sido el ganador del viaje. El hecho de que el más completo estudio sobre Fidel Castro escrito por Tad Szulc no pueda circular por Cuba, responde a la actitud de Fidel ante quienes han tratado de hacer un trabajo definitivo sobre su vida y obra y, a su juicio, se han limitado a aprovecharse de su generosidad para ganar pingües derechos de autor y luego hacerle un retrato que no se parece al original. En el caso de los que han venido a robarle el alma, ya sabía que entraba en unas reglas del juego, posaba para ampliar el imaginario de la Revolución, pero luego ha premiado a Gianni Minà o a Tomás Borge o a Frei Betto permitiendo ediciones cubanas de sus libros, sin que jamás haya dicho en público su opinión sobre los escritos desafectos o insuficientes. A veces ha llegado a decir que no los ha leído.

Una cosa son los desafectos y otra los disidentes. Los hay de dos clases, aquel que nunca accedió a la verdad y aquél que la perdió, siendo propiamente disidente el segundo, desde la percepción proveniente de la Ilustración de que la verdad se hace evidente y es imposible rechazarla si no se tiene mala fe. Los disidentes en nombre de los derechos humanos o en contra de la aplicación de la pena de muerte fueron especialmente contestados valiéndose Fidel de la entrevista concedida a Tomás Borge en *Un grano de maíz,* publicada en 1992. Frei Betto ha dicho a mucha gente y al propio Fidel, que el comandante dio a Borge la mejor respuesta, casi un poema, a la cuestión de los derechos humanos:

"Para empezar, Tomás Borge, Cuba es el país que más respeta los derechos humanos. Aquí no hay niños mendigos, ni desasistidos sanitariamente, ni analfabetos, ni abandonados, ni hay prostitución infantil como en casi todo el Tercer Mundo y tenemos la más baja mortalidad infantil. Si tú piensas que en Cuba se le ha dado a cada ser humano que nace una real y absoluta igualdad de oportunidades para el más pleno desarrollo físico e intelectual, sin discriminación de sexo o de raza y este beneficio alcanza por igual a todos, sin diferencia entre ricos y pobres, explotadores y explotados, ¿habrá hecho algún país más por los derechos humanos? Más acá de los niños, en el mundo hay millones de mendigos, de mujeres prostituidas por la necesidad, la droga envenena a la juventud y tú, Tomás Borge, no encontrarás en Cuba un solo mendigo, ni una mujer que se haya prostituido para poder vivir, éste es un país sin drogas. ¿Qué país de nuestro nivel de desarrollo tiene una esperanza de vida de 75 años? ¿En cuál de ellos hay casi pleno empleo como en Cuba? ¿En que país el 60% de sus técnicos son mujeres? ¿Y los niveles de igualdad racial? Si en todas partes del mundo, en la sociedad ca-

pitalista, en los países capitalistas del Tercer Mundo, te encuentras al ciudadano enajenado, que no es nada, un cero a
la izquierda, un individuo al que cada cuatro, cinco, seis años
lo llevan a votar sin saber por quién, ni por qué, ni para qué,
porque muchas veces su nivel de cultura política, su nivel de
cultura general, no le da ni siquiera la oportunidad de decidir
en forma verdaderamente libre y es influido por todos los mecanismos y todos los medios de influencia mental, de influencia psicológica para tomar una decisión y después nunca
más se vuelve a saber de él, sin que exista ninguna identificación entre el hombre y el Estado, el hombre y la sociedad en
que vive, sino condenado a una lucha desesperada por la supervivencia, sin ninguna valoración social, sin ningún respeto
social, sin ninguna consideración social, y tú llegas a un país
como éste y te encuentras una situación totalmente diferente, de una identificación total, de una participación plena de
los ciudadanos en todas las actividades, en las actividades
políticas, en las actividades de defensa del país, en actividades culturales, en las actividades de desarrollo del país ¿habrá hecho algún país más por los derechos humanos de lo
que lo ha hecho Cuba? En más de treinta años, Tomás Borge,
aquí no se han tomado medidas de fuerza contra el pueblo, ni
se ha torturado a pesar de las calumnias, de la misma manera que jamás torturamos ni golpeamos a nadie durante la
guerra revolucionaria y, en parte, por eso la ganamos, por la
dimensión ética de nuestra lucha armada, la misma dimensión que aplicamos en nuestras guerras solidarias por la
emancipación de los pueblos. Dime tú, Tomás Borge, tú que
sabes cuántos maestros y profesores cubanos se repartieron
por el mundo enseñando al que no sabía, dime ¿qué país del
mundo tuvo más cruzados, más misioneros practicando la solidaridad humana, no sólo con nuestro propio pueblo, sino
también con los otros? ¿Ha hecho algún Gobierno, algún Estado, algún país más por los derechos humanos que lo que
ha hecho Cuba?".

Borge apenas hace de abogado del diablo, en parte porque a Fidel le están saliendo las mejores oraciones compuestas de su vida, como si se hubiera contagiado de la respiración literaria de Gabriel García Márquez y cuando Tomás Borge, teólogo, poeta, comandante revolucionario, le enfrenta a la pena de muerte, Fidel ya le estaba esperando: "Respecto a la pena de muerte, el país donde más gente se ajusticia en el mundo es los Estados Unidos, es horroroso. ¿Vamos a creer que todos ésos son delincuentes comunes? ¿Y toda esa gente que porque son desempleados y están desamparados totalmente para vivir tienen que delinquir? ¿No hay una responsabilidad política? ¿Acaso todos los que han pasado por la silla eléctrica en los Estados Unidos, por la muerte por gas o la muerte por inyección letal, son delincuentes comunes? No hay distinción allí entre delincuentes comunes y delincuentes políticos; en Estados Unidos muchos de esos delincuentes lo son por causas que tienen que ver directamente con la política económica y social del país. Ahora es una cosa asombrosa que en Estados Unidos se aplique fundamentalmente la pena de muerte a negros e inmigrantes". ¿Por qué se aplica en Cuba? Porque el pueblo no entendería que no se castigara con la muerte al que mata cobardemente y aún así, se aplica mínimamente y para castigar delitos de terrorismo con sangre, pero si alguna vez hay un acuerdo universal de supresión, Fidel le aseguró a Borge que Cuba la suprimiría, "...pero no podemos aceptar de manera unilateral la supresión de la pena de muerte cuando estamos frente a los Estados Unidos y constantemente amenazados, envueltos en una lucha por la supervivencia, en una cuestión de vida o muerte".

En el inventario de edificios que cambiaron de función gracias a la Revolución, no suele citarse Villa Marista, antiguo colegio de los Hermanos Maristas, que hoy aparece ante la disidencia como la Lubianka habanera o como la Dirección General de Seguridad para los españoles durante casi toda su historia, al menos en la parte en que ha existido una Dirección General de Seguridad condicionada por la teología de la seguridad. Villa Marista es el lugar reconocido donde se vela por la seguridad del Estado cubano, allí se interroga a los detenidos y se practica la coacción para acceder a las verdades ocultadas.

Los testimonios oficiales niegan que en Villa Marista o en cualquier otro local de la seguridad se practique la tortura; en cambio significados detenidos han revelado los malos tratos sufridos, por ejemplo Reinaldo Arenas, y Gutiérrez Menoyo sufrió en la prisión una *golpiza* porque se negó a vestir el traje de presidiario. Tanto Amnistía Internacional, como la asociación equivalente norteamericana, la America's Watch, denuncian la violación de los derechos humanos en Cuba, pero no se ha probado el uso allí de una tortura intensiva, tecnológicamente puntera, como la exhibida en otros Estados latinoamericanos, aleccionados los torturadores autóctonos por agentes de la CIA; uno de ellos, Dan Mitrione, mentor de funcionarios y militares sádicos en Brasil y Uruguay bajo el disfraz de agregado agrícola norteamericano, fue ejecutado por los tupamaros. En el informe sobre la tortura en el mundo publicado por Amnistía Internacional en 1984, Cuba no figuraba como Estado torturador y sí eran citados como tales España, Italia, la URSS, por poner tres ejemplos inquietantes. En cambio, Amnistía Internacional incluye cada año a Cuba en sus informes sobre violación de derechos humanos, especialmente en lo que respecta al encarcelamiento de presos de conciencia.

Dispongo de los informes especiales sobre Cuba elaborados por Amnistía como el titulado "Nuevos casos de presos de conciencia", constatación del uso que los expertos de la seguridad cubanos hacen del concepto propaganda enemiga. Se considera propaganda enemiga que un médico de

Santiago acuse a las autoridades de las negligencias que han llevado a la expansión del dengue. Puede que algunos disidentes inicien tal carrera, a todas luces incomodísima, sin otro objetivo que promocionarse y obtener cuanto antes un visado de exportación hacia Estados Unidos, pero la casuística de los presos de conciencia no resiste un análisis democrático riguroso, ni de la democracia formal pequeño burguesa, ni de la democracia popular que ya casi sólo practica Cuba. A veces Amnistía concreta sus acusaciones de malos tratos y los enumera, como los sufridos por tres presos políticos del combinado de Guantánamo, Jorge Luis García Pérez, Néstor Rodríguez Lobaina y Francisco Herodes Díaz Echemendía que recibieron sendas palizas, para ser luego recluidos en celdas de castigo que nada tienen que ver con el concepto de crimen y castigo que debiera tener el humanismo socialista. Especial escándalo causó el hundimiento del barco *13 de marzo*, a cargo de otros remolcadores de la Marina que provocaron un abordaje para evitar la huida de los balseros piratas. El número de muertos oscila según venga la información de Miami o de La Habana. Amnistía Internacional lo cifra en 35 personas.

Las autoridades cubanas niegan los malos tratos y dicen poner la mano en el fuego como garantía de que los funcionarios respetan las drásticas medidas con que la Revolución anunció que se habían acabado las torturas en las comisarías y en las cárceles. Casi todos los altos dirigentes del mundo que han comprometido el futuro de sus manos poniéndolas en el fuego para demostrar la buena conducta del aparato represivo se han quedado mancos; y es que la cultura de la impunidad sigue siendo pauta para los especialistas en represión, así en Cuba como en España, sabedores de que les ampara la razón de Estado, sea del Estado democrático formal, sea del Estado socialista, recurrentes todos a la jaculatoria de la *soberanía nacional* para limpiar los trapos sucios en casa, aunque a veces la globalización sólo les deje la soberanía nacional de proteger a sus represores. No es el caso de

Cuba que puede presumir de soberanía nacional real y eso hace más inexplicable a veces su especial aplicación de la teología de la seguridad. Existe el criterio de que los malos tratos se encargan a un cuerpo especial, muy imbuido de la razón ética revolucionaria de su cometido y que los detenidos pasan por dos procesos diferentes: los hay que pueden salir de Villa Marista o de dónde sea proclamando: "A mí ni me han tocado" y los hay que salen recitando el inventario de las vejaciones. Algunos especialistas en unas posibles ciencias de la represión indican que prueba la inteligencia del represor maltratar sólo a un 50%, porque así el 50% no maltratado contrarrestará su información y contribuirá a crear duda social.

En los informes de disidentes o sobre disidencias que he consultado, se insiste sobre todo en los malos tratos psicológicos: ignorancia de dónde estás, la progresiva inculcación de desidentificación o la mala situación social en que queda el señalado por el dedo del Estado como un desafecto de la Revolución. Leo detenidamente el libro *Disidencia: ¿segunda Revolución cubana?* de Ariel Hidalgo o *Cuba: mito y realidad* de Juan Clark y hago un inventario de las torturas o malos tratos reseñados. Ariel Hidalgo cuenta su propia experiencia carcelaria y padece presiones psicológicas, aislamientos durísimos, pero no cuenta ningún castigo corporal padecido, sí en cambio los que han padecido otros: "Si tratabas de comunicar con otro preso de celdas vecinas, te podía costar una brutal paliza; si te pillaban rezando, te obligaban a dar vivas a Castro, ...como dios absoluto que no admitía ser compartido"; colgaban por las esposas desde altas rejas a prisioneros desnudos sometidos a un fuerte aire de potentes ventiladores; o se les obligaba a comer inmundicias; había quien se ahorcaba para no recibir más vejaciones, pero había quien aceptaba ladrar o maullar a cuatro patas para diversión del carcelero. Hidalgo aporta tres casos de tortura con nombres y apellidos de los torturados: dos son presos no políticos y el tercero, político. Entre los castigos figuran la rotura de los dedos de las manos, la introducción de la cabeza en un tanque de agua, la aplicación de bastones eléctricos en los hombros, y al político le echaron desnudo en una celda oscura sobre el piso frío, le insultaron, le golpearon, le dieron de comer mendrugos mezclados con queroseno y a veces con orina.

El inventario de Juan Clark es más largo en su exposición y el que aporta más datos sobre los lugares de detención y aplicación de malos tratos, pero es sorprendentemente inconcreto a la hora de aportar nombres de torturados y la clase de tortura. El propio Clark admite que la inmensa mayoría de las torturas son psicológicas, por lo que resultaría difícil establecer una casuística objetivable. Sorprende que tras casi cuarenta años de castrismo y, con la cantidad de medios económicos y humanos utilizados por la oposición desde Miami, no hayan producido un Libro Blanco sobre la tortura en Cuba, un inventario documentado y comprobable como el que ha podido hacerse sobre muchos países del mundo, incluso países de democracia formal. Frente a la denuncia de las torturas, la negación del Gobierno cubano era lógica, ayudado sobre todo por la exageración de sus impugnadores, exageración a veces contradictoria como cuando el disidente Bofill declara que Cuba no está tan mal en el respeto a derechos humanos como en otros Estados, pero es tanta la prepotencia de sus funcionarios que por eso se producen condenas como la de Ginebra.

Hay que contar con el reconocimiento de que Castro no es un dictador fundamentalmente sangriento como otros lo han sido, que puede salir de los labios de Recarte, presidente de la Fundación Hispano-Cubana o de Jesús Díaz eminente anticastrista, convencidos de que Fidel aplica la fórmula: "Poca sangre y mucho terror". Si leemos la comunicación del relator especial Carl-Johan Groth, en el 52 periodo de sesiones de la Comisión de Derechos Humanos de las Naciones Unidas, celebrado en Ginebra en abril de 1996, de las propuestas planteadas al Gobierno cubano para su homologación como cumplidor de derechos humanos, son difíciles de cumplir aquellas que propician las libertades de asociación, reunión y difusión, pero el Gobierno cubano debería estar muy interesado en cumplir otras recomendaciones, como la de una política de puertas abiertas de cárceles para asociaciones internacionales de defensa de derechos humanos y ONG de la misma intención. No sería perder soberanía, sino demostrarla.

Se ha dicho que con la generación de Jesús Díaz y compañía se agota la ilusión revolucionaria, es decir, con la generación que tiene unos veinte años cuando triunfa la Revolución que o bien ha participado en ella muy joven o la estrena como un proyecto estimulante. Cuando Díaz publica en 1987 *Las iniciales de la tierra*, crónica de una disidencia larvada, aún trabaja en Cuba, concretamente en el ICAIC y ha desempeñado cargos políticos y culturales importantes. Aprovechó una estancia becada en Alemania para quedarse en el extranjero y ahora dirige en Madrid *Encuentro*, una revista que trata de establecer un territorio de debate entre los intelectuales y artistas que se quedaron en Cuba y los que se marcharon, pero que de momento recibe fundamentalmente colaboraciones de las Cubas exteriores. Antes de preguntarle: "¿Eres un disidente?", le explico mi proyecto en su casa de Madrid, bastante rato, porque él me dejaba avanzar desde el silencio y el examen riguroso. Luego supe que me estaba examinando porque me considera insuficientemente anticastrista.

—El revolucionario más convencido que me encontré en La Habana fue Frei Betto, recuerda, *Fidel y la religión*. Me parece que fue por entonces, 1985, cuando tú y yo nos conocimos.

—¿Te desconcierta que Frei Betto sea tan revolucionario?

—Desconcertar, quizá no sea la palabra.

—Es una insistencia en la ignorancia ya manifestada por Frei Betto en *Fidel y la religión*. Ignorancia sobre Cuba. Tenía y tiene mitificado al castrismo.

—Supongo que compara la Cuba socialista de la escasez con la Latinoamérica de la desigualdad y la miseria. Vive de cerca el trabajo para paliar la situación de las zonas más degradadas de Brasil.

—Sí, lo que pasa es que es verdaderamente sorprendente que un diálogo entre un sacerdote brasileño y un jefe de Estado cubano sobre el tema religión se limite al catolicismo. Yo todavía no alcanzo a terminar de sorprenderme desde hace trece años hasta hoy, pero bueno...

—¿Qué quieres decir? ¿Que no hace alusión a las otras religiones presentes en la isla?

—En la isla y en Brasil. Es que Cuba y Brasil comparten un hecho absolutamente nuevo en la historia espiritual de los pueblos: la formación de una religión afrocristiana, de profundas raíces animistas, lo que en Cuba se llama santería o sincretismo. No entiendo cómo un libro titulado *Fidel y la religión* puede obviar ese fenómeno.

—¿Es por ignorancia o por estrategia?

—Desde un punto de vista ético, tú no puedes hablar de religión durante 250 páginas con un jefe de Estado cubano sin aludir a la influencia de las religiones africanas y mucho menos si eres un sacerdote brasileño. Si eres un sacerdote italiano tampoco lo aprobaría, pero bueno, podría explicarse por otra razón.

—¿Sólo lo explicarías por ignorancia?

—Yo creo que sí.

—Volvamos al mundo de los laicos. Tú ¿cómo te autorreconoces? ¿Eres un exiliado o no?

—Yo soy un exiliado. No puedo ser otra cosa después de la carta que me envió, bueno, que me escribió y no me envió, pero yo la conseguí, el entonces ministro de Cultura, Armando Hart.

La Habana, 10 de marzo de 1992
Año 34 de la Revolución

Sr. Jesús Díaz:
Europa

Un deber de conciencia me exige hacerte estas
líneas a propósito de tus recientes declaraciones.
Sabes que he apreciado tu obra... sabía que andabas
cargado de viejos resentimientos, pero nunca pensé
que fueras a proclamar las mismas exigencias que
ha planteado el imperialismo en cuanto a Cuba...
tus declaraciones me causan la profunda decepción
que produce la traición. Has cortado tus alas por
falta de corazón... Has traicionado a tu cultura; has
recorrido el camino de la deslealtad de los que van
por la vida acumulando rencores... te falta amor para ser un grande de la cultura cubana ...no pudiste
asimilar el pensamiento martiano de que la pobreza
pasa, pero la deshonra no...

Hasta aquí Díaz o cualquiera podían leer la carta más o
menos impresionados por la dureza conceptual y metafórica,
pero de pronto la misiva se vuelve peligrosamente agresiva:

Tu crimen es peor que el de los bárbaros ignorantes que ametrallaron, hace semanas, a cuatro
hombres amarrados. Ellos no merecieron el perdón,
pero tú lo mereces menos. Has cometido un crimen
más grande en cuanto a la ética, la dignidad y el de-
coro. Las leyes no establecen la pena de muerte por
tu infamia: pero la moral y la ética de la cultura cubana te castigarán más duramente.

Jesús Díaz se consideró condenado a muerte y a la espera de ese castigo superior a la pena de muerte procedente de la moral y la ética de la cultura cubana. La airada carta de Hart se debía a una ponencia presentada por Díaz en una mesa redonda en Zúrich, en la que habían participado también Eduardo Galeano y Erick Hackel, novelista austriaco. Díaz condenó el bloqueo norteamericano contra Cuba, pero criticó la disyuntiva fidelista: "Socialismo o muerte". La ponencia de Díaz *Los anillos de la serpiente*, mereció una respuesta argumental sensata pero severa de Fernando Martínez desde la revista de la UNEAC y la tremebunda carta de Hart que le dejaba abandonado en las tinieblas exteriores del exilio, mandato que Díaz aprovechó para hundir definitivamente las naves en una carta de respuesta, en la que destaca una cita de Martí, en su día dirigida a Máximo Gómez, hoy a Fidel Castro: "No se funda una república, mi general, como se manda un campamento".

—Tipifícame los exilios ¿a cuál de ellos perteneces?

—Hay un primer exilio inmediato al triunfo de la Revolución. No sólo se exiliaron batistianos, policías, torturadores, oligarcas, y todo eso. En ese primer exilio se van Lydia Cabrera, Lino Novás Calvo, "¿no lo has leído? Es el equivalente cubano de Rulfo, también Gastón Baquero y Julián Orbón, probablemente uno de los músicos cubanos cultos, por así decirlo, de mayor importancia de este siglo, de todos los siglos. Tal vez se me escape alguno, pero los cuatro son grandes.

—Se fueron porque no se fiaban de la Revolución.

—Tuvieron una intuición preclara. Luego se produjo otro momento importante cuando definitivamente se marchó Cabrera Infante mediados los sesenta, a continuación el caso Padilla, la marcha del propio Padilla y, sin parar, un goteo de exiliados. Yo pertenezco a ese goteo, como Norberto Fuentes o Reinaldo Arenas, pero también en el exilio masivo de El Mariel había escritores poco conocidos, como Emma Llorens. Hay otros autores de mucho peso como Guillermo

Rosales, por ejemplo, que escribió sólo una novela y después se suicidó, uno de los grandes textos de nuestra literatura. Está titulada en inglés pero escrita en español.

Jesús Díaz saca del baúl de su patriotismo literario nombres y nombres, caracteriza a los escritores de El Mariel porque su estilo chocaba tanto con lo entonces considerado literariamente correcto, como sus ideas chocaban con el castrismo. Los exiliados a Estados Unidos, salvo Reinaldo Arenas, no eran autores conocidos en Cuba y fundaron una revista que se llama *Mariel* de la que hablará el número de *Encuentro* dedicado el exilio intelectual de El Mariel. En aquella remesa no se expulsaron entonces sólo delincuentes.

—¿ René Vázquez Díaz, cuándo se va?

—René fue a estudiar a Polonia en los sesenta, y luego pasó a Suecia y se estableció allí.

—¿Nunca ha hecho profesión expresa de exilio?

—Nunca ha sido publicado en Cuba y eso le duele mucho.

—Lisandro Otero ¿es un exiliado o no es un exiliado?

—Eso hay que preguntárselo a Lisandro. La verdad es que no lo sé con precisión, pero sí es un exiliado Antonio Benítez Rojo, autor mucho menos valorado de lo debido en el mundo de habla española, no así en el de habla inglesa.

—Y *Lichi* Diego.

—*Lichi*, Eliseo Alberto Diego corresponde a la última generación de exiliados, como Iván de la Nuez, que está en Barcelona y debieras hablar con él.

—El hijo del dibujante.

—Sí. Me parece una de las personas con una mirada más lúcida sobre la cultura cubana. En México, también como miembro de esa generación, está el llamado a ser uno de los pensadores cubanos más importantes del futuro. Se llama Rafael Rojas. Vendrá a España. Va a publicar en una pequeña editorial que se ha fundado en Madrid entre unos amigos, en la que yo estoy funcionando como asesor, que se llama Colibrí. Va a ser el primer libro de la editorial. Se titula *El arte de la espera*, muy revelador de la actitud de este grupo en el que también se integraría Iván de la Nuez. Lo característico de esta generación, de los noventa pudiéramos decir, es que por primera vez, en mucho mucho tiempo, hay más pensadores que poetas, dramaturgos o novelistas. Con este *corpus* eso no pasaba en Cuba desde hace mucho.

—¿Y a qué tradición se acogen? No será la marxista, ni la castro-guevarista.

—Es difícil caracterizarlos como una unidad. Rafael que es el que más ha incorporado a su formación fundamentos de historia y economía, pertenece o pertenecerá a ese tipo de intelectual ecuménico latinoamericano cuya referencia pudiéramos encontrar en Octavio Paz. Intenta replantearse la historia cubana a partir del concepto *la patria suave*, una línea histórica que no correspondería necesariamente a la que tú sintetizaste en una de tus crónicas sobre la visita del Papa, la que va de Varela hacia Castro. Hay otro país.

—Y en cuanto a los que permanecen en Cuba, también se lo he pedido a Abel Prieto, dime el nombre o una obra de un escritor cubano del interior que refleje un cierto optimismo histórico. Prieto estuvo pensando y no se le ocurrió.

—No, yo creo que es un pensamiento peligroso distinguir los de dentro, de los de fuera. Eso es lo que trata de romper *Encuentro* aunque sea a costa de dar testimonio de la ruptura. Ni los que están dentro representan el castrismo ni los que estamos fuera somos un monolito. Dentro hay autores como Ichikawa, como Yoss. Yoss desde luego no sabes quién es, yo sí.

—¿Quién es?

—Posiblemente sea uno de los líderes de las más recientes generaciones cubanas, todavía no tiene treinta años. Manifiesta una actitud muy libre frente a una circunstancia tan poco libre como la que vive Cuba.

—Los que estáis fuera, en alguno de vuestros escritos, habéis explicado el desencuentro con la Revolución. Desde la crispación de Arenas hasta el melancólico distanciamiento de Diego en *Informe contra mí mismo*, o esa sensación de tiempo e historia perdida que trasmite *Tuyo es el reino* de Abilio Estévez, que sigue en Cuba.

—Probablemente, una de las características más incómodas con respecto a los escritores cubanos, es que siempre se les relaciona con un referente político y tú sabes que no sólo de política vive la literatura. Lo que más me llama la atención de los escritores que viven dentro es cómo tratan de obviar la situación de sometimiento, con excepciones, por ejemplo, Raúl Rivero, cuya poesía no se conoce, a mi juicio es un gran poeta. Como periodista independiente corre muchos riesgos.

—Ha publicado en el Boletín de la Fundación Hispano-Cubana.

—Le publican. Él no lo ha enviado, porque un autor disidente en Cuba no puede enviar sus artículos para que se los publiquen en el extranjero. Eso sería propaganda enemiga. Lo que te decía, es que a mí lo que más me pasma, y entiendo bien por qué, es el silencio reflexivo, más allá de la existencia de buenas novelas o de poemarios notables. Una sociedad que no se piensa a sí misma, que no puede tener ni un Vázquez Montalbán, ni una Maruja Torres que haga una columna incómoda a la semana en el periódico, metiéndose con el presidente del Gobierno y que no pase nada más que oxigenar un poco el aire. Ni esa posibilidad tienen.

—Comenté con variada y notable gente, en Cuba, el contraste entre el nivel de una revista como *Temas* y la servidumbre orgánica de *Granma*.

—*Temas*, como en el pasado *Pensamiento crítico*, que a mí me cerraron, va a una cierta élite intelectual, en un país donde casi toda la información depende de *Granma*. Si eso no indica una situación social gravemente enferma, ya me dirás tú.

—Como único referente cultural unitario se replantea el discurso nacionalista, un antimperialismo más indeterminado que antes, porque de momento tampoco se quiere ofender excesivamente a Estados Unidos. Un imperialismo abstracto, indispensable para reafirmar la propia identidad.

—Siempre hace falta un enemigo externo y lo que necesita Cuba es pensar en el presente en relación con su futuro, sin el recurso de buscar siempre en el pasado la coartada de la afirmación de la identidad contra un imperialismo, el que sea, el español o el norteamericano. Si vamos a hablar de problemas autóctonos, yo pienso que muy bien podríamos preguntarnos ¿qué parte de responsabilidad es sólo nuestra? Afirmar políticamente a Cuba sólo a través del filtro de Washington, me parece otra forma de colonialismo. Penetra capital internacional, pero no dejan que se desarrolle capital nacional. Tú o Carvalho podéis poner un restaurante o un hotel en Cuba. Un cubano, no.

—Tú ya sabías que el proteccionismo del Estado y la pérdida del sentido de la iniciativa individual son los inconvenientes fundamentales del socialismo.

—Pero es que en Cuba no hay socialismo.

—Sorpréndeme un poco más.

—Hay una situación económica rara, donde cualquier capitalista de este mundo, el más canalla, puede invertir y además se le da una garantía: "Señor, aquí no va a haber huelgas. Le garantizo una mano de obra cualificada y la más barata del mundo occidental. Venga usted acá a lucrarse". La economía mixta puede funcionar si hay reglamentaciones objetivas, pero han creado un híbrido de nuevo tipo, que si a algo se parece es a la plantación del siglo XIX. Cuba es una gran plantación, y ahora no puede vender azúcar, la hacen mal y no tienen los precios del siglo pasado. Pueden crear espacios de sol, de playa, de mar, de los que los cubanos están excluidos, salvo como sirvientes.

—Los sirvientes suben por la pirámide gracias a las propinas, los dólares están produciendo una división social.

—Sí, desde luego que no tiene nada que ver con la meritocracia. Depende de tu capacidad de habilidad o del hecho de que tengas fe o de que dejes de tenerla o de que tengas parientes en Miami. ¿Sabes lo que significa FE en Cuba? Nada religioso. Significa Familiar en el Extranjero. Sólo puede hablarse de una vida económica envilecida bajo la exclusiva responsabilidad de Fidel Castro. Tras la muerte del Che, Castro lanza la teoría de la construcción paralela del comunismo y del socialismo, que ya vimos a dónde fue a parar. Luego la famosa zafra de los diez millones de toneladas y le sigue a eso una estatalización implacable, en la que hasta los zapateros remendones son socializados. Se abre o se cierra la mano con respecto a sectores mínimos de economía mixta, a bandazos. Eso lo cuenta muy bien Eliseo Alberto en *Informe contra mí mismo* ¿Economía socialista en Cuba? Economía de caudillaje.

—Un caudillo muy peculiar.

—En efecto, y que con todas sus brutalidades, no ha encarnado el prototipo de caudillo sangriento a lo Tirano Banderas. Pero un caudillo al fin y al cabo.

—¿El caudillaje es un factor fundamental para explicar la experiencia cubana, más que la lógica interna de la Revolución?

—La pregunta en realidad sería por qué la historia de Cuba produjo a Castro, el conjunto de fuerzas y situaciones que produjo tal fenómeno; como tú no puedes explicar la Guerra Civil española o los cuarenta años de dictadura sólo por la presencia de Franco, pero tampoco sin el factor Franco. Desde luego, Franco, una vez desatada la mecánica, le impone un sello sangriento y atroz. Bueno, pues Castro le impone un sello también. Explicar la Revolución cubana sin el factor Castro, es como explicar la luna sin considerar las leyes de gravitación.

—Pero Fidel consiguió establecer una indiscutible legitimidad revolucionaria.

—Mediante promesas y compromisos que no cumplió, como el retorno a la Constitución de 1940 que aunaba todas las fuerzas políticas cubanas antibatistianas. Yo no voy a hablar ni siquiera del agotamiento del castrismo porque creo que una transformación violenta de la sociedad cubana puede provocar un caos definitivo, disolutorio. Creo en una transición hacia cualquier cosa ordenada, ponle después el nombre que quieras. Eso tiene que pasar por un crecimiento de las clases medias que son el fiel de la balanza del equilibrio de cualquier sociedad. Los grandes *shocks* como el de Rusia, se dan en países donde no hay un sector importante de clase media.

—Tampoco hay en Cuba un marco político para propiciarla.

—Desde luego, pero más importante todavía es que no hay un marco económico. ¿Cómo va a haberlo si en cualquier *paladar* tú tienes permiso para disponer de 12 sillas, 12, ni 13, ni 15, porque entonces acumularías demasiado? Castro cuenta las mesas. El factor Castro es mucho mayor que el factor Franco en los finales.

—Y según tú, Castro piensa: "Después de mí, el diluvio".

—Desde luego.

—Así que ha invitado al Papa sólo para ganar tiempo.

—Así es. Hoy sale la noticia en *El País* de que han detenido a quince personas, por un delito de opinión. Hay gente condenada a siete años de cárcel por ese delito. Y si a Fidel le da la gana pues libera a éste o a aquél, pero casi siempre a cambio de que se vaya del país. A mí me parece una cosa escandalosa, y no logro entender por qué la izquierda intelectual del mundo occidental, personas como tú, personas como Manolo Gutiérrez Aragón no dan cuenta de eso como un escándalo absolutamente descomunal e inaceptable. Imagínate que eso ocurriera aquí, en España. Tú no podrías publicar en Cuba lo que publicas en *El País* o en tus libros. En Cuba serías un intelectual en la cárcel, en el ostracismo o en el exilio.

—Normalmente hablamos de cultura desde la percepción patrimonial, pero cultura también es conciencia de lo que pasa y de lo que debería pasar ¿Se está creando suficiente conciencia de cambio dentro y fuera de Cuba?

—Desde dentro es casi imposible divulgar esa conciencia, desde fuera se han hecho esfuerzos para difundir algunos textos internos como el titulado *La patria es de todos*, documento de trabajo de la disidencia interna. Es un llamamiento al congreso del partido, a partir de la lectura de sus conclusiones. Cuatro personas en su casa analizan esas conclusiones y escriben una respuesta que se llama *La patria de todos*, que publica el boletín de la Fundación Hispano-Cubana. ¿Consecuencia? Los cuatro a la cárcel. ¿Cómo se va a elaborar un pensamiento crítico en estas condiciones? Pero se sigue forcejeando. Yo recibo muchas cosas del interior para *Encuentro*. La revista va a publicar en el próximo número el trabajo de un economista a quien no conozco, solamente su nombre, Óscar Espinosa Cheps. Es un análisis muy lúcido de lo que está pasando en Cuba hoy en día, muy atemperado, por otra parte. No son llamamientos a la violencia. Conozco los trabajos moderados críticos de Carranza o de la gente del CEA y ya ves el trato que han recibido. He recibido recientemente un trabajo que se llama *El puente de los asnos*, una reflexión también muy profunda sobre lo que está ocurriendo allí, hecha desde dentro. Pero fuera se han producido cosas importantes. En el número 8 de *Encuentro* vamos a publicar un ensayo, que se llama *S.O.S. por la naturaleza cubana* de Carlos Wotkoz, exiliado en Suiza, que yo terminé de leer llorando no porque diga, "Cuba está destruida ecológicamente", no, no, no. Lloraba porque este señor sabe de qué está hablando y entra en un análisis con la cuchilla por el extremo oriente del país, atraviesa la isla y sale por el cabo de San Antonio. *S.O.S. por la naturaleza cubana*, no lo olvides.

—Hoy se puede hablar de una cultura cubana escindida. ¿Hay una lucha por el monopolio de la mirada sobre el país?

—No hay una doble mirada. Hay una mirada que está en la cárcel y otra en el exilio. Eso plantea un problema ético. Yo no tuve coraje de estar en la cárcel en Cuba y por tanto no soy ejemplo para nadie. No es nuestra intención tener un monopolio del pensamiento del país. Un país se piensa entre todos, incluidos los que no ejercen como pensadores. Cuba puede y debe convertir su tragedia en fuerza creadora.

Un país que fue capaz de las hazañas militares en Angola y Etiopía, yo no voy a juzgar ahora la razón de la intervención, a mi juicio fue un disparate, la guerra más larga de la historia del país, la cantidad de muertos que eso implicó, prácticamente para nada, pero yo no voy a juzgar ese dato ahora. Desde el punto de vista militar, sostener dos guerras, océano por medio, es una hazaña; y a la vez construir una gran ciudad en medio de una cultura extraña que te rechaza, incluyendo la burguesía porque los *wasp*...

—¿Qué ciudad es ésa?

—Miami. En pleno núcleo de *wasp* norteamericanos, en ese núcleo de poder blanco, rubio y con pecas, ahí no entra nadie. En ese marco, con una lengua extraña como idioma dominante, construir una ciudad como la Miami cubana es otra hazaña. La tragedia es que esas hazañas son como dos caballos que corren en direcciones opuestas. Si lográramos conciliar el mínimo común denominador y que esas fuerzas no corrieran en sentidos opuestos, sino en sentidos paralelos, como teóricamente podrían correr aquí la Generalitat y el PSOE o la Generalitat y el PP y firman acuerdos y votan a favor o se descuelgan, bueno, pues, algo así, podríamos tener un país distinto. No podemos seguir instalados en dos pensamientos en sentido contrario.

—La izquierda internacional ha tardado en reconocer el exilio cubano como una pluralidad no identificable con el reaccionarismo de la extrema derecha batistiana.

—Yo pienso que esa imagen no está nada corregida, pero además no sólo la izquierda internacional es responsable de la creación de la imagen de ese exilio, sino que también es responsable de la pervivencia de la imagen del castrismo. Para la izquierda internacional, Cuba es una cosa *off the record*, el muro de Berlín no cayó, las fallidas experiencias socialistas, al parecer no tienen nada que ver con lo que ha ocurrido allí.

—Cuba aún representa la diferencia dentro de la uniformidad del sistema y el sistema no ha mejorado el modelo cubano en los países subdesarrollados. Pero esa defensa internacional del modelo cubano está bajo mínimos.

—Te respeto como intelectual y amigo, pero he leído tus crónicas sobre la visita del Papa y son objetivamente avaladoras de la situación cubana. Especialmente en la que criticabas la homilía del arzobispo de Santiago.

—Me pareció una torpe operación de desquite. Elogió los años cincuenta como los mejores para la Iglesia cubana. Los años de Batista.

—No fueron malos para la Iglesia porque el obispo Pérez Serantes salvó la vida de Castro después del asalto al cuartel Moncada y la Iglesia era lo suficientemente plural como para que un estudiante católico como Echevarría se sumara a la acción guerrillera. Lo·importante del discurso fue la crítica que recibió el castrismo. Alguien tenía que hacerla, ya que no lo iba a hacer el Papa, ni mucho menos Jaime Ortega. Dejemos este punto porque es un contencioso privado entre tú y yo. Esa impresión tuya de que la defensa internacional de la Revolución está bajo mínimos, es muy relativa. Para empezar fue tan poderosa, tan sistemática y tan universal durante tantos años que ha dejado detrás una sombra, y ha tardado un tiempo absolutamente descomunal en corregirse el imaginario del castrismo. Aparte de eso, yo creo que la izquierda internacional, y las personas que como tú o como Gutiérrez Aragón en *Cosas que dejé en La Habana* se plantean cómo salvar la Revolución, desvirtuáis el problema y dejáis muy mal las futuras expectativas de la izquierda en una Cuba normalizada. Quienes como yo, nos consideramos de izquierdas, vamos a quedar fuera de juego. Ésa es mi verdadera preocupación. Yo estoy instalado en el postcastrismo, y allí las izquierdas vamos a tener poco espacio. Castro es capaz de aceptar la invitación del Papa, no así la de un líder de izquierdas, llámese como se llame, capaz de discutir su estructura autoritaria de poder.

—Los disidentes marxistas fueron arrollados cuando llegó la caída de todos los muros. Fue también una operación ideológica. Desacreditar a toda la izquierda para que el neoliberalismo arrasara. Queda la incógnita de qué papel va a jugar esa nomenclatura cubana joven, los Robaina, Lage, Prieto.

—Hay un chiste que tú debes conocer, que primero se remitió a la época de Jruschov y después a la de Gorbachov. "Durante un congreso alguien le pasa un papelito con esta pregunta: '¿Dónde estaba usted cuando Stalin cometía los mismos crímenes que ahora?'. Jruschov se cabrea muchísimo y da un golpe brutal en la mesa. ¿Quién ha escrito esto, dónde está quién ha escrito esto? Silencio absoluto. Jruschov, contesta: Yo estaba exactamente dónde está usted ahora".

—Una expresión que he retenido de vuestra revista, es la capitalización del contrato entre cultura nacional y territorio. Supongo que hacéis referencia a que la imagen de cultura nacional estaba vinculada a la interpretación del patrimonio hecha desde la Revolución y ahora hay que contar la propuesta cultural planteada extramuros de la Revolución.

—Sabes perfectamente cuánto de reaccionario puede esconderse en la expresión cultura nacional. Creo que Cuba ha sufrido seguramente la tragedia más grande de su historia ¿Cómo se puede convertir esto en una fuerza positiva, si además del efecto Miami, donde hay un millón de cubanos, otro millón está en los lugares más insólitos del mundo? ¿Qué entendemos en este contexto por cultura nacional?

—El criollismo, el cura Varela, Martí, la santería, el castrismo. Tal vez Castro esté planteándose la oferta de una nueva espiritualidad. Sigue siendo el principal ideólogo y ha recibido un gran espaldarazo mediático y en cierto sentido táctico con la visita del Papa.

—Sobre la visita del Papa he escrito un artículo que lo envié a Estefanía de *El País*, ya se publicará, y dicho sea entre paréntesis, pese a que soy agnóstico, considero la visita del Papa como un fenómeno positivo porque ha obligado a Castro a compartir su feudo mediático e ideológico con otro. ¡Milagro!

He aquí un disidente, uno que estuvo comprometido con una situación política y luego pone exilio por medio. Jesús Díaz es un disidente apostólico, que nos riñe por insuficientemente anticastristas, por no habernos desprogramado tanto como él, quizá porque nunca estuvimos tan programados como él. Tal vez sospeche que nos es cómodo no revisar los mitos, como en cierta ocasión evidenció Simone de Beauvoir ante Juan Arcocha, el traductor que les acompañó a Sartre y a ella mientras urdían mentalmente *Huracán sobre el azúcar*. Años después, Arcocha está exiliado en París y les pide que presionen a Castro para que cambie de política cultural, a juicio de Arcocha, desastrosa e inquisitorial. Sartre trata de escurrir el bulto: "No me hará el menor caso". Pero *Castor* Beauvoir, tan expeditiva como siempre, dice las cosas claras: "Además, querido amigo, no tenemos ganas de volver a Cuba. Sabemos que las cosas van mal. Este nuevo viaje acarrearía una gran decepción y nosotros quisiéramos conservar la maravillosa primera impresión que tuvimos de Cuba que ya se nos nubló la segunda vez. En otras palabras, queremos mantener vivo el recuerdo de la luna de miel de la Revolución".

Los disidentes son criaturas lógicas en los regímenes totalitarios, porque en los democráticos no hay más remedio que considerarles alternativas democráticas, siempre y cuando sean alternativas que no afecten a la sustancia del sistema. En los regímes marxistas los desarrolla la insanía metafísica de la identidad clase obrera única —partido único—. Estado de clase, enfrentado a otro posible estado de clase o a los rescoldos donde se quemó la clase vencida, por si reaviva. En el bloque socialista, los disidentes lógicamente han sido marxistas, de lo contrario pertenecerían a la oposición explícita o implícita desde el primer día de la Revolución y en los de socialismo real prosperaron disidentes que incluso revitalizaron el marxismo, como Haveman, pero todos quedaron posteriormente barridos por el antisocialismo, sin ni siquiera recibir una congratulación por los servicios prestados. Recurriendo a la ucronía podríamos pensar que mejor hubiera ido si los dueños del poder hubieran escuchado a sus disidentes, porque se hubieran visto revitalizados por una contradicción objetivamente cómplice, pero el poder odia a los disidentes porque son los hermanos separados, los siente como la amenaza interiorizada, su *míster* Hyde, un otro yo enquistado, maligno.

Cuando había caído el muro de Berlín y palabras como socialismo o comunismo quedaron descalificadas con sus propietarios, un grupo de ancianos alemanes miembros de las Brigadas Internacionales que habían luchado en España, hicieron el penúltimo viaje de su vida a Barcelona, para despedirse de la ciudad que les había despedido como héroes en 1938. Habían venido otras veces desde la llegada de la democracia a España y siempre se habían visto envueltos por cierta expectación, pero aquella vez ni siquiera se encontraba un local para sus intervenciones, ni un presentador. Finalmente sirvió el Aula Magna de la Universidad y yo me presté a introducirles por un acto de solidaridad elemental, bien recompensado porque el viejo brigadista que llevaba la voz cantante dijo: "Todo empezó a hundirse el día en que renunciamos a la autocrítica de verdad, no a la autocrítica retórica y oficializada". No siempre recibí una compensación de estos empeños. En otra ocasión me presté a presentar en Barcelona a Robaina, entonces responsable de las Juventudes, ante un auditorio de cristianos para el socialismo. Era un momento bajo del castrismo en el mundo y la viuda de Alfonso Carlos Comín recurrió a mí sabiendo que no me negaría. Robaina estaba cansado de repetir el *teque* en otros lugares de España, le pareció escasa la audiencia ignorando que había líderes de opinión que le interesaban o simplemente tenía ganas de volver a casa como ET, yo qué sé. La cuestión es que se despidió de mí a la francesa. No se despidió.

Si el poder socialista hubiera sido inteligente habría dejado el poder a sus disidentes, antes de que lo dinamitaran sus funcionarios liquidadores ocultos. Cuba tuvo la disidencia larvada hasta que la Revolución perdió la inocencia y se acrecentó a medida que se acentuaba la crisis de la legitimidad revolucionaria sustituida por la legitimidad institucional, cuando la digna escasez aún no era escasez flagrante. Las hemerotecas constituyen el barómetro de la disidencia cubana y con el *periodo especial* llegaron las crispaciones en torno a la poetisa Cruz Varela, condenada a dos años de cárcel en 1991 por pertenecer al grupo Criterio Alternativo. El propio Castro pide firmeza contra la disidencia en diciembre de 1991, insta a no ser blandengues ni contra la delincuencia ni frente a los contrarevolucionarios. "El pueblo tiene que estar organizado día y noche, los sábados y los domingos, sencillamente para defender la Revolución", y señala que la CIA está detrás de la disidencia. No porque un dirigente socialista dijera en el pasado o diga en el presente y en el futuro que la CIA está detrás de toda disidencia, miente. La CIA ha organizado disidencias a lo largo de la guerra fría, a veces sorprendentes disidencias ultrarevolucionarias para destruir una Revolución y siempre grupos que socavaran gobiernos antagónicos. Los países socialistas se hundieron en parte por sus méritos, pero el enemigo les ayudó a hundirse. Que la CIA exista y organice disidencias no quita toda la razón a las disidencias ni se la da a los poderes establecidos, porque en la raíz de casi toda disidencia hay un déficit del sistema. Opositores de Miami moderados reconocen que la CIA ha contribuido al fomento de la disidencia, directa o indirectamente, y citan el caso de Ricardo Bofill, cabeza visible del Comité Pro Derechos Humanos, actualmente residente en Miami, denunciado por los medios de comunicación cubanos por sus contactos con agentes norteamericanos. Entrevistado por Calvo Ospina y Katlijn Declercq, *Disidentes o mercenarios*, Bofill, ya en Miami revela el claro objetivo político de la militancia en la defensa de los derechos humanos después de criticar al Gobierno cubano por lo mal que se defiende en los foros internacionales. Cuba ha sido condenada en Ginebra por la violación de derechos humanos y Bofill dice: "...pero si Cuba ha sido condenada en Ginebra, es por falta de sagacidad política del Gobierno de Castro. Hay miles, digo, cientos de Estados más violadores de derechos humanos. Lo que pasa es que la delegación cubana va allí con una inmensa prepotencia".

La debilidad económica del *periodo especial* hace más amenazadora cualquier actitud disidente y el Gobierno se defiende atacando. En febrero de 1992 el entonces ministro de Justicia de Cuba, Carlos Amat Forés, argumenta que la pena de muerte es un arma para defendernos de Estados Unidos y ofrece una inquietante teoría sobre la condena letal como fiel instrumento meramente situacional: "La pena de muerte responde a la situación concreta de cada hecho. En aquellos caos en que haya que recurrir a la medida por su carácter ejemplarizante o por las consecuencias sociales que pueda tener, no nos temblarán las piernas ni las manos. Lo haremos. No por gusto, no. Aquí nadie tiene el interés de producir penas de muerte al por mayor, aunque en las condiciones que lo requieran se aplicará. Cuando la situación internacional sea menos tensa y cesen las agresiones contra Cuba, nuestros tribunales pueden manejar esta pena con habilidad y visión política".

Estados Unidos aparece responsabilizado de todas las acciones violentas desestabilizadoras urdidas en Miami y ejecutadas en Cuba, como el asesinato de cuatro policías a manos de siete fugitivos que trataban de huir de la isla desde la base naval de Tarará. La indignación popular se convirtió en una manifestación de apoyo a la pena de muerte al grito de "¡Paredón! ¡Paredón!", que serviría de cita de autoridad al propio Fidel Castro cuando razona que la supresión de la pena de muerte no sería entendida por el pueblo. La televisión cubana transmite filmaciones de campos de entrenamiento militar de los *ultras* de Miami, para responder indirectamente al bombardeo acentuado de la presión internacional contra las ejecuciones. El clima de ambigüedad e histeria que genera el tráfico de terrorismo encuentra su máxima expresión en el caso Díaz Betancourt, huido a Miami en marzo de 1991, entrenado para cometer actos de terrorismo en Cuba, detenido cuando llega a la isla y acusado por los exiliados de quintacolumnista infiltrado, cuando le vieron aparecer ante las cámaras de la televisión cubana asumiendo sus intenciones saboteadoras. No. No era un quintacolumnista. Fue fusilado el 20 de enero de 1992.

La víctima más emblemática de los disidentes es el valedor de los derechos humanos Elizardo Sánchez Santa Cruz que une todos los requisitos del disidente, el haber sido profesor de filosofía marxista en la Universidad de La Habana y haber estado ocho años en la cárcel en diferentes periodos. Padeció el último juicio en el durísimo año 1992 por alteración de orden público, después de huir de su casa donde las Brigadas de Respuesta Rápida le habían montado un *acto de repudio*. Disidencia muy débil en el interior de la isla porque su desarrollo no sólo lo vigila el funcionariado, sino también los CDR (Comités de Defensa de la Revolución). El grupo real de primeros disidentes lo aglutina Ricardo Bofill, son gentes de escasa nombradía pero que pronto la alcanzan como pioneros de una posición política evidentemente incómoda en los años setenta, cuando la inmensa mayoría de la ciudadanía no podía o no quería entender las actitudes contrarrevolucionaras.

Los desafectos famosos al régimen como Carlos Franqui, Martha Frayde, Cabrera Infante habían puesto tierra por medio y el censo disidente en el interior no disponía de un escaparate con proyección, hasta el punto de que Fidel hablaba despectivamente de esos "partidos de bolsillo creados por el imperialismo yanqui". Según los responsables de seguridad se trataba de grupos de militancia hinchada para arrancar más financiación a los norteamericanos. Hidalgo en *Disidencias* señala 1988 como el año de lo que él llama

"La explosión del pluralismo" en la oposición. Se crean asociaciones disidentes tan eufemísticas como el Partido de los Derechos Humanos, una logia masónica clandestina, la Asociación pro Arte Libre, Peña Cristiana de Pensamiento Cubano, Movimiento Ecopacifista Cubano Sendero Verde, Movimiento de Caminantes por la Paz, Comité Demócrata Cristiano de Cuba.

Aunque el total de personas movilizadas en el interior en pro de los derechos humanos no supera el millar, desde Estados Unidos siempre se especula sobre la existencia de una red nacional, correspondida por docenas de prisiones y campos de concentración. La superación de los momentos económicos más duros aligeró la presión contra los disidentes, pero en 1997, a pocos meses de la visita del Papa, la normativa y las prácticas represivas no habían sufrido alteración. El Código Penal se modifica en julio de 1997, con la tipificación de delitos presentes por los nuevos fenómenos derivados del *jineterismo* como son los de proxenetismo y la trata de personas, pero siguen intocados los motivos para el castigo por *propaganda enemiga*, conceptualización misma de un estado de guerra justificado por el bloqueo norteamericano. En el mismo mes, el Gobierno detiene a Vladimiro Roca, hijo del dirigente comunista, presidente del Partido Socialdemócrata y a diferentes profesionales organizados en corporaciones independientes. La estrategia de la disidencia, según revela la propia disidencia en el exilio, consiste en articular débiles corrientes democráticas dentro de cada corporación profesional o al menos de aquellas más sensibilizadas por la crisis del sistema: abogados, economistas y periodistas, esta última la más nombrada porque reúne a profesionales cuyas crónicas no aparecen en Cuba, pero son reproducidas en el exterior sin establecer una relación oferta-demanda que pueda inculparles de hacer propaganda enemiga. En 1997, como uno más de los actos de fuerza previos a la tolerante acogida al Papa, los periodistas independientes padecen hostigamiento y su máximo representante, Raúl Rivero, del patronato de la Fundación Hispano-Cubana es víctima de un *acto de repudio*. El grupo ha nacido en 1989 y ha tratado, según su declaración de principios, de romper el monopolio informativo de la prensa oficial, ofreciendo la otra cara de la sociedad cubana: "...los efectos desmoralizadores de la dolarización de la economía, la creciente desigualdad social, la prostitución asociada al turismo, la frustración de una juventud sin horizontes, el drama de los profesionales que dejan sus carreras para ser meseros o taxistas, las promesas incumplidas de la Revolución, los sueños rotos de campesinos hambreados, los apagones constantes, la insolencia de las *shopping*, la aparición de las drogas y el auge de la delincuencia...".

El Gobierno cubano acusa a Estados Unidos de financiar disidencias, lo que es cierto y el Gobierno norteamericano acusa al cubano de no respetar a los disidentes aunque no estén subvencionados, lo que tampoco deja de ser cierto. No podía faltar en tan sibilino juego entre agraviados, la candidez del mediador que quiere aparecer en una fotografía llena de seres invisibles y Menem ofreció sus mejores oficios y colágenos faciales para mediar entre Cuba y Estados Unidos. Idénticos propósitos tuvieron otros presidentes reunidos en la cumbre Iberoamericana ofreciendo a Castro distintas salidas, la más posmoderna, por lo ecléctica, la ofrecida por Carlos Andrés Péres, presidente de Venezuela: Fidel presidente vitalicio y por debajo suyo un Parlamento y un Gobierno elegido por sufragio universal: "Fidel se parecería al rey Juan Carlos, con sus mismas competencias y limitaciones... La fórmula tiene raíces bolivarianas, porque éste era el concepto presidencial de Bolívar, el cual se inspiró en la tradición monárquica española". La opinión más sorprendente en primera instancia, pero no tan descabellada en la intención, fue la del politólogo mexicano Jorge Castañeda: "Fidel y su Revolución son incompatibles. Uno de los dos debe desaparecer". Y un experto canadiense dejó a todo el mundo boquiabierto, tal vez incluso a Fidel, porque según él, el problema consistía en que la Revolución ha creado tanta gente bien preparada que no puede ejercer y vivir en consonancia, que no habrá más remedio que hacer otra Revolución.

Dentro del clima de seguridades inseguras y de inseguridades seguras previo a la llegada del representante de Dios en la tierra, se produce el enigmático caso del general Patricio De La Guardia, el único superviviente de la hecatombe de jerarquías del caso Ochoa, liberado en marzo de 1997 y vuelto a detener una semana después "ya que sólo se le había permitido asistir al entierro de su padre y queda a la espera del papeleo de la libertad definitiva". El general Ochoa pasará a la historia como el disidente más peligroso, pero que jamás llegó a ejercer de disidente.

Sobre el caso Ochoa no hay más completo trabajo que el de los franceses Jean François Fogel y Bertrand Rosenthal y sería inútil por mi parte sustituirlo. Sólo necesito resumir su tesis. Ochoa, el general de más prestigio, héroe de la guerra de Angola, donde ya había tenido choques con los estrategas de La Habana que querían dirigir desde allí la guerra, se movía con los dos hermanos De La Guardia y otros agentes en un mundo de relaciones comerciales especiales en pos de divisas vitales para la economía cubana. Con mayor o menor implicación, uno de los negocios tolerados, porque el fin justifica los medios, sería el tráfico de drogas, pero Estados Unidos tiene pruebas, está a punto de dar un escándalo internacional implicando a Cuba en ese negocio de economía sucia y antes de que ese escándalo se materialice, Raúl Castro desencadena las inculpaciones contra Ochoa y los hermanos De La Guardia, tres de las figuras más indiscutidas del *establishment* cubano. Según la tesis de Fogel, aceptada por la oposición sin variaciones, con este pretexto se elimina a un hombre poderoso, capaz de decir en público que Castro estaba senil y de criticar la esclerosis del sistema. Pero la lesión causada en el ejército y en la conciencia social representaba un precio terrible de consumarse las sentencias de muerte, por lo que se esperó el indulto. Inútilmente Ochoa murió con una entereza a la altura de su mito, duraderas las palabras de Fidel tras presenciar su ejecución a través de un vídeo: "Ha muerto como un hombre". La muerte de Ochoa abortaría toda clase de disidencias en el aparato dirigente al precio de desvanecer la épica revolucionaria y aumentaría, según esta hipótesis, el nivel potencial del agravio, del odio acumulado.

En 1992, Amnistía Internacional estima que hay entre trescientos y quinientos presos de conciencia en la isla, y mientras Estados Unidos endurece el bloqueo, la oposición de Miami desencadena una guerra mediática especulando sobre desestabilizaciones interiores a cargo de los disidentes que culminan con el bulo de un golpe de Estado en La Habana aprovechando el triunfal viaje de Castro a Galicia en julio de 1992. Agradecido por el recibimiento que Fraga le hace en la tierra de sus antepasados, Castro libera a tres presos condenados a largas penas por delitos contra la seguridad del Estado. También liberará a dos españoles encarcelados por tráfico de drogas otra vez por mediación de Fraga y la sintonía con los gallegos se ultima cuando Fidel amnistía a otros dos presos españoles para celebrar la visita de un grupo de alcaldes galaicos.

La relación entre Fraga y Castro me permitió comprobar la habilidad con que Fidel utiliza sus conocimientos gastronómicos. En una audiencia concedida a raíz de la Feria del Libro, reciente una visita de Fraga, Miguel Barnet era partidario de que Fidel Castro tuviera un aparte conmigo para hablar de cuestiones políticas, habida cuenta de que yo era considerado como un amigo pero crítico de la Revolución o como un crítico pero amigo de la Revolución. No muy atraído por esta perspectiva y dadas nuestras comunes pero parciales raíces gallegas, el comandante en jefe derivó la conversación hacia la manera de hacer el pulpo de feria o la queimada. Especialmente confuso el asunto de la queimada, porque Castro me trasmitió una duda que le había dejado el vehemente Fraga: "Apagó la queimada con un lacón. ¿Es habitual hacerlo así?". Mis conocimientos sobre la queimada son muy elementales, más próximos al *cremat* catalán que al gallego, pero tras un análisis concreto de la situación concreta, vieja práctica analítica adquirida durante mi nunca del todo liquidada militancia comunista, llegué a la conclusión de que no, de que debía tratarse de un rasgo del temperamento transfranquista de don Manuel Fraga Iribarne. "Me parece que lo del lacón fue un atentado", concluí finalmente desde un inadecuado, lo confieso, sentido del humor que Fidel encajó bien, pero noté algo rígidos a algunos de quienes le respaldaban. Si uno no quiere es muy difícil que dos personas hablen de política cuando el tema de conversación es si la queimada se apaga o no con un lacón y opté por retirarme de espaldas como los pajes, mientras otros tomaban apasionadamente el lacón como testigo.

CAPÍTULO VII

Las afinidades nunca son electivas

Hace poco en México, un amigo me preguntó de golpe:
—¿Cómo serías tú hoy si no se hubiera hecho la Revolución cubana?
—No sé —le contesté asustado—. Es imposible saber cómo sería uno si fuera cocodrilo.

GABRIEL GARCÍA MÁRQUEZ

Dos años después de la victoria revolucionaria, Graham Greene publicó unos versos en *The Times* en homenaje a la ya decantada Revolución cubana: *Príncipe de las Vegas/ Cuba os llama;/ Tenéis plaza reservada en el avión de los gángsters:/ Las máquinas tragaperras vuelven a los salones del Hilton/ y de nuevo están ahí las chicas del Blue Moon.* Luego escribiría dos espléndidas crónicas, el 22 de septiembre de 1963 en el *Sunday Telegraph* ("Regreso a Cuba") y el 9 de diciembre de 1966 en el *Daily Telegraph Magazine* ("Luces y sombras de Cuba"). La primera es un retrato comparativo entre la abundante pero sórdida Habana batistiana y la nueva Habana en la que la Revolución busca su diferencia, y la segunda una pincelada en claroscuro, pero ni en una ni otra constatación de sus regresos a Cuba habla de las conversaciones con Castro. Por ejemplo, su novela *Nuestro hombre en La Habana* es una comedia o tragicomedia ligera sobre La Habana de Batista vivida superficialmente por Greene, igual que su protagonista, un espía inglés farsante, su versátil hija y un policía torturador, el capitán Segura, humanizado por el amor de la muchacha. El comandante no se atrevió a decirle que los policías de Batista no eran tan considerados como el que describe Greene, tal vez porque una parte importante de la conversación giró en torno a la confidencia que le hiciera el escritor inglés. En su juventud había militado apenas unas semanas en el Partido Comunista Británico, epidemia muy extendida entre los universitarios de su generación que había dado espías tan formidables como Philby, y sin ninguna relación de causa y efecto pasó a contarle que en aquellos años había jugado a la ruleta rusa. A su manera, también Fidel había jugado a la ruleta rusa toda la vida, le comentaría luego a Gabriel García Márquez presente en la reunión y con el que Fidel prolongó la velada hasta la madrugada, circunstancia habitual cuando Gabo y su mujer Mercedes están en La Habana, fruto de un amor a primera vista entre el escritor y el comandante, insinuado en el primer escrito que Gabo le dedicara, *Mi hermano Fidel,* publicado en junio de 1958. En un artículo anterior, de febrero del mismo año, García Márquez frivoliza la situación cubana en "Pedro Infante se va. Batista se queda", en el que alude a la lucha guerrillera como "problemas de orden público de la provincia de Oriente que empiezan a quitarle el sueño a Batista", que de momento ha obtenido la victoria de prohibir el *rock and roll* "por ser un baile inmoral y degradante, cuya música está contribuyendo a la adopción de movimientos raros que ofenden la moral y las buenas costumbres". Pero el causante de los problemas de orden público de la provincia de Oriente está venciendo a Batista en todos los frentes, y en junio Gabriel García Márquez dialoga con Emma Castro, de viaje en Caracas para hacer propaganda de su hermano, a quien dice admirar como cubana, no como pariente. Sin acento cubano, en un español fluyente y preciso, subrayaba el escritor, la hermana avala rasgos fundamentales de la curiosa personalidad del jefe guerrillero todavía en combate: es buen cocinero y su plato favorito son los espaguetis, que incluso preparaba en el penal para sus compañeros y los sigue preparando en Sierra Maestra. Un hombre bueno, sencillo, buen conversador, mejor auditor, agitador y voluntarioso en su etapa estudiantil, de una memoria portentosa siempre puesta a prueba, porque cuando era estudiante tras aprender la página entera de un libro la arrancaba y rompía para no poder volver atrás. La hermana cuenta que Fidel Alejandro es el tercer hijo de un inmigrante gallego y de una *cubana desde hace mucho tiempo,* conscientes de que debían dar cultura a sus hijos, y así como Raúl era mejor estudiante, Fidel no tenía a nadie que le superara como atleta. "Fidel puede olvidarlo todo, pero nunca abandona a su Martí", anuncia Emma, que se enteró por la radio, en Birán, durante la sobremesa familiar, de que un grupo de estudiantes había asaltado el cuartel Moncada el 26 de julio de 1953 y su padre, don Ángel Castro, comentó: "No sé por qué se me ocurre que Fidel está metido en esto". Aporta el recordatorio de la participación de Fidel en *El Bogotazo* del 9 de abril de 1948, primer aldabonazo importante, y ahora ha conseguido movilizar a su alrededor a todos los Castro. Muerto el padre, sólo quedan en la hacienda de Birán la madre Lina y el hermano mayor, Ramón, el único que no salió guerrillero o paraguerrillero, y entre todas las hermanas, la más belicosa es Juana, escondida en Cuba y, según Emma, a punto de tomar contacto directo con la guerrilla en Sierra Maestra. Gabo transcribe lo que cuenta Emma, predispuesto pero sin sancionar y Fidel le comentaría irónicamente alguna vez que en aquel artículo iniciático nadaba y guardaba la ropa.

Juana no fue incondicional demasiado tiempo y desde el Miami de su exilio encabeza ahora una de las fracciones anticastristas, aunque con decreciente activismo y escasamente valorada por los que se consideraban exiliados *de verdad.* Juana recuerda ahora que, ya de niños, su favorito era Raúl porque era delicado y cariñoso y lo prueba el que cuando los dos hermanos salieron de la cárcel, Raúl fue a ver a sus padres a Birán antes de partir hacia México para organizar la expedición del *Granma*. Fidel no tuvo tiempo. Juana levantó bandera contra su hermano cuando se dio cuenta de que era comunista. Los que se dieron cuenta de que podía ser comunista, de que finalmente era comunista y lo aceptaron, han acabado siendo sus personas de confianza política, que no coincide con la confianza personal. Todos ellos de su promoción, pertenecientes a la *generación del entusiasmo* y marcadamente comunistas o criptocomunistas desde sus orígenes, salvo el *Gallego* Fernández.

La lista la encabeza Raúl y su ex mujer Vilma Espín; Osmany Cienfuegos, el hermano de Camilo que fue comunista antes que Fidel y que Camilo; Ramiro Valdés, jefe de información del Ejército Rebelde y prosoviético incondicional desde la juventud; Alfredo Guevara, su amigo puente con los comunistas en la Universidad pero que al tener que escoger entre el partido y Fidel escogió al hombre que había señalado como *el nuevo Martí*; Pedro Miret Prieto, el ingeniero simpatizante comunista que adiestró a Castro en el manejo de las armas y hombre clave para la coordinación entre el Movimiento 26 de Julio del interior y los expedicionarios del *Granma;* Armando Hart, intelectual que venía del nacionalismo del centro derecha y que siguió incondicionalmente a Fidel en su marcha hacia el comunismo; Juan Almeida, *el negro* Almeida, cuya sóla presencia en el poder ha querido demostrar el consenso de los *prietos* con la Revolución; Jesús Montané, junto a Fidel desde el asalto al cuartel Moncada; el *Gallego* José Ramón Fernández, el militar profesional que sería decisivo en la victoria de Playa Girón y que renunció a ser rico para seguir siendo revolucionario; y Carlos Rafael Rodríguez, primer comunista homologado que se tomó a Fidel en serio.

Cada uno de ellos le ha dado en algún momento una prueba de confianza y componen el núcleo de la comunión de los santos, un club de fundadores de la Revolución del que la muerte se ha llevado al Che, a Camilo, a Celia Sánchez, más tarde a Carlos Rafael Rodríguez. En Celia se reunían la confianza política y la personal. Celia era una jaculatoria completa del Santo Rosario: *mater amantíssima, virgo veneranda, virgo clemens, mater fidelis, refugium pecatorum, consolatis aflictorum* y además le enviaba sopa de tortuga fresca y espaguetis cuando le suponía inmerso en uno de esos conflictos que podían hasta hacerle olvidar la sopa de tortuga y los espaguetis. Tad Szulc en un artículo publicado en diciembre de 1997 en *El Nuevo Herald*, al comparar al Papa con Fidel, decía que Juan Pablo II tiene más calor humano "... cultiva amistades que se retrotraen a los días de estudiante de secundaria y mantiene una red de amigos privados fuera de los medios eclesiales. Con sus amigos polacos canta villancicos, brinda en las fiestas y hasta juega al ping pong. Con la excepción de García Márquez, el premio Nobel, Castro no ha tenido verdaderos amigos desde la muerte de cáncer de Celia Sánchez en 1980. En los días de la guerrilla aquella mujer excepcional fue su amante, su secretaria y su compañera de armas".

Pero la afinidad con Gabo tiene un origen diferente, ni siquiera procede de la entrevista que le hizo a Emma cuando Fidel aún estaba en la sierra, ni del reencuentro después del distanciamiento provocado por la dejación de Gabo de sus responsabilidades en Prensa Latina. Ante Gabriel García Márquez y su mujer Mercedes, Fidel habla como si estuviera ante dos médium de confianza que no le engañarán sobre lo que ocurre más allá del laberinto. Se trata de entrevistas hasta altas horas de la noche, con una Mercedes receptiva que sabe escuchar y juzgar como sólo saben escucharle y juzgarle las mujeres. O Gabo le recomienda montones de libros que él lee disciplinadamente, diez días seguidos, con el escritor siempre dispuesto a escuchar sus comentarios, rebatiéndolos, complementándolos, sancionándolos, como si protagonizaran un curso intensivo de reaprovisionamiento literario. Fidel sabe que Gabo paga un precio por la amistad que mantienen, no compensado por las comodidades con que se mueve por La Habana y por eso le libera presos con más facilidad que a nadie. Ahí están los ataques del gremio de escritores anticastristas, como el traidor y paranoico, aunque últimamente los dos adjetivos se le aplican menos, Cabrera Infante, que llama a Gabo *nuestro prohombre en La Habana,* y propone leer al García Márquez *semanal,* el que escribe cada semana en un diario de España para reírse a carcajadas. La jaculatoria de el Che "Dios me guarde de mis amigos que yo ya me cuido de mis enemigos", le cuadra a la relación entre Gabriel García Márquez y el también escritor colombiano Plinio Apuleyo Mendoza, sostenedores de una larga entrevista, *El olor de la guayaba,* en la que Mendoza desvela los escondrijos del pasado de García Márquez: relaciones con el padre, con la madre, todas las iniciaciones, Mercedes, el periodismo, la literatura, la política. Cuando Plinio Apuleyo le pide explicaciones por su apoyo a la Cuba supeditada al modelo soviético, Gabo le responde con energía: "El problema del análisis está en los puntos de partida; ustedes fundan el suyo en que Cuba es un satélite soviético y yo creo que no lo es. Hay que tratar a Fidel Castro sólo un minuto para darse cuenta de que no obedece órdenes de nadie. Mi idea es que la Revolución cubana está situada hace más de veinte años en estado de emergencia y esto es por culpa de la incomprensión y hostilidad de Estados Unidos, que no se resignan a permitir este ejemplo a noventa millas de Florida. No es por culpa de la Unión Soviética, sin cuya asistencia (cualesquiera que sean sus motivos y propósitos) no existiría la Revolución cubana". La amistad de muchos años con Plinio Apuleyo Mendoza, la larga clarificación de *El olor de la guayaba* no salvó a Gabriel García Márquez de ser considerado uno de los *idiotas latinoamericanos* censados en el libro de casi igual título firmado por Álvaro Vargas Llosa, Carlos Alberto Montaner y Plinio Apuleyo Mendoza, avalado por el prologuista Mario Vargas Llosa. Idiota era todo aquel latinoamericano, más algún que otro europeo por extensión, que se hubiera manifestado comprensivo con los procesos revolucionarios americanos o partidario de lo que Mendoza llama *el socialismo del abuelo*.

Gabo le contó a Minà que siempre quieren entrevistarle para que hable mal de Castro y eso sería una deshonestidad en estos momentos de operaciones de acoso y derribo, de la soledad de Cuba, sin respaldos internacionales. "Yo le hago críticas en privado pero no en público. En esta época los que han sido estalinistas se consideran en el derecho de ajustarnos las cuentas a los que nunca lo hemos sido. Para nuestros países, el problema es la independencia nacional, la autonomía y Cuba la tiene. Cuba ha sido una barrera para la expansión de Estados Unidos. Castro es un seguidor de utopías, como Bolívar". No faltaron los que asociaron el retrato de Bolívar terminal de García Márquez en *El general en su laberinto* con la premonición de *Fidel Castro en su laberinto*, y Fidel pudo leer la novela como si él fuera Bolívar o como si él nada tuviera que ver con Bolívar. Pero a Tomás Borge en *Un grano de maíz* le confiesa que Bolívar es más grande que Napoleón: "Yo he leído mucho a Bolívar y no me canso de leer sobre Bolívar, sobre cada uno de sus minutos, de sus tragedias, de sus éxitos. Tengo una simpatía por Bolívar como no la tengo, digamos, por ningún otro personaje de la historia —estoy hablando de grandes personajes de la historia—, pero en Bolívar observo una preocupación excesiva por la historia, se martirizaba demasiado pensando en eso, en la forma en que lo iba a observar y juzgar la posteridad". Y a Gianni Minà, en *Fidel Castro,* le descalifica a todos los que han especulado sobre el paralelismo con Bolívar, es más, García Márquez le dejó leer la novela antes de publicarla, porque Gabo es muy perfeccionista, y él le hizo algunas precisiones, no, no siente la soledad terminal de Bolívar, si acaso una soledad socialista que le estimula. Tal vez el Che posaba más a lo Bolívar y Fidel a lo Martí, pero algunas situaciones de la novela parecían avisos de santería colombiana: "Había arrebatado al dominio español un imperio cinco veces más vasto que las Europas, había dirigido veinte años de guerras para mantenerlo libre y unido, y lo había gobernado con pulso firme hasta la semana anterior, pero a la hora de irse no se llevaba ni siquiera el consuelo de que se lo creyeran". Cuando se enfrentó Bolívar a la epidemia de viruela reclamando la asesoría de un científico francés, que pidió la matanza de las vacas contaminadoras, comprobó que las gentes preferían el remedio mágico de pintarse la cara con violeta de genciana, y cuando su ayudante le hace notar la cantidad de caras pintadas que hay entre la muchedumbre, Bolívar comenta hastiado: "Siempre será así, mientras los subalternos sigan mintiéndonos para complacernos". Cuando a Bolívar le proponen escribir sus memorias contesta que ni hablar, que eso son *vainas* de los muertos y al reclamarle que acepte el mando, porque de lo contrario se producirá una espantosa anarquía, elude la cuestión: "Primero es existir que modificar. Sólo cuando se despeje el horizonte político sabremos si hay patria o no hay patria".

Si escritores hubo que redactaron manuales para príncipes imberbes, *El general en su laberinto* queda como posible manual para caudillos revolucionarios terminales, abandonados sobre todo por la memoria de lo bueno que hicieron, que sólo se recuperará décadas, siglos después, enfrentados en el último momento a la evidencia de lo inmediato e insalvable del laberinto. "Carajo —suspiró—, ¿cómo voy a salir de este laberinto? Examinó el aposento con la clarividencia de sus vísperas y por primera vez vio la verdad: la última cama prestada, el tocador de lástima cuyo turbio espejo de paciencia no lo volvería a repetir, el aguamanil de porcelana descarchada con el agua y la toalla y el jabón para otras manos, la prisa sin corazón del reloj octogonal desbocado hacia la cita ineluctable del 17 de diciembre a la una y siete minutos de su tarde final". El comandante ha tenido quien le escriba y por eso Gabo fue escogido para que Fidel se sincere sin máscara, o con la ligera máscara que le toleran Gabriel y Mercedes y a la residencia de ambos en

La Habana acudirá nada más liberarse del protocolo de la recepción del Papa. Los dos amigos fueron escogidos para las primeras confesiones y apreciaciones de Fidel tras la entrada de Dios en La Habana. También fue escogido García Márquez, acompañado la primera vez por Carlos Fuentes, para sondear a Clinton dos veces con respecto a Cuba o para recibir a Gorbachov, como lo será para enfrentarse al Papa desde la primera fila de la misa celebrada en la plaza de la Revolución. Cuando el liquidador Gorbachov viajó a La Habana, Fidel le presentó a Gabo: "Gabriel ha venido para ver si usted le dice cuándo le van a pagar en dólares lo que le deben en la URSS de derechos de autor. A lo que el escritor apostilló: "Primero sería conveniente que me pagárais los cubanos lo que me debéis".

Fue Luis Báez quien me propuso que hablara con Max Lesnick, el heterodoxo exiliado que ha reconstruido sus lazos con los compañeros de militancia y lucha política de los años cincuenta, llegado de Miami para presenciar ese prodigioso *rendez vous* entre el Espíritu Santo y el espíritu de la historia. Constituyó un encuentro fundamental para mi indagación, iniciado en el Meliá-Cohiba de La Habana y prolongado en Miami meses después, invitado por Max a casa y piscina, aceptada la piscina. Piñeiro escucha casi todo lo que se dice en La Habana, esté o no él delante y por lo tanto conoce la propuesta de Báez y la ratifica.

—Max será un buen interlocutor, Montalbán, ¿sabes tú ese chiste que se cuenta sobre por qué el Papa ha venido a La Habana? Pues porque está dispuesto a pactar con el diablo.

Max fue, lo es, un excelente interlocutor. Acude a mi *suite*-oficina del Cohiba y le digo que me interesa su vivisección del Miami actual, de ese portaviones del anticastrismo. Max Lesnick pertenece a la raza de los políticos historificadores que necesitan el pasado para explicar el presente, aunque no a la que se remonta a la Revolución Industrial para explicarte la causa de los tifones o de las manchas de la luna.

—Para entender el escenario político de Miami hoy, hay que ir un poco hacia atrás para saber la importancia que tiene Miami, la Florida como Estado. Si vemos un mapa, Cuba es un arco y sobre este arco, está la península de la Florida y no hay que olvidar la historia de la relación de la Florida con Cuba, en los distintos procesos políticos, si bien Miami no fue en la guerra de la independencia de Martí el centro de los cubanos o de la cubanía, lo fue Tampa y Cayo Hueso. Pero ya en 1933, el exilio que lucha contra la dictadura de Gerardo Machado tiene su enclave fundamental en Miami. También fue el centro turístico por excelencia de la burguesía cubana que viajaba a Estados Unidos y ya no iba a París o a Madrid como en el siglo XIX. Durante el batistato muchos exiliados se fueron a Miami. Triunfa la Revolución y todos los exilios van a dar a Miami. Estados Unidos empieza a operar desde Miami, con emisoras de radio, con grupos políticos y comandos de intervención terrorista. Y Miami se convierte en la capital del exilio cubano, con los norteamericanos dictando las pautas a seguir, los cubanos pagados y dirigidos, lo que no quiere decir que todos los cubanos eran pagados o dirigidos, porque yo estaba allí y a mí no me pagó nadie. A partir de 1980 empezaron a tener cierta autonomía en la organización de su enfrentamiento a la Cuba de Castro.

—¿Por qué te hiciste anticastrista?

—Yo soy un socialdemócrata radical. Yo soy un estudiante de la generación llamada del cincuenta, compañero de todos los que soñábamos una Cuba liberada del imperialismo. Había en La Habana una Universidad de 17.000 estudiantes y entre 1947 y 1952, nos movíamos dos clases de antiimperialistas: comunistas del PSP, Partido Socialista Popular, y antiimperialistas revolucionarios no comunistas. Los comunistas del PSP defendían una posición dirigida desde la Komintern, como todos los partidos comunistas en cada uno de los países del mundo. Coincidía con ellos en antimperialismo, pero no en la supeditación del antimperialismo a la estrategia internacional soviética. Una parte de los universitarios inquietos no éramos comunistas, pero sí antiimperialistas, nos conocíamos todos, yo identifico a Fidel o a Alfredo Guevara como compañeros de estudios y de actitudes políticas. Fidel, por supuesto, no era comunista, era miembro del Partido del Pueblo Cubano (Ortodoxo), fundado por Eduardo Chibás, un partido socialmente avanzado, antimperialista, radicalmente parademocrático. Más que un partido era una alianza de tendencias regeneradoras de la sociedad cubana, en la que te podías encontrar desde socialdemócratas como yo, hasta desarrollistas liberales hastiados por la corrupción de la administración. El Partido Ortodoxo era interclasista , como podría serlo el PSOE según la lectura de Felipe González. Luego el partido se radicalizó a medida que aumentaba la corrupción y no digamos ya cuando Batista dio el golpe.

—Más o menos eres de la edad de Fidel o de Alfredo Guevara, de ese coro de jovenes estudiantes que se echan al monte para derribar una dictadura.

—Más o menos. En la calle el líder era Eduardo Chibás, que se suicidó en directo, lo digo porque se quitó la vida ante los micrófonos de una emisora, tras confesar que no podía demostrar una denuncia. En la Universidad el líder lo acabó siendo Fidel, por su agresividad, audacia y capacidad de análisis de lo que era necesario hacer y de la manera más efectista posible. Los comunistas eran pocos pero muy disciplinados y contemplaban a Fidel poco menos que como a un aventurero. De aquella época data mi intervención, muy joven, con 17 años en los procesos políticos, capaz de escribir y publicar en el año 1948 un folleto de cuarenta páginas, que se llama: *Pensamiento ideológico y político de la juventud cubana*, en el que por primera vez un grupo no comunista se proclama socialista y dice que Cuba necesita una Revolución política, económica y social frente a Estados Unidos.

Meses después en su casa en Miami, Lesnick me enseñaría el *incunable* publicado en 1948, en la portada un muchacho vestido de mono de trabajo, en una mano un martillo y en la otra un libro. Veinte centavos de ideología cubanista *ortodoxa* que por aquellas fechas suscribía el joven Fidel. Se trata de un resumen histórico en pos de la identidad cubana, también de una denuncia a la Constitución de 1940 como retrógrada y connota muy duramente la estructura económica cubana llena de tierras improductivas, con el empleo de mano de obra *envilecida* compuesta por chinos, haitianos y jamaicanos, la inexistencia de marina mercante propia, la explotación del campesino, la descriminación del negro, "... la mujer carece de protección, viéndose impelida a la prostitución y al vicio. El niño y el anciano, especialmente cuando carecen de la ayuda familiar, se ven forzados a la mendicidad y a la delincuencia. El enfermo pobre no encuentran la asistencia adecuada en los hospitales del Estado. Las muchachas y los jóvenes no hallan oportunidades para su educación intelectual y física y confrontan dificultades para encontrar trabajo, siendo presa fácil de la politiquería y el gangsterismo". Inventario tan desolador culmina con la sanción de que estos efectos sociales derivan de la estructura económica semicolonial mediatizada, como en toda América Latina, por el imperialismo. Hace cincuenta años, este hombre de 67 compartía con Castro y unos cuarenta universitarios el ideal del Partido del Pueblo Cubano, que me recuerda todas las terceras vías que la izquierda universal estuvo buscando entre los partidos estalinistas y la socialdemocracia pactista, como lo estuvimos buscando algunos jóvenes universitarios en España diez años despúes a través del FLP.

—Nuestro grupo estaba contra la violencia, se planteaba un proceso evolutivo hacia la transformación. Tras el desembarco del *Granma*, las condiciones cambian porque hay un escenario para hacer la Revolución. Yo me inserto en ella con la idea de usar la acción como método político y no voy a Sierra Maestra, voy al segundo frente, el de Escambray, donde estaba Gutiérrez Menoyo. La razón es que los guerrilleros de Sierra Maestra reivindican el Movimiento 26 de julio, la fecha del asalto al cuartel Moncada y yo sigo pertenenciendo al Partido del Pueblo Cubano. El grupo del Escambray es pluralista, incluye comunistas, por otra parte Gutiérrez Menoyo me inspira confianza, un hermano suyo ha muerto en España luchando contra Franco y otro en Cuba luchando contra Batista. Pero yo respeto lo que está haciendo Fidel en Sierra Maestra. He tenido relaciones con Fidel desde la Universidad. Las sigo teniendo.

También en Miami me enseñará esa fotografía de Fidel recién liberado de sus prisiones en 1955, con su única guayabera, con las mejillas redondeadas, un bigotillo de canción melódica, cierto cansancio en la actitud con la que conversa con Max. Siempre ha conservado las relaciones con Fidel, salvo en el periodo que media entre su marcha de Cuba con Gutiérrez Menoyo en 1962 y el regreso en parte convocado por el propio Fidel en los años setenta, sin abandonar ya su residencia estable en Miami, al frente de una revista distanciadora, *Réplica*, imposible de leer en Cuba, pero frecuentemente agredida por el exilio visceralmente anticastrista: "Me llegaron a poner bombas, mataron a unos de mis colaboradores en la puerta de la revista, me hicieron la vida imposible". Vuelve al hilo histórico.

—Si comparamos el común denominador ideológico de los diferentes frentes antibatistianos y partidarios de la Revolución con la ideología de los llamados *revolucionarios* de Gerardo Machado en los años treinta, veremos que nosotros reivindicábamos una Revolución moderna, profunda como decía Fidel, socialista, antiimperialista, independiente de Moscú. Esa era también la posición de Fidel, de ahí la resistencia de los comunistas a tomarse en serio las acciones guerrilleras. Los comunistas se alían según la lógica de la Komintern y habían ofrecido al mundo el escándalo del pacto Ribbentrop-Molotov, para que ahora se escandalicen algunos comunistas cubanos por la visita del Papa. En Cuba habían pactado con Batista acogiéndose a su supuesto populismo y el Partido Ortodoxo no asume ese pacto, al contrario, lo combate. Ese joven que se llama Fidel Castro, cuando va a la Universidad no se hace comunista, no porque tuviera prejuicio contra el socialismo o el marxismo, sino porque los comunistas llevaban en su espalda la cruz de haber pactado con Batista. Empezamos a luchar en la Universidad y después en el Partido Ortodoxo frente al imperio pero por una vía, digamos, socialdemócrata. Mi pensamiento era: "Ni con Washington ni con Moscú". Pero con los años, a la vista de cómo se plantearon las cosas creo que Castro no tenía otra salida que pactar con Moscú. Si no hubiera pactado con Moscú habrían machacado la Revolución en los años sesenta. Fidel tuvo la audacia, la percepción de ver que si no podíamos hacer una Revolución antiimperialista, no antinorteamericana, sino antiimperialista, porque Estados Unidos no la permitía ni así, pues la haríamos con respaldo de alguien. ¿Y ese alguien quién será? La Unión Soviética. Yo, en aquel momento no pensaba así y por eso me marché ¿Por qué a Miami? ¿Adoraba yo el imperio? Me fui a Miami porque era el sitio más cercano a Cuba y allí me mantuve en el periodismo, el refugio de los políticos. En Miami fundé la revista *Réplica* y escribí periodismo crítico, contra Castro pero también contra el imperialismo y contra el gangsterismo anticastrista. Estados Unidos se alió con lo más reaccionario para reclutar mercenarios para la CIA. Necesitaba un organizador y ahí aparece Jorge Mas Canosa.

—Las acciones de sabotaje hacia Cuba las dirige directamente la CIA, pero utiliza agentes cubanos de Miami.

—En los años sesenta cuando estalla la confrontación entre Cuba y Estados Unidos, la Agencia Central de Inteligencia empieza a organizar los movimientos de oposición en el interior, todos manejados por la embajada. Esta situación culmina con el fracaso de la invasión de cubanos anticastristas de Playa Girón, Bahía de Cochinos en versión yanqui, manejados, subvencionados y entrenados por Estados Unidos. El fracaso de Girón no cambia la política estadounidense sino al contrario. La frustración del fracaso implica otras operaciones manejadas desde los exiliados de Miami a través de centenares de agentes infiltrados en Cuba. Hubo un reguero de pequeños desembarcos, continuidad de sabotajes, de intentos de asesinar a Castro, acción y frustración fueron creando en Miami una mentalidad enclaustrada. Cuando Carter llega a la presidencia hay posibilidades de acuerdo, sobre todo a partir de los buenos oficios del diplomático Wayne Smith, pero a todo movimiento de avance hacia el arreglo se le opone una provocación por parte de Estados Unidos, como el lanzamiento de Radio Martí emisora de propaganda hostil contra Castro. A Fidel le molestó el momento de lanzamiento, pero sobre todo que la emisora usurpara el nombre del emancipador, del político que más admira. También bajo Reagan hubo intentos de arreglo, en contra de la presión constante de los *ultras* de Miami que van poniendo palos en las ruedas, como la formación de esos grupos Hermanos al Rescate que son provocadores. El *lobby* anticastrista ha tenido una gran influencia en la administración norteamericana y Mas Canosa fue su instrumento.

—En ese *lobby* se integra el hijo del vicepresidente, luego presidente, George Bush.

—Correcto. El propio Bush hostigó al Gobierno de Cuba cuando era miembro de la CIA, organización con la que estuvo varias veces relacionado. Busquemos el momento en el que surge Mas Canosa, aprovechándose de la victoria de Reagan frente a Carter. Mas Canosa era hijo de un militar de Batista, un oficial sin relevancia represiva, creo que era veterinario militar o algo así. La mentalidad del joven Mas Canosa era contraria a eso que se llamó Revolución. Lo que él escuchó en su casa fue que los rebeldes eran los malos y los amarillos los buenos. Entonces, salió amarillo. Cuando Mas Canosa llega al exilio se enrola en una expedición paralela a la invasión de Girón que no llega a desembarcar. Es un joven líder, vinculado a la CIA dentro de una organización aparentemente financiada por el presidente de la Bacardí en el exilio, en la que figuraba el general batistiano Oliva y diversos expedicionarios de la fracasada invasión de Playa Girón. Todos estaban instrumentalizados por los norteamericanos. Cuando gana Ronald Reagan, Mas Canosa se da cuenta de que si monta un equipo ideológico y la Administración considera que ese equipo le es útil, puede cimentar su liderazgo desde posiciones intervencionistas, agresivas. ¿Cuál es la fundamental diferencia entre la actitud de los cubanos exiliados hasta este momento y la posterior? Que la anterior, como dependía económicamente de Estados Unidos obedecía al lema *el que paga manda* y si el grupo no se plegaba a la estrategia norteamericana, pues se le retiraba la subvención y se acabó. Mas Canosa tuvo la habilidad, la inteligencia de decir: "no hay que buscar recursos en la administración yanqui". Reunió a millonarios cubanos en Miami, recaudó mucho dinero, montó la Fundación Nacional Cubano-Americana y consiguió autofinanciar las acciones sobre Cuba y mantener un *lobby* compuesto por norteamericanos que daban la batalla contra el castrismo en el Senado y la Cámara de Representantes. Consiguieron autonomía y, cuando se estableció una total coincidencia entre la voluntad de acción de Mas Canosa y la de la administración Reagan, nació la edad de oro del mascanosismo, una estrategia inútil que ha perpetuado el disenso entre Cuba y Estados Unidos.

Cuando ganó Bill Clinton la fundación presionó, y Clinton que es un oportunista se pliega a Mas Canosa. Pero la muerte del socio cubano deja a los halcones norteamericanos desorientados porque parece ser que el hijo de Mas Canosa es un hombre de negocios que no quiere encabezar ninguna plataforma política y mucho menos en un momento de fragilidad de la relación entre la fundación y la administración. Clinton asume la misma política de Bush por oportunismo, no porque esté convencido. Hablé con Clinton brevemente en el transcurso de la campaña electoral anterior. Le dije: "Mire, presidente, yo estoy de acuerdo con su política nacional, pero no estoy de acuerdo con la política hacia mi país que es Cuba, yo soy cubano, yo soy residente norteamericano, pero soy cubano. No estoy de acuerdo con esa política porque me parece que no va a resultar ni para el bien de Cuba como pueblo ni tampoco para el bien de Estados Unidos como nación". Y él me contestó: "Completamente de acuerdo con usted". Yo le había aportado cinco mil dólares para su campaña y se fue a saludar a otro cooperante cubano mascanosista. Oí que le decía a Clinton que había que continuar con la misma política de mano dura contra Castro y Clinton le contestó: "Completamente de acuerdo con usted". Clinton, con tal de que le des cinco mil dólares para su campaña, está de acuerdo con lo que sea. La opinión de los cubanos de Miami está condicionada sobre todo por los periódicos y la radio. Con respecto a los periódicos, valoremos *El Miami Herald*, en inglés, que es el más importante del sur de la Florida y el *Herald* en español, escindidido del anterior. Normalmente se reciben en las casas juntos. *El Herald* en español tiene autorización para utilizar el material del *Herald* en inglés pero dispone de sus propios reporteros, en su mayoría de origen cubano que hacen un periodismo panfletario y hasta cierto punto políticamente amarillo. Ha sufrido una gran presión de la derecha mascanosista. Hace algunos años, Mas Canosa financió una campaña de descrédito contra el diario porque no le era adicto. La campaña se basó en el lema: *Yo no creo en el Herald*, y Mas Canosa pagó cuñas en todas las radios y anuncios en todos los periódicos. El diario no tuvo más remedio que rendirse. *El diario Las Américas*, fundado en 1953, ha ido perdiendo iniciativa, circulación, anuncios, realmente ya no cuenta en el debate cubano. Tampoco hay ahora tantas radios como antes, porque la beligerancia mediática de Miami contra el castrismo va decreciendo, como si hubiera una cierta crisis de audiencia. La desaparición de algunas emisoras cubanas ha propiciado la aparición de emisoras colombianas y el propio territorio urbano de la ciudad, la llamada Little Havana, ya no es tan cubano, ya se comparte con otras comunidades latinoamericanas. En Miami son muchas las emisoras que hablan en español. En FM música, hay cinco emisoras, y ésa es una actividad muy importante porque el cubano percibe la cubanía a través de la música, pero fíjate, ya son propiedad norteamericana y están más pendientes del mercado del disco que de la ideología. También están en manos norteamericanas las emisoras de información general como Radio Mambi, la más virulenta de todas, y WQBA, más moderada, moderada dentro de lo que cabe en Miami. Para cualquier oído sensato, la propaganda anticastrista emitida por la una o la otra llega a ser contraproducente. Hay una pequeña emisora que se llama Unión Radio, también Radio Cuba, conocida por La Cubanísima. Radio Martí es una emisora oficial del Gobierno de Estados Unidos, dependiente de La Voz de América. Primero la interfirieron desde La Habana, pero luego a la vista de lo sectario, exagerado, estúpido que llegaba a ser el discurso de Radio Martí dejaron que se escuchara. Una emisora como Unión Radio alquila tiempo para que programen particulares y ahí puedes encontrar un programa interesante titulado *Transición*, organizado por cubanos moderados, respaldados económicamente por la Mac Arthur Foundation y la Rockefeller Foundation.

—La Fundación Rockefeller está detrás del *lobby* que pugna por el fin de las leyes del bloqueo.

—Correcto. Esta fundación se lo plantea así: si estos señores están cercados por una derecha irracional y necesitan dar una opinión, vamos a darles el dinero para que tengan la posibilidad de emitir su mensaje. En Unión Radio transmite Francisco Aruca.

—Pero Aruca es un empresario, no es estrictamente un periodista o un político.

—Las tres cosas. Es un político porque se fue de Cuba después de haber estado preso en los años sesenta. Católico era, no sé ahora, pertenecía a los grupos católicos contrarios a la Revolución. Muy joven, se escapó de la cárcel, se fue para Estados Unidos y estudió economía en Washington.

Cuando viene la apertura al primer movimiento de diálogo, el de 1978, él se inserta en esa corriente y su empresa empieza a mover viajes a Cuba, de cubanos que vienen a ver a su familia. Eso le convierte en empresario. Y se hace periodista cuando ve que todos dicen lo mismo. Con el dinero que gana en ese negocio de vuelos a Cuba, contrata tiempo de radio, un programa diario muy escuchado porque dice las cosas que otros no dicen. E incluso algunos adversarios o enemigos lo escuchan para saber por dónde va la otra corriente. La emisora La Poderosa tiene buenos equipos informativos, pero no es tan poderosa como su nombre indica.

—Consulté a Wayne Smith sobre los políticos de Miami y me dijo que él veía a Aruca sobre todo como líder de opinión. "Tiene carisma", me dijo y añadió: "Es muy pequeñito. Como él es tan grandote, todo el mundo le parece pequeñito".

—Eso es la versión imperialista del tamaño, aunque Wayne es un tipo estupendo. Es verdad que Aruca no tiene carisma, es un hombre pequeño un poco arrogante, no es simpático, no lo veo electoralmente llegando a ninguna posición. Pero sí lo veo manejando opiniones. Es inteligente. Tiene 59, 60 años, es una persona diría que brillante y eso que no tengo con él la menor relación de amistad. Estoy hablando objetivamente. Si yo te dijera lo que pienso de cada uno, diría cosas distintas, pero, ¿qué interés tiene mi opinión subjetiva?

—Agradecería que me dieras las dos.

—Un político de Miami con futuro es Alfredo Durán. Llega a Miami joven, en 1959, hijo de la esposa de Anselmo Liegro, un político profesional de la Cuba de Batista. Participa en la invasión de Playa Girón, como Luis Tornes, otro de la batalla de Playa Girón, que ya has conocido esta mañana en el Cohiba. Durán se hace abogado en Estados Unidos, se mete en el Partido Demócrata, y cuando Carter accede a la presidencia, Durán era presidente del partido en el Estado de la Florida, ojo, porque eso no está al alcance de cualquier cubano, aunque Durán ya sea entonces ciudadano norteamericano. Tras la intentona de Playa Girón había evolucionado a posiciones moderadas con respecto al castrismo. Fue determinante en el intento de Wayne Smith de arreglar las cosas entre Carter y Fidel. Yo jugué algún papel en todo aquello, porque Durán me dijo: "Oye, viene un político de Georgia que tiene posibilidades de ser nominado por el Partido Demócrata a la presidencia de Estados Unidos, yo le echo una mano y me gustaría que lo recibieras, tiene interés en conocer tu opinión sobre Cuba". Y así fue como Carter llegó a mi oficina y le di mi opinión sobre el contencioso entre Cuba y Estados Unidos. Además yo estaba respaldado por Fidel que había dado el visto bueno para que los señores Max Lesnick y Jimmy Carter hablaran sobre eso. Durán, durante la administración Carter, no ocupó ninguna posición importante federal, se dedicó a la abogacía, prefirió quedarse en Miami pero siempre mantuvo una buena relación con el presidente. Cuando llega la victoria republicana de Reagan, Durán se mantuvo al margen de la política, pero siempre dejando entrever su retorno al frente del CCD (Comité Cubano para la Democracia). El CCD reúne una gama de elementos exiliados que incluye a los muy conservadores pero racionales, que están contra el embargo, contra la Ley Torricelli, pero mantienen que Cuba debe abrirse a una posición negociadora entre cubanos. Las concesiones deben hacerse entre cubanos, no a los norteamericanos. Muchos de ellos, los de más buena fe, se hacen excesivas ilusiones sobre las consecuencias de la visita del Papa. Bastantes han venido ahora a La Habana.

—¿Cuántos han venido de Miami?

—Entre Miami y Nueva York, digamos que habrán venido trescientos, la mayoría forman parte de la mediana burguesía exiliada. Tienen expectativas distintas porque no conocen la realidad del país. Sólo entenderían una salida democrática a la norteamericana, muy en la línea CCD y de hecho las posiciones de Durán son muy próximas a las de

Cambio cubano, de Gutiérrez Menoyo. Puede ser que haya algunas diferencias en cuanto a matices. Pero la diferencia real es que *Cambio cubano* es Gutiérrez Menoyo más un grupo de compañeros que fueron revolucionarios del Ejército Rebelde, alguno mejor que otro, y el CCD no está integrado como partido político, sino como una especie de movimiento compuesto por elementos de distintas denominaciones, desde los social-cristianos pasando a sectores profesionales más conservadores. Todos de acuerdo en que hay que buscar una conciliación del tema cubano tratando que Estados Unidos cambie su política, pero a la vez que La Habana ofrezca una apertura política calcada de la democracia yanqui. Es un grupo heterogéneo que va desde la católica militante María Cristina Herrera, profesora, inválida, católica, apostólica, romana, papista, pasando por gente como la socióloga Marifeli Pérez-Stable, que fue comunista no en Cuba, sino acá, de las que iba con los *maceítos* a cortar caña a Cuba, que después cambia de posición y está en una línea más conservadora. Junto a Durán militan muchos profesores universitarios de distintas corrientes. El esquema de ellos es el retorno no a la Cuba de Batista sino a la de la Constitución de 1940.

Hay que contar con Carmen Duarte, directora de un programa de radio que se llama *Transición* patrocinado por el CCD, una tribuna abierta para distintas opiniones, yo he participado, frente a la cerrazón de los programas de la derecha. Los del CCD están en una actitud de *oposición activa*, yo en cambio practico la *oposición aplazada*, desde el criterio de que no es el momento de jugar con disidencia interna para presionar a Cuba y a los norteamericanos. No es el momento hasta que no cese el bloqueo. Entonces el Gobierno cubano tendrá que abrirse a posiciones más aperturistas. Es ilusorio o interesado pretender que Cuba abra las puertas a una oposición que va a ser manipulada, manejada, subvencionada y dirigida por Estados Unidos, porque la historia nos enseña que desde 1959 no ha habido un sólo movimiento de oposición al castrismo, político o violento, que no haya tenido de una manera u otra la mano norteamericana detrás. Personalmente Durán, como Menoyo, tienen algo que hacer en esa apertura política del futuro. Menoyo a veces produce la impresión de que espera que lo de Cuba se resuelva mediante el diálogo entre dos comandantes: Fidel y él. La historia nos inculca que si Arafat y Netanyahu se reúnen se resuelve todo. Pero se pierde de vista que Netanyahu tiene un equipo, un Gobierno y que Arafat también lo tiene. Gutiérrez Menoyo necesita ese equipo. En Cuba hay un líder que se llama Fidel Castro que celebra reuniones, donde a lo mejor, al final convence a todo el mundo de que el camino es éste y se las arregla para buscar un consenso, pero tiene que buscarlo o hacer ver que lo busca. Menoyo no se presta a eso, pero hay que contar con él. Por lo demás, los partidarios de la violencia para acabar con Castro cada vez son menos. Eso no quiere decir que mañana, no se le ocurra a un terrorista trasnochado ponerme una bomba, mandar por correo un explosivo a Cuba o contratar a un argentino, como ya han hecho, para que trate de volar el palacio de la Revolución. Yo estoy hablando de hechos como el intento de asesinato de Castro por parte de miembros de la Fundación Nacional Cubano-Americana. Ese intento, que está ahora en los tribunales, es el canto del cisne. Los mascanosistas quisieron regalarle a su jefe, en el lecho de muerte, la cabeza de Fidel. Eso trae complicaciones muy serias a la fundación y, unido a la complicidad en la corrupción en la ciudad, la coloca en mala posición. Esa corrupción es evidente. Mas Canosa y los suyos han conseguido contratos millonarios para hacer obras en Miami, alcantarillado, socavones, estamos hablando de millones de dólares y se han evaporado.

—Según el hijo de Mas Canosa, han hecho negocios con el fin de invertir las ganancias en derribar al castrismo.

—El presidente de la fundación ha ido más allá. Ha dicho que el que ataque a la compañía Church & Tower, que es la compañía de la familia de Mas Canosa, ataca a la fundación y quien ataca a la fundación, ataca a Cuba. Hay muchas presiones para que el hijo de Mas Canosa suceda a su padre, porque sin los apellidos Mas Canosa al frente, la fundación se diluye.

Frente a la leyenda del cuento del lechero enriquecido, botella de leche a botella de leche, Max aduce que el dinero importante de Jorge Mas Canosa lo consiguió mediante una compañía que subcontrataba trabajos urbanos. Asociado con Torres e Iglesias —de ahí Church & Tower— dos cubanos ubicados en Puerto Rico, Mas Canosa logró en Miami el compromiso secreto de contratos seguros, pero les dijo a sus socios que el negocio era ruinoso y que les vendía su parte o les compraba las suyas. Las vendieron, sin saber que los contratos ya estaban concedidos y la compañía de Mas Canosa empezó a crecer.

—O sea, que lo del cuento del lechero que explica Álvaro Vargas Llosa en su libro, nada de nada. Consiguió contratos espléndidos a través de la influencia que tenía sobre la secretaria cubana del jefe americano de la compañía que los concedía. Después se hizo amante de ella, la dejó embarazada y acabaron en un juicio de paternidad. La secretaria estaba casada con un narcotraficante encarcelado, Mas Canosa le pagó la fianza de su marido para que declarara que el hijo era del traficante. Mas Canosa se negó a hacerse la prueba de la sangre, y el caso aparentemente lo había perdido ella. Al final, hubo un arreglo fuera de la Corte y le dio una cantidad no revelada de dinero para que todo quedara así. Hubo otro juicio de un hermano de Mas Canosa que trabajaba con él, se hizo con una empresa parecida a Church & Tower, solicitó un contrato a la compañía de teléfonos y Mas mandó una carta diciendo que su hermano no era de fiar. La carta cayó en manos del hermano, le puso un pleito y tuvo que pagarle más de un millón de dólares por difamación ¿Te vas enterando de quién era Mas Canosa?

—¿Qué constancia hay de que financiara a intelectuales o profesionales de la información para que le hagan de *lobby* informativo?

—Parece obvio, pero no se ha podido probar. Yo tengo entendido que el Gobierno federal está detrás de una cuenta secreta en Panamá.

—¿De fondos de reptiles?

—Sí, de fondos de reptiles por donde se pagaba no solamente a periodistas y gente de la comunicación, sino también a políticos. Seguro que utilizó esa cuenta para esos trabajos.

—Se habló de que contrataba mercenarios para actos violentos.

—Especialmente activos en Centroamérica, y se vinculó a todos los ex agentes de la CIA que andaban sueltos por ahí. Mas Canosa los integra en un equipo. Todo estaba permitido.

—¿Qué pinta en Miami Carlos Alberto Montaner?

—Poca cosa. Él mismo se montó un reparto de papeles, Mas Canosa de halcón y él de paloma, pero el papel de paloma ya estaba atribuido. Montaner es marketing puro. Un partido liberal en Cuba no significa absolutamente nada, pero él se lo adjudicó porque era más fácil ser liberal, así no tenía competencia. Quiere venderles a los norteamericanos que si las alianzas de formaciones políticas para el cambio han funcionado en Europa, por qué no van a funcionar en Cuba. Establece contactos con la disidencia interna para que fabrique la carpintería de la resistencia interior y así vender anticastrismo a Europa y Estados Unidos. Para él ha sido un pingüe negocio. Ahora es riquísimo. En Europa conecta con la Internacional Liberal y con la socialdemócrata y se convierte en un *player*, una especie de *public relation* en competencia subrepticia con Mas Canosa. Es decir, no se enfrentaba pero tampoco hacía causa con él, a la espera de que algún día Estados Unidos obligara a Mas Canosa a integrarse en su fórmula. Este chico, ya no tan chico porque ha superado los cincuenta, ¿lo conoces?, es un escritor cubano-americano vinculado con la CIA aunque él lo niega. En un libro apologético de la CIA, en un párrafo leo que la base de operaciones sobre Cuba, al contrario de lo que cree mucha gente, no está en Miami, está en Madrid desde los años ochenta. Montaner se muda a Madrid y allí supongo que establece una relación con la Embajada de Estados Unidos, puede ser la CIA u otra cosa cualquiera, me da lo mismo. Cuando sube Reagan, Montaner forma parte de los que elucubran todo el planteamiento anticastrista. Pero Mas Canosa le ocupó todo el espacio. Montaner sobraba y Mas Canosa hegemonizó Miami. Entonces se inventó un esquema como si la oposición fuera un banco de cuatro patas: él tenía la liberal, el Partido de la Democracia la pata socialdemócrata, los socialcristianos la tercera y la cuarta se la cedía a Mas Canosa, que se la devolvió sin usarla. Tenía poder real y no necesitaba los diseños de Montaner. Para empezar en Cuba no hay tradición liberal ni socialdemócrata. Nuestra tradición es populista, como el Partido Auténtico y el Ortodoxo, con partidos que representaban corrientes desde la moderación a la radicalidad pero no comunistas. Los montajes de Montaner no tienen ningún futuro en Cuba y sólo le han servido para hacerse un lugar en Europa. Ha sido tan maniqueo el mundo de Miami que el discurso de Montaner, coherente según la lógica europea, ha llegado a ser calificado de comunista. Si para granjearse el apoyo el PSOE ha escrito alguna cosa positiva de Felipe González, pues es comunista. El comunista en Miami es Felipe González, no Anguita. A Anguita ni lo conocen y como Felipe se reúne con Fidel, pues comunista, y aquel que diga algo positivo de Felipe, también comunista.

—La oposición no delirante de Miami, ¿estaría dispuesta a asumir la transición a otra nueva situación, aunque no sea un sistema democrático convencional?

—Yo se lo he dicho al propio Durán. No me gusta ni la palabra que emplean para el cambio, transición. Para Cuba sólo vale la palabra evolución a partir de lo que hay, mientras viva Castro. Esa evolución va a depender de cómo se resuelva el contencioso con Estados Unidos, aunque de Clinton poco te puedes fiar, porque le dice *I agree with you* (estoy de acuerdo con usted) a todo el mundo.

—El sector mascanosista, ¿cómo plantea el futuro?

—Había un alcalde del condado, un joven que surgió como la esperanza juvenil ultra, pero yo creo que está enredado en muchos trapicheos de la política local. Y posiblemente, según la información que tengo trata de *encalamarse*, es decir, de expulsar su tinta de calamar, para salirse de los problemas locales y de los escándalos que vienen. Los mascanosistas están envueltos en un montón de corrupciones económicas y han cobrado comisiones de aquí y allá en negocios urbanísticos y de todo tipo. Han de pasar por comités de investigación y procesos y si eso les lastraba antes de la muerte de Mas Canosa, con más motivo ahora. El alcalde de la ciudad, Xavier Suárez, uno de los que representa la posición dura, es más liberal que el núcleo mascanosista. Está educado en Harvard, pero se ha plegado a la política de los duros porque recibió ayuda de la Fundación Cubano-Americana y hay que pagarla. También estuvo envuelto en un escándalo electoral. A ése le votan hasta los muertos. En Miami muchos cubanos exiliados empiezan a desconfiar de políticos que en realidad lo que quieren es enriquecerse y seguir su carrera política allí, pero exhibiendo argumentos anticastristas. Tampoco están dispuestos a tragarse el tratamiento de lo que pasa en Cuba del *Herald* en español, por ejemplo el titular *Castro espió al Papa*. El *Herald* en español abochorna a su homólogo en inglés, desde una simple coherencia informativa. Ya veremos cómo evoluciona la fundación de Mas Canosa. Ahora la lleva un médico, Alberto Hernández, que no tiene ni vocación política, ni carisma, ni tiempo para manejar ese aparato tan complejo.

—¿Hay algún fundamento en la noticia de que Mas Canosa financió a José María Aznar y al Partido Popular?

—De eso se ha hablado pero yo no tengo información. Mas Canosa era un lince en la unión de sus objetivos políticos y económicos. De momento ya se había metido en un importante grupo telemático español. Atrajo a muchos a la fundación a base de compensaciones en negocios que a veces se cumplían, pero no siempre. Al exilio cubano le espera la hora de la verdad y llegará cuando se produzca un cambio en Cuba, puedan volver y se pregunten, ¿a dónde? ¿A la Cuba de mi memoria o a la Cuba real tras cuarenta, cincuenta, los años que sean de Revolución? Pero fíjate, los viejos de uno y otro bando, son los más predispuestos a los cambios, si implican cesión, no pérdida absoluta. Los menos belicosos en Miami son los veteranos y en Cuba los más abiertos serían hombres como Piñeiro o el propio Fidel.

—¿Fidel tiene la fórmula del cambio según tú?

—Desde que le conocí he admirado en Fidel lo creativo que es en los momentos más difíciles, lo era en aquella Universidad donde reinaba el pistolerismo y lo ha sido a lo largo de toda su vida. Cuando Fidel Castro invita al Papa y le propone que diga lo que quiera, eso es un reto y una manera de mostrarles a amigos y enemigos que él no es intransigente como lo pintan, sino un hombre todavía capaz de audacias arriesgadas, porque en este país no gobierna sólo Fidel Castro. Hay criterios, hay factores, no digamos tendencias en el sentido tradicional como las puede haber en España o en Estados Unidos, pero sí hay posiciones cerradas a los cambios, porque cualquier cambio abre una puerta para que entre el enemigo y destruya la Revolución.

—A mí me parece como si todos estuvieran representando lo revolucionariamente correcto, sin atreverse a tomar posiciones propias.

—Están esperando qué fórmula mágica puede salvar la cabeza de Fidel, para salvar la propia. Eso no quiere decir que no haya gente que experimente. Por ejemplo, Piñeiro puso en marcha el CEA, con el permiso de Raúl, y ese grupo intelectual hizo un formidable trabajo de indagación sobre el futuro. Luego lo boicotearon, pero el trabajo está ahí. No sólo esos jóvenes están por los cambios. Tú conoces a Alfredo Guevara, director del Instituto de Cine, compañero de Fidel en el famoso *Bogotazo* de 1948. Hace un año organizó una misa católica, una ceremonia judía y otra protestante para los invitados extranjeros que vienen a Cuba con motivo del Festival de Cine, a pesar de que el régimen fue ateo, es laico y siempre ha tenido una actitud, no de rechazo pero sí de omisión de la cuestión religiosa. Hubo quien se tomó la iniciativa de Guevara como un atentado contra la Revolución, y si entonces nos hubieran dicho que un año después se iba a ver una misa oficiada por el Papa en la televisión cubana, le hubieran acusado de loco. Lo mismo pasó con lo del arbolito de Navidad. Hay corrientes dentro de la Revolución y por eso quien más o quien menos no quiere apartarse de la regla.

—¿Hay que esperar a la muerte de Castro para que llegue la hora de las clarificaciones?

—Castro sigue siendo el factor aglutinante que va más allá de su partido y del ejército. También aglutinante de la nación cubana, lo que permite al país mantener esta lucha frente a los Estados Unidos. A ver qué pasa el día en que ese combate no exista o se aligere. Si me dices: ¿Qué ocurre si Castro desaparece mañana? Cualquier cosa puede pasar.

—Objetivamente los pequeños cambios no van precisamente en dirección revolucionaria; se permite la capacidad de acumulación de dólares, se crean diferencias sociales estables, embriones de un tejido social pequeño burgués, lo que significa cuestionar la Revolución desde la base material y social.

—Hay que vivir en un mundo real, no siempre coincidente con la utopía de la justicia y la igualdad. Hay que mantener ese sueño como referente, pero hay que ajustar la vida diaria de un país o de una persona al mundo real. Estamos en un receso en la corriente revolucionaria mundial, eso es innegable. Los pueblos no están conformes con la injusticia, pero no se rebelan.

—No tienen instrumentos de rebelión. Me parece sensato que Castro, a partir de su encuentro con Juan Pablo II, pasara a exportar una Revolución no armada, pero deberá asumir derechos democráticos que no son formales.

—Correcto. Esta Revolución desarmada implica un mensaje crítico del capitalismo, pero también la asunción de libertades reales, que yo no identifico necesariamente con los famosos derechos humanos que el capitalismo instrumentaliza a su manera. El mensaje de esa Revolución no está en contradicción con el mensaje cristiano original. Yo creo que hay un renacer del espíritu frente a la violencia, frente a la fuerza. Y la Revolución cubana podría transformarse en un motor de amor, no inspirado en lo que dice el Papa sino por lo que hizo Jesucristo y el mensaje de los verdaderos revolucionarios. Para que haya una evolución en Cuba, Estados Unidos debería levantar el embargo. Así habrá un cambio sin que se desgarre el tejido social.

—A cambio exigen un respeto a los derechos humanos que no exigen a los chinos o a la Indonesia de Suharto o al Marruecos de Hassan II o a la Turquía que masacra kurdos.

—Las violaciones a los derechos humanos en Cuba se magnifican en Estados Unidos y se convierten en la única verdad, en toda la verdad sobre Cuba. En cambio, nada dicen de la violación de derechos humanos en los Estados satélites del imperio o en el propio imperio.

—Del viejo Somoza, los yanquis decían: "Es un *hijo de puta*, pero es nuestro *hijo de puta*" ¿Cuál sería la fuente más fidedigna del estado actual de la represión en Cuba? ¿Amnistía Internacional?

—Es posible que Amnistía tenga datos más fidedignos pero el problema aún radica en la distorsión. Hay una cámara de retroalimentación. Se produce una violación en cualquier parte, se magnifica y hay entidades que lo utilizan desde el exterior, llámense Radio Martí o cualquier periódico internacional que quiera hacer escándalo, e inmediatamente la persona supuestamente disidente acaba por marcharse del país favorecida por el aura de la disidencia. En Miami, escucho todos los días a los llamados disidentes en comunicación telefónica con las emisoras de radio. Denuncian todas las cosas que dicen que les van a hacer y a veces ni siquiera les hacen. Así consiguen el pretexto para pedir la entrada en Estados Unidos. Una vez allí se esfuman como supuestos luchadores por las libertades cubanas. Yo pertenezco a una ge-

Y DIOS ENTRÓ EN LA HABANA

neración de revolucionarios y nunca le pedimos permiso ni a Estados Unidos ni al Gobierno que combatíamos para estar en la oposición. Es decir, teníamos ideas e ideales. Hay quien se cultiva como opositor y cuando tiene la primera dificultad se achanta. En mi época, evidentemente, no era así. Yo nunca he sido marxista-leninista. Cuando era joven sabía rudimentariamente que la economía capitalista dañaba la igualdad social. El marxismo era una interpretación, el leninismo puede haber sido un intento práctico de hacer una sociedad distinta y mejor. Pero personas como yo, o como el propio Gutiérrez Menoyo, nunca nos integramos en el partido como tal y nunca pensamos que la Unión Soviética pudiera ser el motor de la historia ni de una sociedad más justa. Las circunstancias hicieron que la dirección de la Revolución llegara a un entendimiento estratégico con la Unión Soviética y que el Partido Comunista de Cuba tuviera un modelo similar al de los partidos comunistas de la Internacional. Y eso fue aceptado por muchos que hoy día se proclaman disidentes y grandes demócratas, y yo creo que descubrir la democracia después de pasar por este proceso, implica una confesión de irresponsabilidad. Quieren colocar a Fidel en la picota como si fuera el único, el gran culpable de los cambios de la sociedad cubana, se erigen en defensores de aquella sociedad anterior a 1959 y se olvidan de que la Revolución se hizo contra la injusticia, una injusticia real.

—¿Qué se puede hacer desde Miami?

—Casi nada.

Me espera Gabriel García Márquez en el vestíbulo del Cohiba, emplazamos con Max la continuidad de la conversación a lo largo de su estancia en La Habana y me abre las puertas de su casa en Miami, de Miami entera, para cuando traslade la urdimbre de mi libro al portaaviones del anticastrismo. Max reaparecía cada noche en las tertulias del Cohiba en torno a Barbarroja, asombrosos encuentros con antiguos exiliados en Miami que ahora volvían como corresponsales o como particulares y hallaban en las pláticas irónicas de Barbarroja una extraña complacencia de reencuentro.

Son miembros de la tertulia del Cohiba durante la estancia pontificia, el periodista Luis Báez, al que Lesnick califica de *oficioso* porque acompaña a Castro en algunos viajes o se recurre a él para trabajos especiales como los publicados en *Granma* para acercar a las jerarquías vaticanas al gran público. Báez parece uña y carne de Barbarroja y es un hombre lo suficientemente generoso como para facilitarme libros fundamentales y contactos difíciles, alguno tan revelador como el del propio Max Lesnick. Pero junto a Piñeiro *Barbarroja* o Luis Báez, y el distanciamiento crítico de Max, un rosario de personajes singulares dieron a la tertulia niveles surrealistas. Lázaro Fariñas, que consta como periodista exiliado en Miami, envuelto en las actividades anticastristas en los años sesenta, junto a Salvat, actualmente el propietario de la mejor librería de escritura española de Little Havana. Fariñas es un hombre de acción que se ha pasado al sector moderado pronegociador y dialoga con su enemigo Piñeiro con una naturalidad que sólo pueden tener viejos enemigos que se han movido por los pasillos más secretos de la política. Caso diferente es el de Juan Cabañas, hijo de prohombre cubano residente en Estados Unidos que regresa a Cuba en 1959 por sus simpatías con la Revolución. Cabañas se educa en Cuba y regresa a Estados Unidos que es su país legítimo, y se dedica a administrar y presidir una compañía de vuelos chárter que tiene muy buenas relaciones con el Gobierno de La Habana. Alfredo Muñoz, antiguo corresponsal de la agencia France-Press, Mauricio Vicent de *El País*, Luis Tornés, otro exiliado anticastrista que dirige *Miami Post* una publicación progresivamente escorada a la información pro castrista, hasta el punto de que al diario se le llama irónicamente el *Granma* de Miami. Asistía silencioso a la tertulia un joven moreno cuyo nombre no recuerdo, sobrino de uno de los teóricos duros del partido, Machado Ventura, a su vez primo de Max Lesnick. Solían flanquear a Cabañas, Barreiro, ex jefe de la contra-inteligencia, ya jubilado, y a Piñeiro diversos acompañantes que acostumbraban permanecer silenciosos mientras Barbarroja hacía un socarrón resumen de lo sucedido y se sacaba de los bolsillos recortes de fax que demostraban que estaba al día, a la hora, al minuto, al segundo de todo lo que se decía y escribía sobre lo que pasaba.

—Montalbán, sabes ese chiste en que el Papa y Fidel van en un coche descubierto y el viento se lleva el sombrerito ése que llevan los Papas en la coronilla. Vuela el sombrerito y se va a la mar. "¡No se preocupe, Santidad!" grita Fidel. Se va a la mar, camina sobre las aguas, recoge el sombrerito, vuelve caminando sobre las aguas y se lo devuelve a Su Santidad. La noticia fue tratada de diferente manera al día siguiente. En *Granma* decían: "¡Milagro! Fidel camina sobre las aguas como Cristo", y en el *Miami Herald* titulaban: "Fidel ya ni siquiera sabe nadar".

Allí estaba como rubí más que guinda del cóctel, Jesús Quintero, *el loco de la colina*, el singular radiofonista español en busca de programas sobre La Habana de santerías y santeras, convertida en la ciudad de los espíritus, dispuesto a explicarles a los cubanos, fueran de Miami o del infinito, quién es Curro Romero y que significa *un mal fario*. Quintero hacía amagos de torero ante los encantados espías del Cohiba, que acabaron sabiendo tanto de Curro como del Papa. En la tertulia se hablaba y se especulaba sobre la visita y sobre el futuro en relación con el pasado de todos los implicados. Durante siete días, Max Lesnick creyó ver en aquella tertulia la reencarnación de las que él había vivido en los años cincuenta y en los primeros sesenta, en el restaurante El Carmelo de La Habana.

—Aún existe El Carmelo, aunque ya no tiene el viejo aspecto, allí frente al teatro Amadeo Roldán, que era el antiguo auditorio. En ese teatro-auditorio se presentaban las sinfónicas, el ballet, y allí en ese Carmelo, había una tertulia nocturna que concentraba todo lo que brillaba y valía de la burguesía cubana, incluyendo a los elementos revolucionarios después de 1958. Alfredo Guevara participaba en la tertulia, Fidel también había participado ¿Piñeiro? Antes de 1959, no creo, porque él era de Matanzas, pero después de la Revolución, sí, porque poco a poco se desocuparon las mesas de la burguesía y se fue ampliando la zona de la intelectualidad revolucionaria. Recuerdo a un joven Luis Báez en aquellas tertulias y a Fariñas o Tornes. En La Habana, hablar de tertulia evoca inmediatamente las de El Carmelo. Si tú quieres ver este mundo, recuperarlo en una evocación, ve *Memorias del subdesarrollo*. El héroe central de la película responde al prototipo del personaje que deambuló por El Carmelo. De las tertulias del Cohiba, fíjate en Manuel Piñeiro, ex jefe de la inteligencia, ahora retirado, pero en estrecha relación todavía con Fidel Castro. Es un hombre que tiene la característica de hablar pero también de escuchar. Da opiniones, expresa su punto de vista pero siempre ha sido tolerante y consecuente. Sabe mantener la amistad por encima de la discrepancia, en contra de la imagen tenebrosa que se le ha construido. Algún día volverá a haber tertulias como las de El Carmelo en La Habana. Lo del Cohiba ha sido como un ensayo general de reencuentro.

CAPÍTULO VIII

La Revolución no tiene quien le escriba

Sartre: *¿Y si un día el pueblo le pide la luna?*
Fidel Castro: *Señal de que la necesitan.*

Del diálogo Sartre-Fidel Castro,
Huracán sobre el azúcar, 1960.

*Nosotros como revolucionarios valoramos las obras culturales
en función de los valores que entrañan para el pueblo... en
función de la utilidad para el pueblo, en función de lo que
aporten al hombre, en función de lo que aporten a la reivindicación del hombre, a la felicidad del hombre. Nuestra valoración es política. No puede haber valor estético sin contenido humano. No puede haber valor estético contra el
hombre. No puede haber valor estético contra la justicia,
contra el bienestar, contra la liberación, contra la felicidad
del hombre... Ha habido una cierta inhibición por parte de
los "verdaderos intelectuales" que han dejado en manos de
un grupo de hechiceros los problemas de la cultura... ¿Qué
puede preocuparnos a nosotros las magias de estos hechiceros?
¿Qué puede preocuparnos si nosotros sabemos que tenemos la
posibilidad de a todo un pueblo hacerlo creador, de a todo un
pueblo hacerlo intelectual, hacerlo escritor, hacerlo artista?*

FIDEL CASTRO, *Discurso ante el Congreso
de Educación y Cultura,* La Habana, abril de 1971.

Fue Mario Vargas Llosa quien urdió el escándalo, aquella carta infame suscrita incluso por Sartre y la Beauvoir, tan buenos amigos de la Revolución y por Italo Calvino, Isaac Deutscher, Giulio Einaudi, todos los hermanos Goytisolo, casi tantos como los hermanos Karamazov, Moravia, Ricardo Porro, cubano por más señas, como cubano era Carlos Franqui, Semprún, Susan Sontag, carta dirigida al mismísimo Fidel: "Creemos un deber comunicarle nuestra vergüenza y nuestra cólera. El lastimoso texto de la confesión que ha firmado Heberto Padilla sólo puede obtenerse mediante métodos que son la negación de la legalidad y de la justicia revolucionaria. El contenido y la forma de dicha confesión, que con sus acusaciones absurdas y afirmaciones delirantes, así como el acto celebrado en la UNEAC en el cual el propio Padilla y los compañeros Belkis Cuza, Díaz Martínez, César López y Pablo Armando Fernández, se sometieron a una penosa mascarada de autocrítica, recuerda los momentos más sórdidos de la época del estalinismo, sus juicios prefabricados y sus cacerías de brujas. Con la misma vehemencia con que hemos defendido desde el principio la Revolución cubana...".

¿De qué vehemencia hablan estos señoritos comemierdas? ¿Es la vehemencia la que les hace desertar ante el primer obstáculo para sus conciencias pequeño-burguesas? Y Varguitas además ha comunicado a Haydée Santamaría su renuncia a pertenecer al Comité de Casa de las Américas, *usteando* a Haydée, como si no la conociera, acogiéndose el peruano a un discurso de Fidel contra esos escritores latinoamericanos que viven en Europa, a los que se les prohibe la entrada en Cuba "por tiempo indefinido e infinito", el mismo tiempo indefinido e infinito por el que fue expulsado el embajador del Gobierno chileno de la Unidad Popular, Jorge Edwards, otro de la camada de escritores latinoamericanos señoritos y residentes en todas partes, menos en Latinoamérica. Vehementes revolucionarios sin pegar ni un tiro, que ni siquiera tienen la sensatez humilde de Cortázar cuando re-

conoce que la polémica sobre Padilla "... es una crisis de crecimiento".

Hasta 1968, Cuba vivió una experiencia revolucionaria
de arte y ensayo, con el impulso de la legitimidad revolucionaria por detrás y el imaginario del castro-guevarismo como
un referente mundial y no sólo como una *praxis* triunfadora,
sino también como aportación a la teoría revolucionaria. A
Cuba habían acudido intelectuales de todo el mundo, como
habían acudido al Moscú de la Revolución, al Moscú de los
años veinte para sentirse comulgantes en una Revolución
que no habían hecho, por la que no se habían jugado la vida y
a la que abandonarían en cuanto la consumieran ética y esté-
ticamente.

En 1968, la Revolución se colocó a salvo de cualquier
contingencia gracias al reforzamiento de la disciplina y la
conciencia de los cuadros del partido y a las alianzas con la
URSS y su bloque, y no se podía tolerar el derrotismo de un
grupo de brillantes intelectuales que no habían superado sus
prejuicios pequeño-burgueses de búsqueda enfermiza de la
individualización y la singularidad. ¿Cómo puede tolerarse
que en *Fuera del juego,* Heberto Padilla ironice sobre el consenso revolucionario, que diga que los poetas cubanos ya no
sueñan, que elogie al cubano que no quiere ser héroe desde
una "sabiduría en bancarrota", que sostenga que los héroes
no dialogan pero planean con emoción la vida fascinante del
mañana, ¿y esa compasión por el contrarrevolucionario ajus-
ticiado y por el que huye y por esos que no entienden o que
entendiendo se acobardan? Y que premiado el derrotista libro por un jurado proclive al derrotismo, insistan Padilla y
otros en ponerse cartel de intelectuales más desafectos que
críticos, viviendo Padilla la comedia de ir con su próxima novela bajo el brazo en compañía de su mujer y poeta Belkis
Cuza y de Norberto Fuentes como escudero, Norberto, en
otro tiempo escritor de trinchera. No podía dejar la novela
inédita en parte alguna porque tras ella iban los servicios de
seguridad para arrebatársela, cambiársela, rompérsela, sumi-

do en la paranoia; no en balde Padilla es defensor de otro paranoico, Cabrera Infante, el traidor anexionista, paranoia la de Padilla regada por el whisky del embajador de Chile, Jorge Edwards. Cuba y su Revolución eran las víctimas de sarcasmos y vivisecciones alcohólicas.

Una Revolución acosada no puede tener una quintacolumna de poetas, y en la declaración del Primer Congreso Nacional de Educación y Cultura, de abril de 1971, se dice que el socialismo crea las condiciones objetivas y subjetivas para la auténtica libertad de creación, y por lo tanto son inadmisibles y condenables aquellas tendencias que se basan en un criterio de *libertinaje* con la finalidad de enmascarar el veneno contrarrevolucionario. Hay que revisar las bases de los concursos literarios nacionales e internacionales que promovemos, así como el análisis de las condiciones revolucionarias de los integrantes de esos jurados y el criterio mediante el cual otorgan los premios. La cultura y la educación no pueden ser imparciales, porque para la burguesía, la eliminación de los elementos culturales propios de su clase y de su régimen se identifica con la desaparición de la cultura como tal, pero el intelectual revolucionario ha de dirigir su obra a la erradicación de los vestigios de la vieja sociedad que subsisten en el periodo de transición del capitalismo al socialismo. Somos un país bloqueado y por lo tanto el arte también debe ser un arma defensiva de la Revolución. Los farsantes estarán contra Cuba. Los intelectuales verdaderamente honestos y revolucionarios comprenderán la justeza de nuestra posición. Muchos escritores seudorrevolucionarios que en la Europa occidental se han enmascarado de izquierdistas, en realidad tienen posiciones contrarias al socialismo. Juegan al marxismo pero están contra los países socialistas, se sienten solidarios con las luchas de liberación pero apoyan la agresión israelí.

Al dirigirse a los artistas y escritores en 1961, ya Fidel les advirtió que no se sintieran coaccionados por los jueces imaginarios del presente. "Temed a otros jueces que son más temibles, temed a los jueces de la posteridad temed a las generaciones futuras que, finalmente, serán las que dirán la última palabra"; pero aún en 1961 la Revolución cubana estaba mimada por la inteligencia de izquierdas del mundo y La Habana, como el Moscú de 1920, fue la Meca de todos los violadores de códigos del mundo, que buscaban en Cuba a un nuevo destinatario social capaz de entender lo nuevo.

Ningún encuentro tan simbólico como el que reunió a Sartre y Simone de Beauvoir con Fidel Castro, un Sartre entregado ante la fiebre revolucionaria que vivía en directo y sorprendido por la capacidad de demanda de las masas: "¿Y si le piden la luna, comandante?". Fidel respondió: "Señal de que la necesitan". Se cruzaron estas frases durante un viaje en el que Sartre y Simone de Beauvoir asisten fascinados a un baño de masas y de voluntad de información de Fidel Castro. Celia Sánchez, al lado, tomaba notas de los déficit y el traductor Arcocha, hoy en el exilio, traducía lo que los dos franceses esperan oír, pero muchas veces más de lo que esperaban oír, como cuando la Beauvoir le dice a Castro que ha observado que cuando baja del coche para mezclarse con las masas y escuchar sus peticiones, está de mal humor durante los primeros minutos. Castro se volvió hacia ella y la miró sin responder, sorprendido, atento, como cada vez que se habla de él. Pero Celia dijo inmediatamente: "Es verdad. Muy cierto". Fidel puso delante de él su tabaco apagado. "Debe ser verdad", dijo, "me alegra que me rodeen y me empujen; pero sé que me van a exigir lo que tienen derecho a recibir y no tengo manera de darles". Poco después, ante una escena conmovedora en la que unas mujeres llorosas le pedían ejercer como profesoras porque el Estado batistiano les había dado un título demagógico, falso, sin prepararlas y Castro no quería dejarlas en su angustia... "Hay que darles algo, Armando", comprobaron el mejor populismo de Fidel. El ministro de Cultura, Armando Hart, aducía que ellas habían sido cómplices del engaño, pero Castro insistía" Hay que darles algo, Armando".

Sartre le pregunta si todos los que piden, sea lo que sea, tienen derecho a obtenerlo y, como siempre, Fidel se toma unos segundos antes de responder. "Sí". Lo ha dicho con firmeza. Las peticiones traducen una necesidad y la necesidad de un hombre es su derecho fundamental sobre todos los demás. '¿Y si le pidieran la luna?', pregunté seguro de la respuesta. Fumó de nuevo su tabaco; comprobó que estaba apagado; lo dejó delante de mí y se volvió hacia mí. 'Si me pidieran la luna sería porque la necesitaban', me respondió. Tengo pocos amigos porque concedo gran importancia a la amistad. Después de esta respuesta, sentí que él se había convertido en uno de ellos, pero no quise robarle tiempo diciéndoselo. Le dije sólo: 'Usted denomina la Revolución cubana como un humanismo'. '¿Por qué no? Pero por mi parte sólo concibo un humanismo que no se funda ni en el trabajo ni en la cultura, sino, ante todo, en la necesidad. —No existe otro', me dijo".

Sartre contempló los efectos de un sabotaje perpetrado por los batistianos en el exilio y su quintacolumna interior: casi doscientos muertos producidos por el estallido de *La Coubre* y todas sus emociones fueron a parar a la última frase de *Huracán sobre el azúcar*: "Aquellos hombres en pleno trabajo, sin descuidar un sólo instante su vigilancia, luchan por salvaguardar, bajo la amenaza extranjera sus dos conquistas más preciosas: la libertad, desconocida hasta ahora en Cuba, que hicieron nacer y que legitima sus reformas, y la nueva arca revolucionaria, la confianza y la amistad que los une entre sí. No veo que ningún pueblo pueda proponerse hoy un objetivo más urgente ni más digno de sus esfuerzos. Los cubanos deben triunfar o lo perderemos todo, hasta la esperanza".

Sartre debe haber perdido la esperanza porque ha firmado la carta de Varguitas, pero se acabó la paciencia con esos intelectuales imbuidos de una ética individual que en nada concierta con la ética de la responsabilidad de los hacedores de la historia. Ya no les necesitamos. Que se metan donde les quepan sus perplejidades ante el discurso de Fidel a raíz de la invasión soviética de Checoslovaquia, la soberanía de la Revolución está por encima de las soberanías nacionales y de las soberanías narcisistas de cada intelectual en su isla, y sólo desde la irresolución y desde un erróneo sentido de la tolerancia, Salvador Allende ha podido permitir que un poeta individualista como Neruda se convierta en emblema de la Unidad Popular o que un escritor de la camada de Vargas Llosa y Cabrera Infante, Jorge Edwards, que ya nos dio su medida cuando como jurado de Casa de las Américas premió a Norberto Fuentes por un libro ambiguo sobre la lucha revolucionaria, le haya nombrado embajador de Chile en La Habana. Se pasa el día el señor embajador conspirando con los escritores más desafectos, sobre todo con Padilla, su mujer y Norberto Fuentes, siempre Padilla con el manuscrito de su novela encima. Que le digan al señor embajador que es persona *non grata* y que el compañero Allende aprenda a escoger mejor a los representantes de Chile, pero será mucho mejor que se lo diga en persona el comandante en jefe.

El último encuentro entre Fidel y Edwards, cuando ya se le había comunicado que sería aconsejable que abandonara Cuba, se produjo en el Ministerio de Relaciones Exteriores. Fidel se hizo esperar, cuando ni siquiera le constaba a Edwards que fuera a presentarse, pero finalmente allí estaban, en el centro de un salón, Fidel Castro y el ministro de Asuntos Exteriores, Raúl Roa, vestidos de verde olivo, con pistolas en el cinto. Invitado a sentarse, Edwards oyó primero una exposición del comandante en la que con severidad aseguró haber tenido muy buena impresión de él durante la primera entrevista, pero ahora ha comprobado que es una persona hostil a la Revolución cubana e incluso hostil a la Revolución chilena y que ha transmitido esta opinión al presidente Allende.

Edwards es una persona aparentemente reposada, tiene voz de tenor lírico, no le abandona una breve sonrisa más melancólica que irónica. Cuando puede tomar la palabra, afirma ser más escritor que diplomático y que no se ha rodeado en La Habana de contrarrevolucionarios, sino de escritores.

Una cosa es que sea crítico de la Revolución y otra que sea un contrarrevolucionario ¿Es posible calificar de contrarrevolucionario a un escritor porque expresa en privado opiniones críticas? Fidel interrumpe a veces exaltado, pero progresivamente va ganando terreno la placidez discursiva de Edwards. Recuerda las dificultades que ha tenido en su carrera diplomática por haberse solidarizado con la Revolución cubana, en el diario *Le Monde,* por ejemplo, y sus colaboraciones con la revista *Casa de las Américas* en los primeros años de la Revolución. "Es que para ustedes los intelectuales burgueses de izquierdas...", interrumpió Fidel, "Apoyar la Revolución cubana fue como una moda y ahora, en el momento de las dificultades, se sienten decepcionados. Prepárense porque aún les decepcionaremos más y nos tiene sin cuidado".

"Al terminar un periodo largo", cuenta Edwards en *Persona non grata,* "Fidel se echaba cara atrás en el sillón y cruzaba las manos, como si tuviera que recobrar el aliento de esta forma. Ésas eran las ocasiones que yo aprovechaba para intervenir". Edwards le recuerda los fracasos objetivos, por ejemplo la zafra de los diez millones de toneladas y consigue irritar al comandante, ¿no se pueden criticar los fracasos objetivos? Pasa después a justificar sus relaciones con escritores *caídos en desgracia,* pero le constaba al comandante que también se había visto con escritores bien vistos por el régimen y por otra parte, por ejemplo Padilla, no sólo es crítico, también elogia muchas realizaciones revolucionarias. Para Fidel, Padilla se resumía en dos palabras, "mentiroso y desleal y además tiene ciertas ambiciones". Insiste Edwards en que Padilla no es un contrarrevolucionario, aunque, eso sí, un poco fantasioso, además es lógico que a veces la razón de Estado y la poesía no vayan de acuerdo. "Platón escribía que había que escuchar las bellas palabras de los poetas, coronarlos, ponerles ungüentos y llevarlos al día siguiente fuera de los muros de la República. ¡Él ya pensaba que si permanecían adentro sólo causarían complicaciones! Sin embargo, la afirmación de Platón tenía un sentido irónico, puesto que él, ade-

más de filósofo, era poeta. Y el socialismo tendrá que aprender, en definitiva, a convivir con los poetas". Fidel le pregunta
si hay verdaderos poetas en Cuba y vuelve a la carga sobre la
moda de los intelectuales de izquierdas de Europa de atacar
la Revolución cubana e insiste en que hubiera preferido a un
minero como embajador de la Unidad Popular chilena.

Edwards está de acuerdo en lo de las modas y se muestra reacio a secundarlas, desde que se apuntó a las causas
emancipadoras, por ejemplo, a la denuncia de la intervención
yanqui en Guatemala. Empieza a cambiar la disposición de Fidel, porque Edwards va haciendo un recorrido de sus solidaridades con las revoluciones y acaban el escritor y el comandante especulando sobre el análisis de Marx sobre el territorio
idóneo para el éxito de las revoluciones. Ya pasean juntos por
la pieza y Fidel termina por decirle que cree en sus buenas intenciones. "Me habría gustado tener esta conversación. Creo
que habría servido. Pero uno está siempre constantemente
ocupado. ¿Cómo encontrar un poco de tiempo? El problema
es que ahora ya le mandé mi mensaje sobre usted a Salvador
Allende". Tras otro forcejeo, Fidel se maravilla de que Edwards
le hubiera escuchado durante su intervención en la Universidad de Princeton en 1959: "¡Y tú estabas allí!." Ya le tutea, pero la suerte está echada.

Cuando Edwards abandona Cuba pocas horas después, Padilla y su mujer estaban ya detenidos y no tardaría
en producirse la reunión autocrítica en la UNEAC en la que el
propio Padilla, su esposa Belkis Cuza, Díaz Martínez, Norberto Fuentes, Pablo Armando Fernández y Cesar López, entre
otros, confiesan sus errores y reconocen haberse dejado llevar por los halagos de los enemigos de la Revolución, como
Jorge Edwards, una de las peores compañías. La carta que
leyó Padilla fue la más autoinculpadora. Demasiado autoinculpadora incluso. Luego vino la carta de Varguitas, Sartre,
la Beauvoir... estalinismo... juicios prefabricados... caza de
brujas. La respuesta del Congreso de Cultura denunciando
a los intelectuales farsantes, insuficientemente de izquier-

das, se produjo a fines de abril de 1971, el mismo mes en que Jorge Edwards empezaba a escribir en París *Persona non grata.*

Cuando Padilla confesó sus errores, Vargas Llosa, residente en Barcelona, me pidió que me hiciera eco de su carta de protesta en la revista *Triunfo*, una isla unitaria de izquierdas en el mar franquista, en la que yo colaboraba. Di noticia de lo que había ocurrido y me quedé de estatua de sal. ¿Cómo era posible que también aquella Revolución tan diferente cayera en el error de crearse enemigos de papel? Por entonces oiría por primera vez en mi vida ese escatológico insulto cubano: *¡comemierda!* Pasó por Barcelona el ballet de Alicia Alonso y un joven alumno mío, yo a la sazón joven profesor de Historia de la Comunicación, se empeñó en que la acompañante política del ballet, Ángela Grau, me diera una versión en directo de lo que había pasado en torno al caso Padilla. Esperamos a la comisaria política a las puertas del Liceo, salió tarde y un tanto irritada, porque la audiencia era escasa y además no le decían nada nuestros apellidos a pesar del laudatorio currículo que mi malogrado alumno, moriría poco después en un accidente de moto, le había transmitido. La verdad es que Ángela Grau me miraba muy críticamente, como si considerara que no valía la pena demorar el retorno al hotel por culpa de aquel intelectual desconocido que además ni siquiera era de Madrid. En el debate que siguió a su visión oficialista de lo ocurrido, es decir, una Revolución acosada no puede tolerar la gangrena del derrotismo intelectual, alentada por los enemigos exteriores, de pronto se me ocurrió una cita de autoridad:

—Bien. Pasemos por alto que buena parte de los firmantes de esa carta a favor de Padilla sean señoritos burgueses falsamente izquierdistas. Pero es que también la firma Carlos Franqui, un hombre de la Revolución.

Fue entonces cuando los duros ojos de Ángela Grau se pusieron de acuerdo con el duro ceño, con los duros labios, con las duras palabras.

—Carlos Franqui es un *comemierda*.

Paso por casa de Chavarría, donde el novelista uruguayo-cubano trabaja con Leonardo Padura en guiones para una producción italiana, relacionados con el culto napoleónico que hay en esta isla. Chavarría quiere montarme un encuentro con santeros y para avalar la seriedad de la santería me asegura que Celia Sánchez, secretaria y ángel de la guarda de Fidel, era santera, como santero era su médico de cabecera.

—La religiosidad griega de la época helenística y la de Cuba ahora, es la misma. Utilitaria, pragmática. En Cuba nadie reza ni al dios católico ni a los dioses de la santería si no es para conseguir algo. Todos los que van a ver al Papa es porque esperan conseguir algo. No saben qué, ni cuándo, ni dónde, ni cómo —sostiene Chavarría.

Sabe de lo que habla, entre otras cosas porque ha escrito una novela griega, *El ojo Dindymedio*, mejor dicho helenística y la posmodernidad se parece a la época helenística, sostiene Chavarría, porque las épocas que son sombras de otras épocas se parecen, sostengo yo.

Chavarría y Padura pertenecen al grupo de escritores que han conseguido un lugar en el mercado extranjero, sin ofrecer exilio, ni disidencia. "La disidencia vende, es rentable, sobre todo en España", sostiene Chavarría, y me parece haberlo oído antes o después, ciertamente, en los labios del ministro de Cultura, Abel Prieto. Pero tampoco son oficialistas, ni el uno ni el otro, sostengo yo. Procuran vivir su vida de escritores y Padura es el único novelista de aquel grupo dedicado a la novela policiaca cubana que ha permanecido en su país y se ha permitido hacer buena literatura a la medida de la ética del desencanto.

341

Me invita a tomar un café y malanga en su casa, la fritura de malanga cocinada por Maruja, su esposa, Pablo Armando Fernández, siempre entre dos viajes, el poeta de *Aprendiendo a morir.* Aquí está ahora y habla del Papa desde esa prudencia adquirida en el auto de fe en la UNEAC, en 1971. Pablo Armando, Miguel Barnet y Lisandro Otero formaron después un trío de exportación literaria, presente en todos los foros, los tres caballeros, prudentes Miguel y Pablo Armando, vertebrado Lisandro que parecía ser el jefe porque tenía aspecto de jefe. Yo también tenía aspecto de jefe cuando era joven y casi nunca lo fui, ni jefe ni joven.

Lo cierto es que les recuerdo en el desdichado encuentro de Valencia de 1987, cincuenta aniversario del Congreso de Intelectuales Antifascistas, convertido en una encerrona anticomunista, en un intento de culpabilizar a los luchadores antifascistas de los años treinta y cuarenta por no haber sido también antiestalinistas. Recuerdo que la claque social-liberal reaccionaba como los *hooligans* ingleses, a veces desbordada por las circunstancias, como cuando Cohn Bendit reclamó la democracia en Cuba, de pie la *claque* y palmas batientes, pero... pero Cohn Bendit añadió que en caso de invasión yanqui había que ir a luchar por la libertad de Cuba y la *claque* se quedó con las manos tontas en el aire, sin saber qué hacer con ellas, ni con el culo, a medio sentar. Allí tuvieron un encuentro, vamos a llamarle dialéctico, los cubanos *oficialistas*, el trío habitual, frente a Carlos Alberto Montaner y los disidentes Martha Frayde, una vieja dama digna, Vargas Llosa, Octavio Paz y sus mariachis, Jorge Semprún, empeñados todos en redimir sus culpas por un vigoroso y activo pasado comunista, que sólo en el caso de Semprún era realmente comunista, activo, vigoroso y ejemplar. Pedí a Cabrera Infante que no interviniera porque yo presidía la mesa y el acto se había convertido en incontrolable. Me hizo caso, pero su mujer, la actriz Miriam Gómez, no pudo más cuando volvió a salir el argumento de que la Cuba de antes de la Revolución era un burdel y estalló indignada: "¿Acaso todas las mujeres cubanas eran unas putas?". Lisandro Otero como ariete, Pablo Armando y Barnet en retaguardia, Pablo Armando, el poeta que fue católico revolucionario, antes, mucho antes del encuentro de Fidel con Alfonso Carlos Comín, con Ernesto Cardenal o con Frei Betto, más católico que nunca Pablo Armando cuando pidió disculpas en el aquelarre de la UNEAC de abril de 1971 por no haberse integrado suficientemente en la Revolución, desde un complejo de culpa judeo-cristiano-caribeño. Pablo Armando, aquel día...

> *Como un actor que olvida de repente*
> *su papel en la escena*
> *desesperado grito:*
> *¡Aquí estoy!*

Manuel Díaz Martínez, miembro del jurado que premió *Fuera del juego*, en 1968, exiliado de Cuba después de haber suscrito en 1991 *La carta de los diez* en demanda de un diálogo cívico para encontrar una solución autóctona a la crisis cubana, recordaba en 1997 desde las Canarias el ambiente que rodeó el planteamiento, nudo y desenlace del caso Padilla, insistente referente para explicar cómo se produjo la primera herida realmente grave de la Revolución, porque introducía el recelo entre el verde olivo y la poesía como arma de futuro o si hay que ponerse más cursi, entre las armas y las letras. La cosa se había agriado entre Padilla y Lisandro Otero, a la sazón vicepresidente del Consejo Nacional de Cultura, porque Padilla, arrogante como en él era habitual y así lo describió, "arrogante y fantasioso", Jorge Edwards, había recriminado a la revista *El caimán barbudo* dedicar un espacio a la novela de Otero, *Pasión de Urbino*, fallida concursante al premio Biblioteca Breve, ganado por Cabrera Infante con *Tres tristes tigres*, y no haber hablado de la ganadora, ninguneado Cabrera por su exilio y herejía. Apostar por Cabrera Infante en aquellos años era un suicidio. Hoy se le llama paranoico pero se le censa en las revistas cubanas cuando se habla de literatura nacional, como no podría ser de otra manera. Raúl Castro había hecho circular que como ganara Padilla el premio Julián del Casal por *Fuera del juego*, iba a haber problemas. Los hubo. Recuerdo el prólogo que la UNEAC colocó al frente de la edición de las obras premiadas pero condenadas, porque en esa condena se le está reprochando a Padilla su desgana revolucionaria, su criticismo, su ahistoricismo, la defensa del individualismo frente a las necesidades sociales, se le acusa de resucitar el temor orteguiano de que las élites sean superadas por las masas: "... Esto tiene, llevado a sus últimas consecuencias, un nombre en la nomenclatura política: fascismo".

Pero al margen de una interpretación zdanovista del texto, se le recuerda a Padilla el haber reivindicado la obra del tránsfuga Guillermo Cabrera Infante: "...que se declaró públicamente traidor a la Revolución". Arrufat sale menos escaldado, pero se le atribuye derrotismo porque se plantea si es legítimo el horror de una lucha entre hermanos, tiene demasiadas consideraciones con un enemigo que no muestra ninguna consideración con la Revolución. "Esta poesía y este teatro sirven a nuestros enemigos". La utilización militante anticastrista que Cabrera Infante hizo de lo sucedido no ayudó a Padilla y el caso quedó mal cosido, afectado Heberto Padilla de la peor paranoia, de la que tiene el paranoico al que le vigilan de verdad, respaldado por algunos versos de César López en *Segundo Libro de la ciudad:*

> *No es el momento de preguntar por qué los poetas*
> *guardan un extraño silencio, por qué aterrados,*
> *temen a los desatinos y ni siquiera tiemblan;*
> *como dejan de amar los laberintos, las ropas desvaídas*
> *las húmedas y pálidas muchachas de otras épocas.*

Hay que situarse casi tres años después, en el punto culminante de una campaña de intoxicación contra el relajamiento revolucionario de los artistas y escritores, con el escándalo soterrado provocado por la encubierta expulsión del embajador y escritor chileno Jorge Edwards y el arresto del periodista y fotógrafo francés Pierre Golendorf, acusado de pertenecer a la CIA, y finalmente la detención de Padilla y su mujer. Comienza a circular una increíble carta del poeta en la que confiesa demasiados errores políticos y sale libre, pero queda convocada la reunión en la UNEAC para que el propio Padilla y otros escritores aludidos por errados, hagan *mea culpa* público. Un auto de fe.

Noche del 17 de abril de 1971, la UNEAC protegida por agentes de la Seguridad del Estado, escritores y artistas apenas si se saludaban, la única ausencia importante es la de Nicolás Guillén. Había seguido el consejo que él mismo había dado a Díaz Martínez aquella tarde: "No vaya, Manuel, póngase enfermo". Padilla leyó su carta y dio nombres de escritores que le secundaban en culpabildiad, en escaso espíritu revolucionario: su mujer Belkis, Norberto Fuentes, Pablo Armando Fernández, César López, Manuel Díaz Martínez, José Yánez, Virgilio Piñera, Lezama Lima. Los citados, menos los muertos, salieron para explicarse ante los micrófonos. Norberto Fuentes, considerado muy próximo a la Seguridad del Estado, autor de un excelente libro sobre Hemingway dedicado a Tony de La Guardia y del entonces controvertido *Condenados de Condado*, comenzó autocriticándose, para cambiar de tono y asegurar que era uno de los escritores más perseguidos de Cuba y que no tenía nada que reprocharse. Padilla y Díaz Martínez, confiesa el segundo, siempre creyeron que aquella doble actuación de Fuentes estaba pactada con Seguridad del Estado para dar impresión de espontaneidad, muy vinculado el escritor a los hermanos De la Guardia, un Ministerio del Interior dentro del Ministerio del Interior. Lo cierto es que Fuentes tuvo que exiliarse años después del brazo de Gabriel García Márquez, a pesar de haber sido sospechoso de pasar de la desafección a la complicidad con la Seguridad del Estado, para terminar siendo sospechoso incluso de no infundir sospechas.

345

Hubo un antes y un después de aquella noche de abril y hasta escritores tan incondicionalmente procastro-guevaristas como Andrés Sorel escribieron visiones de lo sucedido desde el horror de la inocencia traicionada, escandalizado especialmente el escritor comunista español por el discurso de Fidel pronunciado días después de aquella noche oprobiosa, en el Congreso de Educación y Cultura de La Habana: "Por cuestión de principios hay algunos libros de los que no se debe publicar ni un ejemplar, ni un capítulo, ni una página". De aquel I Congreso de Educación y Cultura, un intelectual conocido dijo: "Menos mal que sólo se celebró uno, porque de lo contrario no hubiera quedado nadie". El cine cubano de hoy, la literatura cubana de hoy ha dejado *Fuera del juego* o *Siete contra Tebas* como obras bien intencionadas de reconducción revolucionaria. El cine cubano de hoy, la literatura cubana de hoy sólo hablan de la Revolución no mencionándola.

Me voy a cenar con un colega en un *paladar* de moda y comentamos el sorprendente discurso de Fidel proclamador de papas, de menos a más, El Caballo, como si se creciera en la larga distancia. El colega recuerda que Franco murió en la cama y profetiza que Fidel morirá en la tribuna, el sentido didáctico de la vida es más poderoso que el sentido de la medida. Algo me invita a dedicar mis ojos a la mesa de al lado donde un grupo de americanos cenan y hablan, menos uno de ellos, una de ellas para ser más preciso, una de esas mujeres que te surcan las cenas como un navío que atraviesa tu horizonte y se marcha irremediablemente con las velas puestas. Me evoca a la mujer de Scott Fitzgerald o a la de Bowles y hay una base objetiva en esa asociación de ideas, tal vez porque parece una muchacha muy vivida y tan evadida que ha dejado su ausencia en este *paladar* y está en otra parte donde también me gustaría estar a mí. Es una mujer para conocer en una isla, entre dos barcos, en una isla tan esencial como ésta, no la toquéis más, así es la isla. Mi colega está inspirado:

—El que añade dólar, añade dolor, como dijo el Eclesiastés. Esto es una falsa economía mixta. Sólo se permiten respiraderos para que el Estado recaude los dólares que necesita para ir tirando, sólo para ir tirando y prolongar la agonía. Cuba es un limbo de nada, una nebulosa socialista donde no existe el presente y eso se nota hasta en la literatura que se hace donde no pasa nada, nada. Estoy hasta los cojones de tanto barroco y de tanta necrofilia: "Patria o muerte", ¿a dónde vamos con ese lema? O Cambio o muerte.

—¿Y si el cambio lo traen los bárbaros?

—¿Existen los bárbaros? ¿No habíamos quedado con Cavafis que los bárbaros no existen? ¿Y si los bárbaros estuvieran entre nosotros? ¿Tú sabes que se dice que le retocan los discursos a Castro?

—¿Quién se atreve?

Se encoge de hombros y yo de ánimo, porque la muchacha americana parece haber vuelto, pero dedica toda su atención a un hombre de labio belfo y zapatos amarillos. Mi amigo cubano canturrea:

las penas que a mí me matan
son tantas que se atropellan
y como de matar se trata...

Le comento a mi colega la impresión causada por la visita a la Escuela Internacional de Cine y Televisión en San Antonio de los Baños que fundara García Márquez, una isla de suficiencia cultural y de libertad de indagación a cuarenta kilómetros de La Habana, instalada en una escuela campesina, en régimen de internado para estudiantes de todo el mundo, aunque prefieran alumnos oriundos de América Latina, el Caribe, África y Asia, bajo la dirección del argentino Alberto García Ferrer que me enseñaba las dependencias mientras los televisores empezaban a recibir vibraciones papales. Está al llegar Su Santidad y un hombre joven nos saluda sin saludarnos, nos ve sin vernos pasar y repasar porque no quita los ojos del cielo.

—¿Qué miras?

—Por ahí ha de venir el Papa.

—No va a saludarte desde la ventanilla del avión.

Daba lo mismo. El pertinaz *voyer* no apartó la vista del punto exacto por donde había calculado que llegaría el ángel del Señor hasta que apareció el avión con retraso y tuvo la impresión de que algo había roto para siempre su cielo de todos los días. Nada ajeno a este *voyeurismo* tan celestial, yo hablo ante los alumnos de la relación del cine con la literatura, con mi literatura, ante Iciar Bollain que está aquí asistiendo a un curso y me parece que filmando algo por La Habana. Me la encontraré más tarde entre cardenales y mojitos, siempre sorprendido de su imagen de eterna muchacha parpadeante, nacida de una película de Erice, como Eva nació de una costilla de Adán, *El Sur*, donde se recitaban versos que me parecieron míos, tal vez de todos: "... llegar a ese lugar del que no se quiera regresar". Ahora Iciar ya es consciente de que algún día ella será Erice, metida dentro de esa agonía del creador en busca de algún lugar del que no quiera regresar. También hablaré con gentes del ICAIC y con escritores aislados, pero no quiero comprometerles con mis preguntas, porque me deberían una sinceridad incómoda, por lo tanto sobre todo escucho y leo, he leído todo lo que me han dicho que era obligatorio leer para entender una realidad a la que la literatura puede aportar, sobre todo, sus omisiones. Irrumpe en mi espacio acústico el colega con el que me alimento en el *paladar*, con un discurso muy crítico del gusto literario dominante.

—Les ahoga el barroco. Se creen que imitar a Lezama Lima es una manera como otra cualquiera de demostrar que son anticastristas. Hay una tendencia que pide que volvamos no a 1958, sino a la Constitución del 40 y entre los escritores se dice que la literatura cubana empezó y terminó con los de *Orígenes*.

Cuando hace ya cuatro años me predisponía a escribir el prólogo a un compendio de nuevos cuentistas cubanos, después de leer el estudio de López Sacha introductor, descubrí· que mi papel no podía ser otro que el de un escritor español solidario y gozador de los logros de una literatura que se ha visto obligada a ser algo más que literatura. La especial significación de la Revolución cubana ha condicionado con toda clase de pretextualidades el trabajo de los escritores de Cuba. Hubo una época que escribir desde Cuba asumiendo la Revolución o fuera de Cuba a la contra, marcaba un valor añadido o su contrario a la hora de establecer una lectura apriorística. Después los buenos escritores eran los que se exilaban y los malos los que se quedaban. Ahora tal vez hayamos corroborado todos que no es posible simplificar tan burdamente y que la buena o mala escritura depende de una lógica interna de lo literario que más tarde o más temprano se separa de lo histórico. No quiere decir eso que la literatura no intervenga sobre la historia y viceversa, pero el valor de lo literario, la impresión de verdad literaria que trasmite un texto, no depende de que comulguemos con las verdades de otra índole, políticas o científicas o morales o psicológicas que trate de trasmitirnos la propuesta cómplice de escritura y lectura.

López Sacha planteaba un inventario de la modernidad literaria cubana desde el *boom* latinoamericano que tuvo extraordinarios apellidos cubanos: Lezama Lima, Carpentier, Cabrera Infante o Miguel Barnet como su más joven estribación, por riguroso orden bioliterario. No se puso aquel sol sino que una nueva remesa de escritores entre los que figuraban Jesús Díaz, Reinaldo Arenas, Norberto Fuentes, Heras León marcó el eslabón con la hornada hoy presentada que tenía como cabezas de fila a Miguel Mejides y Senel Paz, más conocido Senel por haber sido el más divulgado internacionalmente y por haber dado el tono de una literatura comprometida con la esperanza de la síntesis entre cambio y continuidad. Fue el cuento de Paz, *El lobo, el bosque y el hombre nuevo*, premio internacional Juan Rulfo 1990, el que abrió camino a una renacida curiosidad por la más nueva literatura cubana y la base de la película de culto *Fresa y chocolate*.

Conocía la obra de Miguel Mejides por consejo de Padura y bajo mi responsabilidad la de Jesús Díaz, René Vázquez Díaz, Abel Prieto y Leonardo Padura y a partir del desvelamiento de López Sacha me propuse buscar a los otros escritores censados. Tras la lectura se descubre que la nueva literatura cubana consuma, como siempre, el encuentro dialéctico entre tradición y Revolución, con el añadido de la pluralidad patrimonial que caracteriza el posmodernismo. Suelo rechazar el posmodernismo que implica ahistoricismo, pero es irrechazable que, consumido el sueño de la vanguardia por la vanguardia, las artes y las letras asumen todos los patrimonios posibles y tratan de modificarlos mediante la violación de los códigos. La difícil situación por la que pasa la industria cultural cubana, plasmada en los problemas de edición de sus propios escritores, se agrava por el bloqueo cultural implícito que se le impone desde los mercados culturales extranjeros, sobre todo a los escritores que se han quedado en Cuba. Tampoco ayudan las condiciones materiales de la industria cultural cubana. Queda papel para publicar revistas de corta tirada, libritos de cuentos, pero poco para la novela de largo alcance, aunque también es difícil concentrarse para escribir novelas de largo alcance en una realidad en la que cuesta tanto sobrevivir y te pasas el día pensando informes contra ti mismo.

Una sociedad literaria como la española, tan interesada en el inmediato pasado por cuanto se escribía en Cuba, no dedica serios esfuerzos a enterarse de que la isla sigue literariamente viva mediante los escritores que trabajan allí y los que lo hacen a cualquier distancia geográfica o ideológica. Planteaba en el prólogo que, dada la debilidad de la edición cubana, sería necesario que editoriales españolas abrieran sus catálogos a tan excelentes escritores. No sé si la historia me absolverá, pero los hechos me han dado la razón: 1998 ha sido un año importante para el redescubrimiento de la escritura cubana en España y Europa. Empezó Zoé Valdés, finalista del Planeta en España y consagrada en París, a continuación los éxitos de Padura y Abilio Estévez se han visto ratificados con el Premio Cervantes a Cabrera Infante, el Alfaguara a Eliseo Alberto compartido con el nicaragüense Sergio Ramírez y el Azorín a Daína Chaviano. Con razón José María Plaza los considera en el diario *El Mundo* protagonistas de la temporada literaria 1997-1998 y llama la atención sobre Padura, cuya trilogía *policial* centrada en el melancólico policía Mario Conde es un excepcional ejercicio crítico del empantanamiento revolucionario.

De aquella operación que hace ya algunos años moviera Paco Ignacio Taibo II, ayudado por los que comulgábamos con su idea de proponer una novela policiaca tan rigurosa que no tuviera por qué ser pretextualizada como género menor, Padura, entonces uno de los más jóvenes, es hoy uno de los más ciertos representantes de la novela de testimonio que utiliza la arquitectura de lo policiaco. Alfredo Guevara me ratificará que aquí casi no existió la tentación del realismo socialista, casi, corrijo porque la mala leche habanera censa al defenestrado Carlos Aldana como un empecinado *poeta social* y Manuel Cofiño cultivó aquella especial relación forma-fondo, por ejemplo en *La última mujer, el próximo combate*, novela de la épica resistencial, a la manera de Vasco Pratolini, de calidad literaria correspondiente a un momento de identificación revolucionaria que la poesía vivió plenamente sin contagiarse del realismo socialista en su generación del entusiasmo: Retamar, Barnet, Suardíaz, Pablo Armando, César López, el propio Padilla. También imbuidas de identidad revolucionaria *El comandante Veneno* de Manuel Pereira, ex compañero, supongo que sentimental, de Zoé Valdés, o *Condenados de Condado* de Norberto Fuentes, por más que un tratamiento fenomenológico de la violencia pudiera crear en torno de este libro de relatos de guerra un aura de ética distanciadora, *predisidente*.

Las obras publicadas antes de 1968 pertenecen a la edad de la inocencia y a partir de la reacción de la UNEAC contra *Fuera del juego* de Heberto Padilla y *Siete contra Tebas* de Arrufat, ya nada fue igual porque un grupo de escritores se hicieron sospechosos de contrarrevolucionarios y la lógica interna del comisariado cultural les llevó al *abracadabrante* auto de fe en el que, Padilla a la cabeza, confesaron sus errores y César López reconoció que había hecho concesiones en sus escritos a los enemigos de la Revolución y por eso le daban premios en el extranjero. Se refería al premio Ocnos, ganado por *Segundo libro de la ciudad*. Me sentí innecesariamente aludido, algo parecido a lo que siente Dios cuando pronuncian su nombre en vano. Como joven y poco significado jurado, en compañía de contrarrevolucionarios como José Agustín Goytisolo, activo resistente antifranquista o Joaquim Marco (expreso político del PSUC), doy fe de que premiamos el libro porque era el mejor de los presentados. El jurado era una colección completa de compañeros de viaje y yo un militante comunista clandestino, más o menos crítico, sin pasaporte y ex presidiario condenado por un tribunal militar franquista por el delito de rebelión militar por equiparación a tres años de cárcel. Evidente retrato de jurado pequeño-burgués contrarrevolucionario con su topo en La Habana. ¿Qué había pasado para que César López nos negara autonegándose?

Mario Benedetti, poco sospechoso de contrarrevolucionario, en su colaboración con *Literatura y arte nuevo en Cuba* (1971) describía la eufórica relación entre Revolución y creatividad en los primeros años. En el mismo volumen, Ambrosio Fornet, un *magíster* del gusto literario cubano contemporáneo, advertía sobre los riesgos de que un intelectual de izquierdas, que podría incluso morirse de viejo y de izquierdas, lo fuera sin sentirse obligado a cerrar filas con las masas o a comprometerse en la acción revolucionaria. Las responsabilidades política y artística del escritor, dice Fornet, debieran ser la cara de la misma moneda y así como antes se sentía orgulloso cuando los colegas extranjeros le aplaudían en la espalda y le decían: "Admirable Revolución, no permitan que nada la manche", ahora esa recomendación, 1971, le parece irritante. Tal vez Fornet se esté refiriendo al consejo dado por Sartre, cuando, a pesar del entusiasmo que le ha provocado la Revolución y Castro como líder, advierte a los intelectuales que vigilen cualquier contagio soviético de la supeditación de la cultura al poder: "Cuidado. Ese peligro nunca se debe pasar por alto. La cultura rusa se salvará porque los comisarios que fusilaban a escritores y poetas debían ser consecuentes con los principios que proclamaban y tenían que enseñar a leer a las masas analfabetas. Una vez alfabetizadas ¿qué leían esas masas? A Tolstói, a Dostoievski, con lo cual el nivel cultural del pueblo soviético está a punto de sobrepasar al de sus dirigentes. Cuando eso ocurra ¿qué pasará en la URSS? No sé, tal vez otra Revolución. Ahora bien, el caso de Cuba es distinto. Hasta el presente ustedes no tenían más que *El Quijote* y ahora están tratando de construir una cultura cubana. Si muriera al nacer, las consecuencias para el futuro serían mucho más graves que las que ha sufrido la Unión Soviética". Pasando por alto el ignorante eurocentrismo que implica desconocer toda la literatura cubana situada entre El Quijote y 1960, la advertencia parece premonitoria del diferendo entre la Revolución y algunos de sus mejores escritores. Fornet está escribiendo ya bajo el primer estigma serio, el escándalo político causado por *Fuera del juego*.

Benedetti, para impedir el final infeliz de la inocencia, describe el esplendor en la hierba de aquellos siete, ocho, nueve primeros años en los que se produjo la coincidencia entre vanguardismo ideológico y vanguardismo artístico, en el que la Revolución fue plataforma del *boom*, de la mitificación de aquella hornada de escritores magníficos que habían entrado en el mercado mundial al mismo tiempo casi que Castro entrara en La Habana, escritores de izquierdas, amigos de la Revolución, apologetas directos o indirectos, multiplicadores de su imaginario: Vargas Llosa, Gabriel García

Márquez, Cortázar, Edwards, Benedetti, el primer Cabrera Infante, Galeano y con ellos se colaban Borges, Rulfo, Donoso o Paz, a pesar de sus divorcios ideológicos o vitales, porque la Revolución había abierto los ojos del mundo a América Latina. A pesar de su calidad intrínseca, sin la Revolución ¿estarían hoy evaluados en la misma medida Lezama Lima, Carpentier, Eliseo Diego, Cintio Vitier, Nicolás Guillén o Piñera? ¿Por qué saber hoy la significación del grupo *Orígenes* es una demostración de cierto nivel cultural universal? ¿Quién conocía esa significación antes de la Revolución, y cómo a pesar del recelo de los intelectuales revolucionarios, *Orígenes* les acompañó como un producto de exportación cultural? Ni siquiera los disidentes literarios de altura serían disidentes de tanta altura como Cabrera Infante, sin la Revolución castro-guevarista. Igual puede decirse de músicos como Leo Brower o pintores como Portocarrero o arquitectos como Ricardo Porro o de la expansión cinematográfica impulsada por el ICAIC, que otorga a La Habana la capitalidad de la cinematografía latinoamericana, como Casa de las Américas fue el instrumento de la afirmación de una literatura continental. Con pies de plomo, Benedetti censa los logros sociales de la Revolución, la socialización del patrimonio, para empezar la socialización de la lengua: Cuba llega al grado cero del analfabetismo.

Es lógico que en esta atmósfera de tantas identificadas creatividades, se sientan como pez en el agua significativos creadores del mundo, como se sintieron en la URSS hasta el decreto de unificación estética y política de Stalin. Por La Habana pasó parte significativa del quién es quién de la cultura progresista universal: María Plisetkaya, Maurice Béjart, Luigi Nono, Siqueiros, Antonio y Carlos Saura, Godard, Boris Ivens, Tony Richardson, Sartre, Simone de Beauvoir, Graham Greene, Hemingway, Cortázar, Aimé Cesaire, Juan y José Agustín Goytisolo, Vargas Llosa, Gabriel García Márquez, Peter Weiss, Margueritte Duras... Benedetti es justo en su descripción de La Habana como Meca de la cultura progresista y por eso tiene un valor especial su colofón final a propósito del caso Padilla, resaltando que la denuncia de los contenidos contrarrevolucionarios de las obras de Padilla y Arrufat apareció primero en la revista de los militares, *Verde olivo*. Benedetti reflexiona cuando Padilla aún no ha sido encarcelado ni se ha autoinculpado hasta lo inverosímil, pero se pregunta si incluir poemas y percepciones críticas en algunos libros es motivo para desencadenar tan feroces ataques contra los autores. Recuerda que el Che había recomendado no crear asalariados dóciles al pensamiento oficial, aunque Benedetti cree legítimo que haya una presión social para que los intelectuales se integren más en la Revolución, que no se beneficien de ella sin participar en sus logros, recomendación que no resuelve el problema de fondo de la discrepancia.

Casi todos los comisarios culturales que propiciaron el auto de fe de 1971 están hoy en el exilio y desde entonces se ha ido estableciendo un desencuentro entre la Revolución y los artistas y escritores, que se traduce en un goteo de exilios exteriores y en una comunión de exilio interior, no ya en la actitud civil, sino en la literaria. La Revolución no tiene quien le escriba. Por el camino quedaron obras que han marcado esa dificultad del escritor por adecuar su código a lo que le gustaría leer al poder, dificultad inicial para escritores que venían de una cultura prerrevolucionaria y que ahora se ha convertido en dificultad terminal para los nacidos revolucionarios, como se nace cubano. Como no estoy haciendo un inventario total de la literatura cubana, sino una instrumentalización de la posición de sus actores ante la Revolución, me concentro en cuatro títulos. *El vientre del pez* de Pablo Armando Fernández, refleja la voluntad de instalación en la Revolución de un cubano que vuelve y juzga lo que ha pasado tratando de superar su extranjería y la distancia entre el yo y el nosotros. En *El árbol de la vida* de Lisandro Otero estamos ante una ambiciosa novela río de la historia cubana, a la manera de la sin par *El polvo y el oro* de Travieso Serrano, pero en este caso el autor ha desplegado esa estrategia narrativa para comprender la evolución de las especies sociales, desde los tiempos de la sacarocracia hasta los de la Revolución, especialmente difíciles para los herederos del poder social y económico, decididos a desclasarse y ser aceptados por la Revolución: es el caso del protagonista principal, aspirante a entrar en el Partido Comunista y no es aceptado. Otero, que nunca fue miembro del partido, durante muchos años demostró autocontrol ideológico, fue verdadero cabeza de filas de los escritores que viajaban por el mundo, el que daba la cara cuando se juzgaba a la Revolución cubana, podemos deducir ahora que sólo trataba de ser aceptado por esa dama tan implacable, ensimismada, desdeñosa que se llama Revolución y tras un rechazo personal e intransferible, Lisandro ha escogido un exilio sin escándalo.

Si el personaje de Otero mide su fracaso personal y dinástico por no ser miembro del Partido Comunista, el de Jesús Díaz, en *Las iniciales de la tierra* lo mide porque se está debatiendo entre sus compañeros si merece o no merece ser proclamado "trabajador ejemplar del año", provocación inicial para un inventario de la vida y conciencia del protagonista, inventario que ya no está en sus manos, sino en las de sus compañeros, jueces de sus méritos para una distinción colectiva. Aunque la novela no despeja el enigma, el largo viaje literario de Díaz nos ha llevado a la sensación de desencuentro entre la subjetividad de Carlos Pérez y el tribunal de lo social, de *los otros*, en cierto sentido recuperados como infierno sartriano. Un paso más allá supone *Informe contra mí mismo* de Eliseo Alberto, hijo de uno de los poetas emblemáticos de Cuba, Eliseo Diego, junto a Vitier y Fina García Marruz presentados como la cubanía literaria católica que asume la Revolución. Eliseo Alberto, que tenía ocho años cuando Fidel entró en La Habana, ha escrito un largo y falso alegato contra sí mismo, de hecho es un ajuste de cuentas a la construcción del *yo* y del *nosotros* revolucionario contra natura, tan contra natura que le han pedido al autor que escriba un informe sobre su familia y, al convertirlo en un informe contra sí mismo, coloca la autocrítica como la mierda ante un ventilador. Si recurro a la imagen de la mierda es porque Eliseo Alberto, por cierto coguionista de *Fresa y chocolate* y *Guantanamera*, no la evita. "Yo confieso, recordaré con cierta amargura a un joven que abandoné a su suerte hace muchos años en una trinchera de La Habana: yo mismo. A pesar de tantísimos pesares y en nombre de tantísimas alegrías, me niego a pensar que durante esta descarga de recuentos dulces y amargos, alguien diga, yo diga, cualquiera diga, cualquiera de nosotros se atreva a decir: 'Que se vayan, que se vayan, que se vayan' o 'Dentro de la Revolución nada, contra la Revolución todo' o 'Esta casa es mía', 'Fidel ¡esta es mi casa!', o 'El pecado original de los intelectuales cubanos es que hicimos la Revolución', o '¡Paredón, paredón, paredón', porque entonces compañeros y compañeras, escorias y sabandijas, señoras y señores, socios y socias, compadres y comadres, gusanos y gusanas, *aseres* y *moninas*, damas y caballeros, lectoras y lectores, amigas y amigos míos, entonces tendremos que desclavar de nuevo las tablas de los roperos y sujetarlas de algún modo a los bastidores de la cama y una noche propicia, bajo el *spot* de la luna nos veremos *balseados* en un mar de tiburones cebados por las carnes de miles de náufragos hermanos, con la desesperada esperanza de llegar cuanto antes a la única tierra prometida para los cubanos: irnos todos a casa del carajo. O lo que es lo mismo, a la mierda".

De los escritores nacidos o consolidados fuera de Cuba, el caso de René Vázquez Díaz, estudiante de ingeniería naval que se quedó en Europa y reside en Suecia, es atípico. Crítico de la Revolución pero no sañudo impugnador, ha conseguido una metáfora muy sutil del desencuentro de las dos orillas en *La isla del cundeamor*, isla dentro del archipiélago ya no de Cuba o de Miami, sino del archipiélago conjunto que forman Miami y Cuba, cual unidad de contrarios. Está por ver qué identidad depara el futuro a esos escritores cubanos en lengua inglesa, de los que tratara el último número de *Temas*, que pude recoger en mano, en el que Fornet reflexionaba sobre la tríada lengua-nación-literatura ¿Son escritores cubanos Óscar Hijuelos, Roberto Fernández o Cristina García? Literatura de inmigrantes en busca de sus raíces, pero que ya están creando sus raíces futuras en otro lugar, en otra lengua. Aparte del interés de su mirada no implicada en el dramatismo de ser hijo del entusiasmo, ni de la usura, ni del desencanto, son culturalmente cubanos, porque asumen el patrimonio de la cubanía y exhiben una conciencia aprehensiva; pero literariamente no, literariamente la lengua condiciona la identidad. Culturalmente, no. Estos escritores desgajados sin quererlo, nada tienen que ver con los desgajados con voluntad de ruptura, casi de arrancarse las raíces, como quien se autotaxidermiza, como quien se suicida sin morirse. Desde la ruptura más fría, el Cabrera Infante de *La Habana para un infante difunto*, *Delito por bailar el cha cha cha* y, sobre todo, *Mea Cuba*, inventario de agravios y agresiones, en la que no queda revolucionario con cabeza... "¡Lejana Cuba, qué horrible has de estar!..." o desde la ruptura caliente, abrasada, *Antes que anochezca* de Reinaldo Arenas, patética *automoribundia* de un enfermo del sida que ajusta cuentas al castrismo desde la estatura de escrituras singulares *El palacio de las blanquísimas mofetas* o *El mundo alucinante*, obras de escritor mayor que en *Antes que anochezca* se lleva a la tumba a media Cuba, pero antes se ha pasado por la piedra a miles de machos revolucionarios que le han hecho la vida imposible como homosexual, lo que no le ha impedido un auténtico récord a homologar: cinco mil contactos homosexuales en un mes de agosto, qué agosto no importa. Pero ahí queda su patética rememoración de una generación perdida: "¿Qué se hizo de casi todos los jóvenes de talento de mi generación? Nelson Rodríguez, por ejemplo, autor del libro *El regalo*, fue fusilado; Hiram Pratt, uno de los mayores poetas de mi generación, terminó alcoholizado y envilecido; Pepe, *El Loco*, el desmesurado narrador, acabó suicidándose; Luis Rogelio Nogueras, poeta de talento, muere recientemente en condiciones bastante turbias, no se sabe si por el sida o por la policía. Norberto Fuentes, cuentista, es primero perseguido y convertido, finalmente, en agente de la Seguridad del Estado, ahora en desgracia; Guillermo Rosales, un excelente novelista, se consume en una casa para deshabilitados en Miami. ¿Y qué ha sido de mí? Luego de haber vivido treinta y siete años en Cuba, ahora en el exilio padeciendo todas las calamidades del destierro y esperando además una muerte inminente. ¿Por qué ese encarnizamiento con nosotros?"

Lo cierto es que hoy el arte más joven y la nueva literatura cubana omiten la identificación revolucionaria. Los escritores más jóvenes describen lo que ven y testimonian preocupaciones sobre hábitos de vida y problemas posmodernos: el sida que ha convocado una reunión de cuentos de enfermos acogidos en el sidatorio Villa los Cocos, con el título *Toda esa gente solitaria;* el neoindigenismo en una sociedad hondamente racista; el *jineterismo;* los problemas de abastecimientos o laborales, pero con el propósito de no topar de frente con las verdades oficiales. Cuando no el recurso del retorno a *lo privado,* lo cotidiano frente a lo histórico en un pueblo cansado de historia. De los autores ya en la primera madurez, que aún vivieron los años del entusiasmo, escojo para mi homilía a Leonardo Padura y Abilio Estévez, a la espera de que Senel Paz vaya más allá de su emblemática *El lobo, el bosque y el hombre nuevo (Fresa y chocolate).* Padura, como Estévez, vive en Cuba y lleva al límite la constatación de las contradicciones entre lo cotidiano y lo histórico en su tetralogía *Las cuatro estaciones*, cuatro fases del año 1989, el año en el que se va hundiendo el bloque socialista. Padura ha seguido la consigna de Fidel de los años sesenta: "Dentro de la Revolución todo. Contra la Revolución...", ningún derecho tan desde la Revolución que su héroe, y punto de vista, es un policía. Abilio Estévez lleva la omisión del presente a una ceremonia barroca y santera de convocatoria del antes de la Revolución, con palabras de fondo de Carlos Varela: "Yo no sabía que era una pieza en una partida de ajedrez y que el tablero era mi ciudad", trasladadas por Estévez a otro contexto: "Maestro, ignorábamos que éramos las fichas de un juego incomprensible, no pudimos comprender que la huida del tirano, con la familia hacia República Dominicana, la entrada en La Habana de los rebeldes victoriosos (que tomamos por enviados del Señor) transformaría tanto nuestras vidas como si hubiéramos muerto la noche del 31 de diciembre de 1958, para nacer el 1 de enero de 1959 con nombres, cuerpos y almas completamente transfigurados (aunque esto lo sé, no tendrá espacio en la novela. Deberá ser narrado en otros libros)".

Con un 15% de cubanos en el exilio, con la parte que le corresponda a su intelectualidad, parece en crisis el contrato entre cultura nacional y territorio, como si la cultura cubana ya empezara a ser un archipiélago, un mapamundi lleno de Cubas según el sueño loco del pintor Antonio Eligio. Resulta muy difícil la reunificación cultural de esas Cubas, dificultad evidenciada en la revista *Encuentro*, que al promocionar una reunión de intelectuales y artistas plurales bajo el lema "La isla entera", comprueba que el Gobierno de la Habana no se fía de la instrumentalización del acto y queda cojo de participación, lo que da pie a una polémica entre el convocante en Madrid, Sánchez Mejías, y el ministro de Cultura en La Habana, Abel Prieto.

Apenas un portero y distancias para pajes en la que fue mansión Sarrá, ricos farmacéuticos, y hoy Ministerio de Cultura, en una hora infame, me refiero a la hora del calor bochornoso y las digestiones del tasajo, para encontrar a Prieto como siempre, fáustico, joven, *teenager* de cuarenta y pico, pero *teenager*. Empezamos por el Papa, porque en el principio fue el verbo y el verbo ha pronunciado la palabra *aborto*. "El aborto no lo ha traído la Revolución", se defiende Abel Prieto. "Es algo muy arraigado en la gente, como opción voluntaria de la mujer o de la pareja. Otro asunto es el de la pena de muerte. Aquí la gente no es sanguinaria. La gente entendió, que después de la Revolución o de la invasión de Playa Girón, sólo se ejecutara a los que habían cometido actos criminales. En Cuba también ha sido bandera de la izquierda la abolición de la pena de muerte y se ha aplicado con cuentagotas. Pero el pueblo tampoco entendería que no se castigara con la máxima pena a criminales sangrientos".

Charlamos sobre la intervención televisiva del cardenal. Para Prieto, Ortega intentó dar una de cal y otra de arena, "pero no fue una intervención provocadora, ni mucho menos". La Iglesia no tiene ningún interés en que haya incidentes, ni problemas. Es una institución en crisis, porque no hay mucho seguimiento religioso en Cuba y tienen más adeptos los santeros. Se hace una misa a san Lázaro, un santo que ni siquiera está reconocido como santo, y la gente lo identifica con Babalú Ayé, una deidad africana. En la religión afrocatólica, san Lázaro es un viejito con muletas que protege a los leprosos, a los cojos, a los que tienen enfermedades en la piel y ahora lo han hecho patrón de los enfermos del sida. Todos los años hay una gran peregrinación al santuario de El Rincón, interesante porque se dan algunas muestras de exageración religiosa, que en Cuba son raras. Algunos van de rodillas, esas cosas que uno ve en Centroamérica, en México, en Nicaragua, pero aquí son raras. Ese día la gente viste prendas de color morado, el color de Babalú. Cada año, el propio cardenal celebra la misa de san Lázaro, recupera institucionalmente a san Lázaro, porque la Iglesia quiere acercarse a las masas, como quiere acercarse ahora al discurso de la teología de la liberación.

—Al Vaticano se le ha hundido el enemigo, tienen que reconstruir el discurso y buscar otro anticristo.

—Creo que incluso ha bajado el índice de católicos practicantes en Polonia, en la Polonia poscomunista.

Le planteo a Prieto que todo tiene que resituarse, incluso el concepto de Revolución. El capitalismo ha alcanzado una hegemonía incontestable, ha lanzado una feroz propuesta económica que amedrenta el mercado de trabajo y el pensamiento casi único copa los aparatos ideológicos y culturales. Casi diez años después de la caída del muro, un inventario desolador ante la pasividad de la izquierda.

—A la izquierda le ha faltado valor. Yo he participado en los foros en Sao Paulo o en el de Montevideo, Managua, fíjate lo que significa la caída del sandinismo. A la izquierda le falta alternativa, para empezar una alternativa económica. He hablado mucho con Salvador Chafic. Me decía que hasta las clases medias de El Salvador tratan de buscar el diálogo con la izquierda porque el neoliberalismo los arrolla. Al poner los países en manos de las transnacionales, las capas medias se empobrecen a una velocidad enorme, se aniquilan, y por eso aparece, muy remotamente, la necesidad de alternativas. No estamos hablando de burguesías nacionales, nunca las han dejado consolidarse. Son como un bosquejo, caricaturas o anticipos de lo que podría ser una burguesía nacional y necesitan cuerpo teórico y planteamiento práctico para enfrentarse a la depredación neocapitalista. Tratan de reformar el modelo neoliberal, después de privatizar los cementerios, los parques, las cárceles, la seguridad social. Es muy difícil reconstruir el papel del Estado, aunque sólo sea el papel moderador. La izquierda necesita un pensamiento nuevo y en Cuba estamos articulándolo.

—He leído, en las publicaciones del CEA, un trabajo sobre economía de Carranza.

—¿De Julio?

—Muy interesante.

—Muy interesante, sí.

—Pero luego, me interesa también conocer lo que piensa Lage.

—Hombre muy inteligente. Te puedo ayudar a conseguir esas entrevistas con el equipo económico. Creo, Manuel, que disponemos del equipo económico más brillante que ha tenido la Revolución, para empezar el ministro de Economía, José Luis Rodríguez. Hay que ofrecer una alternativa, tratar de cerebrar la dictadura del mercado, reforzar el papel de la sociedad civil, de todo ese voluntariado internacional afiliado a las ONG.

—¿La Revolución cubana puede metabolizar todo eso?

—Aquí se hizo el festival mundial de la juventud, en agosto, creo que fue el año pasado en agosto, entre julio y agosto. Participé en uno de los foros, sobre cultura y comunicación social. Aquello era como un reverso activo de la globalización. Luego el Papa ha hablado de "La globalización de la solidaridad", ¿no había oído antes esa expresión? En el encuentro de la juventud, gentes de Puerto Rico, del Sahara Occidental, europeos, norteamericanos, reivindicando una contracultura a favor de la diferencia. La presión de la industria cultural hegemónica les hizo elaborar mecanismos mentales de resistencia y se creó una red por vía electrónica a la que llamaron Ernesto, en homenaje al Che. Hay un intento de conformar un nuevo pensamiento, no quiero llamarle de izquierdas.

—Crítico.

—Eso es. Un pensamiento que va contra la corriente.

—Durante muchos años, las izquierdas que reclamábamos la propiedad del socialismo científico teníamos una visión y explicación total, global, absoluta de los procesos del mundo, lo sabíamos todo, lo podíamos explicar absolutamente todo. Me parece que estamos haciendo el recorrido inverso: constatamos el desorden del mundo, inventamos sus necesidades, y a partir de ahí reconstruimos un discurso. Me parece que algunos de vosotros estáis en eso. Os oigo citar mucho a Martí, a Mariátegui, a Gramsci, durante muchos años desaparecido del *hit parade*.

—Se creó una Cátedra Gramsci incluso, la lleva Martínez Heredia, un histórico del marxismo abierto. Ha habido debates muy interesantes en torno a eso y una publicación que te recomiendo de Jorge Luis Acanda: *Gramsci y la Revolución cubana*. Te interesaría hablar con Acanda. Yo te arreglo las dos cosas.

—Gramsci es necesario cuando hay que resituar los fundamentos de un nacionalcomunismo, un bagaje teórico para explicar el papel del bloque histórico, la complejidad del nuevo intelectual orgánico colectivo y el papel de la sociedad civil.

—La teoría del valor subjetivo como un factor predominante. Este país no se explica sin el factor subjetivo.

—Ya el Che señalaba la importancia de los "hechos de conciencia". Armando Hart lo trata en un artículo que ha salido en *Cuba socialista*, un artículo sobre los factores subjetivos.

—A Hart siempre le interesó enormemente ese tema. Hart es presidente de honor de la Cátedra Gramsci. Es curioso que en ninguno de los papeles de Fidel o del Che se mencione a Gramsci.

—En la Unión Soviética estuvo prohibido durante mucho tiempo y en Italia padeció un cierto ostracismo hasta que Togliatti necesitó antecedentes para su viraje de los años sesenta y porque de hecho el Partido Comunista italiano de los sesenta necesitaba más el pensamiento de Gramsci que el de Lenin. Gramsci nos llega a los comunistas españoles en la década de los sesenta. El Partido Comunista francés no lo asimiló nunca.

—Hay algo utópico en Gramsci cuando formula la idea de que democráticamente, la burguesía te puede ceder el control de las instituciones educativas y culturales. Difícil de sostener hoy, cuando una gran maquinaria cultural multinacional centralizada en el Norte fabrica consenso ideológico globalizado.

—El nivel de interacción era muy diferente al de ahora.

—Sí, muy diferente. Sin embargo, leído después del derrumbe y a pesar de que una Revolución como la cubana sigue teniendo el poder, Gramsci acierta cuando sustenta que ese poder tiene que estar afianzado en una hegemonía real, en un consenso social de carácter espiritual, cultural. Como él dice: "La filosofía de la *praxis* tiene que convertirse en sentido común, tiene que pasar a ser conciencia de la mayoría". En Cuba, pese a las dificultades, la sociedad sigue respondiendo a la propuesta de la Revolución.

—El capitalismo desde la hegemonía cultural más importante que jamás tuviera, le ha vendido a la izquierda la idea de que estamos en la edad de la incertidumbre. El mundo está lleno de izquierdistas que viven en la incertidumbre y en cambio no conozco a nadie de derechas que participe de ninguna incertidumbre. Tienen su proyecto clarísimo. El efecto se puede comprobar en la literatura, instalada en la incertidumbre y el minimalismo.

—Igual puede decirse de la literatura cubana. Tú prologaste el libro de cuentistas cubanos y te habrás dado cuenta de ello, nuestra literatura aún está instalada entre el desencanto y la amargura.

—Dime el nombre de un autor o de una obra de escritor cubano que se haya quedado en Cuba que transmita confianza en la situación, no necesariamente apología, simplemente confianza.

—Ahora, sinceramente, no podría.

—Pero aquí hay muchos escritores que siendo escépticos o críticos, no se van.

—No, no se van y son revolucionarios. Porque yo lo que te diría es que aquella literatura de la afirmación, la de los años sesenta, respondía a una euforia generalizada. Ahora es difícil la euforia, pero sigue habiendo confianza en la Revolución. No veo ningún síntoma de crisis política. Lo más peligroso para nosotros es la crisis ética, que puedan formarse bolsas de marginalidad o crecer fenómenos como la prostitución y el culto al dólar. Pero me gustaría que conocieras a los cuadros jóvenes del partido, a los de provincias. Son formidables. Me gustaría llevarte conmigo a una provincia para que vieras la gente joven que dirige el partido. Gente en torno a los treinta años, con una formación cultural impresionante, por lo menos con una relación con la cultura mucho más fluida. En la generación histórica hay intelectuales como Fidel, pero encuentras a veces ciertos prejuicios y resistencias, que si esto es una *mariconería*, que si aquello es una sandez. Pero en la gente joven ves una relación extremadamente fluida con la cultura. No son burócratas, son líderes para los próximos veinte años.

—¿Qué va a pasar cuando desaparezca Fidel? ¿En qué se va a basar la legitimidad revolucionaria? ¿En las instituciones?

—Él lo dijo en el congreso, Manolo. No te acuerdas del discurso final del congreso. Él dijo que el papel de la dirección colectiva tenía que redoblarse. Fidel es capaz, como viste la otra noche, de orientar la conducta, de decirle al pueblo cubano incluso que no grite ¡viva Fidel! en presencia del Papa. ¡Eso es el carajo! ¡Eso es una cosa impresionante!

—¿Quién va a hacer eso cuando él no pueda?

—Está fuera de discusión que las elecciones, la última, la anterior, la de más allá, las ganó Fidel. Una figura así no aparece ni cada diez, ni cada veinte o treinta años. Pero yo creo que hay gente muy valiosa que podría asumir el liderazgo dentro de una dirección colectiva. Lamentablemente nuestra propaganda no tiene el potencial suficiente para imponer el verdadero mensaje de Fidel por encima de los estereotipos que construyen sus enemigos. Fidel hace un discurso en la Asamblea Nacional y resalta el valor de la participación. Él nunca trivializa y sabe que la gente lo entiende, porque tiene un nivel de comunicación excepcional.

—Desde el punto de vista cultural habéis pasado por tres fases más a menos. La edad de oro, la euforia revolucionaria, el *boom* literario, el continentalismo cultural de Casa de las Américas; luego un cierto empantanamiento en los años setenta iniciado con la crisis Padilla y ultimado con el disenso de muchos intelectuales extranjeros que habían formado parte del sostén cultural de la Revolución; y esta fase actual, marcada por la volatilización del mundo socialista, fase entre la reorientación y el escepticismo. Además, la evidencia de la escisión de la cultura cubana entre la que se hace en el interior y la del exilio, en los diferentes grados de exilio de escritores, profesores, políticos y científicos ¿Se puede hablar de un proyecto nacional cultural cubano o de dos?

—Estamos abiertos a la cubanía cultural radicada en el extranjero. Mayra Montero estuvo aquí, una escritora cubana que vive en Puerto Rico, bastante conocida. Estuvo Cristina García, invitamos a Óscar Hijuelos y va a venir Ovejas, también. Ruth Béjar, es de origen judío y está estudiando una zona poco explorada de nuestra sociedad, la presencia judía en Cuba. *La Gaceta* publicó todos los *dossiers* que hizo Ambrosio Fornet sobre la literatura cubana no escrita ahora en Cuba, incluso la escrita en lengua inglesa por los hijos de emigrados cubanos a Estados Unidos. Ambrosio ha hecho los *dossiers* de la literatura de la emigración. Hizo uno de ensayo, otro de poesía y el de cuento. En las antologías se está incluyendo a toda la gente, Manolo, sin distinción de la posición política.

—Algunos ensayistas de *Encuentro*, hablan de que estáis en una etapa de cancelación del contrato entre cultura nacional y territorio.

—No se puede politizar la valoración de lo literario. Nosotros en pleno *periodo especial* hemos reeditado *El Monte*, la obra cumbre de Lydia Cabrera que estaba en el exilio desde 1959 y vivió para ver que el Gobierno revolucionario la reeditaba, a pesar de su declarada oposición al castrismo.

—Sí, me explicó Barnet, que la visitó en Miami.

—Era una empecinada contrarrevolucionaria. Hemos editado a Mañach, a Severo Sarduy, ahora acaba de salir Lino Novás. Ya había salido otro con prólogo, en su día. Lino se exilió en los principios de la Revolución. Si lo quieres te consigo un ejemplar. Es responsabilidad nuestra que ese concepto de la cultura nacional se abra paso. Acaba de ganar el premio Casa de las Américas una muchacha cubano-americana. El año pasado ganó también una mujer cubano-americana, Sonia Ribera. Es decir, a ellos les interesa participar en nuestros concursos. Convocamos un premio con el nombre de Lourdes Casal, no sé si tú la conociste. Fue una de las exiliadas que abrió el diálogo en el 78. Murió tempranamente, de una enfermedad terrible, leucemia, creo. Muy luchadora. Ganó el premio de poesía Casa de las Américas, y ella fue la que trajo la primera brigada Antonio Maceo, de hijos de exiliados anticastristas que querían conocer Cuba. Los escritores jóvenes en el exilio cada vez tienen más curiosidad por conocer la Cuba revolucionaria.

—Pero resultó fallido el encuentro preparado desde España bajo el título *La isla entera* y hubo una polémica entre uno de los cubanos organizadores, Sánchez Mejía, y tú. En tu respuesta citabas una serie de obras, cinematográficas y literarias, hechas en Cuba y claramente críticas: *Guantanamera*, *Memorias del subdesarrollo*, *La muerte de un burócrata*, *Fresa y chocolate*.

—Es que herejía y ortodoxia no tienen por qué separarse. Dentro de la Revolución se puede ser crítico. Nosotros mismos promovimos una herejía a través del cine. La Revolución misma, ha sido un acto de herejía permanente y Fidel la ha dejado abierta a todos los creadores, desde aquel trabajo inicial *Palabras a los intelectuales*. Ha sido criterio de la Revolución meter en esta historia a todos los intelectuales, sean comunistas o no, sean revolucionarios o no. Es una convocatoria de una amplitud enorme, superada la etapa sectaria de la primera mitad de los años setenta.

—Entonces ¿por qué la disidencia?

—Porque la disidencia vende y no es que todos los disidentes lo sean por vender, pero es una incitación real.

—Hay que admitir que una Revolución puede hacerse insoportable para mucha gente, incluso para gentes revolucionarias fatigadas de tanta responsabilidad histórica. En estas condiciones de imaginario cultural bloqueado, de cultura nacional escindida ¿qué política cultural es la vuestra?

—Algunos escritores y cineastas trataron de vender en el extranjero la imagen que el extranjero quería de Cuba, presentándose a concursos foráneos. Fue una venta de estereotipos. Se trata de un peligro real de deformación y la única manera de contrarrestarlo es mediante fuertes concursos nacionales en los que a la gente le interese participar.

—Cuando se vaya el Papa, ¿se aceptará esa pluralidad filosófica de la que habla Fidel, en la entrevista con Frei Betto? El partido y la Iglesia.

—La pluralidad filosófica nunca nos ha abandonado, aunque hayamos cometido algunos errores sectarios como promover cursos de ateísmo científico.

—El otro día encontré en la plaza de Armas un opúsculo viejo que era la justificación materialista de la santería. Citaban a Marx y a Lenin para justificar la santería.

—El hombre siempre ha estado buscando explicación para los fenómenos que no entiende. Nosotros nos metimos contra un enemigo que realmente no existía. Lo mejor de la religiosidad cubana es que está contaminada de paganismo, muy difusa y a la vez barroca en la forma, mestiza en el contenido. Es una religiosidad que no puede ser conservadora, ni hoy puede estar asociada a posiciones sociales de casta. Al contrario, las religiones populares fueron bastiones antirracistas, porque ahí estaban metidos los santeros, los blancos, los negros. La Iglesia católica sí tuvo un carácter conservador. En Cuba nunca existió ese tipo de cura, como Samuel Ruiz, el obispo de Chiapas, de origen humilde y aliado con los perdedores de la historia. El cubano no estudiaba para cura y después de la independencia se seguían importando curas y religiosos españoles. Fue absurdo lanzar una cruzada ateísta contra espectros religiosos en retroceso, el católico, o vinculados con el carácter popular de la Revolución, la santería. Nos pasamos de ortodoxia.

—Cuando te pasas de ortodoxia es muy difícil desandar el camino. Supongo que parte del discurso de Castro del otro día iba dirigido hacia los ortodoxos más rígidos e irritados por las concesiones al Vaticano que implicaba el viaje del Papa.

—Sí, absolutamente. Hemos discutido mucho los pros y contras del viaje del Papa, así como la necesidad de abrir las puertas del partido a creyentes. Hemos conseguido acuñar un nuevo sentido laico del partido. Había una gran incomprensión en un sector no pequeño de la militancia, convencida de que la militancia en un partido comunista implica una determinada visión científica de la realidad, reñida con la visión religiosa.

—¿Se puede hablar de dos tipos de bloqueo: el que perpetra Estados Unidos y el que ejercen los sectores ortodoxos revolucionarios más intransigentes?

—Hay bloqueos mentales y paranoias, reñidos con el sentido dialéctico que tiene Fidel cuando se aplica al análisis concreto de la situación concreta. Ya sabíamos que el Papa era y es un anticomunista, pero no sólo es anticomunista. Algunas facetas de su historia personal y religiosa son francamente positivas. La misma circunstancia de que se atreva a romper el bloqueo y se presente en La Habana, es positiva para la Revolución.

—Necesitáis crear un nuevo imaginario cubano. Ya se ha asimilado el verde olivo, el de país bloqueado económicamente, doblemente aislado, de isla aislada. Se necesita modificarlo ¿Cómo lo verías tú?

—Cuba sigue siendo un experimento. Yo lo vería como una Revolución que sobrevivió a las contaminaciones burocráticas, que sobrevivió a las deformaciones burocráticas, que está creando un modelo de justicia social y de desarrollo posible. Quizá llamarle modelo me parece un poco pretencioso.

—Porque la palabra está devaluada, como tantas palabras que han parecido fundamentales para entender el siglo XX.

—Dejémoslo en que estamos experimentando una manera de sobrevivir desde la diferencia. Se dice que no queremos o sabemos adoptar el modelo chino o el vietnamita para salir de la crisis. El nuestro es un modelo que hay que ensayar al aire libre, sometido a todas las influencias y presiones.

—Y sólo conseguiréis la complicidad de las masas si se aumenta su nivel de satisfacción. Ese nivel está bajísimo.

—Hay que lograr una capacidad de consumo suficiente, pero también que la gente sea consciente de que no vamos a lograr el consumo que ven en las películas americanas. Sería demagógico proponerlo. Yo creo que la gente en general, Manuel, ante un plebiscito, y las últimas elecciones en cierto sentido lo fueron, responde muy claramente. Eso no quiere decir que esté de acuerdo con todo. Hay que emplear la capacidad de discusión. Cuando Fidel hablaba de perfeccionamiento del sistema político, la gente se tiene que sentir efectivamente representada. Ha habido cambios fundamentales de estilo de trabajo, hacia una mayor participación. Me gustaría que vivieras la experiencia de un consejo popular, un eslabón absolutamente nuevo en este esquema de participación.

—Desde la poquedad de medios de la Revolución ¿con qué instrumentos contáis para construir un frente cultural?

—Estamos intentando llegar por la vía socialista al mercado internacional de la cultura. En la música lo estamos logrando.

—La música aparentemente no transmite ideología. Casi no plantea problemas al emisor ni al receptor. Pero en ese mercado internacional os enfrentáis a lo que tú has llamado *estereotipos* sobre la Cuba revolucionaria terminal y carecéis de instrumentos mediáticos para replicar a ese imaginario.

—Los medios masivos mundiales son los grandes instrumentos para fijar la idea de que el capitalismo es el estado natural de los hombres y las cosas y que la sociedad de consumo es la mejor de las vías posibles. Hemos de aprender a contrarrestar esa propuesta, para empezar desde nuestros propios medios, sean informativos o culturales. Hemos de trasladar la creatividad a esos medios, el Estado ha de ser una garantía de ese vínculo creador. Lo mismo puedo decirte de la enseñanza. En ningún caso vamos a tener enseñanza privada, en ningún caso ¿Entiendes? Ahí no va a entrar la privatización. Tú le puedes dar un espacio a la Iglesia o a determinados sectores de la sociedad civil. Tú puedes pluralizar espacios dentro de los medios y dar entrada a la participación de la gente, del receptor. Pero nunca se van a privatizar, eso no lo cederíamos jamás. Ni va a haber capital extranjero en televisión, ni en el cine, ni en la radio. La escuela, la enseñanza van a ser nuestras. La cultura es y será un sistema completamente estatal, es decir, de todos. Si quieres puedes crear una asociación para distribuir discos en Europa, pero la política musical la tenemos nosotros y la distribución del disco minorista también. El disquero extranjero tiene que negociar con nosotros. Y con respecto a la ideología, es cierto que la música aparentementre no es tan vehicular como la literatura o el cine, aunque la música influye poderosamente en los estilos, las costumbres, los códigos de conducta. Hemos de reconvertir otros medios de comunicación no convencionales, como las organizaciones de masas, la labor de los CDR (Comités de Defensa de la Revolución), de la Federación de Mujeres, para transmitir mensajes necesarios y esperanzadores sin que sean enmascaradores. Ha salido un cómic iniciativa de un CDR en el que se explica nuestra política de impuestos de una manera fresca. Hemos de sacar un partido positivo del retroceso de la mujer en el trabajo, condicionado por la crisis del periodo especial. Hay más gentes en las casas que antes y hay que movilizarlas. Hay una especie de desempleo voluntario. Perdemos cosechas por falta de mano de obra, a pesar de que se paga mucho mejor que antes, pero hay gente joven que prefiere quedarse en la ciudad entregada a lo que llamamos *resolviendo. Resolver* es...

—Buscarse la vida...

—... obtener cosas al margen de los mecanismos legales. Una fórmula verbal que ha sido emblemática en el *periodo especial* ¿Y tú que estás haciendo? Estoy resolviendo. Resolví tal cosa. No es que te la robaste, no. Es como un limbo legal. Hay mucha gente que vive de eso, de pequeñas trampas y prevaricaciones, del contrabando, de falsificar tabaco, de comprar PPG en las farmacias y revenderlo a los turistas. Hay que recuperar a esta gente, no por la vía represiva ni mucho menos. Las llamadas comisiones de prevención social trabajan en ese sentido en los barrios. Hay que implicar tanto a la policía como a la Federación de Mujeres. Cuando un niño deserta de la escuela, debemos acudir a la familia para que el niño no se convierta en un marginal.

—¿Qué tasa de desempleo real hay ahora en Cuba?

—No sé si hay algún índice que se pueda manejar objetivamente. Ni siquiera tengo la idea de qué índice se da en los documentos particulares, a ver si por aquí tengo algún documento que hable de ello. Te lo haré llegar. La tasa es pequeña con respecto a otros lugares del mundo, pero tiene un determinado peso. Lo que sí ha bajado es el empleo estatal con respecto a los sectores de la economía privada. Pero, a ver si te encuentro ese documento, tiene que estar por aquí. Claro que te lo dirán los economistas o Lage, pero es que tú vas muy pegado al Papa, Manuel, y todo el mundo está tan acosado estos días. Aquí los tantos por cientos exactos son difíciles de definir, pero puedo decirte que hay una política social especialmente sensible para con los sectores más desvalidos: los jubilados, los pensionados, la gente que gana poco en pesos cubanos. Hay que mantener ese consenso en torno a la Revolución del que hablábamos.

—No controláis la batalla mediática en el gran mercado mundial. Si viajan los artistas cubanos, triunfan y no reniegan de la Revolución, ganan bazas, posiciones. Pero es como una respuesta artesanal a la gran máquina universal de informar.

—En enero de 1999 vamos a convocar un taller internacional contra el racismo, es nuestra única capacidad de respuesta a la globalización, y a relanzar lo que ya tenemos, como la Casa de las Américas, lo que hablamos el otro día con Fernández Retamar.

—¿Habéis pensado en crear otro instrumento, aparte de la Casa de las Américas?

—Ahora las fundaciones tienen un cierto peso. La Fundación Fernando Ortiz, que preside Miguel Barnet, la Fundación Nicolás Guillén, la dedicada a Alejo Carpentier. Por ejemplo, la Fundación Fernando Ortiz tiene una cierta influencia en la Unesco, en un periodo de gran interés por las cuestiones étnicas. Estamos intentando tomar la bandera del antirracismo. Harry Belafonte me escribió interesándose por ello. Ofrecemos alternativas de conciencia crítica y constructiva en un mundo en el que está creciendo el racismo, y eso que aquí esta cuestión no la tenemos resuelta, ni mucho menos. De eso también se discutió en el último congreso. Hay que estimular la presencia de los negros en todos los niveles de la dirección del partido.

—Y de mujeres también, supongo.

—Y mujeres también, exactamente. Aquí está viniendo continuamente gente a discutir el tema de la educación. Se hacen unos congresos que se llaman Pedagogía Bienal. Pedagogía 97 fue impresionante porque vinieron cinco mil maestros de América Latina que son una fuerza cultural inmensa. Pero claro, estas actividades no llegan a la CNN, ni a los grandes periódicos, pero movilizan conciencia todos los días, en todo el continente americano. Es el carajo. Seis mil maestros vinieron en el 90, en pleno *periodo especial*.

—Lo primero que hacía Franco durante la Guerra Civil cuando entraba en un pueblo era meter en la cárcel o matar al maestro.

—Los maestros, los pedagogos en general, son una gran fuerza humana transformadora. Para esos pedagogos, Cuba es un punto de referencia, porque han visto qué significa el militarismo y el capitalismo en toda América Latina. Esos son nuestros poderes.

—A vosotros os consta que Mas Canosa o lo que significa el mascanosismo, tiene otros instrumentos de acción directa, y reclutan frentes culturales contra la Revolución cubana.

—También en Estados Unidos se está creando un *lobby* en sentido contrario, en contra del bloqueo, por ejemplo. Y no lo fomentamos nosotros. La muerte de Mas Canosa les ha creado una situación difícil y la Fundación Cubano-Americana acabará por deshincharse, como se ha deshinchado la que trataron de montar en España. Estela Bravo ha filmado un documental sobre Miami, excepcional, en el que se ven todas las contradicciones del exilio. Estela es una americana que vive en Cuba hace años. Miami es un mundo plural, pero los cubanos de la oligarquía irán hacia posiciones anexionistas por yanquis, que nunca serán aceptadas por la mayoría de los de Miami, ni de los de Cuba.

Me entrega un libro sobre el chiste político que ha publicado en Argentina y me insinúa la posibilidad de que Castro aparezca una de estas noches para despedir a los participantes en el premio Casa de las Américas o para debatir con un grupo de intelectuales. Casi todas sus promesas se cumplieron.

Acanda ha sido un habitual referente en varias conversaciones con intelectuales y profesionales. He leído su intervención en debates gramscianos, concretamente en *Temas* y empezamos nuestro encuentro por la revista y los nuevos referentes culturales que han sustituido a los dioses convencionales del marxismo-leninismo. La ratificación de Martí, la sobreutilización del padre Varela, la reafirmación de lo cubano de la fundación dedicada a Fernando Ortiz, Gramsci como referente marxista más utilizado. Estoy ante el representante de Gramsci en Cuba y me historifica esa presencia que ha tenido altibajos, historificación que más tarde podría enriquecer con su trabajo *Gramsci y la Revolución cubana*, que me dejará en el hotel, con la angustia del padre que cede una de las escasas copias que le quedan de sus hijos, en un país en el que es difícil publicar y, aún más, republicar. Le pregunto si el retorno a Gramsci está paliando la desaparición por el foro de Marx, Engels, Lenin. No. Está cambiando el uso de esos pensadores y ya no hay un monopolio de su interpretación.

—Lo que pasa es que de la misma manera que tú me hablaste de una sobreutilización en el caso de Varela, tal vez a Marx y Engels durante un tiempo se les sobreutilizó; muy mal utilizados además, desgraciadamente. La propia historia de la recepción de Gramsci en Cuba es la historia de la recepción del marxismo después del año 1959. Y los avatares de su recepción y de su uso son los avatares en la recepción y en el uso de todo lo que pudiéramos llamar marxista. Tal vez los referentes fundamentales de este frente ideológico sean éstos que tú estás diciendo. Faltaría Lezama Lima que es una personalidad muy interesante de todo el grupo *Orígenes*, que se utiliza mucho como basamento teórico e ideológico por artistas y escritores. Lezama siempre permaneció en *Orígenes* y se le está recuperando por el carácter que tuvo de primera gran constelación de la literatura cubana de la época republicana. Igual que vuelve el referente Gramsci. Recuerda que a Gramsci se le empieza a traducir al español en Argentina a finales de la década del cincuenta, 1958. Aquí se le descubre después del año 1959, por parte de una generación joven vinculada a la Revolución, Armando Hart, por ejemplo, pero también por otras personas que sin ocupar cargos en el Gobierno constituyen la intelectualidad teórico-político-ideológica de la Revolución, sobre todo, profesores de filosofía, vinculados a la revista *Pensamiento crítico*, dirigida por Fernando Martínez. La revista dejó de salir sintomáticamente en 1971. Aurelio Alonso fue su colaborador principal.

—Con Aurelio he hablado de religión y volveré a hablar de religión. Ha publicado un monográfico en *Temas*, una revista espléndida por cierto.

—Todos los números de *Temas* podrían interesarte. Quizá debieras hablar con su director, Rafael Hernández.

—De él he leído un notable artículo sobre las previsiones democráticas en Cuba.

—Rafael Hernández perteneció al grupo de profesores que generaliza la enseñanza de la filosofía marxista en la Universidad de La Habana a partir de 1962, en ese año se hace la reforma universitaria y la asignatura Filosofía Marxista se incluye en los planes de estudios de todas las carreras.

Del pasado recibo una llamada de advertencia, un informe no contra mí mismo, pero sí sobre mí mismo. El debate

sobre el *manualismo* en Cuba llegó a mi vida hace muchos
años, trato de recordar dónde y sólo de regreso a España re-
cuperaré entre mis tesoros procubanos de los años sesenta, un
especial de *Ruedo Ibérico*, editado en París, dedicado a Cuba
precisamente en 1968. El número fue preparado antes del
discurso de Fidel sobre Checoslovaquia y antes del caso Padilla, un número redactado bajo la impresión de la reciente
muerte del Che y ahí están como colaboradores la plana mayor revolucionaria, Castro, el Che, Dorticós, Carlos Rafael
Rodríguez, pero también Carpentier, Fernández Retamar, Lisandro Otero, Fernando Martínez Heredia, Alfredo Guevara,
Barnet, y como compañeros de viaje, Cortázar, Vargas Llosa,
los Goytisolo, Benedetti, Caballero Bonald, los dibujos de
Rubén de la Nuez, dibujante hoy jubilado, lo que no le impide seguir callejeando y dibujando la tipología humana del *periodo especial*, como la de ese vendedor ambulante al que un
amigo advierte: "Ten cuidado que siempre hay alguien que te
ve", a lo que él contesta: "Sí, pero siempre hay alguien que
hace la vistagorda..." Pues bien, ya en 1968 *Ruedo Ibérico* recoge la polémica sobre el *manualismo*. Lionel Soto acusa a los
antimanualistas de estar contra la enseñanza del marxismo-leninismo y ¿quién se bate el cobre con los manualistas? Aurelio Alonso: "... si se olvida que no hay pensamiento divino,
ajeno al devenir social, que un pensamiento es lo que hacen
de él los hombres, ¿cómo explicarse que "la única filosofía
consecuentemente científica" no sólo no haya podido impedir
por largo tiempo el desprecio por la cibernética, la genética,
el método terapéutico del psicoanálisis y otros logros de la
ciencia occidental sino que sirvió además de sometimiento a
la autoridad oficial?". No, este pensamiento cerrado de manual, no puede ser el de Marx, el de la Revolución de Octubre, concluía Aurelio Alonso hace treinta años. Cumplido el
flash-back vuelvo a Acanda.

—Entre Gramsci y los manuales de la Academia de
Ciencias de la URSS media un abismo lleno de matices
muertos.

—Este grupo inicial que surge en al año 1961, formado por estudiantes universitarios jóvenes captados para que sean profesores de filosofía, que además tienen un compromiso político con la Revolución, tratan de impartir una filosofía marxista desvinculada de los manuales y eso provoca "la polémica de los manuales" en 1966. Aurelio Alonso, expresó su rechazo del marxismo de manual. Sostenía que el manual puede ser útil pero no es en sí mismo el fundamento de la enseñanza, porque precisamente tiende a una comprensión dogmática y cerrada. Las tesis de este grupo prosperó a lo largo de la década de los sesenta. En el número 3 de *Temas*, viene la historia de los problemas de la recepción del marxismo en Cuba. Hay un artículo de Aurelio y otro de Fernando Martínez Heredia, presidente actual de la Cátedra Gramsci, donde se habla de eso. Creo que esa utilización de Gramsci como pensador fundamental para explicar el marxismo sólo se dio en Cuba, era una circunstancia inédita en los países socialistas. El método de enseñanza no se basaba en ningún manual sobre Gramsci, sino en lecturas y análisis directos de una selección de sus escritos. A partir de 1966 comienzan a publicar su obra, creo que el primer libro fue *El materialismo histórico y la filosofía de Benedetto Croce.*

—Por ahí se empieza, Gramsci construye su propio pensamiento a partir de la crítica del idealismo de Croce.

—A principios de la década del setenta se publicó aquí la antología que hizo Manuel Sacristán. De Gramsci interesaba sobre manera cómo establece la relación entre el factor subjetivo y las estructuras objetivas, lo que ya subyacía en el debate entre el Che y la objetivación de la Revolución. Era cuestión fundamental en un país subdesarrollado que intenta construir un proyecto comunista muy ambicioso y que se plantea la construcción del hombre nuevo. La importancia del factor subjetivo en la construcción de una cultura servía como plataforma teórica para explicar la singularidad del caso cubano, frente al marxismo objetivista que venía de la URSS.

—Sacristán define a Gramsci como "un teórico de la praxis". Para Gramsci la construcción de una filosofía materialista no terminaba en Marx y Engels sino que empezaba en ellos y tampoco debía ser cosa de filósofos especialistas. Su reflexión sobre la relación entre subjetividad y objetividad, ilustraba la tremenda carga de subjetividad y voluntariedad precisa para impulsar una Revolución como ésta.

—Toda esta cuestión de lo objetivo y de lo subjetivo en Gramsci llamó mucho la atención, por eso es el texto que primero se publica, porque hubo una discusión filosófica muy fuerte: el marxismo como materialismo, qué tipo de materialismo, qué significa ser materialista en la interpretación de la sociedad y de la historia. Se está haciendo una reinterpretación de la historia de Cuba, incluida la cultura burguesa, y ésa es la principal utilización del pensamiento de Gramsci en la década del sesenta. Todo se hunde a partir de 1971, cuando se cierra el Departamento de Filosofía y se abre paso al marxismo soviético. Vencen los manuales de la Academia de Ciencias de la URSS.

—¿Quién asume la responsabilidad de ese viraje?

—No pienso que sea responsabilidad de un individuo. Corresponde a todo un redimensionamiento de la sociedad cubana. Era la época después del fracaso de la zafra de los diez millones.

—El caso Padilla...

—Eso también, aunque fue una consecuencia del redimensionamiento del que te hablo. Se convocó el I Congreso Nacional del Sindicato de Trabajadores en la Educación, la Cultura y el Deporte, donde prosperó la plataforma ideológica más conservadora, es decir más ortodoxa, más decidida a una monolectura del marxismo. Empezaba lo que Ambrosio Fornet ha llamado "el quinquenio gris". Fue una etapa de pensamiento más conservador y de una conducción cultural no exenta de contradicciones muy fuertes. Hubo sectores que no pudieron ser *colonizados* por esta línea: el ICAIC por ejemplo, la propia Casa de las Américas; pero el sector que más sufrió el embate fue el de la enseñanza de la Filosofía. Incluso, algunas personas desaparecen de él, Fernando, Aurelio...

Gramsci no cabe. Lo interesante de este grupo de la década del sesenta, no es sólo que ellos publicaron o utilizaron a Gramsci, también divulgaron a Lukacs y su texto fundamental: *Historia y conciencia de clase*, ¡Se utilizaba a Trotski en la enseñanza de la filosofía! Se publicó a Sartre, Marcuse y otros autores herejes.

—¿Habrá que esperar a que desaparezca la influencia de la URSS?

—Para entender la historia de la Revolución cubana, la historia de la recepción de diferentes pensamientos, de su asimilación dentro de un discurso teórico, lo primero que tienes que entender es que la Revolución es un hecho muy contradictorio en sí mismo y no creo que haya habido un solo discurso teórico, aunque siempre hay uno que predomina sobre los otros. Tienes que remontarte a la fundación del PSP, partido comunista de hecho, y emerge una primera intelectualidad marxista revolucionaria de izquierda. En la década del veinte, surgen figuras intelectuales provenientes de la pequeña y mediana burguesía que se apropian el marxismo, pero no buscan un conjunto de recetas, sino una teoría para interpretar una realidad tan específica como la cubana y elaborar una estrategia. Dentro de ese grupo ya se produce una fisura. Unos tienen una recepción esquemática del marxismo y se vinculan con el Komintern. Pero un grupo minoritario va a seguir teniendo una recepción del marxismo bastante creativa e interesante. El proceso lo catalizó el hecho de que una buena parte de esta izquierda marxista muriera entre los años 1929 y 1935 por causas diversas: la propia represión de Machado, que asesina a Mella en México, Martínez Villena muere tuberculoso en 1934, Gabriel Barceló, una figura muy interesante, muere también tuberculoso a principio del 1934. La izquierda marxista ortodoxa no se muere tanto, se queda casi a solas y desarrolla una interpretación del marxismo realmente poco creadora que va a impregnar las filas del partido. Queda descolgada otra izquierda marxista minoritaria que nunca va a ingresar en el partido. De toda la dirección, el intelectual más destacado fue Carlos Rafael Rodríguez, finalmente quien estableció el puente con la Revolución. A la juventud de la época le interesaban más las posiciones heterodoxas de un Raúl Roa, por ejemplo, que llega a condenar las intervenciones soviéticas en Polonia y Hungría, las llamó claramente "invasiones soviéticas" ¿Comprendes a dónde voy? La oposición entre una lectura ortodoxa y otra heterodoxa no la inventa la Revolución, viene de lejos. Roa, por ejemplo, que acabó junto a la Revolución, había estudiado en Estados Unidos y conocido allí al socialista español exiliado Fernando de los Ríos.

—De los Ríos en los años veinte publicó un libro muy crítico consecuencia de su viaje a la URSS. Fue a él a quien Lenin le dedicó la pregunta: "Libertad ¿para qué?".

—Los paradigmas culturales de Roa son marxistas, pero lo interesante es que, a diferencia de otros marxistas en Cuba y fuera de Cuba, cerrados a cualquier influencia cultural que no provenga del marxismo, Roa y otros como él se muestran abiertos a otros cuerpos de pensamiento. Esa pregunta: "Libertad para qué", está presente en el análisis más dogmático del marxismo, en los años cuarenta, en los cincuenta, en los sesenta, no digamos en los setenta y rebrota cada vez que hay vientos de apertura. Hay alguna evidencia de que algunas zonas del viejo dogmatismo puedan afectar al nuevo partido comunista creado en los sesenta a la medida de la Revolución. Todavía, hoy en día, el PSP está pagando la culpa de sus alianzas con Batista. Por eso Fidel en su discurso de siete horas habló del pacto entre Stalin y Ribbentrop, del pacto de los comunistas cubanos con Batista. Representaba esa vieja memoria reticente. En la década de los sesenta, está claro que Fidel y el Che están pensando en un socialismo muy distinto del que se está haciendo en Europa del Este. Eso te va a permitir entender que en la década de los sesenta en Cuba se están dando dos versiones del marxismo. A partir de 1971 casi todas las energías se queman en el debate sobre la clarificación de nuestro necesario ensamblaje con la Unión Soviética, aceptar el modelo soviético o no aceptarlo te califica o te descalifica como revolucionario. Menos mal que algunas islas intelectuales permanecen al margen, pero en el campo del pensamiento no fuimos tan afortunados y hubo que esperar la ruptura del cordón umbilical con la economía soviética. Eso empieza en 1985, 1986, se agudiza con la aparición de la *perestroika* y es inevitable cuando cae el muro de Berlín.

—Aquel ejercicio euro-japonés de autocorrección táctica y estratégica al que llamamos eurocomunismo ¿llegó a Cuba?

—El eurocomunismo se veía simplemente como cosa de derechas. Eso ayudó mucho a que Gramsci fuera aún más sospechoso. A algunos pensadores se les puso en la lista negra con un adjetivo definitivo, por ejemplo: Marcuse, revisionista, y como había trabajado para el Departamento de Estado durante la II Guerra Mundial, en su condición de exiliado alemán, pues se dijo que era de la CIA. Luckacs también era un revisionista y no se le podía explicar en la Universidad de La Habana durante la etapa de mecanicismo marxista. Además a Luckacs le ocurrió que, como aquí había un rechazo muy fuerte al dogmatismo literario y artístico, no tuvo entrada tampoco por ese lado, porque pasaba por defensor del realismo socialista. Como Gramsci no servía para explicar la situación de la Revolución en los años setenta, pues no se le enseñaba y yo tuve que descubrirlo por mi cuenta, un día que encontré ese libro en el año 1976 y lo compré y lo empecé a leer y comprendí cuán diferente era a lo que yo conocía hasta entonces, por encima de tanta retórica vacía de contenido y de verdad: "¡... el desarrollo de las fuerzas productivas llevarán al triunfo al socialismo!", "¡el capitalismo está en crisis económica!", "¡la marcha de la historia nos llevará necesariamente al triunfo del socialismo!, etcétera, etcétera, etcétera...". Ahora saldrá una antología de Gramsci que hicimos otro compañero y yo.

—La Revolución trata de sucederse a sí misma, mediante ¿qué tránsito dialéctico? ¿Gramsci sirve para ese tránsito?

—Es tan claro el derrumbe de todos aquellos paradig-mas de ideología marxista conservadora, que se empiezan a abrir espacios de debate a partir del propio proceso de recti-ficación. Para todo el mundo estuvo claro que había que buscar nuevos esquemas teóricos, aunque no todo el mundo entienda la búsqueda de la misma manera. Esta conciencia se va abriendo paso en la Universidad y en algunas publica-ciones a partir de los noventa.

—Es como si Gramsci hubiera vivido un exilio de vein-te años.

—Al menos de quince o dieciséis, más o menos. Yo soy profesor en la Universidad, yo enseño Historia del Pensa-miento Marxista en la carrera de Filosofía y en la de Sociología y se está discutiendo no sólo sobre pensadores marxistas, sino sobre todo lo que significa e implica la posmodernidad: Lyo-tard, Baudrillard.

—¿Fredric Jameson, el posmoderno paramarxista nor-teamericano?

—A Jameson le publica *Casa de las Américas*, el artículo "El posmodernismo como lógica cultural del capitalismo tardío". Pero ocurre que el marxismo entra en una etapa, podríamos decir, de desprestigio en Cuba. Si has enseñando a tres generaciones de cubanos que el marxismo es el Kons-tantinov, es comprensible.

—Igual ocurre en Europa. He utilizado como metáfora la afirmación de Lewis Carroll en *Alicia en el país de las mara-villas:* "Las palabras tienen dueño". Palabras como comunis-mo, socialismo, marxismo tienen dueños y no muy presenta-bles.

—Para mucha gente la derrota del socialismo real de-muestra la no función del marxismo como teoría y como práctica. Buena parte de la culpa la tuvieron los propios mar-xistas porque contribuyeron a que se identificara el marxismo como determinada teoría y el socialismo como una determi-nada práctica. En este momento en Cuba la línea ideológica dominante en la sociedad es amarxista, muy ecléctica, pero muy marcada por Fidel y Martí. Podría enseñarte a cinco mil, seis mil, diez mil intelectuales marxistas, pero en Cuba hay millones de personas comunes que no van por ahí.

—El pensamiento amarxista ¿en qué dirección se movería?

—Entre los intelectuales, en la búsqueda de referentes que permitan una interpretación progresista de la historia, y esa búsqueda para seguir siendo de izquierdas está hoy marcada por la desorientación y el escepticismo. Sigue muy presente el pensamiento revolucionario cubano nacionalista, habida cuenta de que el nacionalismo cubano, desde Martí, nunca ha sido estrecho, sino continentalista y solidario con otros pueblos. De ahí viene también la recuperación del pensamiento de Lezama Lima y de *Orígenes*, como búsqueda de la fuente original de la cultura, de la conciencia cubana, no sólo frente al colonialismo, sino también frente a la banalización cultural. Se está empezando a redescubrir lo que había sido negado por el marxismo dogmático, porque ni Lezama ni *Orígenes* tuvieron participación directa en la lucha contra Batista y eran religiosos. Sobre Lezama siempre cae un poco la sombra de la duda de su homosexualidad y todas estas cosas. Lo que caracteriza la segunda mitad de los ochenta es la búsqueda muy intensa de una generación muy joven, sin fundamento teórico para poder asimilar todo lo que en el mundo se está haciendo. Empiezan a darse recepciones muy acríticas de la posmodernidad, un discurso muy complejo y que tiene mucho filón también de derecha reaccionaria. El posmodernismo que llega aquí es el francés y afecta sobre todo a los pintores.

—A la literatura cubana la veo sobre todo aplicada a la constatación de las heridas de la memoria, pongamos por ejemplo *Tuyo es el reino* de Estévez o *Informe contra mí mismo* de Eliseo Alberto o como una crónica crítica a la manera de la tetralogía de Padura. Ayer le preguntaba a Prieto: "Dime nombres de escritores entusiasmados con la situación". No pudo dármelos.

—Quince años de atrofia de un marxismo creativo ha dificultado la posibilidad de un debate real con los posmodernos.

—Triste fin el de los autocríticos marxistas: o los barre la burocracia intelectual o los barre la cultura de mercado cuando cae el socialismo.

—Cuando se insinúa este debate en la década de los ochenta, lo que llama la atención es que los que debieran, por su profesión y por su formación, emprender esta discusión y realizar el metabolismo del discurso posmoderno, no estaban en condiciones. Había en Cuba, en aquel momento, tres mil o cuatro mil profesores de Filosofía universitarios. El 99% de ellos no tenía el nivel teórico para poder entender nada de lo que estaba ocurriendo. No podían entender a Lyotard, ni criticarlo. Se establece una polémica y una periodista propone: "Yo invito a los profesores de Filosofía a que participen." Ninguno pudo. No entendían nada.

—Pero el marxismo estaba vivo en Europa por entonces, desde el autocriticismo de Haveman en *Por una dialéctica sin dogmas* hasta el pensamiento ecomarxista de Bahro.

—A Bahro le descubrí cuando estuve en la RDA, pero se le consideraba un revisionista y por lo tanto ni se le leía. Las cosas han cambiado. El marxismo ya no se mueve a sus anchas como especie protegida, convive con propuestas filosóficas heterogéneas como no podía ser de otra manera. Pero sobre todo hay que tener en cuenta que la formación mayoritaria de nuestros profesores de filosofía se produjo a la sombra del peor marxismo, el de manual. Cuando el pensamiento se abre a finales de la década del ochenta, los más jóvenes piensan que hay que buscar fuera del marxismo. No saben quien es Gramsci. Pero bueno, ¿quién es Gramsci? Un marxista. Entonces, no interesa, porque el mundo capitalista sabe vender muy bien sus mercancías y relegar las que pueden representar Gramsci o Jameson, para que no sean asumidos. A Jameson lo publica *Casa de las Américas*, precisamente como un intento de demostrar que puede haber una recepción del marxismo desde la posmodernidad. Pero no interesó entre la intelectualidad.

—Asistimos en Cuba a tres niveles interactivados: una base socioeconómica codificada según el marxismo pero que está sufriendo modificaciones imprevisibles, que pueden llevar a estabilizar diferencias sociales; un descrédito del marxismo como conciencia y por lo tanto como método; una cierta incapacidad de iniciativa ideológica revolucionaria, en buena parte condicionada por las dificultades materiales y la quiebra del modelo del socialismo real. La única respuesta sólida y hoy por hoy consensuadora es la nacional-antimperialista.

—No creo que se pueda hablar de un pensamiento hegemónico, pero es posible la búsqueda de un consenso mayoritario basado en el nacionalismo y todavía queda un pensamiento de izquierda fundamentado en la comprensión de los peligros del neoliberalismo. Se ha complicado la percepción intelectual del pleito con Estados Unidos. Hay un millón y medio de cubanos en Estados Unidos enviando dólares a sus parientes del interior. El nacionalismo cubano es fundamentalmente de izquierda, pero el recelo hacia una solución capitalista, neoliberal sigue existiendo a la vista de lo que ha ocurrido en Rusia o en Rumanía. La mayoría no queremos que Cuba se convierta en una jungla. Mucha gente comprende el papel del Estado para los sectores sociales que no tienen dólares y estos sectores tienen mucho miedo a un cambio de modelo.

—Parece necesario en estas circunstancias la activación de la sociedad civil. El recelo del marxismo convencional ante la figura de la sociedad civil es lógico: interpreta esa abstracción como la reaparición del factor individuo o de la unión de individuos frente al Estado de clase. Gramsci desdramatiza el papel de la sociedad civil, pero de hecho está asumiendo o prefigurando unas relaciones sociales y políticas plurales.

—Ahí viene la cosa. Después en el 1991, 1992, 1993, sobre todo después de la desaparición de la Unión Soviética,

está claro para todo el mundo en Cuba que hay que redefinir cosas. Está claro para Fidel Castro, pero no todo el mundo entiende igual lo que hay que redefinir. Los sectores más
de derecha piensan que hay que volver a la Iglesia. Hablan
de la Constitución de 1940, de la década del cincuenta. ¿Viste, oíste o leíste lo que dijo el arzobispo de Santiago?

—Que los cincuenta fue la mejor época para la Iglesia cubana.

—Arriesgada afirmación porque fue una de las peores
épocas para Cuba bajo el batistato y lo que dijo el arzobispo de
Santiago es lo que piensa mayoritariamente la jerarquía. Céspedes es un poco hereje, pero si tú quieres comprender lo que
fue la plataforma programática de la cúpula de la Iglesia católica lee la famosa pastoral del año 1993 *El amor todo lo espera*. Siguen vinculados a la reivindicación del pasado interrumpido
por la Revolución y propone la idea de sociedad civil como un
territorio de misión y de acción política. Y el debate sobre sociedad civil acentúa la sospecha de que fue esa sociedad civil la
que se cargó el socialismo real en Europa. La derecha plantea
que sólo si se construye una sociedad civil se acabará con el
castrismo, como si en Cuba no existiera sociedad civil. Marx y
Gramsci han utilizado el concepto de sociedad civil, pero los
ortodoxos cubanos o no se acuerdan o lo desconocen y así
cuando se publica en *La Gaceta de Cuba*, en 1994, un artículo
titulado "La sociedad civil y sus alrededores", se arma un rifi-
rrafe y tienen que venir las clarificaciones. ¡El enemigo nos
quiere meter en la sociedad civil!, proclaman muchos que no
entienden de qué se está hablando; profesores, funcionarios
políticos que tampoco saben de qué va y piensan que la sociedad civil es un invento de los americanos para debilitar el poder del partido y del Estado socialista. Gramsci bajo sospecha,
porque de la expresión *sociedad civil* se ha apoderado la Iglesia.
Tú puedes buscar una revista de la Iglesia muy interesante, pero difícil de conseguir, que se llama *Vitral*, de Pinar del Río.
Lleva dos años saliendo y no hay un número en el que no haya
un artículo sobre la sociedad civil. La Iglesia, en 1994, elaboró

un documento que se llama algo así como *Para la construcción de la sociedad civil en Cuba*. A Gramsci se le ve como un intelectual liberal, rechazado por los aferrados a los esquemas del marxismo más dogmático. Tienen miedo de que se les cuele el multipartidismo. El problema no es si hay un partido o si hay tres, sino cómo va a funcionar ese partido, cómo se va a concebir el partido y cómo interpreta la sociedad, y por lo tanto, el concepto de hegemonía y de sociedad civil. Algunos dirigentes, como Abel Prieto, entienden la cuestión y hasta ahora la dirección no se ha pronunciado, no ha ejercido la dictadura filosófica como se ejerció en los países del Este.

—La idea de sociedad civil en Gramsci, en el marco de una sociedad en tránsito como la cubana, implica el debate sobre la pluralidad.

—En el discurso de Raúl, *Informe del V Pleno del Comité Central*, de marzo de 1996, se habla por primera vez, hasta donde yo sé, en un documento de un partido comunista en el poder, de sociedad civil. Se refiere a "La sociedad civil existente en Cuba...", más aún "... la sociedad civil socialista cubana...". Me parece que es interesante porque desarma la idea de que la sociedad civil es un invento del imperialismo. Hay que confiar en una sociedad civil cubana corresponsable con las conquistas de la Revolución y propiciadora de transformaciones. Yo estoy metido en eso y no lo considero un esfuerzo desesperado e inútil. Lo hago porque creo tener posibilidad de éxito.

—Puede ser un esfuerzo tardío o baldío, aislado por la doble condición de isla que tiene Cuba.

—En Cuba, nunca nadie, desde la época de Martí, y antes de Martí, pudo pensar que algo que se hiciera sólo aquí pudiera tener éxito. Cuba sólo se puede explicar a partir de equilibrios mundiales y se enfrenta a la llamada globalización. Necesita una lectura propia de esa globalización.

—¿Qué instrumentos hay para vehicular esa lectura?

—Hay varios sectores de izquierdas, marxistas, revolucionarios, que estamos intentando enfrentarnos a la avalancha de una ideología conservadora, de esa derecha que a veces viene disfrazada de izquierda. En primer lugar, la comprensión de que ser marxista no significa no asimilar todo lo que sea no marxista. Marx leyó a todo el mundo, si sólo hubiera leído a los marxistas no hubiera leído a nadie. Lo mismo ocurre con Gramsci, lo mismo ocurre con Luckacs. Ser marxista no puede significar cerrarse al mundo. En Cuba hay pocos, pero ya hay algunos canales para que esta labor se realice, sobre todo en revistas, la propia *Temas*, algunas instituciones dentro del Ministerio de Cultura, la revista *La Gaceta de Cuba*, talleres que se abren para discutir cosas, en fin... Y la posibilidad de establecer canales con la intelectualidad de izquierda, intelectualidad en el sentido gramsciano del término, política y literaria, es decir, la intelectualidad general. Y no sólo de América. Tú sabes que el concepto de América Latina es un concepto bastante impreciso también. Tenemos un obstáculo muy fuerte para el desarrollo de la Revolución: nuestra propia política de discusión, la política de los medios de comunicación. Está muy mal estructurada. La información a nivel de masas es bastante rudimentaria y esquemática. Algunas estructuras, no vamos a personalizar, no entienden que el cubano de hoy no es el cubano de año 1959. Tiene mucho más nivel cultural, está mucho más abierto al mundo. Es inútil cualquier ocultación porque muchísima gente recibe periódicos y revistas extranjeras, oye la radio extranjera. Se entera de las cosas aunque no se quiera hablar de ellas. La sociedad no es homogénea. La Revolución tampoco.

—Es mutilador que los medios de comunicación de masas apliquen el proteccionismo extremo de las conciencias y la gente pueda enterarse de lo que pasa, aunque no salga en *Granma* ni en los programas de la televisión. No me refiero a *Granma* como colectivo de profesionales, que deben ser tan buenos como cualquier otro. Lo cito como concepción de diario orgánico.

—Eso es un error de la concepción de la política informativa, muy limitada, muy mal conformada. Y esas críticas se plantean en muchos foros sociales, pero encuentran resistencias.

—A la vista de lo que ocurrió en el Este, que el Estado revolucionario no utilice sus aparatos de creación de ideología y saber social para aprehender la conciencia real es suicida.

—Es un problema que tenemos que arreglar. Si de algo sirve la discusión sobre sociedad civil y la nueva recepción de Gramsci es para plantearnos las diferencias que pueden existir entre el concepto de Estado y el de Gobierno. El marxismo dogmático tiene una concepción del Estado como el gobierno de los funcionarios.

—A partir de Gramsci se puede hacer una revisión civil de la metafísica de la dictadura del proletariado, a manera de legitimación de la historia que se vale del Estado. Adam Shaff precisa que Gramsci desarrolla la propuesta del consenso social, como teoría subjetiva de las condiciones de la Revolución. Sin el acuerdo ampliamente mayoritario de la sociedad, no se pueden alcanzar plenamente los objetivos revolucionarios, ni obtener el dominio de la clase obrera, o de cualquier nuevo sujeto histórico de cambio, como hegemonía cultural y política. Si se consigue la hegemonía por la violencia más tarde o más temprano necesita del consenso civil, de lo contrario se autodestruye. Y para ese consenso es fundamental el trabajo ideológico y cultural.

—Te voy a dar un artículo mío sobre el tema de la sociedad civil donde hago referencia a una entrevista que le hicieron a Prieto cuando él era todavía presidente de la UNEAC, antes de ser ministro de Cultura. Dice: "Nosotros tenemos que crear una cultura afirmativa y crítica a la vez". Hay gente que no lo entiende así, que se piensa que la cultura revolucionaria sólo puede ser afirmativa. Esa necesidad crítica se va abriendo paso. Dentro del Ministerio de Cultura esa posición tiene fuerza y fíjate que Abel Prieto está en el Buró Político, y eso no es casual, porque todo el mundo sabe cómo piensa Abel, lo dice muy claro. También Armando Hart, aunque ya no sea del Buró Político ni ministro de Cultura, escribe mucho en *Gran-*

ma, sigue teniendo una presencia en la producción de ideología. Alfredo Guevara siempre ha ido por ahí, desde que quedó fuera de una cierta esquematización de la actividad cultural. La mayor parte de las figuras intelectuales de los sesenta que superaron el quinquenio gris, están en buena disposición.

Me dejará en el hotel el ya citado *Gramsci y la Revolución cubana* y dos pequeños tesoros: un ejemplar de la revista *Ara*, dedicado al análisis de la realidad actual en la que se reflexiona sobre la ética en la Cuba de hoy. Acanda defiende el concepto de sociedad civil frente al arcano marxista de considerarla un rival del partido único, una quintacolumna del capitalismo y planteándola como un reencuentro leal con el individuo, con la persona social, como el territorio implicado desde el que se cuestiona toda resultante y por lo tanto capaz de detectar la necesidad y el sentido del cambio. Otro tesoro es el trabajo de Fernando Martínez Heredia y Acanda titulado *Filosofar con el martillo*, martillo que destruye para construir, a la manera gramsciana, un marxismo necesitado del combate cultural e intelectual, no el marxismo del silencio, de la dominación incontestada, tal como se dio en la URSS. Acanda, en una Cuba que busca sus raíces en el padre Varela, traza un triángulo de modernidad de la teoría crítica y de la filosofía de la *praxis* entre el Che de *El socialismo y el hombre en Cuba*, Gramsci y un precursor cubano, José Agustín Caballero, autor de *Filosofía electiva*, pieza del siglo de las luces, inicio de una nueva actitud reflexiva basada en el uso de la razón.

Si Fidel reconsideró su actitud ante los teólogos al comprender que la teología de la liberación era latinoamericana, tan hija de Dios como de Bolívar, tal vez Gramsci llegue a palacio desde la constatación de que está en la línea del origen de la filosofía cubana original y de que es un marxista providencial para la Cuba actual. De no haber existido habría que inventarlo.

CAPÍTULO IX

Los hijos del entusiasmo

Si algo enseña el siglo XX es que ninguna revolución es eterna. Las revoluciones son movimientos colectivos que deben su vitalidad a eso que Emmanuel Kant, en su Filosofía de la Historia, *llamaba el entusiasmo o la participación moral de las masas en los cambios políticos. Una vez que el entusiasmo se apaga, dando paso a una relajación muy similar a la del alivio de la fiebre, las revoluciones apenas sobreviven, como fantasmas o símbolos de un pasado todavía visible, en la retórica de las élites del poder.*

Entre la revolución y la reforma
RAFAEL ROJAS
Encuentro, 4-5

Había que hacer la Revolución y se hizo, así ha respondido siempre Fidel a planteamientos muy sofisticados sobre las condiciones objetivas y subjetivas que hicieron posible la Revolución. Ahí están las batallas campales en la Universidad, el recurso a las armas, los asesinatos políticos, la combinación de audacia y suerte y, sobre todo, la disponibilidad: toda una vida. Siete vidas, para hacer la Revolución. Alfredo Guevara recuerda que los estudiantes que venían del interior, alejados de las familias, disponían de todo el tiempo y todo el espacio para conspirar. Mucho más Fidel, que no tenía problemas económicos para mantenerse y usaba los apartamentos de sus hermanas Lidia y Juanita como lugares de reunión, ocultación; drecciones de seguridad. Así se explica que rozara el aventurerismo, sin que se le pudiera aplicar la condena leninista del aventurerismo que Stalin extendió como una mortaja sobre el cadáver anunciado de Trotski. Desde esa disponibilidad, Fidel se apuntó a un intento de derrocar a Trujillo, el dictador de República Dominicana, empresa financiada por un millonario dominicano exiliado, Juan Rodríguez García, y el escritor dominicano Juan Bosch, eterno candidato a la presidencia de la República. Apoyaban el golpe contra Trujillo y altos funcionarios del Gobierno de Grau San Martín y dos siniestros personajes del MSR; Rolando Masferrer y Salabarría; también Manolo Castro, el líder estudiantil posteriormente asesinado. Fidel comunicó a Ovares, jefe de la Federación de Estudiantes Universitarios, que quería participar en el derrocamiento de Trujillo, pero al ser iniciativa de los MSR, temía que no le dejaran o que utilizaran la expedición como una emboscada. Arregló Ovares el compromiso con Masferrer, jefe de los MSR, y Fidel se apuntó, a pesar de sus malas relaciones. Para Fidel participar en la intentona era una cuestión de honor revolucionario y democrático. Contaba con el respaldo moral de la juventud universitaria más inquieta y con el de la mayoría de los cubanos, porque el odio contra Trujillo estaba generalizado en Cuba. Además, Castro presidía el Comité por la Democracia en la República Dominicana y consideraba lógico predicar con el ejemplo.

Se embarcó con una expedición de mil doscientos hombres en dirección a cayo Confite, donde se habían instalado los campos de adiestramiento paramilitar, aunque durante una semana el único adiestramiento recibido fue la lucha contra los mosquitos y los bulos. Los supuestos jefes militares de la invasión no acababan de decidirse a viajar a la República Dominicana, y de la capital llegaban noticias de desacuerdo entre los ministros de Grau comprometidos en la intentona y las fuerzas políticas que la respaldaban. Estalló en La Habana una batalla de ajuste de cuentas entre los MSR, base de la expedición, y los UIR, a los que Castro se sentía más próximo. El asesinato de un jefe de los MSR, fue la excusa para aplazar el viaje y Fidel quedó rodeado por todas partes de expedicionarios vinculados al MSR, mientras continuaba la ensalada de tiros habanera, y Trujillo, sabedor de lo que se había preparado, denunciaba al Gobierno cubano. Anulada la expedición, buena parte de los frustrados invasores desertaron, otros como Fidel y Rolando Masferrer se embarcaron dispuestos a cumplir sus fines, pero fueron interceptados por un buque de la marina de guerra cubana. En décimas de segundo, Fidel vio la posible película de lo que iba a producirse y se imaginó asesinado por la oficialidad pretextando cualquier ley de fugas o víctima de un atentado de sus esquinados compañeros, especialmente del truculento Masferrer. Así que, aprovechando la relativa proximidad de una costa que conocía bien, se tiró al agua y nadó hasta el puerto de Saetía, cercano a los paisajes familiares de Birán, para emprender el regreso a la capital en busca del tiempo escasamente perdido.

Tenía veintiún años. Era un hombre de acción. Disponía de veinte pesos de teoría revolucionaria, pero de muchas horas de lectura de Martí y de seguimiento de su gestualidad histórica. Se apuntaba a todo lo que llevara a la lucha política a cualquier nivel y urdía conspiraciones fabuladas que maravillaban a sus compañeros, como el robo de la patriótica campana de Manzanillo, utilizada por Carlos Manuel de Céspedes en 1868 para el grito que iniciaba la liberación de sus esclavos y la lucha de independencia: había que trasladarla a la capital y utilizarla como nuevo grito convocante del levantamiento de las masas contra el Palacio Presidencial. Fue en esta ocasión cuando se sentó a negociar con Alfredo Guevara y los estudiantes comunistas solicitaron su concurso y lo asumieron hasta el punto de que mientras Fidel partía para hacerse con la campana, Alfredo Guevara se quedaba en La Habana reuniendo armas para el levantamiento posterior al campanazo.

Conseguida la histórica pieza, fue albergada en el edificio de la Universidad, también llamada El Partenon por sus enjundias neoclásicas y su voluntad de presidir la ciudad. Al día siguiente, cuando Castro y los conspiradores fueron a dar el campanazo, comprobaron que había sido retirada por la policía, y Fidel denunció desde los micrófonos el expolio cometido por funcionarios del Gobierno, dando nombres y apellidos. Le persiguieron con las pistolas por delante, pero Fidel había conseguido aquel día, 6 de noviembre de 1947, su primer gran éxito como tribuno ante una enardecida masa de universitarios. Allí estaba el embrión de su razonar político futuro en torno al asalto del cuartel Moncada: contra la traición a la patria de gobiernos corruptos, la revolución nacional prometida por Grau había sido traicionada, la amenaza del militarismo gravitaba sobre Cuba y concretaba un trío de propuestas a manera de embrión programático propio: *libertad económica* y *libertades políticas* para conseguir la plena *soberanía nacional.*

Nada volvió a ser como antes. Fidel había alcanzado la condición de tribuno y de superviviente a un puñado de emboscadas. Para Alfredo Guevara ya estaba más cerca de ser un nuevo Martí que el peor de los gángsters y era evidente su capacidad de convocatoria y su imaginación táctica, aunque aún estaba demasiado marcado por un ideario antimperialista populista, parecido al que pudiera exhibir el peronismo o el aprismo del peruano Haya de la Torre. Había que añadir en Fidel el idealismo democratista que animaba a la Legión del Caribe a la que Fidel estaba vinculado y, desde esta disposición, llegaría de pronto una propuesta que pondría a prueba a la *generación del entusiasmo.* Perón quería convertir el inmediato Congreso de Estudiantes Latinoamericanos, a celebrar en Bogotá, en una caja de resonancia antiimperialista y en escaparate panamericano de su movimiento, reclamando las Malvinas para Argentina y pidiendo a los estudiantes latinoamericanos que se sumaran a la propuesta. Envió interlocutores por toda Latinoaméria y en Cuba recaló el senador Diego Luis Molinari para entrevistarse con las asociaciones estudiantiles.

Tanto los comunistas como cada uno de los individuos o las organizaciones que se autoconsideraban antimperialistas, aunque estuvieran en desacuerdo con el ideario de Perón, consideraban que el encuentro de Bogotá podía convertirse en la plataforma de su denuncia y acordaron comunistas y antimperialistas utilizar el Congreso para desbordar los planteamientos justicialistas e ir a por objetivos revolucionarios.

Por primera vez participaban juntos en una operación internacional Alfredo Guevara y Fidel Castro, el primero siguiendo consignas de los comunistas del PSP y el segundo imbuido de la plural necesidad de reclamar la independencia de Puerto Rico, la devolución del canal a los panameños, la condena de la dictadura de Trujillo y la denuncia de la OEA como un instrumento de control en manos de Estados Unidos. Fidel pasó por Panamá y Venezuela, levantando los ánimos de las organizaciones estudiantiles y llegó a Bogotá con el propósito de asistir a un encuentro con Jorge Eliecer Gaytán, un ejemplo de político liberal incorruptible y popular, al que los estudiantes querían recurrir como aval de sus peticiones continentalistas. Consiguieron verle, al menos para acordar un nuevo encuentro más duradero, pero dos días después, cuando Fidel y sus amigos se encaminaban a la entrevista emplazada, se alzan los primeros clamores que anuncian el asesinato del doctor Gaytán, tres balazos, cerebro, pulmones e hígado, apenas si le dieron tiempo para luchar contra la muerte, a pesar de que, como subrayaría la prensa local al día siguiente, Gaytán había mantenido "... su exultante vitalidad con deleitación casi narcisista, con ejercicios diarios y con un régimen dietético estricto, que no dejaba que la grasa invadiera su atlética figura". Como si el asesinato de Gaytán hubiera sido una señal para el estallido popular, las masas se echan a la calle a los gritos de "¡Revolución! ¡Todos a Palacio!", las columnas de humo relatan la geografía de los incendios y el acoso al palacio Presidencial genera un tiroteo cruzado, mientras los saqueadores se mezclan con los insurgentes y las bombas incendiarias, abren las tiendas más ricas de la ciudad para ser expoliadas, se libera a los presos de las cárceles, arden las oficinas de la Policía Nacional, la catedral, el palacio Arzobispal, el de la Nunciatura Apostólica, queda desmantelado el Capitolio, reducida a escombros la casa de Bolívar y, para colmo, la burguesía asiste horrorizada al espectáculo de las prostitutas más baratas vestidas a la moda de París, tras el saqueo de los establecimientos de alta costura ¿Qué hacer? Guevara ha recibido estrictas consignas del partido de no dejarse llevar por ninguna provocación; en cambio Fidel sólo recibe consignas de sí mismo y se deja llevar por la revuelta en compañía de su amigo Rafael del Pino.

Lionel Martin en *El joven Fidel* demuestra que Castro no le aclaró del todo cuál fue su primera reacción, porque sostiene que éste participó en el asalto al palacio Presidencial, dato aportado por el biógrafo Jules Debois, pero Manuel Piñeiro *Barbarroja* insiste en que Fidel se trasladó a la comisaría principal de Bogotá en manos de los seguidores de Gaytán, incitándoles a que dejaran de ocupar estérilmente el edificio y pasaran a la acción. Lo cierto es que el fotógrafo de la revista cubana *Bohemia* capta al joven Fidel por una calle de Bogotá llena de escombros, vestido con una chaqueta de piel, camisa y corbata, en un actitud algo más que contemplativa. Una gacetilla de síntesis diría que ante la complejidad de los acontecimientos, Fidel buscó refugio en la Embajada cubana y fue repatriado a Cuba en un avión de transporte lleno de vacas. Pero El Bogotazo ha sido uno de los referentes fundamentales para *retratar* históricamente a Fidel y mientras los anticastristas afirman que Fidel Castro ya fue a Bogotá como agente comunista dispuesto a colaborar en el asesinato de Gaytán, los castristas describen a Fidel en Bogotá dentro del cuadro épico precursor de sus voluntaristas hazañas futuras. Las masas lincharon hasta el descuartizamiento a un retrasado mental, Juan Roa Sierra, porque disparó un inútil cuarto tiro sobre el cuerpo de Gaytán, inducido por los conspiradores para que pudieran huir los auténticos asesinos y el linchamiento significó la imposibilidad de pro-

seguir la investigación, lo que dio pie a especulaciones sin límite, entre otras la que coloca a Castro y a su amigo Rafael
del Pino dentro de la conspiración, como agentes delegados
de la policía política soviética.

Garcerán de Valle, el autor de *Perfil psiquiátrico de Fidel Castro,* se basa en una supuesta documentación de la
policía colombiana de la época para construir una hipótesis:
"El doctor Cortés y un detective fueron al hotel Claridge, que
había sido dado como residencia de Castro y Del Pino. En
ausencia de ambos registraron su cuarto. Ocuparon algunos
papeles de importancia: fotografías de Gaytán en distintas
posiciones; un telegrama en clave que no pudo ser descifra-
do; una carta de la novia de Castro, en esos momentos, que
decía, entre otras muchas cosas, una frase muy significativa:
'Recuerdo que tú me dijiste que ibas a dar el comienzo de
una revolución en Bogotá'. También un plano del Capitolio
—donde tenía lugar la Conferencia— y marcados con lápiz
los sitios de las delegaciones de Chile y de la República Dominicana. Algunos testigos declaran que han visto a Castro y
Del Pino hablando con Roa una hora antes del asesinato".
Una vez consumado el linchamiento de Roa, en el que, según apunta Garcerán, participaron Castro y Del Pino, los dos
cubanos se unieron a las masas, volvieron al hotel y allí comprobaron el registro sufrido. Fue entonces cuando decidie-
ron pedir asilo en la Embajada cubana y no antes.

La búsqueda de un pasado tenebrosamente comunista
hizo prosperar esta hipótesis por los mentideros anticastristas
del mundo, pasando por alto la escasa confianza que en los
años de El Bogotazo Fidel merecía a los comunistas cubanos
y que a su vuelta a La Habana, orgulloso por su actuación, recibió en pleno rostro la acusación de aventurero y putchista
lanzada por los órganos del partido. Fidel estaba orgulloso de
una aventura continuada y enfebrecida que empieza pocos
minutos después de haber recibido la noticia del asesinato de
Gaytán, al que había conocido el día 7 acompañado de Guevara y visto actuar como abogado el día 8, defensor de un te-

niente de policía ejecutor de un político conservador; fue entonces cuando concertaron la entrevista para el día siguiente. Era una época de contactos, muy eufóricos, como el que reúne a Alfredo Guevara, Fidel y un joven sacerdote colombiano, Camilo Torres, futuro armador de mil guerrillas.

Los colombianos han dado por bueno el relato de los hechos que Fidel realizó en 1981 ante el periodista Arturo Alape, ratificados por los delegados cubanos y de otras delegaciones que se movieron en torno a Fidel en aquellas horas. Al presenciar los saqueos tuvo reacciones automáticas, por ejemplo, ante el espectáculo de un hombre pequeñito que trataba de destrozar inútilmente una máquina de escribir, le pide que se la dé y desde su elevada estatura la estrella contra el suelo. Ya la adrenalina suelta, él y Rafael del Pino buscan un encauzamiento político a la energía incontrolada de las masas, van al hotel donde están otros dos cubanos, Ovares y Alfredo Guevara, y cada cual resuelve su especial sentido del qué hacer. Fidel y Del Pino se mezclan con el pueblo, participan en la ocupación de una comisaría de policía donde Fidel se apropia de una pistola de gases lacrimógenos, busca utensilios necesarios para habilitarse de revolucionario y cuando ve unas botas propicias irrumpe en su campo de acción un desesperado oficial de policía que grita: "No, no, esas botas no, por favor, que son las mías". Por fin consigue un fusil y una guerrera de policía y al enterarse de que los estudiantes se han apoderado de la emisora de la ciudad va hacia allá, para encontrarse ante una síntesis de revolucionarios y bebedores de ron, por lo que decide subirse a un banco y arengar a los soldados para que se sumen a la revuelta. Como tenía un fusil, los estudiantes le encargaron que se apoderara de un puesto de policía y a por él fue tan precariamente armado, logrando la más absoluta victoria porque los policías se entregaron amistosamente. "El comandante de policía me nombró ayudante suyo"; además, le invitó a que le acompañara en *jeep* hasta la sede del Partido Liberal e intimaron lo suficiente como para que, al caer el día, ya propietario Fidel de un *jeep* para él solo, le cediera el otro al jefe y se quedara en la calle con otros estudiantes armados, pero sin un centavo para tomarse ni medio café colombiano. Los policías que colaboraban con los estudiantes consiguen detener a otros agentes adeptos al Gobierno y les golpean, lo que provoca en Fidel un acto de rebeldía y asco, mientras trataba de incitar a los agentes a que salieran de la comisaría y ocuparan posiciones ante el que juzgaba inminente asalto de las tropas del Gobierno.

De vuelta a la pensión, siempre secundado por Del Pino, recuperan a Ovares y Guevara y se enzarza en una disputa política con el propietario, un reaccionario que despotrica contra Gaytán. Expulsados del hotel los cuatro estudiantes, tienen que refugiarse en el primer albergue que encuentran porque está al caer el toque de queda y allí consiguen la ayuda de un diplomático argentino, que les conduce a la Embajada cubana en busca de asilo y del avión ganadero que les devolvería a La Habana. Del Pino permaneció en Cuba hasta el triunfo de la Revolución, fue capturado cuando volvió a la isla para derrocar a su amigo Fidel Castro, pasó unos años en la cárcel y su rastro se pierde tanto que nadie recuerda si está vivo o muerto. Alfredo Guevara acabaría eligiendo a Fidel cuando el Partido Comunista le puso ante el dilema: o Fidel o el partido, y es muy probable que volviera a hacerlo en el supuesto remoto de que el dilema se reproduzca algún día. Enrique Ovares pasó en la cárcel de La Habana siete años por conspirar contra la Revolución, se exilió en Miami, donde ejerce de arquitecto y recuerda a Fidel desde los tiempos del colegio de Belén, cuando era la figura del equipo de baloncesto. "Equipo famoso porque en él jugaba Fidel", ha dicho Ovares y añade, a manera de sentencia de su propia vida: "Fidel hacía famoso todo lo que tocaba".

Si Acanda y Martínez Heredia, tenaz excavador en las capas freáticas de la Revolución desde los tiempos de *Pensa-*

miento Crítico, tratan de meter a Gramsci en las previsiones sucesorias, las lecturas de la destrucción del socialismo real se diferencian en cada una de las Cubas posibles. El periodista argentino Albert Gilbert, después de la caída del muro de Berlín, realizó una excavación en las diferentes ciudades biológicas que hay bajo los suelos de La Habana de los espíritus. Lógicamente, el libro *Cuba de vuelta* comienza con un chiste: "A Mijaíl Gorbachov, cuando le dieron el Premio Nobel de la Paz, también le dieron el de Química ¿Por qué? Por haber convertido el socialismo en polvo". Introducidos por el chiste en el paisaje de deconstrucciones, ya no de piedras, sino de polvo, Gilbert interroga a distintos protagonistas de la intelectualidad cubana y escojo a Lisandro Otero, Jesús Díaz, Pedro Monreal, Abel Prieto e Iván de la Nuez. Cada cual emplea su código lingüístico y traduce su punto de vista. Otero muestra un riquísimo currículum intelectual que yo desconocía: discípulo de Barthes en la Sorbona, existencialista en los cincuenta, es uno de los intelectuales que se entrevista con Sartre cuando está de turista revolucionario en Cuba, maximalista en los sesenta, diplomático castrista en los setenta, y ex dirigente de la UNEAC. Según Gilbert vivía en un chalé de Miramar con cuadros auténticos de Goya y Lam. Se defiende de la acusación de que su generación se acomodó a la Revolución oficial y se justifica diciendo que se abandonó al "arrobamiento épico tan propio de los tiempos"; no en balde hace suya una divisa de Máximo Gómez: "El cubano no llega o se pasa" y recuerda que una vez Haydée Santamaría le dijo que la novela de la Revolución no podría escribirse hasta que desaparecieran sus protagonistas "¿Por qué?", le preguntó Otero, y la patética Ofelia de la Revolución cubana, siempre en pos de los ojos de su hermano Abel vaciados por la policía batistiana, le contestó: "Porque ellos mismos se convertirían en censores".

Cuando Gilbert le pregunta a Jesús Díaz quiénes son los grandes autores del exilio contesta lo que más puede hacer daño a los políticos culturales de la Revolución: Cabrera

Infante y Reinaldo Arenas, el suicida frío al que le basta romper el carnet de identidad para suicidarse y el suicida caliente que muere en plena metástasis de agravio. Jesús Díaz, ex secretario del Partido Comunista Cubano en el ICAIC, defensor alguna vez de las *inhibiciones responsables* para no chocar con el poder, o no tiene buena química con el entrevistador, o no tiene demasiadas ganas de hablar, y le dice a Gilbert que a un escritor ecuatoriano le preguntan por sus obras y a un escritor cubano por su posición política. Pedro Monreal, del CEA, coautor con Carranza y Gutiérrez Urdaneta de *Cuba: la reestructuración de la economía*, acompaña a Albert Gilbert en busca de un taxi o de algo que les lleve a un lugar donde poder comer, pero no lo encuentran. En 1993, uno de los peores años del *periodo especial* regresan a las oficinas del CEA, ubicadas en lo que fue vida, mansión y muerte de una familia burguesa habanera de la calle 18. Monreal cree que el socialismo en el Este no se hundió tanto por una crisis económica como por una crisis de relaciones sociales, agravada por la carencia de un adecuado ordenamiento político. En Cuba detecta un desfase entre el capital humano conseguido y el utilizado, y no ve otra salida que un esquema democrático frente al absurdo de una democracia participativa, que de hecho se reduce a la propuesta: "tú participa que yo decido". Monreal hace suyo el clamor de todos los ceáticos, el famoso recambio de paradigma: "Necesitamos una reestructuración radical del modelo socialista cubano que integre todas las esferas de la sociedad (política, economía, ideología)".

Abel Prieto defiende la tesis implícita, nunca explícita, oficial de que el final del acoso significaría un proceso de cambio más radical. Hay una gran diferencia, dice, entre el descontento por el *infierno de la cotidianeidad* -el subrayado es mío-, y la oposición a la Revolución: "La gente sabe, intuye, que con una entrada del capitalismo pierde cosas esenciales. Entre los jóvenes que encontraron las cosas hechas y conocen el capitalismo por las películas, es más compleja la tarea de persuasión" ¿La crítica a la Revolución? Esto no es Suiza, la crítica es necesaria, cierto, pero esto no es Suiza, insiste Abel, donde se puede esperar una recepción equilibrada de una crítica, sino un país en tensión, con graves contradicciones ideológicas, donde ha habido gente que ha perdido la fe.

Antes de ir por Alfredo Guevara, biohistóricamente previo a todos los citados, me quedo en el encuentro entre Gilbert e Iván de la Nuez, a quien Jesús Díaz me remitió como un talento con futuro, al igual que Rafael Rojas. Iván pertenece a la promoción hostigada por Aldana, irritado ante la insolencia crítica de aquellos jovenzuelos veinteañeros *posmodernos* que creían saberlo todo, que habían cumplido todos los vía crucis de la educación revolucionaria, pero que no parecían impresionados por los derechos adquiridos por los guardianes de la Revolución. Con Iván de la Nuez hablé por primera vez el tiempo de tomar largamente dos whiskys, en un bar de una Barçelona deshabitada por el verano; treintañero ahora, veintisiete años tenía cuando le hizo la entrevista Gilbert y dijo, para empezar: "Somos isleños y somos insólitos, ¿a qué más se puede aspirar?". Le he seguido a través de algunos artículos, de la compilación de los fundamentales en *La balsa perpetua* o en su trabajo de coordinador de *La isla posible*, y ya el De la Nuez actual estaba en las respuestas descaradamente posrevolucionarias al periodista argentino, pero posrevolucionarias de izquierda, de una izquierda errante, crítica con el exilio de Miami y sin pasaporte para regresar a La Habana. "En Cuba" -dice De la Nuez-, "hay una estructura de poder que es a la vez una estructura de saber, recelosa de toda alternativa de saber, no fuera a convertirse en alternativa de poder. El aparato burocrático ha absorbido los paradigmas válidos de Martí, el Che y Fidel y los tanques pensantes han estado construyendo un neoconservadurismo tropical, mezcla de moralidades pre y revolucionarias que impiden la indagación que realmente se necesita. Por ejemplo, se reedita constantemente *Palabras a los intelectuales*, de Fidel, pero, ¿dónde están las palabras de

los intelectuales?". De la Nuez rechaza la solución del ban-
dazo: del socialismo burocratizado al neocapitalismo demoledor. "En la Europa del Este no noto ni un movimiento de
pensamiento fuerte con presencia conceptual en el debate
contemporáneo, ni un lugar muy claro para el estatuto del
saber en la sociedad". Fuera de libro, del suyo, del mío, y de
todos los libros, yo le diría a De la Nuez que en la Europa
del este el pensamiento fuerte no entra en las relaciones del
mercado y también fuera del libro, él me expresó su temor a
que la paralización de una izquierda cubana extramuros del
sistema dejara el campo abierto para que en el futuro arrasara la barbarie del pensamiento único, sin otra alternativa que
el nacionalcatolicismo.

Ya estaba, pues, preparado para entrevistarme con el
que ha desempeñado convencionalmente el rol más intelectual, menos político, de los hijos del entusiasmo: Alfredo
Guevara. Tiene muchos enemigos, pero casi nadie habla
mal de él en La Habana, a pesar de que se habla mucho de él
y se le ve aún más, porque el director del ICAIC suele aparecer enigmáticamente en todos los saraos culturales, ayudado
por la biología que ha conseguido dibujarle sobre el rostro
anguloso de la juventud las facciones de un sabio oriental
adiestrador de aspirantes a expertos en artes más culturales
que marciales
    —Ahora todo depende del pene de Clinton. Para mí
que los medios norteamericanos se han inventado esa historia para distraer a la gente de la visita del Papa.
    Bachus, el perrito de Alfredo Guevara, ha tomado posi-
ción junto a su dueño, comparten el sillón del despacho desde donde se dirige el ICAIC, tal vez la más importante empresa cultural revolucionaria y la que mejor ha sabido
desarrollar un arte, el cine, al servicio de la Revolución, criti-
cándola en ocasiones. Estoy ante un revolucionario singular,
sobre todo si comparas su apariencia actual de lento señor

mayor de rasgos achinados, sumergidos los ojos en las profundidades de cristales oceánicos, con la del joven que quería ser José Martí hasta que se dio cuenta de que el nuevo José Martí era de la provincia de Oriente, se llamaba Fidel y le superaba en un palmo de estatura. Pero este hombre fue un líder universitario en tiempos de Grau San Martín y conspirador contra Batista, valedor de un Fidel demasiado fogoso y armado. Obligado a escoger entre el Partido Comunista y su amigo Fidel Castro Ruz, eligió afiliarse el 26 de Julio, formar parte con Frank País de la trama urbana de la Revolución, luego ser ministro en la sombra de un gobierno de la más exacta confianza de Fidel, reunido todos los días en el Habana Libre, antes Hilton, para escribir las leyes revolucionarias que el gobierno presidido por Urrutia descubriría a punto de aprobarse. Entre el ICAIC y París, donde fue representante de Cuba en la Unesco, Guevara ha sido un todo terreno en asuntos especiales, portavoz de negociaciones secretas, incluso de espionajes defensivos como el que llevó a Raúl Castro a descubrir que una parte del nuevo Partido Comunista fideliana no era tan nueva, ni tan fideliana, pero sí fiel a una organicidad paralela. Bachus es un animal pequeño que pone todo lo que tiene al servicio de la vigilancia de la seguridad de su dueño y ¡ay de mí! si me muevo, porque Bachus, cual teólogo de la seguridad, adelanta dos patitas y el trasero y me increpa, también me ladra si tiendo los brazos hacia la mesa para corregir la dirección del micrófono. Guevara no sabe si yo venía preparado para tan curioso *ménage à trois* y la verdad es que no me molesta y me sirve para ratificar mi saber sobre los perros. Siempre, siempre se ganan lo que comen y nunca se merecen lo que no comen en tiempos de comidas profundas y especiales periodos.

—Usted ha estado presente desde el primer día de la Revolución, por tanto, ha visto toda la evolución: el periodo de la euforia de los años sesenta, luego ese quinquenio gris de la sovietización al que se ha referido Ambrosio Fornet, más tarde el encuentro con la teología de la liberación de Fidel y Frei Betto, la caída del muro de Berlín, el *periodo especial*. Se sigue hablando de Revolución, como si fuera una e igual a sí misma ¿De qué revolución estamos hablando?

—No tengo por costumbre aceptar las preguntas tal como vienen. Y no sé cómo se va a usar en la entrevista, pero la palabra sovietización no la acepto. Yo quisiera que mejor repitiera la pregunta.

—Bien, la Revolución ha tenido distintas fases. La primera, como siempre ocurre, creativa, eufórica, con grandes solidaridades en todo el mundo. Luego viene un periodo de influencia soviética, en el sentido de que incluso el discurso intelectual y el análisis de la situación se hacen bajo la luz muchas veces de los manuales de la Academia de Ciencias de la URSS. Lo cual no quiere decir, como me hizo ver el otro día Leal, que los rusos al marcharse no hayan dejado ni el nombre de un trago ni una costumbre. Pero durante un tiempo la pauta estaba marcada por la gran colaboración con la URSS. Muchos me han dicho ahora: "Por fin Cuba es libre, porque ya no depende ni de España, ni de Estados Unidos, ni de la Unión Soviética".

—Yo, como pequeño protagonista, pequeño pero siempre presente, tengo otra visión. Me había preparado espiritual, intelectualmente, para una conversación, no para una entrevista.

—Si lo prefiere, tomo notas.

—No, no, no. Me da lo mismo, porque yo le voy a ocupar un poquito de tiempo...

—He venido con esa intención.

—Yo creo que nada de lo que pasa en Cuba hoy, ni de lo que pasó al triunfo de la Revolución y de los días que precedieron, se puede comprender sin entender bien cómo se forjó la identidad cubana, porque yo no digo que todos los guerrilleros, o todos los que luchamos en la ciudad, tuviéramos una formación cultural completa que nos permitiera hacer análisis sobre las circunstancias que nos llevaron a adoptar las posiciones que adoptamos. Pero puedo asegurarle que una capa importante del grupo que inició la lucha revolucionaria teníamos una visión profunda y compleja de lo que era Cuba y de lo que queríamos, aunque desde luego éramos jovencitos y luchábamos al mismo tiempo que nos formábamos. Ése también fue el caso de Fidel. Lo cierto es que nosotros somos herederos de un proceso muy complejo, que incluye a ese padre Varela del que tanto habla la Iglesia ahora, como si lo hubieran descubierto anteayer. Me parece que incluso quieren beatificarlo. Cuando la generación de Fidel comenzó a pensarse protagonista de un combate, todos sentíamos que para lograr esa revolución hacía falta un José Martí y todos creíamos que iba a serlo cada uno de nosotros, no por ambición, sino por un impulso trágico, porque habíamos nacido para cumplir esa misión.

—Era como un impulso romántico.

—Nosotros lo sentíamos como patriótico, porque pensábamos que la nación desaparecía. Estábamos prácticamente americanizados, no había un letrero que no fuera en inglés. Estoy hablando de las familias blancas de cierta posición, cuyos hijos estaban en condiciones de llegar a la Universidad. La situación de los negros era otro universo, era horrible. Los hijos de esas familias blancas sabían que si no hablaban inglés no eran ciudadanos con posibilidades, el modelo era omnipresente, apremiante. Yo tenía muchos motivos para ser quien era, para tener ansias de evolucionar desde tan temprana edad, le hablo de antes de la Universidad. Yo, en esta época, era anarquista. Desde niño vi a la flota americana en el puerto de La Habana como algo amenazador, tal vez porque procedía de una familia revolucionaria, simpatizante de Antonio Guiteras. En mi casa se hacían reuniones y yo las vigilaba. Yo, y otros como yo, habíamos nacido dentro de una cultura de resistencia. Fidel de niño vivió otras cosas. Los muchachos orientales que participaron en el proceso revolucionario habían vivido otras experiencias.

—Usted marca la diferencia entre habanero y oriental como dos subjetividades, en función de dos mundos diferentes.

—Bueno, lo curioso es... No. Yo voy a explicar eso después. Lo curioso es... Lo que me llamó la atención es que yo no puedo comprender bien cómo se formaron ellos en la adolescencia.

—Tenían otro sustrato.

—Otro sustrato, cierto.

Me he movido bruscamente a comprobar si funciona el magnetófono y el perrillo saca pecho junto a su amo, me ladra.

—Si molesta mucho, ya lo callaré.

—Tengo perros.

—Por ejemplo, en La Habana yo vivía en el Malecón, muy cerca de la entrada del puerto. Me tocaba como niño ver muchas cosas relacionadas con la llegada y la marcha de la flota yanqui. Esto era un gran prostíbulo, había que cerrar las casas antes de que se fuera la flota, porque iban en busca de prostíbulos y se metían en la primera casa que encontraban. Llegamos a odiarlos. Cuando llegó la época universitaria pasó algo que ilustra lo que le decía sobre las diferencias entre los de La Habana y los de Oriente, porque la Revolución cuenta con muchos orientales, pero es en La Habana donde cuaja. Los muchachos que llegaban a la Universidad desde el interior eran los hijos de los que económicamente podían enviarlos. Los mandaban a casas de huéspedes y entonces, burgueses o no burgueses, más o menos influidos por las posiciones de sus padres, aunque no siempre importaba de qué clase social o cuáles posiciones tuvieran sus padres, cuando llegaban a La Habana y se incorporaban a la Universidad eran otros, eran dueños de sí, y su participación en la lucha política antiimperialista fue por eso muy intensa. Es decir, en las giras, en las manifestaciones, siempre estaban los muchachos del interior porque no había control sobre ellos.

—No tenían que volver a las nueve a casa.

—Exacto. Y claro, yo podía volver a horas más tardías porque pertenecía a una familia progresista, pero no era el caso de otros compañeros habaneros, hijos de la burguesía obligados a mantener ciertas normas de conducta. Pero compartíamos esa ansiedad prerrevolucionaria, la sensación de que la Revolución era necesaria y posible. Y no fue fácil darnos cuenta, por lo menos para los que ya teníamos alguna formación política, y éramos habaneros, de que Fidel iba a ser nuestro líder. Yo, por ejemplo, cuando fui a la Universidad lo conocí enseguida. Nunca he podido determinar quién fue el primero en hablarme de él, porque yo estaba convencido que era una persona que luego resultó no ser. Fue un muchacho de Derecho, seguro, yo estudiaba Filosofía, me dijo: "Tú no me conoces pero yo a ti sí". Yo había sido líder estudiantil en la secundaria, acababa de entrar en Derecho, era el primer día de la Universidad y mi interlocutor me dijo que tenía que conocer a un joven líder de Derecho, alguien extraordinario. Bueno, no sé por qué lo hice, me fui a Derecho a verlo, y estaba Fidel arengando a la gente. Todos aspirábamos a ser dirigentes y eso nos hacía ser muy críticos los unos con los otros, por eso tiene valor especial la información posterior que di a unos compañeros: "he conocido a un tipo en la Facultad de Derecho que puede ser el peor de los gángsters o José Martí". Me propuse observarlo y vacilamos largamente antes de reconocerle la primacía, le estoy hablando de muchachos de diecinueve años. En cierto sentido estábamos, como quien dice, esperando un profeta, un mesías y no sabíamos si iba a serlo uno u otro de nosotros.

—No hace mucho, Julio Anguita, secretario general del PC de España, empleó ante mí la palabra profeta y la clarificó inmediatamente: un profeta es el que ve la verdad.

—Yo jugué un papel antes e inmediatamente después de la Revolución, porque, claro, Fidel había estado un tiempo preso o exiliado. Yo había sido anarquista, formado por exiliados españoles y paralelamente, no era incompatible, me metí en la Juventud Auténtica. La Juventud Auténtica se separó del Partido Auténtico y formó el Partido del Pueblo Cubano (Ortodoxo), que dirigió Eduardo Chibás. Hay dirigentes tanto de la Juventud Auténtica como del Partido Ortodoxo inicial en todas partes, hasta en la Fundación Nacional Cubano-

Americana, éstos que están en Miami hostigándonos, que siguen siendo amigos míos, dicen. Desde lejos, tengo noticias de ellos, y según dicen me siguen queriendo y yo los sigo recordando a ellos ¿Max Lesnick? Es otra cosa. Nunca ha sido un contrarrevolucionario. Nunca nos hemos separado, a pesar de la distancia. Cuando Max se exilió yo fui a su casa y pedí permiso a Raúl, de otra manera no habría sido posible la gestión, para enviarle una carta en la que le invitaba a volver, que se bajara de Miami a México, yo iba a buscarle, le metía conmigo en Cuba y no iba a pasarle nada. Bueno, luego también pasé por el Partido Socialista Popular, el nombre cubano del partido comunista. Yo quería ser comunista, pero me aceptaban y no me aceptaban. Me aceptaban porque yo era un dirigente de la célula universitaria y era muy importante tenerme en las manos, pero le cuento una anécdota, nada más para que vea como no me tenían confianza.

Un dirigente de la Juventud Comunista me quiso amansar y me obligó a proletarizarme; me puso a vender periódicos en la calle. Lo acepté para demostrarle que no se había infectado mi espíritu de virus pequeñoburgueses. Ya en esa época yo había trabajado en la alfabetización de mi barrio, por mi cuenta, y creo que eso era más urgente que vender periódicos. Bueno, me pongo a vender periódicos en el parque, voceando la mercancía y apareció por allí un bedel de la Universidad: "Alfredo, yo no sabía que estabas en una situación tan jodida que te obligara a vender diarios". Me pareció tan ridículo aquello, que ahí mismo boté los periódicos, los pagué y se acabó. Cumplí como militante, aunque planteé críticas a la manera cómo se había reprimido a la población en la Europa del Este a partir de los hechos de Berlín, luego Varsovia y Budapest. Si hay que salvar a la Revolución con los tanques, se salva, pero luego, superada la situación, había que hacer una crítica muy severa de lo que había motivado el desencuentro entre el pueblo y el partido. No les gustó nada aquello, bueno, y a partir de los hechos del 26 de julio me fui separando del partido comunista, porque buena parte de mis amigos estaban con lo de Fidel y así

411

colaboré más tarde con la Revolución desde las plataformas urbanas, como Frank País. Llegado el triunfo de la Revolución, Fidel había estado en la sierra, buscaba un equipo intelectual de confianza y me metió en un grupo estricto que debía preparar las leyes que luego fueron la base del cambio. Yo era uno de ellos, por la confianza que me tenía y más tarde el equipo de dirección se fue ampliando. Fidel ya era socialista, pero no del partido. Y los que estábamos trabajando con él, en aquel momento, éramos socialistas pero no del partido. El único que tenía una militancia anterior era yo. Bueno, Raúl había pertenecido a las Juventudes Comunistas. Aquel *gobierno en la sombra* tuvo un nombre de camuflaje, Oficina de Planes y Coordinación Revolucionarios, y lo formábamos, fíjese qué selección, Che Guevara, Vilma Espín, Óscar Pino Santos, Segundo Ceballos y yo. Nuestro presidente era Antonio Núñez Jiménez, en el que confiaba mucho el Che; luego Antonio lo ha sido todo en la Revolución y un símbolo por su amistad con Fidel, sus hazañas como explorador, el geógrafo más importante de Cuba ¿Le conoce? ¿Y a Lupe, su mujer? Como hermanos. Nosotros gobernábamos y dejábamos que Urrutia creyera que gobernaba él. Oiga. Vuelve a ladrar el perro, voy a decir que se lo lleven.

—No, a mí no me molesta.
—Sí, pero si empieza a ladrar...
—El ladrido no se sobrepone a las palabras grabadas.
—*Viens ici!*
—¿Ladra en francés?
—Supongo. Yo le hablo en francés porque el animalito nació en Francia cuando yo era representante de Cuba en la Unesco, y toda la primera etapa de relación la hicimos en francés. Este animal, ahí donde lo ve usted, ha atravesado el Atlántico decenas de veces.
—Debió ser difícil hacerle sobrevivir durante el *periodo especial*.
—No íbamos a abandonarle. Sé que eso es difícil de entender por parte de mucha gente.

—A Maiakovski le criticaron porque cedía a su perro parte de la carne que le concedía el racionamiento. No se daban cuenta de que alimentar al perro era apostar por la vida, en tiempos en los que se apostaba excesivamente por la historia.

—Interesante, ya ve usted. Bueno, a lo que iba. Entonces, después de la Revolución, la angustia de Fidel era saber cuál iba a ser la reacción de Estados Unidos, por eso viajó allí como representante de la Revolución triunfante. Desde el comienzo nos hostigaron y más cuando aparecían las leyes que habíamos preparado con una finalidad clara de transformaciones sociales. Todo estaba preparado. Fue maravilloso. Tenía que haberlo visto. Fidel tenía claro que su objetivo era destruir todas las formas del capitalismo y la supeditación a Estados Unidos, pero no por afinidad con lo soviético, sino como resultado final de la lógica de toda la aspiración cubana desde la independencia. Revolución nacional y social. Ni éramos prosoviéticos ni tuvimos a los comunistas cubanos con nosotros hasta muy avanzada la Revolución y aun entonces sólo Carlos Rafael Rodríguez entendió qué significaba la Revolución que había dirigido Fidel. Fíjese que cuando estábamos cercados y necesitábamos armas no se las compramos a la URSS, se las compramos a Bélgica y pedimos armas a Tito, al que suponíamos distanciado de ambos bloques y nos las negó. Fidel me encargaría más tarde una misión que nos implicaba a Raúl, a Jruschov y a mí. Me aprendí el discurso de memoria, fui a Praga, donde estaba Raúl, y le dije de carrerilla lo que según Fidel debía decirle a Jruschov cuando se vieran en Moscú. La URSS se puso a nuestra disposición, no al revés. La URSS nunca se fió del todo de Fidel porque conocían su voluntad de autonomía. Recuerdo que nada más terminada la Revolución, un periodista de la Tass me preguntó si Fidel era socialista. Y yo le expliqué hasta dónde lo era. Nunca he sido un inhibido, pero ahora menos que nunca. Bueno, aquel corresponsal de Tass con el tiempo fue nombrado embajador de la URSS en La Habana. El embajador de la URSS aquí tuvo un papel positivo porque trataba de entender y no de imponer, al tiempo que las agresiones directas e indirectas de Estados Unidos fueron a mayores y eso nos hacía reforzar las relaciones con la URSS. Ésa es la clave de la llamada penetración soviética en Cuba. No necesitábamos imitar su modelo, pero sí su petróleo. La prueba es que cuando se hundió la URSS y perdimos el acceso a ese petróleo entramos en el periodo más crítico de la Revolución. Empezamos a encontrar un poco de petróleo en nuestro país, pero lo cierto es que para alumbrarnos, para que funcionen las fábricas, las escuelas, los hospitales y la producción azucarera necesitamos energía, y este país no tiene energía. Bajo la presión de la deuda externa y esa pavorosa necesidad de comprar energía, todo lo que ganamos, en turismo, por ejemplo, se va en petróleo y en los réditos de la deuda. Estamos amenazados por el terrorismo de un sector del exilio y no nos venden armas. Hemos de fabricarlas nosotros, armas para defendernos ¿Comprende? Por eso reaccioné con desagrado ante la palabra sovietización, utilizada por la propaganda para demostrar que era lógico el distanciamiento norteamericano ¿No se han entregado en brazos de la URSS? ¿Cómo van los norteamericanos a cambiar de actitud? Por otra parte, hemos sabido que algunas prospecciones petrolíferas hechas por los soviéticos demostraban que había petróleo y se lo callaron para mantener la dependencia. También los norteamericanos saben que en Cuba o en sus alrededores hay petrólelo. Lo han mantenido oculto para asfixiarnos más.

—Y para mantener los precios.

—Los norteamericanos saben dónde está el petróleo, o por lo menos saben algunas de las áreas. La lógica dice que lo hay, como en todo el arco que termina en la península de Yucatán.

—Están claros los argumentos de necesidad mayor para pactar con la URSS. Pero cuando se produce la invasión soviética de Checoslovaquia, Fidel lanza un discurso ambiguo que puede ser interpretado como un apoyo a la intervención.

—No, no, yo creo que él dijo lo que podía decir.

—Incluso puede verse un antes y un después del discurso en la práctica cultural y en el debate interno. Los intelectuales cubanos hablan de un periodo en el que el pensamiento estaba condicionado por los manuales de la Academia de Ciencias de la URSS.

—Eso no se dio en la cultura artística, ni en la pintura, ni en el cine

—Cierto. Tampoco se encuentran rastros apreciables de realismo socialista en literatura. Todo eso se dio en la Universidad.

—¿Usted conoce mi polémica con Blas Roca? Ahí se acaba el realismo socialista cubano.

—Al final de los setenta, comienzos de los ochenta, hay movimientos en pro de recuperar el debate aplazado, una conciencia de que se ha producido un empobrecimiento de la propia pluralidad marxista. Ahora están ustedes volviendo a Gramsci, un pensador Guadiana, que aparece y desaparece del debate cubano, según la dogmática dominante, ¿qué visión tiene de todo ello?

—Yo creo que los soviéticos influyeron menos de lo que se aireó, aunque operaron fenómenos de ignorancia o de mimetismo en los casos de represión cultural que se dieron. El viejo Partido Comunista, como todos los partidos comunistas latinoamericanos, había estado muy supeditado a la URSS. Era lógico el apoyo en la etapa de la lucha contra el fascismo y el nazismo, luego ese apoyo se mantuvo acríticamente. En Cuba los comunistas se transformaron cuando Fidel crea un nuevo Partido Comunista, porque la Revolución necesitaba a esa gente, como necesitaba a los intelectuales revolucionarios próximos al partido y a otras sensibilidades de la izquierda. Piense además que no había modelos cubanos para saber cómo se construía una realidad socialista. Le voy a llamar la atención sobre una cosa: el Movimiento 26 de Julio no tenía una capa intelectual sólida. Disponía de algunos profesores universitarios, pero incluso parte de ellos se marcharon a causa de las penurias o por discrepancia con la marcha de la Revolución. La Revolución tuvo que fabricar su capa de intelectuales, entre otras cosas para crear una conciencia nacional sin precedentes.

—*Orígenes* es un precedente.

—El grupo *Orígenes* no tenía una influencia masiva, pero deja la huella de una resistencia cultural; también otros sectores como los minoristas de Mella y Carpentier fueron antimperialistas. Carpentier estuvo en la guerra de España, participó en el Congreso de Intelectuales Antifascistas de Valencia. Fueron muy pocos los artistas e intelectuales que se aliaron a Batista, yo diría que casi nadie. Pero el 26 llegó un poco desarmado intelectualmente y entonces el viejo partido, que tenía comisiones culturales, aportó sus efectivos. Creíamos que una vez formado el nuevo partido, todos los aparatos del viejo desaparecían, pero no fue así. El viejo partido siguió manteniendo una cierta organicidad, recuerde el caso Escalante, y yo mismo fui invitado a participar en una reunión informativa de un comité cultural, lo que me permitió descubrir esa organicidad paralela invisible.

—¿Eso había pasado inadvertido a los sagaces servicios informativos del Estado?

—Había pasado inadvertido. Hay que haber vivido aquello. Por ejemplo, yo preparaba los Consejos de Ministros y en cierta ocasión vino a la reunión del Consejo un señor, se sentó allí, no se le tomó en cuenta, un funcionario invitado por éste o por aquél, bueno, nadie le dijo nada. Pero volvió al siguiente y al otro. Un día habló y aquello no sonaba. Y Fidel le pregunta: ¿Qué carajo hace usted aquí?

—¿Por qué iba? Por que le hacía gracia estar en el Consejo de Ministros?

—Bueno, porque lo habían citado, había ido a parar a la sala de reunión y como nadie le había llamado la atención, pues se apuntó a la cosa. Hablo de los primeros tiempos. Todo iba un poco a salto de mata, a decreto de improvisación, nuestra propia vida, la de Fidel, una noche aquí, otra allá.

—Usted constata una gran carga de espontaneísmo en el 26 de Julio.

LOS HIJOS DEL ENTUSIASMO

—Al principio, sí.

—Después, el aparato ya creado, se acabó el espontaneísmo.

—Se fue.

—Ustedes eran espontaneístas, pero el partido, lo sé porque yo he militado muchos años en un partido comunista progresivamente desovietizado, es una entidad muy estructurada, con una disciplina casi militar hasta en tiempos de paz. Ellos estaban mejor preparados para controlar el tejido social.

—Exactamente. Y no sólo eso. También para situar gente.

—Disposición que se refuerza cuando la URSS se convierte en aliado. Y a pesar de eso, no se puede hablar de sovietización.

—Con propiedad, no.

—¿Porque hay una diferencia, vamos a llamarle étnica, psicológica, de talante entre el prosoviético cubano y el prosoviético soviético?

—Y también por conciencia del grupo dirigente de la Revolución que nunca asumió esa sovietización. Además, hubo dos conspiraciones de los soviéticos contra Fidel; la primera y más famosa fue la de Aníbal Escalante, ya hemos hablado. Pero hubo más. Se hacían reuniones paralelas y Raúl me pidió que consiguiera pruebas, tuve que hacer hasta de espía francés

—Usted, ¿qué cargo tenía entonces?

—Era el presidente del ICAIC, eso era todo, pero no olvide que nos une la relación de amistad de toda una vida, pertenecemos a la generación de urdió la Revolución y le hemos permanecido fieles, a pesar de las dificultades. Soy amigo de ellos, de los dos y pasamos juntos el día de Fin de Año. Así que me presté a la jugada y cuando Raúl tuvo todas las pruebas tiró de la manta, Raúl, sí, Raúl, el que pasaba por ser el prosoviético, sin comprender que Fidel y Raúl son dos cómplices que se reparten tareas. Es Raúl quien propone romper con la Unión Soviética. Y durante un tiempo los dos partidos, el cubano y el soviético, en plena época que usted ha calificado de sovietizante, no tienen relación. Conservamos relaciones de Estado, porque el tejido de intereses comunes ya era inmenso, hasta el punto de que todavía ahora los soviéticos tienen en Cuba una sección de escuchas radiofónicas. Bueno, los soviéticos. Los rusos de Yeltsin tienen aquí todavía las escuchas de todas las comunicaciones americanas, sólo que ahora lo tienen que pagar, y muy bien por cierto. Pero le digo que el tejido de intereses era tan grande que los soviéticos estuvieron dispuestos a aguantar eso hasta que se fue suavizando. No fuimos desleales, pero jamás dependientes, por eso me sublevó la palabra sovietización. Cuando se habla de que Cuba fue un instrumento de la URSS durante la guerra fría, porque suponen que intervenimos en África o América conectados con la URSS, no saben lo que dicen. A la URSS no le gustaban nuestras intervenciones en África y se inquietaban hasta la sobreexcitación ante las intervenciones en América. Antes de lo de Angola, había tropas cubanas en Argel, y los soviéticos no supieron que nosotros estábamos allí para detener un posible avance marroquí con los tanques que nos habían dado. Los soviéticos no supieron que íbamos a entrar en Angola, se enteraron cuando estuvimos allí. No han estado de acuerdo con nada, ni con las guerrillas. Tampoco el conjunto de los partidos comunistas, salvo casos aislados, como los españoles. Durante algunos años me tocó ser el contacto con los españoles, no estrictamente con el partido, sino con los grupos que nos apoyaban y que dejaron de hacerlo después de lo de Padilla y Checoslovaquia. Claudín, Semprún, Muñoz Suay. Iba a París a darles mensajes, también a Italia para dárselos a Rosanna Rosanda, del PCI. Eran apoyos sectoriales, porque ni los partidos comunistas europeos ni los de América nos apoyaban a fondo.

—Me explico por qué Semprún, Claudín y Muñoz Suay llegaron a ser tan anticastristas. Purgan un complejo de culpa ¿Y si la Revolución se mantiene por su culpa?

—A Muñoz Suay hace mucho tiempo que no lo veo...

—Murió..

—¿Murió?

—Este verano pasado, de un ataque al corazón.

—No lo sabía, nunca lo supe.

—Acabó junto a los socialistas y en un cargo del Partido Popular en Valencia, cargo técnico, sin ningún compromiso ideológico. Fue siempre un tipo notable. Cuando le llamaba por teléfono yo preguntaba: "¿Está el viejo bolchevique?" Fingía cabrearse, pero estoy seguro de que hasta el final, secretamente, fue un señorito bolchevique.

—Yo no pretendo que usted adopte mi interpretación, pero lo que quiero transmitirle es que alguien que ha estado muy adentro, le puede asegurar que las cosas no son tan, tan, tan, tan... Yo no quiero hablar en nombre de Fidel, le ofrezco mi interpretación. Mantuvo distancias con los soviéticos cuando colaborábamos y en los tiempos de la caída. Cuando se produjo lo de la *glasnost* y la *perestroika*, Fidel advirtió a todo el mundo no dejarse confundir, no avanzar a ciegas, observar. El proceso de la *perestroika* lo presiente débil para frenar la reacción. Yo estaba allá en París, donde pasé diez años y lo veía todo desde la perspectiva europea. Luego, al llegar a La Habana, departía con Fidel y me iba indicando el proceso, a dónde iban a parar las cosas, a dónde fueron a parar. Volví en 1991 y me encontré a Aldana de estrella ascendente; Aldana era el secretario responsable de la ideología. Nunca me cayó bien, al igual que a buena parte de intelectuales y artistas, porque había tenido comportamientos prepotentes con nosotros. En la UNEAC pronunció un discurso que parecía de Beria o de Zdanov. Pertenecía a una promoción acostumbrada a seguir a los soviéticos y cuando los soviéticos cambian, ellos también. La gente más papista que el Papa suele ser muy peligrosa.

—Los comisarios culturales más papistas que el Papa han hecho mucho daño a la Revolución, desde el caso Padilla.

—Quizá el caso Padilla se pudo haber evitado si no se hubiera manejado como se manejó. Pero volviendo a lo de la caída del muro de Berlín, Fidel la previó antes, nada más percibir los derroteros de la *perestroika*, e intentó crear nuevas zonas de desarrollo técnico que ya no dependieran de la tecnología socialista. Por ejemplo, en la informática. De no haber dado aquel paso aún estaríamos peor de lo que estamos. Mire usted, nuestra generación está a punto de desaparecer, es natural, diez, doce años más y se acabó. Hay que renovarse, superar contenciosos que han marcado la grandeza y la servidumbre de la Revolución, por ejemplo la presión de Estados Unidos.

—Ese futuro no lo van a protagonizar ni el Papa, ni Fidel, ni Clinton.

—Hay que ir pasando el poder a los jóvenes.

—Se les integra en estructuras derivadas de la Revolución. ¿Hasta qué punto esas estructuras de poder se corresponden ya con la base social y material de hoy y de mañana? ¿Se corresponde con la conciencia de los que no hicieron la Revolución en su fase armada?

—Bueno. Yo regresé hace seis o siete años, en el 91. Hasta hace tres o cuatro años, digamos tres años, la situación era terrible. Vine desde la condición de embajador, teniendo las mayores consideraciones, disfrutando además una herencia de mi hermano, de la fortaleza de una familia con trabajo, mi nieta tenía entonces un año, ahora tiene siete, una casa, y con todo eso lo pasamos muy mal. Lo gastamos todo para conseguir comida. Yo estaba como paralizado y mi hijo, de otra generación, se lanzó a la calle a afrontar la situación. Empezó a hacer las cosas más locas. Tras inventariar todo lo que teníamos, ropa, zapatos, de todo, se iba al campo, y lo cambiaba por comida a los campesinos. Así conseguía garantizar nuestra alimentación, sobre todo la de la niña, pero como el muchacho es hábil consiguió también gallinas, chivas. Nosotros vivimos en el Vedado, la casa tiene jardín, un patio enorme, y allí sembró mi hijo, crió gallinas, teníamos leche de chiva para la niña, huevos. Una pequeña finquita.

—Uno de los economistas autocríticos de la *perestroika* acusaba a los políticos económicos de la URSS de haber caído en el economicismo, por encima de intentar valorar las necesidades reales de las personas; la planificación fundamentalista por encima de las necesidades humanas.

—En algunas cosas soy fundamentalista. Soy socialista y creo que hay que conservar la idea socialista, pero hay que reinventar, y lo que más preocupa es el poco tiempo que queda para reinventar en Cuba. Creo que la señal más positiva de la dirección revolucionaria de Cuba es haber rehecho el plan de desarrollo en menos de cuatro años; eso legitima la dirección de Fidel y su equipo. Soy consciente de los riesgos. Por ser quien soy, por la edad que tengo, porque he pasado mi vida activa en un grupo que pasó por la dirección de esta Revolución, es decir, que dirigió la Revolución y ostentó el poder, observo con pasión estos fenómenos. Si la Revolución se paraliza, perdí la vida, equivaldría a descubrir que invertí la vida en algo que no valía la pena. Y yo creo que si hemos llegado a resolver problemas fundamentales no nos han de preocupar los accesorios. Si alguno de nosotros monta un pequeño negocio, qué se yo, se pone a hacer pizzas o a freír salchichas, no lo hemos de considerar fruto de una irrefrenable pasión capitalista. Yo no lo veo así, y quisiera que los máximos dirigentes no lo vieran por lo menos tan así. Yo no digo que no haya tendencias, pero es que si el salario no alcanza hay que ver cómo se compensa y tampoco se puede subir el salario porque caeríamos en una inflación descomunal. El problema es que estamos entrampados y lo principal es ganar tiempo, porque de esa trampa podemos salir. Ya se han saneado bastante las finanzas, la masa inflacionista se ha reducido el 50% con la legitimación del dólar, el 50% de la población tiene acceso al dólar... También toda la población tiene acceso a una visión horrible de lo que significan las diferencias, es decir, nacen focos de corrupción, de corrupción de la dignidad personal, para sobrevivir. Es el caso de la prostitución que había desaparecido prácticamente. Nos ha tocado ver el retorno de cosas contra las que habíamos luchado.

—Es la situación de partida de esta entrevista. La flota norteamericana desembarcando en busca de carne humana.

—Pero no había otro remedio que el turismo, que la aceptación del dólar y estamos mejor que hace tres años, en pleno calvario del *periodo especial*.

—Usted cree que habrá tiempo para que la Revolución se modifique a sí misma.

—Hay que encontrar de nuevo un camino de desarrollo, ahora que hemos conseguido salir de lo más profundo del hoyo, avanzar, encontrar otro lenguaje.

—El lenguaje es importante, porque se apropia de las cosas y cuando no sirve, se pierde la comprensión de las cosas. He descubierto en Cuba niveles intelectuales de debate muy notables, los que representaba el grupo del CEA o los reunidos en torno a *Temas* o en las Fundaciones Gramsci, Fernando Ortiz... Es enorme la vitalidad intelectual que subyace. Pero luego la gente tiene que leer la prensa orgánica o ver la televisión oficial y el esfuerzo del que usted habla para acceder a otro lenguaje queda reducido al ámbito de una selecta minoría intelectual.

—Yo creo que mientras Fidel tenga un cuchillo pegado a la cabeza, los medios de comunicación no cambiarán de lenguaje. Y yo no separo la visita del Papa de una atmósfera en la cual el diálogo pase a primer plano y se generalice. Desgraciadamente, pesa demasiado la cercanía a Estados Unidos, la monstruosidad del bloqueo y el acoso constante, agresivo, violento, sangriento tantas veces, como en esos atentados financiados por la ultraderecha de Miami. Yo he vivido de cerca experiencias políticas que no se parecen a la nuestra, como la francesa, he sido amigo de Mitterrand y podría hacer críticas de la política europea, pero reconozco que esa política europea aún se mueve por convicciones bastantes veces. La política norteamericana no. Es un disparate condicionado por los grupos de presión y el oportunismo electoral. Las convicciones son pura máscara. Todo el mundo está en esas manos y Cuba está a noventa millas de esa política.

—¿Cree usted que Cuba está en condiciones de encabezar una revolución cultural junto a los movimientos emergentes en América Latina que corrija las relaciones de dependencia?

—No entiendo yo eso de revolución cultural. Ya sé que no se refiere usted a la china, pero es que creo que esa tendencia no se ha interrumpido en la vida cultural cubana, desde el siglo XIX hasta hoy, ahora que se habla tanto de Félix Varela...

—Ya no se puede exportar o secundar revoluciones armadas como elemento de emancipación; lo que se puede es convertir en energía histórica de cambio los hechos de conciencia encarnados en las masas y ahí está el gran tema emancipatorio de las diferencias Norte-Sur en el marco de la globalización.

—Entonces, sí, estoy de acuerdo. Yo siento que lo que ha pasado aquí con la visita del Papa y la forma en que Fidel entrelaza un pensamiento y otro va por ahí.

—Ahora vamos a ver qué hace el Vaticano.

—Y vamos a ver qué hace Fidel también. No quiero dejar de decir lo que quiero decir. No hay alianza más factible y eso lo piensa también Fidel, que la que puedan hacer socialistas y cristianos, porque es una alianza coincidente de los objetivos en la Tierra. Para eso hay que ser socialista de verdad, y no oportunista, y cristiano de verdad y no simplemente participante en ceremonias. Hubo un periodo en la vida francesa, en la europea, de acercamiento del pensamiento católico al progresista.

—Eso lo movieron los personalistas, Mounier, sus discípulos.

—Mounier, Gabriel Marcel... Estamos preparando un seminario para la Unesco, que reflexiona sobre encuentros ideológicos, muy interesante. Yo quería destacar algunas figuras de la identidad cultural cubana, dedicadas a la reflexión sobre lo que fue Cuba y lo que debía ser. Félix Varela llega a plantearse que no es posible que se consolide la identidad cubana, lo que da sentido a una nación, sin que desaparezca la esclavitud, y, por tanto, coincidan las diferentes etnias de la inmigración esclava y las diferentes etnias criollas, porque no todos los criollos eran de origen español y los que lo eran venían de diferentes nacionalidades españolas. En los barracones de esclavos se fue formando otra cosa, una nación multimestiza, con muchos componentes, no era posible la identidad, la nación y la independencia sin asumir ese mestizaje y Varela llega a esas conclusiones porque era un intelectual honesto y responsable. Ese pensamiento pasa a Martí y antes de Martí, cuando el tatarabuelo de Carlos Manuel proclama la independencia, al mismo tiempo anuncia la abolición de la esclavitud. Fidel, en lo fundamental, ha sido el continuador de esa convergencia de identidad nacional y justicia social. Le hablo tanto de la identidad porque es imposible concebir a Cuba como satélite de nadie.

—En esa identidad futura, ¿qué papel atribuye a los exiliados?

—Ha de producirse un reencuentro en la cubanía. Y para eso hay que resolver el problema con Estados Unidos. Soy de los partidarios del diálogo con el exilio que quiera dialogar y hace dos años, en un debate que hubo sobre las inversiones de los exiliados en Cuba, estuve entre los partidarios de autorizarlas. Dije: "Miami es una ciudad del odio y nosotros no queremos ser la otra ciudad del odio".

Me habla de un cierto retorno, curiosidad intelectual en suma, a san Agustín, como Pitágoras, uno de los filósofos de la antigüedad que sitúa junto al pensamiento de Mariátegui, Martí, el castroguevarismo. Pero el pensamiento humano no empieza en ellos, ni termina en ellos. En la cabeza de Alfredo Guevara se ha producido un reencuentro filosófico equivalente al que experimentó Roger Garaudy en *Perspectives de l'hommme* y me pasa dos trabajos recientes, el uno relacionado con la inauguración del último Festival de Cine de La

Habana y el otro la conferencia pronunciada en el convento de San Juan de Letrán, en el Aula Bartolomé de las Casas, el 3 de abril de 1997. El título promete heterodoxia. *Espíritu y trascendencia*, reflexión de un laico detenido a las puertas del sentido de la trascendencia que pueda tener un creyente.

Con Unamuno, Guevara se siente angustiado ante la materia que se corrompe, y comparte esa sensación de soledad del hombre que ha nacido para morir. La interrogación del cosmos, los límites de la vida y de la libertad, el sentido del ser y del estar no tienen por qué entrar en conflicto con la indagación del materialismo dialéctico. Luego, con Sartre, accede al complemento de la afirmación de que se existe porque se piensa y a la inversa, y desde esa afirmación desafiante se construye la vida y la historia. Sí, hay que reivindicar la vida y el yo, el yo personal único, concreto, intransferible, solo... "... y en la vida encontrar por esa su singularidad, huella acaso o esperanza de la eternidad negada". La segunda reflexión de este importante miembro de la generación del entusiasmo señala la música como un vehículo para la experiencia mística y utiliza a Gabriel Marcel, ya no a Unamuno o a Sartre, como interesante provocación del acceso al espíritu y a la gracia: Marcel se convirtió mientras escuchaba las *Pasiones* y las *Cantatas* de Bach. A través de la belleza, la música facilita la experiencia de la comunión con el universo infinito, con recursos que en otro plano sólo Breton, san Juan de la Cruz y Leo Brower o Lorca, con su duende, pudieron explicar ¿No será que la música se vale de milagrosos cánones internos? Como decía Einstein: "La música y la investigación en física son diferentes, pero tienen un objetivo único: la aspiración a expresar lo desconocido". Por parte alguna ve ahora Guevara la espiral que no cesa, que reúna la eternidad, el infinito, el movimiento, la vida, un espacio —tiempo sin derecha ni izquierda, sin arriba ni abajo en el cosmos, sustancia, materia, espíritu, no importa, que ni comienza ni termina—. Hay que conservar la esperanza de llegar a verdades que la razón hasta ahora no toca, pero que al corazón sí llegan... "... y digo corazón por emociones ya que no puedo (o puédese) descubrir la transgresión del límite, esa inmersión de poesía en el alma, esa inmersión del alma en poesía, que la música ejerce".

A continuación, Guevara reflexiona sobre el amor y la armonía. Recuerda que Pitágoras, otro de sus referentes culturales fundamentales, fundó su teoría de la armonía universal en las matemáticas, buscar la comprensión del mundo en *la música de las esferas*, ya entonces un destello preciso, una verdad inscrita en el acervo cultural del mundo antiguo, en el que Pitágoras y Platón descubrieron el motor del amor y que es el amor el que hace de las esferas, música. Llega Alfredo Guevara a la física contemporánea para la comprensión de la relación entre la materia y la energía, en lucha contra la angustia del vacío, que tanto afectaba a Einstein, en busca de la sinfonía secreta del universo y en las superaciones de ese saber hay tantos paralelismos entre la conciencia física y la artística, que la relativización de la física cuántica hay que relacionarla con la del arte contemporáneo basado en la incerteza. "Me alejo de la física pero no olvido a Descartes cuando dice que no hay nada más engañoso que una idea clara y definida". Nada hay más verdadero, apostilla Guevara, que aquello que se muestra complejo y contradictorio. En su quinta reflexión, el presidente del ICAIC y destacado miembro de la generación del entusiasmo, resalta que el arte contemporáneo ha tratado de desmontar el mundo y la mirada, y de asegurar, con Lautremont, que lo bello es el encuentro fortuito sobre una mesa de disección de una máquina de coser y un paraguas. El código de la incertidumbre. Y finalmente, filosofía, música, amor, física conducen a la incertidumbre, la nada, la muerte, ante la cual la perplejidad del gozador de todo el esfuerzo humano por autoconstruirse no tiene respuesta o quizá haya que trasladar la convención de lo sagrado a algo como la patria, como mundo inmediato, con rostro, niños, hombres, mujeres, concretos y al gran demiurgo de la patria: "... soy el que soy, no otro, y es por eso que os pido licencia pa-

ra llegar a nuestra época, a los días en que la generación de
la que soy parte buscaba sin cesar como al profeta, a aquél
que, de entre nosotros, tendría que asumir la adarga reco-
giendo caminos y montañas. Lo supimos más tarde, se llamaba Fidel, Fidel se llama". Termina Guevara con una declaración de amor al arte y de exaltación del artista, un
Dios... "... que intenta la tarea en la que Dios se afana".

La generación del entusiasmo es profundamente religiosa, es evidente, aunque sea atea o agnóstica, adapta su estrategia de trascendencia a lo contingente, pero no la abandona y viste a Dios de verde olivo como si fuera el artista de
la Revolución, impresionada por aquella fuerza imparable
del discóbolo del colegio de Belén que pasó por El Bogotazo
y llegó a la historia con las armas en la mano. "Me siento más
plenamente en la historia que nunca", le confesaba Fidel a
Minà durante su entrevista.

Veo pocos días después a Alfredo Guevara, en el Cohiba; lleva de la mano a su nieta, la que tenía un año cuando
comenzó el *periodo especial*, con parecida ternura con la que
Bachus le protege cuando recibe visitas. No le pregunto si la
gallina que vi perdida bajo la lluvia era su gallina. Acabo de
almorzar con Lupe Veliz y con su marido, Antonio Núñez
Jiménez, el que fuera brazo derecho, a veces izquierdo, político, geográfico y deportivo de Fidel, miembro también de
aquella camarilla paralela que gobernaba desde el día siguiente de la entrada de Fidel en La Habana, junto a los dos
Guevara, el Che, el futuro dueño de Bachus y un puñado de
escogidos, de los que llevaron su entusiasmo, como Lupe,
hasta casi morir ahogados para secundar las investigaciones
arroceras de Fidel. Me lo contó Núñez Jiménez hace años
en su casa, mientras esperábamos la llamada de Lupe a la
mesa que compartiríamos con Armando Hart. Núñez Jiménez dispone de enormes y bien tecnificados espacios de trabajo, una gran biblioteca a manera de caribeño invernadero

de libros, mapas y planos . El relato de cómo naufragaron en una ciénaga por culpa de las experimentaciones agropecuarias de Fidel animó después buena parte de la comida.

—Por aquella época Fidel estaba empeñado en drenar la ciénaga de Zapata, entre La Habana y Matanzas, para cultivar arroz. Se hizo construir una casita allí y más de una vez se desorientó en aquel pantano y yo le acompañaba porque dirigía el INRA, algo más que un ministerio, un instituto de reforma agraria muy conectado con las Fuerzas Armadas Revolucionarias y con amplios poderes para eso, para hacer la reforma agraria. Y un día íbamos en la lancha Lupe, Celia, Fidel y yo y de pronto la lancha se va a pique y sólo Fidel reacciona a tiempo, salta a la orilla y se adentra en aquella jungla pantanosa, mientras nosotros tratamos de salir de aquel charco, una verdadera trampa, y al final conseguimos llegar al refugio de Fidel ¿Sabe usted qué estaba leyendo Fidel? ¿No? ¿Nadie lo recuerda? Estaba leyendo *Pasado remoto* de Papini, inconcebible. Le había parecido la cosa más natural de este mundo que nos salváramos, mientras él leía a Papini. Luego, en esa ciénaga estuvo a punto de ocurrir otra tragedia. Íbamos de inspección en un helicóptero Fidel, Pedro Miret y yo, y de pronto el piloto que se queda sin gasolina, nos deja en Playa Girón, fíjate tú que cosas, en Playa Girón. Se va a repostar, pasan las horas, no vuelve, más horas, no vuelve y por fin Fidel nos pone en marcha por los pantanos donde anduvimos unos quince kilómetros hasta llegar a un puesto militar. Mientras tanto, Raúl, alarmado, había salido a buscarnos y su avioneta se pierde. Encuentran nuestro helicóptero destrozado, pero no al piloto Díaz Lanz, que finalmente estaba a salvo, pero tardamos en saberlo. Fidel, inquieto ahora por su hermano, se sube a un avión que le había traído el Che y se pone a buscar la avioneta de Raúl. La encuentra. Incrustada en la selva. Pero Raúl vive y lo rescata un hidroavión, al que se le estropea el tren de aterrizaje y tiene que aterrizar sin ruedas. Todo a causa de los cultivos de arroz en la ciénaga.

Autor de biografías y semblanzas del Che y de Fidel, de todos los libros de geografía que han estudiado los hijos de la Revolución, y que han sido satirizados, cómo no, por Alina Castro, Núñez Jiménez ha descendido el Orinoco en piragua y remontado el Atlántico hacia el Caribe. Y ha estado junto a Fidel en situaciones decisivas, como la del primer encuentro con un corresponsal de Tass, Alexeiev, que les quería sondear sobre las relaciones Cuba-URSS y a cambio les traía caviar y vodka.

—Excelentes, Montalbán, excelentes y fue entonces cuando Fidel dijo: "¡Qué buen vodka y qué buen caviar, Núñez, creo que vale la pena establecer relaciones comerciales con la Unión Soviética! ¿Qué opinas tú?".

Lupe Veliz fue hasta hace pocos años una de las mejores responsables de protocolo que ha tenido la Revolución y bastaba su bienvenida para darte cuenta de que estabas ante una autoridad prerrevolucionaria o ante una revolución elegante, heredera del viejo saber que ha retratado Arturo Arango en *La Habana elegante*. Lupe, tan mayestática y buena lectora, es uno de los recuerdos fijos que llevo entre ceja y ceja cada vez que vuelvo a La Habana. La recupero a comienzos de 1992, en un audiencia festiva en torno a Fidel. Me preguntó si conocía a Aldana. "No, no tengo el gusto". Le llamó y me presentó como un escritor al que era obligatorio leer, y a Aldana me lo presentó como "la estrella ascendente de la Revolución", pero con un retintín que malos vaticinios guardaba para aquella estrella que se estrellaría pocos meses después. Aldana, poeta al parecer casi secreto y me dicen que no demasiado bueno, tenía mal cartel entre los intelectuales, lo sabía y lo demostraba, especialmente contra los jóvenes iconoclastas de la promoción de Iván de la Nuez, que a su juicio no se merecían gozar de los frutos de la Revolución.

Con Lupe y Antonio Núñez Jiménez hemos hablado esta vez del Papa, de religión. He querido ironizar, pero apenas si me han secundado, ni siquiera Lupe, que es la ironía hecha señora rubia. Al contrario, Núñez Jiménez, cansado, enfermísimo como sólo puede cansarse y enfermar un atleta, ha recordado que Fidel siempre había estado muy influido por lo religioso y me ha citado su educación en los jesuitas como si fuera un dato secreto hasta ahora. Se me cruzan los recuerdos, pero creo que a la salida del hotel, ya habiendo coincidido con Alfredo Guevara y su nieta, Antonio Núñez Jiménez y Lupe se encuentran con Barbarroja. Están casi al completo estos septuagenarios hijos del entusiasmo.

Un joven ensayista iconoclasta, formado en Cuba, pero ahora profesor en México, Rafael Rojas, les ha puesto nombre derivado de la apreciación kantiana de que el entusiasmo es la participación moral de las masas en el cambio político. Todos hicieron la Revolución sin ser estrictamente leninistas ni trotsquistas, pero una vez convertida la lucha armada en instalación institucional fueron bastante leninistas, para acabar hablando de una revolución inacabada o constante, que se parece a la revolución permanente de Trotski. Rojas cita al Che de *El socialismo y el hombre en Cuba*: "El Estado se equivoca a veces. Cuando una de esas equivocaciones se produce, se nota disminución del entusiasmo colectivo por efecto de una disminución cuantitativa de cada uno de los elementos que la forman, y el trabajo se paraliza hasta quedar reducidos a magnitudes insignificantes; es el instante de rectificar".

Después de todas las rectificaciones, ¿hacia dónde van ahora los hijos del entusiasmo, más acá de su propia muerte anunciada? Rojas cree con Huntington que es más difícil reformar una revolución que hacerla, tal vez porque en el caso de Cuba, ya se lo dijo Fidel a Solchaga, las reformas esenciales las tendrán que hacer otros, no los hijos del entusiasmo. Tal vez lo hagan los que Rojas llama *los hijos de la usura* y les pone nombre: Carlos Aldana, Humberto Pérez, Carlos Lage, Roberto Robaina, José Luis Rodríguez, Abel Prieto. Una primera promoción de revolucionarios desarmados, al lado de los Castro, Guevaras, Piñeiro, Núñez Jiménez, que de una u otra manera tienen su alma trascendente color verde olivo. Y si no, lo hará una generación de ejecutivos agresivos, más próximos al Monte Peregrino de Hayek y Milton Friedman que a Sierra Maestra. Monte Peregrino, Vevey, Suiza, la montaña sagrada donde se reunieron un grupo de 39 profesores e intelectuales de todo el mundo, en 1947, nada más declarse la guerra fría, encabezados por Hayek y Milton Friedman para iniciar la reconquista liberal del mundo, aunque fuera con la ayuda de generales como Pinochet. Friedman y Pinochet, los dos atlantes del neoliberalismo en América Latina. Los intelectuales al servicio de la guerra fría desde el bando capitalista lanzaron en 1947 un manifiesto religioso neoliberal: "Los valores fundamentales de la civilización se encuentran en peligro. Como consecuencia de las actuales tendencias, las condiciones esenciales para la subsistencia de la dignidad humana y de la libertad han desaparecido ya de grandes sectores de la tierra y en otros se encuentran constantemente amenazados". Como ha recordado en *La ideología de Monte Peregrino o El proyecto de sociedad de Friedrich Hayek y Milton Friedman*, Miguel Rojas Mix, que también, cómo no, está en La Habana, el manifiesto de la teología neoliberal, que ahora sólo tiene frente a frente a Cuba y a la teología de la liberación, se basaba en el libro de Hayek, *The Road of Serfdom* (1946), propuesta de recomposición de la utopía neoliberal para reforzar el sistema capitalista.

Sierra Maestra todavía frente a Monte Peregrino. Sigue siendo imposible comprender la historia sin los referentes de sus montañas sagradas. Recuerdo en la puerta del Cohiba a Piñeiro, Lupe, Núñez Jiménez. Ellos dos no vivirían el final de 1998.

CAPÍTULO X

España-Cuba. Cuba-España

¡Albricias, nuevo Pelayo,
español, carabalí!
Cuando te vayas de aquí
ojalá te parta un rayo.
No te sienta bien el sayo
de gobernador compadre,
y cuádrete o no te cuadre
al terminar esta plaza
vete a gobernar la casa
de la puta de tu madre.

Canto mambí contra el gobernador español
recogido por MORENO FRAGINALS.

"Ese caballerito está agradeciendo las ayudas recibidas de
Mas Canosa". Fidel culminaba así la serie de encuentros y desencuentros con el nuevo jefe del Gobierno español, José
María Aznar, que se le atravesó en el galillo desde la reunión
de jefes de Estado y de Gobierno de la comunidad iberoamericana, cuando le propuso cambiar de corbata, porque la de
Fidel, amarilla, era horrorosa en opinión de Aznar, y en cambio
la del caballerito era azul Hermés y aún se permitió comentar
el español que había perdido en el cambio. Y por asociación

433

de ideas o palabras, Aznar vuelve a presionar públicamente a Castro para que cambie si quiere mejorar las relaciones con España: "Que mueva ficha". No habían terminado todas las insolencias, porque el caballerito fuma puros habanos, pero "... los puros que me fumo me los compro yo", zafia denuncia de que los que se fumaba Felipe González eran regalo de Fidel. Ni siquiera tiene sentido de la delicadeza, porque las relaciones públicas de Cuba se basan en el regalo de cajas de puros, desde los pequeños Romeo y Julieta a gentes que no asustan ni halagan, a los poderosos Cohibas que establecen una trama de estadistas fumadores en el mundo entero. Aznar es el que mueve ficha e impone al Ministerio de Asuntos Exteriores el cese del embajador en La Habana y el nombramiento de uno nuevo que se preste a realizar una política dura. Nombrado pero no nato, Coderch de Planas no llega a tomar posesión de su sede en La Habana porque antes de partir proclama que va a fortalecer los lazos con la disidencia, desliz o provocación que Fidel se toma como provocación, le gustan las provocaciones, y responde minimizando a ese caballerito, que endurece su política con Cuba para hacer méritos en Miami, donde cuando sólo era el jefe de la oposición a Felipe González ya le recibían como si fuera Clinton y le ponían aviones privados a su disposición para regalarle la estatura de un estadista. Los socialistas respaldan la tesis de una alianza impía entre Aznar y Mas Canosa, la reducen a insinuación a través de Luis Yáñez, su portavoz en política exterior, el mismo que en 1990 comenzó a apretar las clavijas a Castro ante la UE. Pero el empresariado español inversor en Cuba no comprende la política de Aznar, que dejaba un hueco para inversiones de otros países. El empresariado parece estar más cerca de las razones de Castro que de las de Aznar, y Fidel aprovecha todos los encuentros con ellos para lamentar los problemas que está creando la política exterior de su Gobierno. Los empresarios le dan la razón, hablan de la segunda pérdida española de Cuba y comprueban, entre irritados y perplejos, que en la Feria Internacional de Comercio en La

Habana, con la presencia de cuatrocientas cincuenta firmas españolas, no hay ninguna representación oficial de España, en contraste con las delegaciones de las principales naciones europeas. Es el momento elegido por el comandante para elogiar a Manuel Fraga, presidente de la comunidad autónoma de Galicia, interesado amigo político de Fidel en contraste con su correligionario Aznar, o para que los medios recuerden que tras el incidente de 1960 con y el embajador Lojendio (-nada menos que la irrupción del embajador de España en el plató de la televisión cubana donde Fidel estaba criticando al régimen franquista-), el propio Franco aconsejó a su ministro de Asuntos Exteriores: "Con Cuba cualquier cosa, Castiella, cualquier cosa menos romper".

Los intereses económicos creados están de nuestro lado, opinan los expertos del Ministerio de Asuntos Exteriores ante un Robaina que luego utilizará los argumentos en público y en privado. De las seiscientas cincuenta firmas extranjeras acreditadas en Cuba, ciento ochenta son españolas y las solicitudes para invertir aumentan día a día, sobre todo de grupos hoteleros en busca de la oferta turística de los cayos casi vírgenes, mientras algunos hoteles se convierten en centros de irradiación de la vida social de La Habana, especialmente el Habana Libre y el Meliá-Cohiba. Los grupos ultras de Miami denuncian las inversiones españolas, diagnostican un final infeliz y de momento cometen actos de terrorismo contra algunas instalaciones turísticas, el más importante, el ametrallamiento del Meliá Varadero. Pero una veintena de universidades españolas firman acuerdos de colaboración con Cuba y hay una importantísima asistencia solidaria española, principalmente de ayuntamientos con gobiernos de izquierdas o asociaciones especialmente organizadas para ayudar a los cubanos, para ayudar a una Revolución que miles de españoles consideran como suya, una Revolución adoptada, sustituta de la que no consiguieron hacer en su propia tierra. Los presidentes de las comunidades autónomas del Estado español no rompieron del todo sus contactos con La

Habana, salvo el de Cataluña, Jordi Pujol, que nunca los tuvo, desde un sorprendente puritanismo ante las dictaduras que no ha demostrado en otras circunstancias. Y desatendiendo ruegos y necesidades de la colonia de oriundos catalanes, aunque a Fidel ya le han advertido que los catalanes son muy suyos, que el historiador, ahora residente en Miami, Moreno Fraginals es de origen catalán y que en España a los catalanes les llaman *polacos* desde el siglo XIX, porque hablan una lengua diferente. Le regalan a Fidel el libro *Un polaco en la corte del Rey Juan Carlos* que comentará con el ex ministro socialista y catalán Narcis Serra cuando visita Cuba: "¿Es verdad que a los catalanes os llaman *polacos*?". Canarias, Andalucía, Galicia, Asturias, Madrid, patrias lejanas de la mayor parte de emigración, no sólo han pasado por el palacio de la Revolución a cumplimentar a Castro, sino que también se han comprometido en planes de ayuda, el más ambicioso la rehabilitación de algunos edificios del Malecón.

Pero la escalada conflictiva no cesa y se presenta en Madrid la Fundación Hispano-Cubana, con un estreno muy ruidoso entre un gran despliegue de medios informativos: "El empresario Mas Canosa y políticos del PP organizan en Madrid un *lobby* anti-castrista", dicen los cables y allí están posando, para la posteridad, los padrinos de la fundación: Recarte, Gortázar, Vargas Llosa, Montaner y Mas Canosa. En carne y hueso, los padrinos de la operación tuvieron que avanzar bajo una lluvia de huevos y tomates lanzados por grupos procastristas y el escándalo ya no les abandonaría hasta que la fundación se desmascanosizó. Lo que había sido presentación deslumbrante y algarabía a la vez en el otoño del 96 se trueca en abandono de Montaner y Mas Canosa en junio del 97 y Gortázar, el secretario, dotado del don de la obviedad, comunicaba que estas salidas rebajaban el perfil político de la entidad. La denuncia del Gobierno cubano de que el PP favorecía las intenciones desestabilizadoras de Mas Canosa fuerza un desmentido del secretario de Estado para la Cooperación Internacional y para Iberoamérica, Fernando Villalonga. Un intento de organizar el asesinato de Castro desde Miami por parte de matarifes asociables a la Fundación Nacional Cubano-Americana vuelve a llevar a las fundaciones de Miami y la de Madrid al territorio de la sospecha. Izquierda Unida pide al Congreso que se expulse de España a los extranjeros terroristas en una clara alusión a Mas Canosa y la Hispano-Cubana pierde burbujas como si fuera una gaseosa, pierde el carácter de *lobby* de presión anticastrista y se decanta por la reivindicación de los derechos humanos en Cuba.

La aparición de la FHC ha sido calificada por *Granma* como un hecho inmaduro y aventurero, y según informaciones que obran en poder de la publicación... "... Gortázar, el secretario general de la fundación, ha venido chantajeando a bancos y otras empresas españolas que tienen inversiones en la isla con el argumento de que aporten dinero para la iniciativa, a cambio de no ser atacados por efectuar tales negocios". El secretario general de la Fundación Hispano-Cubana es un personaje singular, ex miembro de Bandera Roja y posteriormente del Partido Comunista de España, ahora es uno de los intelectuales del PP, avala una política de máxima dureza contra Cuba y hace suyo el ideario y la estrategia mascanosista. El ex seguidor de Althusser, Poulantzas y Marta Harnecker, en su etapa de Bandera Roja despreciativo del reformismo del Partido Comunista de España, secunda ahora la admiración que Mas Canosa tenía por Reagan, Bush, la Thatcher... "... que habían sido capaces de provocar la caída del muro de Berlín y devolver a la iniciativa privada el protagonismo social y económico que a su juicio le correspondía". A la muerte de Mas Canosa, la más entregada oración fúnebre es la de Gortázar: "La brutalidad y mentiras de algunos políticos y periodistas españoles en sus acusaciones contra Mas Canosa forman parte de la historia de la infamia. Mas Canosa hizo su fortuna de manera absolutamente legal y está sometido a los férreos controles fiscales e investigadores del Gobierno Federal de los EE UU".

Calvo Ospina y Katlijn Declercq tuvieron ocasión de entrevistar a Gortázar para su libro *¿Disidentes o mercenarios?* y el diputado y miembro del Comité Ejecutivo del PP, responsable de asuntos cubanos, clarificó la posición de la fundación una vez muerto Mas Canosa: "No, no se quiere intervenir en la política cubana, sino ayudar a quienes padecen una dictadura". Gortázar ve la fundación con independencia respecto al Gobierno español, pero coincidente en su estrategia y objetivos: "Y así la FHC se convierte en un complemento a la acción del PP, porque al dictador hay que darle el menor oxígeno posible para que se consuma solo". Cuando los entrevistadores, claramente escorados contra lo que significa la Fundación, le preguntan a Gortázar por qué aparecen tan vinculados a la derecha anticastrista, él exhibe los nombres de Arcos y Elizardo Sánchez entre los padrinos de la FHC, como prueba de equidistancia ideológica y anuncia una política de contactos con las ONG implicadas en la asistencia a Cuba. Aunque siempre que puede, Gortázar se empeña en marcar las diferencias que hay entre la política del PP y la que mantuvo González con respecto a Castro, como si ahí estuviera el misterioso quid de una cuestión, como si en el asunto de las relaciones con Cuba el partido de Aznar tuviera que estar siempre marcando sus diferencias con el PSOE ¿A quién se las marca? Los cubanos se responden: a alguien o algo con el que contrajeron el compromiso de acosar a Cuba si ganaban las elecciones.

Acosar a Cuba no crea problemas y da carta de naturaleza de demócrata, está de moda, dirá Fidel, como criticar a los estados socialistas ahora que ya no existen. Estos españoles no han abandonado la arrogancia colonial, ni siquiera Felipe González, que trata al comandante en jefe como si acabara de salir del baúl de los recuerdos. Fidel tuvo que pararle los pies durante uno de los primeros encuentros iberoamericanos, porque el socialista le hablaba de la crisis económica cubana y él tuvo que decirle que Estados Unidos también estaba en crisis económica y que mucho pedirle que abrazara la democracia formal, pero en España hay un Rey no elegido por el pueblo. González le reprochó que hubiera usado el turno de palabra más de la cuenta: "Usted me trata como a un dictador", explotó Fidel. "Permita que el dictador por un día sea yo", replicó González. "Bueno, tal vez los dos actuamos como dictadores", concedió Fidel, y añadió: "Oiga: ¿por qué no viene usted un rato a gobernar a La Habana y yo me voy a Madrid?". En 1992 Felipe González suscribió en Bogotá con los presidentes de México, Colombia y Venezuela algo parecido a decir que Castro no tenía remedio: el diálogo con fines conciliatorios con Fidel ya no tiene sentido ¿Y ahora? ¿Tiene sentido después de la visita del Papa? Claro que se telefonean de vez en cuando, y que los enemigos de la Revolución como Cabrera Infante le han reprochado a Felipe que se deje fotografiar con Castro: "Esta foto fue para mí tan repugnante como la que se hizo Franco con Hitler" ¿Cuál es la causa de su repugnancia? ¿Franco o Hitler? ¿Los dos? ¿Fidel o González? ¿Los dos?

Pero tal vez el español contemporáneo que más ha irritado a Fidel haya sido el ex director de *El País*, Juan Luis Cebrián, al que le concedió no sólo una entrevista largamente convencional, sino la oportunidad de compartir viaje en avión a Managua, con motivo de la toma del Gobierno de Daniel Ortega. "Me ha llamado cruel", se quejó Fidel a Tad Szulc: "¿Qué sabe él de mí para suponerme cruel?". En la entrevista publicada el 20 de enero de 1985, Fidel le dijo a Cebrián que era más español que Gutiérrez Menoyo, cuya liberación le está pidiendo Felipe González porque Menoyo es español, cuando en Cuba ahora apenas quedan presos políticos, y los hay rebeldes como Menoyo que se niegan a vestir el traje de penados; ¿y quién es Menoyo? Su hermano murió en la lucha revolucionaria, pero él no pegó un tiro en la sierra de Escambray y así hasta entrar en La Habana como comandante. Se fue a Miami, volvió a las montañas de Oriente con un grupo armado: "Aquella acción costó la vida a milicianos y campesinos cuyos familiares no lo olvidan. Luego Menoyo se rindió a los pocos días de verse rechazado y perseguido por los propios campesinos. Habló por televisión y confesó públicamente su estupidez". Liberó a Menoyo pero Cebrián no le libró del adjetivo *cruel*, ni de comentarios vejatorios como el de que tiene miedo a volar o de que es una combinación de exuberancia e ingenuidad: "Fidel parece un niño que quiere todos los juguetes para él...". Cebrián ridiculiza su experimentalismo de producción alimentaria, dice que puede ser en pocos segundos terrible, humano, cruel, divertido, transparente, que quiere saber de todo, hablar de todo, que es capaz de autorrectificarse cien veces sin pudor, pero para mantenerse siempre en la misma dirección. Y al final, la guinda:. "... uno llega a pensar que Estados Unidos puede estar satisfecho de que le controle la Unión Soviética. Incontrolada, quién sabe dónde iría".

Fidel Castro confía en los intereses de los empresarios españoles, en la comunión de estadistas con Fraga y Felipe González, en la complicidad de los españoles de izquierdas que han adoptado la Revolución cubana puesto que la Historia no quiso concederles la propia. Pero cada vez que mira en los ojos de diplomáticos, políticos, analistas venidos de España llega a la misma conclusión que le inspiró Juan Luis Cebrián: estos españoles aún tienen la arrogancia colonial.

Me he comprado un ejemplar del cómic cubano *Aventuras de Elpidio Valdés*, del dibujante Juan Padrón, relato de las hazañas de un coronel del ejército libertador mambí en lucha con los españoles, un tipo astuto y bromista que siempre humilla a los españoles, sobre todo al coronel Resoples. Resoples tenía que llamarse. Elpidio Valdés dejó de ser un héroe de papel para convertirse en sello de correos, en tres parques infantiles, un cine y varios circuitos infantiles que llevan su nombre: "¡Arriba, sobrinote! Dice tu padre que te equipes con la tercerola, quemes la casa, afiles el machete y que te cuides, porque nos vamos a la guerra contra España otra vez. ¡Viva Cuba libre!". Los magníficos dibujos de Padrón ilustran sobre las difíciles relaciones entre Cuba y España tanto como el libro del historiador Moreno Fraginals, *Cuba, España/España, Cuba*. El en otro tiempo considerado mejor historiador cubano, autor del sólido estudio sobre la sacarocracia, *El ingenio*, en su juventud mentor, amigo, anfitrión y pinche de Fidel Castro, puede ser ahora considerado un exiliado intelectual más en Miami. Por cierto, por Miami le estuve buscando, pero me dijeron andaba en pos de un fervor amoroso muy a lo cubano y a lo Moreno Fraginals y resultó que estaba en España, en Barcelona, y al poco aparecería dando una conferencia y declaraciones muy críticas contra la degeneración de la, según él, *llamada Revolución Cubana*, como si no fuera revolución o cubana. En Barcelona recordó que había estudiado *El Capital* página por página; por tanto, no podía ser ni un marxista ni un antimarxista de café, pero tampoco estaba de acuerdo con la instauración del marxismo-leninismo como filosofía oficial, expuesta en los peores manuales soviéticos estalinistas. Tres millones de exiliados cubanos, informó el historiador, es una pérdida de capital humano sin precedente, que representa y representará un empobrecimiento del país.

Los españoles en la Cuba actual se dividen básicamente en turistas y empresarios. A su vez los turistas se reparten en dos espeleologías: buscadores de sexo y buscadores de sus arqueologías revolucionarias. Luego están los diplomáticos importantes por ausencia y por presencia, mientras siguió vacante la plaza de embajador, bien cubierta por el encargado de negocios Javier Sandomingo, hasta la llegada del nuevo embajador Junco. Casi nada más llegar, almuerzo con él en El Aljibe, en compañía del responsable de cultura, Ion de la Riva, y de Alejandro Alvargonzález, en otro tiempo consejero político y ahora enviado como refuerzo ante la visita papal. Son diplomáticos jóvenes e informados, en nada identificables con la silueta del embajador incoloro, inodoro e insípido, *master* en obviedades. De la Riva ha puesto en marcha el Centro Cultural de España, sito en el Malecón a partir de la recuperación de un inquietante palacio llamado *de las cariátides* porque son seis paralizadas mujeres de piedra rescatadas al salitre las que dan la cara por un encuentro cultural muy mal visto por Fidel Castro. El comandante se ha referido al centro cultural español como un nido contrarrevolucionario, desde el recelo que le inspira lo peligrosamente contaminante que puede ser una política cultural escorada a la izquierda, entendida a lo europeo.

La relación encuentro-desencuentro entre España y Cuba no hay que remontarla al pregonado enfrentamiento entre el embajador franquista Lojendio y el joven comandante victorioso ante las cámaras de la televisión en 1960; bastaría empezar con la caída del muro de Berlín, cuando todo parece indicar que el próximo en caer será el de la caña de azúcar. Aunque el gobierno del PSOE desoyó las voces condicionantes estadounidenses, apretó las clavijas cuando consideró que el régimen de Castro estaba entre las cuerdas, y en 1990 el entonces socialista secretario de Estado de Cooperación, Yáñez, pidió un trato más duro contra el estado cubano hasta que se democratizara el régimen. El PP en la oposición manifestaba especial saña contra lo que consideraba claudicación de Felipe González ante Castro, empujado José María Aznar por las formaciones anticastristas organizadas en Europa, principalmente el Partido Liberal de Carlos Alberto Montaner, y el portaaviones estratégico de Miami, comandado por el líder más duro, Mas Canosa. Las situaciones difíciles comenzaron cuando un grupo de cubanos se asiló en la Embajada española en La Habana en 1990 y el tira y afloja sobre su suerte propició idas y venidas de reticencias y descalificaciones. Castro, ante las críticas por ser caudillo no elegido, respondió que no se podía tolerar ese gesto *de arrogancia colonial*, que tampoco había sido elegido el Rey de España y que le gustaría ver qué pasaría en España si se entregaban armas a gallegos, catalanes y vascos.

Resuelto el pulso de los asilados, se van normalizando las relaciones, Castro dialoga con González y con el Rey en cumbres iberoamericanas, parece dejarse aconsejar por Felipe González y permite que el ex ministro Solchaga le haga las cuentas de una posible reforma económica liberalizadora. Si bien las relaciones entre la UE y Cuba se endurecen en el verano del 95, la legislatura socialista española se despidió propiciando las negociaciones entre Europa y La Habana, desmarcándose de la posición preelectoral del PP con el anticastrismo por bandera. Felipe González, presidente de la UE en el último semestre de 1995, acude a la Cumbre Iberoamericana de Bariloche para afianzar los lazos de la Unión Europea con Castro, una vez consensuado el rechazo europeo a la ley Helms-Burton en contra de la recomendación americana. Aznar estaba marcado o asesorado por Carlos Alberto Montaner, muy presente en el círculo intelectual que rodea al nuevo presidente de Gobierno, en el que destacaba la frecuencia de Mario Vargas Llosa, el intelectual que pasará a la historia de la persecución de intelectuales, porque se persigue a sí mismo, flagela con saña su propio pasado ideológico. Montaner marcaba la pauta a seguir:

Nadie debe acusar a José María Aznar de inconsecuente. Durante su campaña anunció que pondría fin a la complaciente política de Felipe González hacia Castro y ha cumplido. Ya no habrá más créditos a fondo perdido, ni más garantías a los exportadores, para que se cobren del bolsillo de todos los españoles lo que Castro se niega a pagar, ni más apoyo político en los foros internacionales. Tampoco habrá más presiones ni sugerencias amistosas a bancos e industrias españolas para que se instalen en Cuba y colaboren con los planes económicos del castrismo. Todo eso y las fotos en Tropicana y el amable intercambio de riojas por cohíbas se acabó de un plumazo. Aznar ha dicho repetidas veces que para él resulta absolutamente diáfano quiénes son sus amigos y quiénes sus adversarios. Aznar está junto a las víctimas, junto a los disidentes que buscan la democracia y frente a la dictadura y sus cómplices. Así de claro. Momentáneamente, Aznar le obedeció.

En noviembre de 1997, la reunión de los presidentes y jefes de Estado iberoamericanos en Isla Margarita sirvió para el reencuentro entre Fidel y Aznar, después del incidente de la corbata y del *mueva usted ficha*. Previamente, Montaner había protagonizado una algarada caribeña al convocar una reunión de la oposición cubana en la isla escenario de la cumbre, lo que le reportó la expulsión y que saliera su fotografía en algunas primeras páginas. Ya durante la reunión fue el Rey de España el utilizado o fue el Rey quien se autoutilizó para que Aznar y Castro volvieran a darse la mano y la palabra, en un encuentro en el que frente al empeño de Menem dando consejos a Castro sobre cómo llegar a la democracia, Fidel, inamovible, respondía que el mundo debía cambiar frente al neoliberalismo ciego e irresponsable, no Cuba.

Un mes antes, debido a las especulaciones levantadas por la cumbre y por la posible visita del Papa a Cuba, el comandante en jefe había hablado siete horas, siete, sin interrupciones, ante el V Congreso del Partido, muy duro estuvo Fidel contra los mentecatos que han querido separar al Che y a Cuba de la Revolución. "La principal conquista que debemos salvar es el sistema político". En la plaza de la Revolución, doscientos mil niños que tendrán veinte años en el año 2012 se juramentaron para proseguir las conquistas revolucionarias, tal vez incluso en salvar el sistema político. Socialismo y reforma lenta fue la conclusión que los analistas sacaron de lo que había ocurrido durante un congreso previo a las elecciones y a la visita del Papa. Después del clima creado por la visita, ¿qué gobiernos van a sostener la velada amenaza de boicotear la Cum-

bre Iberoamericana de La Habana en 1999 si para entonces no ha llegado allí la democracia? Los más exigentes son
Argentina, Nicaragua y El Salvador, democracias vigiladas
o secuestradas.

Aunque Aznar insista en que siempre encontró el apoyo
de la UE con respecto a Cuba, su rigidez ante el castrismo fue
frecuentemente cogida a contrapié por los hechos, como
cuando Estados Unidos encarceló al empresario español Ferreiro por comerciar con Cuba y el PP fue acusado de dejar en
la estacada a un compatriota. A contrapié también cuando
Castro visitó al Papa en Roma y empezó a tomar cuerpo la
posibilidad del viaje de Juan Pablo II, por más que el ministro
de Asuntos Exteriores, Matutes, viera en el diálogo de Roma
entre Castro y el Papa "la primera quiebra del régimen cubano". El entusiasmo del vicepresidente Gore, de visita en Madrid en 1996, por la coincidencia entre la política de Aznar y
la de Estados Unidos brindó a la oposición, incluso a los socialistas, ahora más procubanos que nunca, la evidencia de
una supeditación de la política de Aznar a la de Estados Unidos y a la de Mas Canosa.

Retrato directo de aquellos años me ofreció en Marruecos Fidel Sendagorta, agregado cultural de la Embajada española, poseedor de una cubanía diferente pero originada en su
tío, Juan Pablo de Lojendio, aquel montaraz diplomático que
vio por la televisión cómo Castro criticaba a Franco y se presentó en los estudios para rebatirle en directo. Sendagorta entró en La Habana como primer secretario de la Embajada española, en agosto de 1988, y se convirtió en un importante
conocedor de aquel laberinto caribeño, especialmente de los
intelectuales y artistas y retuvo sensaciones y situaciones que
le marcaron, como impresionaban a García Lorca los paque-
botes que tienen voluntad y conciencia de hundirse. Ciudad
socialista ya entonces, más surrealista que barroca, de la que
Sendagorta ha dejado un breve pero intensísimo relato, "Iniciaciones cubanas", recogido en el número 4/5 de *Encuentro*,
ayudado por la metáfora de unos versos de Carlos Varela

cuando imagina una partida de ajedrez entre Tristan Tzara y Lenin: "... a veces pienso que fui una pieza y que aquel tablero era mi ciudad". Por aquellos años yo también escuche en La Habana a Carlos Varela presentado como la alternativa generacional a Silvio Rodríguez y a Pablo Milanés, aupado por la canción *Guillermo Tell*, clara alusión a la rebelión del hijo de Guillermo Tell que no quiere que su padre demuestre su destreza a costa de la manzana que lleva en la cabeza. No quiere ser condenado a elegir entre patria o muerte.

A la misma raza diplomática que Sendagorta pertenece Javier Sandomingo, presente en la zona en otros destinos, a la espera de que Madrid designara un nuevo embajador. Me va a meter en los encuentros que la Embajada prepara en consonancia con la llegada del representante de Dios en la Tierra. De momento me emplaza para una cena buffet que me permite recuperar a Manuel Piñeiro y a monseñor Céspedes, dialogante con el novelista Abilio Estévez, el autor de *Tuyo es el reino;* un ejemplar ha viajado desde España conmigo a petición de un escritor cubano. Como Sandomingo es sólo encargado de negocios, apenas si usa la residencia de la Embajada para recepeciones de este tipo, y todos los habaneros implicados esperan este reencuentro en uno de los jardines más hermosos de la ciudad de los jardines hermosos, heredados de aquellos tiempos de *vida, mansión y muerte de la alta burguesía cubana.*

La residencia de la Embajada Ausente huele a galán de noche y a moros y cristianos, es decir, a arroz con frijoles. Será territorio de coincidencia con cardenales, arzobispos y obispos españoles recién llegados para el prodigio. Me permitirá saludar por primera vez en la vida al señor obispo-cardenal de mi diócesis, Barcelona, monseñor Carles; también aparecerá por allí Icíar Bollaín o Juancho Armas Marcelo, cubano por extensión que prepara el lanzamiento de su novela *Así en La Habana como en el cielo*, ambientada en el *periodo especial,* si es que Cuba ha vivido algún periodo que no sea especial, y que una vez leída incorporo al patrimonio de la deuda externa española con respecto a la conservación de la nostalgia de Cuba. Es Armas Marcelo quien me desvela a monseñor Céspedes como frecuente consultor literario de escritores cubanos, lector de *Tuyo es el reino* antes que su editora, Beatriz de Moura, o de *Así en La Habana como en el cielo* de Armas Marcelo, no sé si antes o después que su editor, Juan Cruz. No es de extrañar que monseñor Céspedes sea el punto equidistante entre el Pinto y Valdemoro de los dos títulos tan religiosos: *Tuyo es el reino de los cielos* y *Así en la tierra como en el cielo*. La novela de Armas Marcelo aparece pocos meses después de *La tierra más hermosa*, del novelista y político socialista español Joaquín Leguina, de la misma generación biohistórica que Armas, marcada por el referente cubano.

Luego repetiría los contactos con Sandomingo hasta tener un largo mano a mano de tres horas en su residencia particular, alrededor de un plato tailandés procedente de un destino en Siam, país que rememoramos porque en cierto sentido yo también estuve destinado en Tailandia para escribir *Los pájaros de Bangkok*. De la conversación de ciento ochenta minutos sólo recuerdo lo que Sandomingo, como Pereira, el personaje de Tabucchi, puede sostener, por ejemplo, evito el secreto culinario del plato tailandés. Sostiene Sandomingo que no conocía a los que han asumido la política exterior del PP y reconoce haber sido afiliado del PSOE, no militante, porque la militancia no le va, pero no ha tenido ningún problema en trabajar con el PP, ni a la inversa, y considera que las relaciones España-Cuba no se han resentido en este periodo de interinidad. Dice que la política hacia Cuba del gobierno socialista, inicialmente correcta, había perdido su sentido, "porque no puedes mantener una postura de contribución a un diálogo y a un proceso de reforma cuando aquí no hay la menor voluntad de diálogo ni de reforma". En los últimos tiempos, el gobierno anterior gastó algún dinero aquí en capacitación de personal en temas económicos, en la perspectiva de una apertura de la economía. Mientras hubo un cierto ambiente y algunas medidas de apertura económica, durante el asesoramiento de Solchaga, aquello tenía sentido. Pero dejó de tenerlo, según Sandomingo, cuando aquel escenario se disolvió en un viraje ortodoxo en los primeros meses de 1996.

Si el gobierno socialista hubiera continuado, habría tenido que replantear su estrategia, porque se partía de la base de que aquí estábamos en un proceso de transición que, en realidad, en 1996, cuando el PSOE pierde las elecciones, se estaba cerrando a cal y canto y a marchas forzadas. Ahora, y al margen de los intercambios de corbatas, la verdad es que "las cosas de comer", por llamarles de alguna manera, siguen más o menos igual: el volumen de créditos es prácticamente el mismo, como la asistencia técnica, la ayuda humanitaria y la colaboración cultural; lo único que se ha deteriorado es la confianza política. Pero yo no veo en la gente del ministerio con la que trato, el menor interés en crear conflictos gratuitos.

No conoce a los supuestos intelectuales consejeros de Aznar en cubanías, pero no le parece que en Exteriores se peque de sectarismo en el planteamiento de las relaciones con Cuba; si acaso, a veces, de una cierta ideologización. El problema es que el tema cubano excede lo que es una relación diplomática normal, porque Cuba está muy próxima a nosotros y compartimos muchas cosas, antes y después del 98. De todos modos, lo esencial de la relación se mantiene, y en ayuda humanitaria, por ejemplo, Cuba es uno de los países a los que más atención dedica España, no sólo desde el Gobierno central, sino también desde instituciones y entidades de todas clases y de todos los signos. Seguimos siendo el gobierno europeo que más ayuda. Intentan darnos celos, diciéndonos que si Francia, que si Italia, que nos están sustituyendo en su corazón. Puro bolero. Es cierto que Francia, ahora, tiene un nivel un poquito superior de facilidades crediticias, sólo ligeramente. Nosotros vamos por los ciento cincuenta millones de dólares al año, aparte la deuda que podríamos llamar histórica, muy superior a la de cualquier otro país europeo. También es superior la inversión y la ayuda humanitaria.

—Leal me hizo una declaración de amor a España que me pareció sincera. No improvisaba.

—No, no improvisaba. Abunda el antinorteamericanismo visceral; creo que no tanto entre el pueblo, pero sí entre intelectuales y dirigentes, y yo creo que esa hispanofilia sirve para dar un contenido positivo o una justificación a ese discurso. En general, es un sentimiento sincero, especialmente entre la gente de la calle. Son millones los cubanos que tienen al menos un abuelo español. Es casi imposible el rompimiento, por más malentendidos que haya. Hombre, si una de las dos partes se empeña, cualquier asunto puede ser *casus belli*. Sobre los *casus belli* ya pasados, yo no creo que las declaraciones de Coderch fueran el motivo por el que se le retiró el plácet; de hecho, no se le retiró inmediatamente, sino varias semanas después de las declaraciones. En cuanto a la Fundación Hispano-Cubana, otro *casus belli*, no creo que Exteriores tuviera nada que ver; me parece más bien un empeño personal de Guillermo Gortázar y otras personas, vinculadas o no al PP, pero directamente involucradas en los mecanismos que deciden la política exterior. Yo pienso que se ha exagerado la trascendencia política de la fundación. Se ha exagerado aquí, sobre todo.

—Gentes de Bandera Roja, el partido original de Gortázar antes de pasar al Partido Comunista, finalmente al PP, recuerdan al Gortázar revolucionario. El Che de la sierra de Gredos.

—Yo recibo instrucciones del Ministerio de Asuntos Exteriores, y no de Guillermo Gortázar, a quien ni siquiera conozco. Sobre todo esto se han publicado muchas tonterías que han rozado la calumnia. Un periodista escribió una vez un lamentable artículo en el que aseguraba que en esta Embajada había diplomáticos al servicio de Mas Canosa y que Gortázar era quien nos trasladaba las órdenes de Miami. Eso es falso; yo no sé si el periodista lo escribió sabiendo que era falso, pero, desde luego, quien sí lo sabía era quien se lo contó. Insisto, sobre la Fundación Hispano-Cubana se ha exagerado mucho. Ha terminado siendo una especie de club de opinión. Nunca hubiera podido ser otra cosa, porque el modelo de la Fundación Hispano-Cubana, que en Estados Unidos es un *lobby* muy poderoso, nunca podría reproducirse en España, donde no hay tradición de *lobbies* y donde el exilio cubano no tiene, ni de lejos, la fuerza numérica y económica que tiene en USA. En España es imposible un *lobby* anticastrista de ese carácter.

—¿Por qué cargarse a Castro es cargarse a un paisano que prosperó en Cuba y a una parte del imaginario de una juventud?

—Ya buena parte de ese imaginario se lo ha cargado el régimen porque la Cuba que yo veo aquí no tiene nada que ver con el imaginario de mi juventud, ni siquiera la primera vez que yo estuve en La Habana, en el año 84, cuando acompañé a Fernando Morán en un viaje oficial que hizo siendo ministro. Entonces, ni la salud, ni la educación, ni la alimentación, ni el suministro subsidiado de alimentos estaban deteriorados. El socialismo de subsidio tenía algunas luces, no muchas. Ahora todo son sombras.

Le cuento mi reunión con Cristina Dieste, la experta en alimentación y en las distintas significaciones que cumple la cartilla de abastos. Que cumplía, me corrige, porque ahora la cartilla de racionamiento es muy precaria. Un régimen que se arroga el monopolio prácticamente exclusivo de la producción y distribución de alimentos tiene que dar algunas facilidades para su adquisición subsidiada, porque lo que nadie puede pretender es hacerse dueño del país, decidir los sueldos y los precios, y no mantener unas condiciones subsidiadas para los que viven de los salarios medios de aquí, que son la inmensa mayoría. Sandomingo conoce los salarios y los precios, incluso da la impresión de que ha ido por las tiendas para asesorarse. Sostiene que hoy no se puede alimentar a nadie con lo que se vende por la cartilla a precios subsidiados, y si has de recurrir al mercado libre, un sueldo medio, de algo menos de doscientos pesos, te da exactamente para cinco kilos de carne de cerdo o veinticinco kilos de arroz. Para una cosa o la otra, no para las dos. Sin embargo, en el 84, la cartilla era otra cosa, había más productos que ahora, había una cartilla de productos industriales para comprar ropa, zapatos. Todo eso ha ido desapareciendo, "perdiéndose", como dicen aquí. Algunos funcionarios y dirigentes bromean sobre esto: cuando les preguntas si las pocas medidas de apertura que se han adoptado en los últimos años podrían ser reversibles, te contestan: "¿Tú sabes de algo que aquí se haya hecho con carácter transitorio, como eliminar cosas de la libreta, y que luego haya tenido vuelta atrás?" A Sandomingo le molesta a veces la soberbia del poder en contraposición con el tenebrismo de la situación, como el discurso de ayer de Fidel contra la conquista española, que ha llevado a rasgarse el *clergyman* a parte de la delegación eclesiástica patria.

—No hay que rasgarse nada, sólo lamentar el deterioro que implica. España podría contribuir mucho a nutrir un discurso nacionalista cubano. O hasta un proyecto nacionalista. Pero habría que superar antes la desconfianza mutua. Y yo no veo del lado cubano mucho interés por intentarlo. A mí me parece que el discurso de ayer de Fidel Castro criticando el imperialismo español como si estuviera hablando a un auditorio de conquistadores es un mal síntoma. Tal vez Castro necesita recuperar a veces una dimensión épica verde olivo. A mí me sorprende que haya tanta gente todavía entusiasmada con los uniformes, con esta mitología de hombres y mujeres uniformados, que además son jóvenes y hermosos... Hermosos no siempre, jóvenes ya no, desde luego. Esta mitología del Robin Hood verde olivo que roba al rico para dárselo al pobre es poco seria, pero vende.

—Los animales se hinchan cuando están asustados, para exagerar su volumen. Los políticos hacen discursos más radicales y airados cuando se sienten más amenazados.

—Claro que fueron feroces los conquistadores; también lo fueron los criollos de los que descienden muchos de los revolucionarios de buena familia de toda América Latina ¿Y qué? No se trata de olvidarlo, pero sí de apartarlo del debate político. Recordar la masacre de indígenas cuatrocientos años más tarde tiene sentido histórico, incluso valor moral, pero no creo que deba utilizarse políticamente como arma arrojadiza. Claro que como el presente es poco lucido y nadie quiere pensar en el futuro se construyen los planteamientos políticos en torno al pasado. El discurso tendría sentido en países donde hay indígenas; por ejemplo, México, pero en Cuba está fuera de tiempo y lugar.

Sandomingo proclama un cierto *faible* por la vieja guardia progresivamente sustituida por las nuevas hornadas: Piñeiro, el *Gallego* Fernández, oficial formado en una academia de artillería norteamerica y licenciado en marxismo-leninismo cuando ya había cumplido treinta años.

—Me parecen dos personas honradas y consecuentes; además, a mí me han tratado muy bien, me han ayudado mucho. Los dos llegaron al castrismo y luego al marxismo-leninismo desde procedencias aparentemente poco propicias: Fernández desde la milicia y Piñeiro desde una escuela de administración de empresas en Nueva York, una escuela elitista. Piñeiro, un tipo muy interesante. Antes de Marta Harnecker, estuvo casado con una bailarina norteamericana un poco mayor que él, Lornal Burdsall, que conoció cuando él estudiaba administración de empresas en la Universidad de Columbia, como corresponde al hijo de una familia de emigrantes gallegos que había prosperado, que eran representantes de la Bacardi en la provincia de Matanzas y que mandaron al hijo a Estados Unidos a formarse para que fuera un hombre de provecho. Lorna conoció a Barbarroja mientras él se marcaba un mambo en un club de baile. Ella vive en Cuba. Se separaron en el 70, pero tienen un hijo que es oficial de Interior y una nieta. Piñeiro tiene otra hija con Marta, Camila.

—Marta Harnecker me parece recién salida del naufragio, en su caso de dos, el de la Unidad Popular y el de la Revolución cubana, perdida entre dos memorias, dos tiempos,
un fracaso y medio, el medio presentido.

—Ella no habla de Cuba conmigo, claro, pero sí me ha
confesado alguna tristeza porque su hija no pueda vivir una
juventud como la suya.

—Es que no estuvo mal aquella juventud. En París, preparando el clímax cultural del Mayo francés, aprovechándose de una Universidad brillantísima. Pudiendo escoger entre
un curso de Lacan, o uno de Deleuze, de Foucault o de Althusser.

—También hay algo de nostalgia de libertad de acción o
de opción entre una enorme variedad de estímulos que la juventud cubana de hoy no creo pueda imaginarse. Volviendo a
Piñeiro, querría contarte algo, para que conste. Una de las muchas situaciones lamentables que se producen aquí es la de los
llamados desertores, gente que con motivo de un viaje oficial,
de trabajo, de estudios, se queda fuera y no regresa. Se exilia.
Una de las consecuencias es que sus familias no pueden salir de
Cuba en un tiempo, creo que cinco o diez años, no estoy seguro. A veces llega a la Embajada el ruego de que hagamos algo,
alguna gestión, para intentar resolver estos casos. Lo hacemos
siempre, aunque de manera oficiosa, no oficial, y por razones
exclusivamente humanitarias. En el tiempo que llevo aquí sólo
recuerdo una vez que tuvimos suerte. Era un niño muy pequeño, cuatro o cinco años, cuyos padres se habían quedado en España, creo que en Barcelona. El niño ya llevaba un par de años
sin sus padres y vivía aquí con su abuela, una persona mayor y
enferma. Recurrimos a casi todos los dirigentes y funcionarios
con quienes tenemos relación. No te diré a quiénes, pero ellos
saben quiénes son y tú conoces a algunos. La respuesta fue
siempre la misma: "ya sabes cómo es la legislación cubana y
también lo sabían sus padres cuando se quedaron". Hasta que
recurrimos a Piñeiro: no sé qué hizo, pero el niño salió y hoy
vive con sus padres. Esto yo creo que es revelador.

—Este año 1998 es un año bastante jodido. Al menos hay tres lecturas del 98. En España, la lectura del desastre. En Cuba, la de la independencia. En Estados Unidos, la de la liquidación interesada del imperio español. Y aún queda la de los nacionalistas de Euskadi y Cataluña que vieron en la crisis del 98 la oportunidad para su emergencia y el rechazo de un Estado español fracasado.

—No sé si después del discurso de ayer quedará mucho espacio para conmemoraciones. Si no hay una buena relación entre los dos gobiernos, la conmemoración del 98 pasará desapercibida. Desde la perspectiva cubana, no hay nada que conmemorar. Para ellos, el 98 no es la independencia, sino el principio de la intervención norteamericana y el momento en el que los norteamericanos, con la complicidad española, les robaron su derecho a la autodeterminación. Tradicionalmente, se consideraba que la independencia arrancaba de 1902; ahora, ni eso, ahora empieza en el 59. Y, desde el punto de vista español, tenemos ciertas dificultades para conmemorar derrotas y traumas infligidos a nuestra psicología colectiva. Lo del 98 sólo interesa a los historiadores, en Cuba, en España. No creo que despierte mucho interés en Estados Unidos, Filipinas o Puerto Rico.

—Más que la imagen del conquistador hay que recuperar la del emigrante.

—Exactamente. Para conmemorar el 98 hemos sugerido muchas cosas, en general menores. La única que a mí me parece de envergadura es una gran exposición sobre la emigración, acompañada de todos los tipos de conferencias habidas y por haber y de la edición de libros. En Cuba, la presencia española tiene tanto o más que ver con lo que ocurre después de la independencia que con los cuatro siglos anteriores. La Cuba moderna se forma en los años diez, veinte, treinta, y entonces aquí no había conquistadores extremeños, sino trabajadores o comerciantes gallegos, asturianos, vascos, canarios, catalanes. Debe ser uno de los pocos casos de la Historia en el que la colonización y la emigración masivas se producen después de la independencia. El padre de Castro, por ejemplo, primero soldado español, luego inmigrante. Este enfoque nos permitiría llegar a la mayoría de la población y a la muy precaria sociedad civil que vive al margen del sistema. Sería tender un puente a la memoria de la gente, recordándoles que, antes o después, detrás de ellos hubo un emigrante ¿Para qué? Para nada subversivo, para que sepan que venimos de donde vinieron ellos y que estamos dispuestos a ayudar en lo que nos pidan y hasta donde podamos, como Cuba ayudó en su día a sus antepasados y a los nuestros. Pero hasta esto alarma a la burocracia. La primera gente con la que contactamos para que nos suministrasen material gráfico con el que empezar a trabajar en la organización de una exposición sobre todo esto fue inmediatamente llamada a capítulo para preguntarles qué estaban haciendo con "esos gallegos". Esa gente no ha vuelto, y hemos rebajado un poquito nuestras expectativas para mejores momentos. Buena parte de las actividades programadas en nuestro centro cultural las basamos en intelectuales españoles de izquierda, por ejemplo Savater, Manolo Vicent, tú mismo. Pues aún recelan más. Si sois de izquierda los conferenciantes, peor. Podemos abrir otra línea de discusión. Yo no estoy muy seguro de que estemos hablando de régimen de izquierdas. Para mí, esto es esencialmente una autocracia. Quizá exagero un poco, pero lo esencial del castrismo es su carácter de fenómeno de poder en estado puro. Todo lo demás son justificaciones al servicio de un único objetivo político y vital que es el poder. Fidel es sobre todo eso, un jefe, eso es lo que más define y determina lo que ha hecho. Desde su juventud fue un aspirante a jefe muy bien dotado, muy calificado, osado, imaginativo, muy inteligente, y los jesuitas estaban especialmente dotados para detectar líderes. En gente así, la ideología cumple un papel muy secundario, casi instrumental. Por eso digo que, en todo este experimento, lo de menos es el socialismo. Y yo no soy tan mal pensado, pero hay quienes creen que la confrontación con Estados Unidos tenía el mismo propósito.

Retornar a los orígenes revolucionarios nacionalistas es como reconocer que para este viaje no se necesitaban alforjas. Sandomingo recuerda que circula por ahí un libro delirante titulado *El leninismo en la Historia me absolverá*. A veces parece que Lenin nunca existió, porque a falta de un proyecto de futuro en Cuba se juega a rediseñar proyectos de pasado.

—Fidel no puede llegar al juicio universal de la historia presentando un socialismo de racionamiento como balance.

—¿A qué cubano, que no sea Fidel, le importa si el juicio universal de la historia le absuelve o le condena? Yo creo, como Elizardo Sánchez, que la mejor garantía de que haya una transición pacífica es que la inicie, y hasta la encabece, el propio Castro. De momento, aprovecha todas las ocasiones que se le presentan, y son muchas y muy extensas, para afirmar lo contrario. Como dicen aquí, un paso atrás, ni para coger impulso. Me temo que habrá que esperar a lo que en España llamábamos el "hecho biológico". Habrá que estar muy atentos a lo que diga la biología.

Bajo el reinado diplomático interino de Sandomingo, los contactos con los disidentes han sido discretos. Confiesa que para él, Elizardo Sánchez tiene, como opositor, una carta de presentación impecable: sus ocho años de cárcel. Pero España tiene que contribuir sobre todo a que el tránsito sea pacífico.

—Aunque cada día que pasa disminuyen las posibilidades. Es que esta gente ha hecho algunas cosas increíbles y cree que lo puede hacer todo: a partir de un pequeño núcleo, de quince o veinte personas, que sobrevivieron al desembarco del *Granma*, fueron capaces de derribar a un régimen armado hasta los dientes, con miles de soldados, aviación, marina de guerra y demás. Claro, esto les ha inculcado una soberbia que les hace pensar que pueden seguir haciéndolo todo en todo momento. No es fácil convencerlos de que no han sido capaces de administrar el país y que deben rectificar. Creen que, si resisten, acabarán ganando. Hombre, la verdad es que hay que reconocer que han hecho algunas cosas importantes; no muchas, pero, por ejemplo, contribuyeron decisivamente a la independencia de Namibia y al final del *apartheid* en Suráfrica. En cambio en Cuba sus logros son más modestos, y están además en trance de desaparición desde que se extinguió la Unión Soviética, que era quien los financiaba. Pero aún queda la posibilidad del ejército, después del hecho biológico, claro, no antes. Si el ejército puede controlar entonces la situación todavía podría haber una última oportunidad de salida pacífica. El ejército no se ha implicado en la represión, tiene una raíz popular, no está mal visto. Pero tendrá que plantear un proyecto inequívoco de cambio; al plazo que sea, pero inequívoco. En cuanto a la Iglesia, tiene el papel sobredimensionado. Cuba no es un país muy religioso, pero en este momento de desvertebración social extrema, prácticamente no hay nada organizado, con alguna proyección, fuera del partido y del Estado que no sea la Iglesia católica. Eso le atribuye un papel absolutamente inusual, que no sé si incluso va más allá de lo que la misma Iglesia desearía. Por ejemplo, el cardenal Ortega, que, en mi opinión, no es un político, está jugando un papel político de primera magnitud en el que no estoy seguro que se sienta muy cómodo. Céspedes es otra cosa, Céspedes tiene un gran talento político y también una gran vocación política. No, no creo que la jerarquía lo ningunee, ayer estaba en el aeropuerto, en el recibimiento al Papa. Estaban los obispos con sede y unos pocos sacerdotes más, muy pocos, entre ellos Céspedes. Yo creo, más bien, que Céspedes es un hombre en la reserva, que en su momento puede jugar un papel político importante. Es quizá el personaje más visible y activo de la vida diplomática y cultural de La Habana y está bien visto por casi todo el mundo, menos por el exilio más radical, que le considera una especie de quintacolumnista castrista en la Iglesia, pero no creo que ese exilio radical vaya a tener mucho que decir y que hacer en el momento del cambio.

—Pues en el repaso sólo nos queda la mafia ¿También hay mafia aquí?

—Básicamente en la prostitución, incipiente en la droga. Hay más droga a medida que el turismo aumenta. Pero es mafia nacional, no tiene nada que ver con mafias extranjeras. También la que controla el comercio de los productos robados al Estado. Es una parte importante de la economía nacional.

—Y datos sobre la población penal real, ¿se tienen?

—Se supone que hay unos cien mil. Lo cual es bastante. Casi el 1% de la población. Los presos por motivos políticos oscilan, según los cálculos, desde los casi dos mil de los observadores más radicales hasta los quinientos. La mayor parte de condenas políticas son por desacato o por propaganda enemiga. El aparato de represión es poco estridente, pero omnipresente, implacable y muy eficaz. A mí me llama mucho la atención que un régimen que utiliza el símil de David y Goliat para explicar el asunto del embargo norteamericano ejerza de Goliat sin contemplaciones en relación con sus súbditos, porque, desgraciadamente, no son tratados como ciudadanos. Ven con mucha facilidad las culpas ajenas, pero la ceguera con las propias o el disimulo son absolutos. Tienen tanta facilidad para trasladar a otros sus responsabilidades que un día nos dirán que la idea de que la URSS financió durante muchos años el experimento castrista es un invento más de la propaganda imperialista. Todo se andará.

La Fundación Hispano-Cubana aparece una y otra vez como ruido en el canal de comunicación Cuba-España, España-Cuba. Tuvo una entrada mediática muy ruidosa: "El empresario Mas Canosa y políticos del PP organizan en Madrid un *lobby* anticastrista", titulaba *El País* y posaban para la posteridad los padrinos de la fundación: Recarte, Gortázar, Vargas Llosa, Montaner y Mas Canosa, tras superar una lluvia de huevos y tomates lanzados por grupos procastristas. Lo que había sido presentación deslumbrante y algarabía a la vez en el otoño del 96 se trucó en discreto abandono de

Montaner y Mas Canosa en junio del 97 y Gortázar, sagazmente deducía que estas salidas rebajaban el perfil político de la fundación. Otro fallido intento de asesinar a Castro vuelve a llevar a Mas Canosa al territorio de la sospecha e Izquierda Unida pide al Congreso que se expulse de España a los extranjeros terroristas, en una clara alusión al que parece ser gran padrino de la fundación. La aparición de la FHC ha sido calificado por *Granma* como un hecho inmaduro y aventurero y según informaciones que obran en poder de la publicación, "... Gortázar, el secretario general de la fundación ha venido chantajeando a bancos y otras empresas españolas que tienen inversiones en la isla con el argumento de que aporten dinero para la iniciativa, a cambio de no ser atacados por efectuar tales negocios". Y es que el secretario general de la Fundación Hispano-Cubana es un personaje singular y sus transfuguismos ideológicos han marcado a la fundación casi tanto como el padrinazgo original de Mas Canosa.

Por encima de tan empecinado secretario general, la fundación está presidida por un profesional solvente, Alberto Recarte, valorado economista, se dice que uno de los inspiradores de la política económica del actual Gobierno, diputado del PP, agregado comercial en la Embajada española en La Habana a comienzos de los años ochenta, pero antes autor de *Cuba: economía y poder* (1980), análisis de la evolución de la economía cubana: "... a las medidas utópicas de la década de los sesenta siguió la aplicación de una política económica socialista ortodoxa, tal y como la entiende la URSS". Aduce Recarte que el experimento ha sido muy caro, pero que en definitiva está subvencionado por la URSS a cambio de evidentes compensaciones: "Parece obvio que tanto la política exterior como las intervenciones militares cubanas en zonas que interesan al expansionismo soviético son la moneda con la que se paga la debilidad económica". Recarte reconoce en 1980 que la Revolución ha conseguido logros importantes: educación universal, la sanidad tiene uno de los mejores niveles de América, la esperanza de vida es la más alta, los agricultores están tan bien atendidos como los habitantes de las ciudades, la fabricación de productos lácteos abastece a la población, se ha formado una importante flota mercante, así como otra pesquera, y han crecido sectores industriales. Mantener todo eso y dar trabajo a una ciudadanía cada vez más cultural y técnicamente cualificada, anticipa Recarte en 1980, serán los problemas futuros. Su paso por La Habana como agregado comercial aumentó sus desganas revolucionarias y ser presidente de la fundación le convierte, lo asuma subjetivamente o no, en un llamativo enemigo del castrismo, aunque la fundación pregone su fundamental dedicación al reencuentro cubano y a la defensa de los derechos humanos. Los que le conocen aseguran que está harto de presidir la fundación, sobre todo por cuestiones de talante. A Recarte no le gusta el ruido.

—La fundación en su origen se concebía como la confluencia de la mayoría de los grupos cubanos que defienden los derechos humanos y de los representantes de los movimientos políticos cubanos libres en el exilio. Nace en un momento en el que se cree que va a haber una próxima transición en Cuba, y a imagen y semejanza de lo que ocurrió en España, los líderes cubanos en el exilio deciden que quizá necesitan un sitio donde estar juntos. Un lugar neutral, no para hablar de política, pero sí para encontrarse a nivel personal. Tras la detención de los miembros del Concilio Cubano, se convencen de que en Cuba no va a haber una transición política, que eso va para largo, y rebrotan disensos entre unos y otros. Ahora se dedica a los derechos humanos y a la ayuda humanitaria.

—En La Habana se la ve como un instrumento de presión del Gobierno de Aznar aliado con la oposición anticastrista

—En absoluto. A ningún gobierno le gustan las presiones y yo creo que éste es un ejemplo más de una fundación que tal vez no agrada excesivamente a este gobierno, ni a ningún gobierno, porque aunque no presionemos, se puede sentir presionado y la actitud del Gobierno español ha sido de ignorarla y manos fuera.

—Tu presencia y la de Gortázar, dos personas evidentemente consultadas por el Gobierno sobre Cuba...

—Yo no sé si Guillermo Gortázar es consultado sobre Cuba, yo puedo decir que jamás lo he sido, ni por éste, ni por el anterior, ni por ninguno.

—¿Cómo has conseguido no ser consultado por el Gobierno?

—Pues me imagino que manteniendo posiciones personales coherentes, por ejemplo, no acercándome al poder para hablar de Cuba. Sólo contacto con la disidencia cubana.

—¿Cómo se financia la fundación?

—Hoy por hoy, todavía exclusivamente con las cuotas de los socios y con ayudas de socios protectores anónimos, de algunas empresas y nada más. Este año probablemente se pida ayuda al Gobierno para asistencia humanitaria y actividades culturales.

—Era esperable que la vinculación con Mas Canosa, el casi calco del nombre Fundación Hispano-Cubana de la Fundación Nacional Cubano-Americana, trajera ruido. Mas Canosa no era pacifista ni pacífico.

—Yo no creo eso. Vamos, yo nunca he oído a Mas Canosa defender la violencia como forma de resolver los problemas cubanos. Desconozco su personalidad en el pasado, con independencia de que participara en la invasión de Bahía Cochinos. Nos negamos a exclusiones en un momento en que la disidencia cubana intentaba unirse a partir de un común denominador democrático. Fue un milagro que se sentaran juntos por una vez en la vida Montaner y Mas Canosa. Lo hicieron asumiendo ese mínimo común denominador: la defensa de la democracia, elecciones libres, reivindicar los derechos humanos y poco más, porque yo te puedo decir que había diferencias importantes en lo que políticamente opinaba cada uno. Montaner es un liberal, Mas Canosa era un conservador. Nosotros, encantados de poner la mesa para el encuentro, pero jamás les condicionamos. En España la figura de Mas Canosa ha sido demonizada. En Estados Unidos muchísimo menos. Esa demonización entintó desde un principio a la fundación, pero fue un coste consciente, porque ésta es una fundación hecha para Cuba y no para España.

—¿Calculasteis la pervivencia en España del imaginario romántico de una revolución conducida por un casi paisano, muy bien recibido por Fraga, por otra parte?

—Sí, sí, lo calculamos.

—¿Y valía la pena?

—Valía la pena. Porque te repito que para nosotros lo importante no era España, sino ayudar a la transición en Cuba. No quisimos ser un *lobby*, ni una fundación consultada a la que el Gobierno pudiera encargarle una asesoría. Por otra parte, soy enormemente escéptico respecto a la posibilidad de hacer comprender a una población que no sabe lo que es el socialismo real, lo que es un régimen como el castrista. He renunciado hace muchísimos años. La coacción y el miedo no se pueden transmitir, lo conoces o no lo conoces.

—Montaner y Mas Canosa dimitieron por viejos pleitos.

—Bueno, creo que se fueron desanimando sobre la posibilidad de coincidir. Quizá más Montaner que Mas Canosa. Montaner siempre estuvo, yo diría... bueno, se sentía en una posición forzada.

—La compañía le erosionaba la imagen liberal y Mas Canosa era, en buena parte, una creación yanqui.

—Yo creo que son los mascanosistas quienes, una vez demostrada su potencia y su capacidad de unión, acaban haciéndose imprescindibles para los norteamericanos. Ahora no tenemos relación oficial con ningún grupo de cualquier ideología. En la fundación cohabitan defensores de derechos humanos, digamos cercanos a la socialdemocracia, como sería Elizardo Sánchez, gente democristiana o más liberal, periodistas independientes, como Raúl Rivero, del que reproducimos cosas, o Félix Bonne, que forma parte de nuestro patronato y está en la cárcel. Somos la única fundación española que tiene a alguien en la cárcel. Estamos intentando que nuestro boletín sea su boletín, que ellos publiquen lo que quieran, un boletín para los propios cubanos. Por lo demás, intentamos hacer llegar ayuda humanitaria o asesoría, por ejemplo, para resolver la situación legal de trescientas familias cubanas instaladas en España.

—Ya que no eres el mentor de la política cubana del PP, ¿cuál debería ser la política del Gobierno español y de Europa en general con respecto a Cuba?

—Si atendemos a lo que aparentemente importa más al régimen cubano, las relaciones económicas, yo creo que este Gobierno está siendo todavía más generoso que el socialista. El socialismo tuvo dos periodos claros. Primero concedió créditos y luego no, a la vista de que no pagaban absolutamente nada y que incluso se negaban a tener reuniones para discutir refinanciar la deuda. El ministro de Comercio anterior, Gómez Navarro, dejó aprobada una orden para conceder quince millones de dólares adicionales a Cuba, asegurados en GESTO, la compañía española de créditos a la exportación. Nunca se llegaron a utilizar, por dudas respecto a la situación económica y a la posibilidad de recuperar algo de ese dinero. Pues bien, hace escasamente dos meses, esa línea de crédito se ha puesto en vigor con el PP en el Gobierno y Cuba ha dejado de pagar incluso los intereses ¿Cuál debería ser la actitud del PP? En lo económico ha habido pocos gobiernos que hayan hecho más esfuerzos que cualquier gobierno español para mantener abiertas las relaciones comerciales con Cuba, y me refiero a todos, desde Franco a José María Aznar. Desde ese punto de vista, yo creo que los cubanos no deberían tener queja, otra cosa son las relaciones políticas. En lo que se refiere a inversiones de españoles o de empresas privadas en Cuba, la actitud de este Gobierno nuevamente ha sido manos fuera, el que quiera que invierta y será respaldado.

—En cambio, parece como si el Gobierno español tratara de presionar a Europa para contribuir a la asfixia económica de Cuba ¿Cómo se interpreta que un jefe de gobierno ridiculice la corbata de Castro y le inste a mover pieza?

—El Gobierno español tiene que defender los intereses de los españoles. Esos intereses consisten en mantener el comercio, que para España es muy favorable, por supuesto aceptando que no te van a pagar ninguna de las deudas. Pero no hay que facilitar nuevas deudas. Si yo estuviera en el gobierno haría lo mismo. En lo que respecta a la toma de posición política, el Gobierno ha cumplido lo prometido en el programa electoral: Defender los derechos humanos". Lo que pasa es que yo creo que quizá Aznar nunca pensó que iba a tener una reacción tan violenta por parte de Fidel. Eso es no conocerle. Fidel está encantado de tener ese enfrentamiento con España, y si no se hubiera producido, lo habría buscado, porque él necesita siempre un conflicto para ser el mártir y para explicar cómo el bloqueo y las presiones internacionales no le permiten moverse y cambiar. Yo, en este sentido, creo que lo de la corbata es estúpido y nimio. Es absurdo que un jefe de Estado permita un enfrentamiento entre pueblos por un comentario respecto a su corbata.

—¿En qué se diferencia la política española del Gobierno actual con Cuba con respecto a la de la UE y en qué se parece a la de Estados Unidos?

—Hombre, respecto a la UE, yo creo que en este momento hay pocas diferencias. Gobiernos que tienen teóricamente muchísima mejor relación que el español dentro de la Unión Europea con Cuba le dan mucho menos crédito que nosotros y en lo político, todos los gobiernos padecen las presiones internas de una opinión izquierdista, para la cual Cuba sigue siendo un mito. No se atreven a una descalificación radical del castrismo.

—Y el Gobierno del PP, ¿sí está dispuesto a asumir ese riesgo?

—Para los cubanos hubiera sido incomprensible que el Gobierno de Aznar no hubiera hecho cuestión *sine qua non* de la defensa de los derechos humanos. A largo plazo, la postura del Gobierno español será recompensada, o al menos valorada positivamente por el pueblo cubano y yo creo que el viaje del Papa en gran parte es fruto de la posición española.

—¿Lo ha provocado la estrategia del Gobierno Aznar?

—Por supuesto que sí. Castro, en un momento determinado, vio que tenía cortadas, como siempre, las relaciones con Estados Unidos, una vinculación mucho más dura con la Unión Europea y España, y el Papa fue para él una salvación, y bienvenido sea ese viaje del Papa si sirve para algo. Los cubanos, Castro, todos, deberían agradecer a Aznar su endurecimiento.

—¿Ha buscado un protagonismo el Vaticano enfrentándose a las tesis del bloqueo norteamericano? O ese viaje puede ser fruto de un pacto entre el Vaticano, Cuba y Estados Unidos...

—Pacto con Estados Unidos, no. El Vaticano propone ese viaje hace cinco, seis o siete años y el castrismo nunca había querido discutir las condiciones. El cambio cualitativo se da cuando la situación económica, el deterioro interno y el aislamiento político con Europa obligan a Castro a negociar con el Papa. Eso se debe en gran parte a Aznar. Estados Unidos espera gestos democratizadores de Castro.

—Salvo en el recientísimo caso de Haití, todas las intervenciones norteamericanas al sur de Río Grande han sido a favor de las dictaduras y en contra de procesos democráticos intranquilizadores.

—Bueno, no defiendo la política de Estados Unidos, aunque a veces se han cargado democracias porque estaban escoradas hacia el socialismo y podían perjudicar sus intereses. Volviendo al caso cubano, y en relación con el embargo, desde mediados de los sesenta hasta 1989, la política oficial del régimen cubano es no tener relaciones comerciales no sólo con Estados Unidos, sino con ningún país capitalista, y yo recuerdo publicaciones cubanas del año 89 que dicen: "Este año hemos logrado reducir el comercio con los países de economía capitalista a sólo el 16%". Pero cuando desaparece la Unión Soviética necesitan replantear su estrategia comercial. Fidel Castro es un mago de las finanzas. Ha conseguido que la Revolución primero la financie el capital acumulado desde la independencia hasta el año 59, después los rusos, luego los países capitalistas que le han dado, excepto Estados Unidos, créditos por valor de once mil millones de dólares, y ahora lo están subvencionando los que él llama *gusanos*, desde fuera. Lo dicho. Es un mago.

—En el primer boletín de la fundación escribiste: "Creo que el Gobierno cubano tiene el dudoso privilegio de haber hecho quebrar a su país en rublos, en divisas y en pesos cubanos".

—Exactamente, es así. Yo creo que el enemigo de Castro es la economía y hasta que no ceda protagonismo en la dirección de la economía aquello será un desastre subvencionado. Ése es el quid de la cuestión cubana. Él no quiere ceder nunca un ápice de poder a nadie. El hecho de que hable siete horas seguidas a los pobres cubanos a mí me aterroriza, porque eso quiere decir que está convencido de que tiene que explicar a once millones de personas qué es lo que tienen que hacer. En relación con Estados Unidos, Cuba no se ha privado de nada. Ha proclamado que estaba en guerra con USA, ha financiado guerrillas que se oponían a los intereses norteamericanos en Latinoamérica, o ha intervenido en guerras africanas al lado de un bando muy concreto en la guerra fría. La intervención en Angola contra Suráfrica podía tener incluso una justificación de defensa de un Estado invadido por otro Estado racista. Pero hay otras actuaciones, la traición a los socialistas eritreos, la intervención en Etiopía. Castro ha practicado una continua política de provocación con respecto a USA.

—Wayne Smith, jefe de sección de Internacional de los intereses USA en en La Habana en tiempos de Carter, sostiene que si Cuba fuera un mercado de cien millones de compradores potenciales, la ley Helms-Burton no habría existido. La violación de derechos humanos en China le importan un comino a USA y a Aznar, que no incluyó en su programa pedir derechos humanos para los chinos, porque China es un fabuloso mercado potencial.

—Yo debo decir en defensa de Estados Unidos que, frente a la ambigüedad exhibida por cualquier país europeo, han sido los norteamericanos los que más han insistido en la defensa de los derechos humanos en China. No podemos demonizar a Estados Unidos. Hay cosas que no comprenderemos jamás en sus relaciones con Suramérica y en cambio hay ocasiones en que van contra sus propios intereses. Si se levantara el embargo, el mayor perjudicado de todos los países iba a ser España. Nuestro comercio tropezaría con el de Estados Unidos. Las relaciones comerciales y económicas entre España y Cuba desaparecerían en la práctica, pasarían a ser las mismas que antes de la Revolución: exportábamos turrón y sidra. Ahora exportamos por valor de unos cuatrocientos millones de dólares e importamos por valor de cien. Si cambia la situación, el tabaco, por ejemplo, lo compraría Estados Unidos y nuestras exportaciones casi cero.

—Tú estuviste en La Habana como agregado comercial ¿Ya llegaste anticastrista a Cuba?

—No, en absoluto. Yo me hice anticastrista al llegar allí, yo iba, al revés, muy bien predispuesto.

—Habías sido un joven de izquierdas

—Un poquito sí. Yo no había militado en ningún partido, pero me moví algo en la Universidad, en los sesenta, como delegado de facultad, cuando tenía compañeros como Enrique Ruano, primo mío muerto en extraña relación con la policía franquista, o con Sauquillo, uno de los abogados laboralistas asesinados por los ultras en Atocha. En un momento determinado me dediqué a estudiar, puse un límite a mi actuación política, pero yo fui a Cuba con un deseo de ver cómo funcionaba el socialismo en la realidad, y la verdad es que al cabo de dos meses de estar allí lo que más me impresionó fue el miedo de la gente. El miedo a expresarse, la evidencia de una población coaccionada. Empecé a investigar y salí de Cuba convertido en un liberal, porque comprendí hasta qué punto un Estado podía ser terriblemente coactivo y limitador de la libertad de las personas.

—¿Es incompatible el modo de acumulación socialista con el respeto a las libertades de expresión, opinión, asociación?

—Eso tiene que ver con el leninismo, ¿no? El leninismo definido como dictadura del proletariado y una vanguardia que es la que interpreta los derechos y las intenciones del pueblo. El marxismo como preocupación por ver si económicamente se podían organizar las cosas de otra forma desaparece con el leninismo, que es una teoría de la toma y conservación del poder sin ningún tipo de escrúpulos, porque uno es el heredero de la historia y, por tanto, tiene todos los derechos a entorpecerla, a tomar decisiones crueles, porque uno es el dedo de Dios. Para quien tenga tendencias dictatoriales, el sistema que mejor desarrolla la megalomanía es la dictadura del proletariado.

—Castro es un dictador sin estatuas.

—Porque que es un hombre muy inteligente, no es un zafio, no es un líder sanguinario, ni mucho menos.

—¿No es un líder sanguinario? La oposición le acusa de crímenes tremendos.

—Castro mata siempre selectivamente. Desde este punto de vista, es un hombre enormemente frío, que no ejerce la represión y la crueldad en caliente, como cualquier otro caudillo. Jamás se deja llevar por sus instintos, su instinto no creo que sea sanguinario, se concentra en mantener el poder. Sabe que el poder se mantiene con mucho terror y muy poquita sangre. No es un Stalin, al contrario.

—Te pido una previsión sobre la evolución o el final del régimen: si va a consistir en una evolución técnica condicionada por los hechos, por los factores materiales y económicos, o si va a estar presente la ideologización de ese proceso o la violencia. Yo recuerdo una fábula de Montaner, publicada en vuestro boletín, "El día que murió Fidel Castro", en la que se atreve a pronosticar que la asfixia económica exterior e interior fuerza a un nuevo camino, incluso aceptado por Raúl Castro: "Pactar con Estados Unidos y finalmente la Revolución desaparece no porque los yanquis la aplasten, sino por consenso". Sondeando lo que piensa la población, es cierto que ha aumentado el despegue, pero hay un sector de gente que recuerda que la Revolución le ha hecho universitario, que la Revolución le ha dado un estatus o una dignidad que no hubiera tenido sin ella ¿Qué previsión haces? ¿Halcones o palomas?

—El único halcón es Fidel Castro. A Fidel no le importa que su pueblo siga sufriendo y se empobrezca. Yo más bien creo que el empobrecimiento nunca va a causar un estallido social. Los regímenes y los pueblos, cuando más oprimidos están, son menos capaces de reacción. Cuando tienes que dedicarte las veinticuatro horas del día a recoger algo de comida no queda tiempo para nada. La pobreza alimenta dictaduras.

—Pero Montaner construye su fábula a partir del día que Fidel muere. El tapón desde este punto de vista sería Fidel. Una vez muerto Fidel, ¿quién dirige el cambio?

—En Cuba hay once millones de desconocidos. Ni siquiera sabemos cómo se comportará la nomenclatura heredera. A la vista de lo ocurrido en el Este, han aprendido a repartirse institucionalmente los activos cubanos antes de la muerte de Fidel y antes de la desaparición del régimen. Lo que está haciendo Yeltsin a partir del golpe de Estado, en Cuba está ya hecho mucho más de lo aparente.

—A eso atribuyes la gestión de militares en ministerios y corporaciones industriales o comerciales.

—Exactamente. En Cuba la institución que tiene más prestigio, la que mejor ha funcionado ha sido el ejército, y desde ese punto de vista es lógico que sean los que tengan más papel. El proceso a Ochoa fue un proceso a un ejército con demasiada personalidad. Cuando desaparezca Fidel va a ser imposible mantener la Revolución, y yo espero que no acabe la cosa como en Rumania. Ahora bien, cuanto peor sea la situación económica, peor será el final. Para mi asombro veo que se sigue considerando una revolución socialista al castrismo y no lo es, es sólo una tecnología aplicada al poder personal.

—Pero la Revolución ha permitido la extensión cultural y niveles de uso sanitario, educativo, sin precedentes en el Tercer Mundo.

—Eso es un mito. El analfabetismo en Cuba en 1958 era mucho más bajo que el que había en España en ese momento. Tenían una tasa de analfabetismo del 23%, por eso fue posible parar dos años el sistema educativo y alfabetizar a todo el mundo. Y el tema sanitario. Bueno, no era ni mucho menos una maravilla en las zonas rurales, pero era mucho mejor que el español en aquella época ¿Por qué fueron capaces de alfabetizar a todo el mundo, de instaurar un sistema educativo, un sistema sanitario? Pues primero porque había unas bases de formación de la mayoría de la población que permitían que eso fuera realizable. Cuba no era África, no era Centroamérica, era radicalmente diferente. *Bohemia* llegó a tirar en el triunfo de la Revolución un millón de ejemplares. La Revolución en Cuba la hizo la burguesía para liberarse de Batista. Castro traicionó una revolución democrática.

—¿Cómo se sale de una economía socialista sin caer en un desorden de carácter mafioso, como en la URSS, con un altísimo sufrimiento social?

—Pues es muy difícil, porque la economía de mercado, contrariamente a lo que cree la mayor parte de los economistas, no es sólo un sistema de precios; necesita un sistema de separación de poderes, un sistema judicial, por ejemplo. Y sin un marco jurídico, un cambio económico de estas características puede significar la ley de la selva.

—¿Por dónde se empieza?

—Por un sistema judicial objetivable e independiente y por la separación de poderes. Sin esas condiciones, el sistema de precios no puede mantenerse, porque el respeto a los individuos es parte integrante de la economía de mercado, y si no hay separación de poderes y un poder judicial independiente es imposible que eso se respete. Empezar por los precios antes de tener una estructura política, jurídica, adecuada, convierte el possocialismo en algo absolutamente salvaje, que no tiene nada que ver con la economía de mercado.

—¿Cómo se integra un sistema productivo como el cubano, todavía dependiente de alguna manera del monocultivo, del azúcar o del turismo y con miles de universitarios en subempleo?

—Cuba tiene claro que su única salida es el turismo porque, en cuanto al azúcar, creo que lo más productivo sería rebajar la cosecha y dedicarse a cultivar productos asumibles por el mercado más lógico a su alcance: el norteamericano. Es lo que se había comenzado a hacer antes de la Revolución. Si el turismo funciona, dará dinero para costear el cambio, porque la mayor parte de la industria desaparecerá. Es improductiva, absurda. Técnica socialista y repuestos españoles. Es la muerte.

—¿Es la muerte porque los repuestos son españoles?

—No. La mezcla de una tecnología de un tipo, con repuestos de otro, lleva a una productividad ridícula

—En los estados ex socialistas, el capitalismo salvaje ha generado la aparición de la riqueza privada y de la pobreza generalizada, en algunos niveles a la plena miseria. No es muy estimulante el ejemplo para el pueblo cubano.

—En cualquier caso, tendrían más de lo mismo. No estarían peor que ahora.

—La simple desaparición del racionamiento puede llevar al hambre a muchos sectores de la población.

—Nadie pide esa supresión hasta que no haya créditos suficientes para garantizar al menos el abastecimiento fundamental para todos. Hablamos de una población en estado de guerra. Costará tiempo normalizarla.

—Tiempo que no se ha concedido a los países socialistas.

—No se les ha concedido porque hubo un intento de golpe de Estado del ala más dura del partido, que terminó con la transición gradual iniciada por Gorbachov. Allí se destruyó el Estado y Yeltsin y los suyos ocuparon ese espacio.

—Tránsito político y tránsito económico, un reformismo económico lento y muy controlado por el Estado, economía mixta vigilada. Dentro de Cuba, economistas por la reforma plantean llegar a una economía de mercado, pero no hegemonizada por el capitalismo.

—Eso es imposible.

—Hay que ponerle un cerebro social al mercado.

—Una economía de mercado funciona sobre derechos individuales privados. Cualquier otro sistema va a funcionar peor, lo cual no quiere decir que individualmente haya empresas públicas que estén mucho mejor gestionadas. Pero al final lo que mata todo tipo de sistemas de propiedad que no sea completamente privada es la implicación con el poder político. Esa incertidumbre ha dado lugar a falsas soluciones, inviables en todas partes. En Cuba me siento incapaz de hacer ninguna predicción. Yo sé que España se ha desarrollado en torno al turismo, el único recurso natural, claro y evidente que puede atraer enormes masas de capital a corto plazo. En torno al turismo se construirá la nueva economía cubana. Turismo y agricultura de exportación.

—Los motores de la economía española en los sesenta se parecen mucho: turismo, repatriación de ahorros de emigrantes, inversión extranjera.

—La inversión extranjera siempre espera a ver las cosas seguras. Las inversiones extranjeras en España fueron mucho menos importantes que el turismo y la exportación de productos agrarios. Cuba está en una situación muy parecida. Nosotros estamos en el sur de Europa y nos beneficiamos de eso. Cuba se puede beneficiar exactamente de lo mismo, está al sur de Estados Unidos. Organizar la economía de otra forma sería absurdo.

—Fidel potencia la idea de que hay que establecer un frente común de países subdesarrollados para conseguir un nuevo estatuto de la globalización, porque la lógica interna económica de los países del Tercer Mundo no puede; no es la del economicismo impuesto por el capital financiero y las multinacionales.

—Absurdo, me parece un planteamiento absurdo. Yo creo que hoy por hoy y siempre en la historia, lo único que ha habido es economía de mercado, disfrazada de una u otra forma, e intervenida de vez en cuando por diversos Estados en momentos determinados. Nadie cuestiona el modelo porque no hay nada que funcione mejor, y no es que la economía de mercado no tenga terribles fallos y cause muchas veces enormes diferencias sociales, pero no hay un sistema menos malo. Lo único que yo creo que se puede discutir es el límite de los impuestos tolerables y qué es lo que se puede distribuir en solidaridad. Ésa es la gran discusión. Lo del frente común ante el neocapitalismo me parece, no una broma, pero sí un deseo de creer que todavía hay un modelo alternativo. No hay un modelo alternativo. El socialismo real ha desaparecido y lo que habría que estar discutiendo no es cuál es la alternativa del neoliberalismo sino qué hacer para mejorar la economía de mercado, para que cree menos diferencias. Cuál debe ser la actuación de los gobiernos, hasta dónde deben intervenir las ONG en ese reparto. Ése sería el gran tema, y no empeñarse en creer que hay dos ideologías. No niego que a veces la economía de mercado funciona mal ¿Por qué? Porque funciona mal el sistema de precios, porque hay monopolios, porque la separación de poderes no es estricta, porque el cumplimiento de la ley tampoco lo es y porque los tribunales funcionan mal. Consecuencia de todo eso es el neoliberalismo degradante y empobrecedor, al que supongo se refería el Papa.

Le recuerdo que antiguos apologetas del neoliberalismo se manifiestan ahora autocríticos. Señalan que el capitalismo salvaje está generando marginación social y un autoritarismo represivo disuasorio en las democracias: los perdedores sociales llenan las cárceles o los tribunales de menores, y si se pasan, a la silla eléctrica, pero Recarte no está de acuerdo. Ese desorden es consecuencia de los procesos tecnológicos.

—Digamos que hasta los pueblos indígenas, al final, quieran o no quieran, estén donde estén, están integrados, porque las comunicaciones son muy fáciles y los avances tecnológicos son tan enormes que al final el más productivo se lo lleva todo, y entonces no hay nadie que pueda permanecer ajeno. Sufrimientos, todos. Y yo creo que no hay un continente que sufra más que África ¿Cómo resolverlo? Pues no sabemos, porque la revolución tecnológica ha ido muy por delante de la capacidad de evolución social. Se crean conflictos porque disminuye la tasa de mortalidad infantil a la décima parte de lo que era, y no hay recursos suficientes, ni tradición, ni ideología, ni conocimientos suficientes para manejar esas economías con otros criterios. Yo no creo que el culpable sea ni mucho menos la economía de mercado, ni el capitalismo, simplemente, los humanos no controlamos esas cosas, ni la evolución tecnológica, ni la de las comunicaciones, y eso lo arrastra absolutamente todo.

—La única alternativa al neoliberalismo sería el social-liberalismo.

—Esa opción diseñará al final las grandes diferencias ideológicas.

La fábula de Montaner publicada en el boletín de la Fundación Hispano-Cubana no traduce su sueño, sino sus ensueños y es interesante resumirla y conservarla como una quiniela que tardaremos en poder comprobar: Castro se muere y Raúl lo comunica a un pequeño grupo de la nomenclatura: José Ramón Machado Ventura, el ideólogo ortodoxo; Ricardo Alarcón, presidente del Parlamento; el general Ulises Rosales del Toro, Abelardo Colomé Ibarra, ministro del Interior; Juan Almeida, la institucionalización revolucionaria y Carlos Lage, grupo al que se une Robaina de *motu proprio*. Se pone en marcha la Operación Alba y aquí comienza a fallar la fábula de Montaner, porque cuando él escribió su artículo, el general Ulises Rosales del Toro era jefe de Estado Mayor y le correspondía acuartelar las tropas, en cambio Ulises Rosales del Toro ha pasado a ser *el general del azúcar*. Sea el que sea, acuartela las tropas y Colomé Ibarra moviliza las fuerzas policiacas y parapoliciacas, especialmente los batallones antimotines, sin excluir los comités de defensa de la Revolución. Machado Ventura ha de controlar al partido, Carlos Lage citaría al Consejo de Ministros y Almeida al de Estado, mientras Alarcón convocaría un pleno de la Asamblea Nacional y Robaina al cuerpo diplomático. Medidas convencionales de suspensión de actividades, luto nacional, alocución de Raúl Castro a la población preocupada. No es para menos, todo se hunde: los testaferros que guardan las inversiones secretas del castrismo en el extranjero, se quedan con ellas; los *brookers* ingleses, franceses y suizos que adelantaban divisas contra futuras entregas de azúcar dejan de hacerlo; los rusos tampoco avanzan petróleo a cambio de azúcar; se vuelven pura cautela los canadienses que explotan el níquel de la provincia de Oriente y a cambio prestan millones de dólares para hacer frente a situaciones de emergencia. Una crisis terminal, adjetiva Raúl Castro y Montaner ensueña que todos los cabezas de poder van comunicando partes catastróficos: Lage dice que la zafra no llegará a cuatro millones de toneladas, con la consiguiente reducción de la capacidad de aprovisionamiento de energía y la crisis del sector turístico; Colomé Ibarra, que la delincuencia se ha salido de madre y hay serios problemas para contener el desorden público; Ulises Rosales del Toro anuncia que el malestar de las Fuerzas Armadas puede provocar conspiraciones y deserciones. "... Entonces fue el turno de Roberto Robaina. Con voz temblorosa, el joven diplomático se atrevió a decir lo que todos pensaban ¿Qué pensaban? Pues que había que agradecer a la Revolución los servicios prestados y tratar de sobrevivir en otro sistema". Según Montaner, una posición de este tipo sería aplaudida en primera instancia por Alfredo Guevara, en segunda por Eusebio Leal, a continuación por Alarcón y también Raúl, pero el último, porque todo buen capitán es el último en abandonar la nave. Reconciliación con Estados Unidos. Referéndum sobre cómo liquidar el sistema y los viejos comunistas a esperar el perdón de los pecados y la resurrección de la carne, la vida perdurable. Amén. La intención de Montaner no creo que fuera crearle dudas a Raúl Castro sobre lo que haría al día siguiente, ni intranquilizar a toda la nomenclatura implícitamente acusada de liquidacionista, sino hacer una propuesta de final feliz para las élites, que se parece excesivamente a la transición española, sin tener en cuenta que Cuba carece del tejido social de capas medias que fue el verdadero sujeto de cambio en España y que las transformaciones superestructurales se dieron sobre una base social y económica *ad hoc*. España ya era en 1975 un país dominado por los sectores emergentes de una economía casi liberal.

Una persona que mantuvo con Castro el nivel de sinceridad que pueden tener dos estadistas distanciados como sólo opueden estarlo el pragmatismo y el empecinamiento épico, es Felipe González. El ex jefe de Gobierno diseña su presente y su futuro en una oficina situada en una calle ya mítica del extrarradio simbólico madrileño: Gobelas. Para los socialistas españoles, el partido tiene tres cabezas, la del local central de Ferraz coincidente con la del secretario general, Joaquín Almunia; la de Gobelas, donde González prepara algún prodigio, que quizá ni él mismo sabe en qué consistirá, y la de Josep Borrell, el nuevo candidato a la presidencia de Gobierno, cabeza errática, sin instalación fija. Metros arriba o abajo, también en Gobelas tiene su oficina el financiero caído en desgracia Mario Conde, nada que ver con el policía cubano autocrítico de Padura, pero se da la curiosa coincidencia de que mientras yo estaba hablando con González, Mario Conde era detenido a causa de sus inacabables culebrones de desamores financieros. Cada vez que me encuentro personalmente con González, entre radicales desencuentros intelectuales o periodísticos, se me reproduce la sorpresa de su inmediatez, cualidad que sobrepongo a la de la seducción, tan utilizada por los que tratan de connotar a Felipe, también a Castro. González sabe eliminar la distancia con el otro y si seduce o no, eso ya depende de la fragilidad emocional del receptor, pero en cualquier caso, el ex presidente te regala siempre la condición de interlocutor, estrategia que se parece bastante a la de Castro. Cuando se encuentran Fidel y Felipe, la escena podría parecerse a la de don Juan Tenorio y don Luis Mejías, reunidos en la Hostería del Laurel y haciendo balance de sus seducciones. La audacia y la precocidad otorgaron a Felipe González los reflejos condicionados del estadista, se sabe, se siente estadista y en el fondo considera que pertenece a otra dimensión sólo habitada por estadistas, a la que Aznar nunca accederá porque los estadistas homologados no aceptan su bigotillo, ni esa severidad de bisoño inspector de Hacienda destinado a una provincia poco poblada, de poco IRPF.

—Le pedí a Castro la libertad de Gutiérrez Menoyo porque, independientemente de cualquier otro criterio político o ético, yo como jefe del Gobierno español, tenía una responsabilidad con un ciudadano de origen español. Gutiérrez Menoyo es asturiano de nacimiento. Me la concedió. Todo el que pasa por allí lleva una lista de peticiones de liberaciones y le he dicho a Castro con mucha claridad: "Yo de ti pondría en libertad a todos, incluso a los que pide la CIA, con la condición de que sólo me mandes a los que te pido yo y envíes a los de la CIA los que ella te pide". El problema es que si los sueltan a todos, la próxima visita no le va a poder dar las gracias por nada. Es una situación impúdica, pero hay que conseguir libertades. Pactas cuánta carne humana te da Fidel y a cambio tú le das las gracias y así ha pasado con todos, con la mujer de Mitterrand, con Jackson, con todos, Gabo también ha sacado a mucha gente. Me parece un feo negocio, pero...

He empezado la aproximación a Fidel Castro con el caso Menoyo, porque me constaba que había sido González el conseguidor de su libertad, porque hay constancia de la decantación de Menoyo hacia el PSOE y porque Felipe González pertenece a la orden mercedaria laica dedicada a redimir presos de Castro.

—¿Por qué ese afán de coleccionar presos?

—Porque si no, no los podría entregar cuando viene el Papa. Sería injusto tomarlo exclusivamente bajo el lado caricaturesco. Los guarda porque él cree que son una anomalía dentro de la Revolución y las anomalías son incompatibles con el mantenimiento de la Revolución. La persona que no esté en favor de lo que estoy haciendo tiene que estar enferma. A la derecha española le pasa lo mismo. Han dicho: "Lo que hemos vivido bajo el PSOE es un periodo de anormalidad democrática". Tienen razón, a las derechas españolas la democracia siempre les ha parecido una anomalía. Para Fidel lo que se le opone es una anomalía y es coherente con su estrategia de supervivencia.

—¿Por qué Europa ha sido menos intransigente con el régimen cubano que los Estados Unidos?

—No sé si te servirá una anécdota interesante con Gromiko que viví en 1984. No tengo edad todavía para escribir mis memorias, ni para perderla, es un momento muy *jodido*. Te acuerdas de casi todo. Con Gromiko tuve una conversación muy típica, no tengo que describírtela porque tú eres un especialista en caracteres comunistas, los conoces bien. Él me hizo un discurso enlatado sobre el caso cubano, metiéndose con Estados Unidos y defendiendo el derecho a la autodeterminación de Cuba, el imperialismo opresor, la base de Guantánamo y no sé qué más. En mi respuesta está la clave de lo que te quería explicar. Le contesté con otro discurso enlatado. Le recordé la intervención soviética en Afganistán, desde la fuerza moral que me daba el haber estado en contra de la guerra de Vietnam. Pero, antes de llegar a eso, le dije:

"Mire usted, todo lo que dice respecto de la actitud de Estados Unidos en relación con Cuba es bastante verdad y siempre me he manifestado en contra del bloqueo y de que el pueblo cubano no decida su destino. Pero estoy también en contra del sistema en Cuba. Me gustaría que fuera diferente. Estoy de acuerdo con lo que dice, salvo en una cosa que seguramente no me va a contestar. Ustedes son lo contrario del sistema norteamericano, pero en cierto aspecto son idénticos. Los superpoderes tienen unas reglas de juego que en el fondo del fondo no tienen mucho que ver con la democracia representativa. Tienen casi la misma lógica. Y me reconocerá que lo que nunca han entendido de los norteamericanos es que a noventa millas de sus costas y con una base militar en la propia isla, ustedes hayan podido tener allí una plataforma de penetración en el imperio. Ustedes nunca lo hubieran tolerado junto a su frontera y por eso no comprenden esa fragilidad del otro imperio que a la vez actúa como ustedes tratando de eliminar esa anomalía, esa excrecencia, sin atreverse a hacerlo del todo; por tanto, no cumpliendo con la lógica de imperio".

Cuando le hice la crítica también sobre la intervención en Afganistán me dijo una cosa terrible, que todavía rumio, como una duda que me lleva a un problema inquietante, sobre si existe o no una ética absoluta, que me recuerda un libro que me dedicaste. No olvido la dedicatoria porque tuve ganas de responderte con una reflexión. Me impresionó mucho la dedicatoria. Bien. Gromiko, tras mi comparación entre el caso Cuba-Estados Unidos, Afganistán- URSS, dice:

"Sé que ustedes creen que aquello va a ser nuestro Vietnam, pero no va a serlo. Y le voy a decir a usted algo que espero no se le olvide: estamos haciendo en Afganistán un trabajo sucio, sin duda para nosotros, pero también para ustedes. Porque estos señores que ustedes prefieren, Estados Unidos, que están ayudando a la guerrilla y a la insurgencia afgana, no cumplieron con su obligación en Irán y alguien tiene que taponar lo que se viene encima. Lo vamos a taponar nosotros. Le ruego que lo piense".

—¿Se refería al integrismo?

—Sí. Me golpeó duro. Y hoy no me atrevo a decir que no tenga razón, tampoco me atrevo a darle la razón ¡coño! porque soy un fundamentalista demócrata de mierda. Pero me dejó pensativo. Nunca lo he contado. Nadie conoce esta anécdota en público. Se lo conté a Sanguinetti y me lo hizo repetir tres días después, en Montevideo, en *petit comité* con unos amigos. Con respecto a la posición de Estados Unidos ante Cuba se explica porqué USA es un imperio que no tiene vocación de imperio. Como diría lord Carrington: "A diferencia del imperio español o del británico, no se han enterado de que a los imperios se los respeta porque se los teme. Son un imperio y además pretenden que los quieran y te hacen un favor cuando intervienen en Panamá o cuando operan contra Cuba. Europa, que ha perdido su capacidad de imperio, aunque cometa excesos de eurocentrismo todavía, ve Cuba o Nicaragua como revoluciones lejanas, con cierta simpatía, como el paraíso perdido, la nostalgia de la utopía". Quizá no sea una explicación políticamente correcta, pero es la que hay. Hasta que llega Aznar, saca pecho imperial y quiere enseñarnos lo que hay que hacer.

—En el plano internacional, ¿tanta diferencia hay entre las actitudes de los populares y la de los socialdemócratas?

—Para que no haya una peligrosa confusión, los populares europeos no son los populares españoles.

—Duran i Lleida tiene una actitud diferente con respecto a Cuba. Actúa como portavoz de la Internacional Popular ante Castro.

—Evidente. Duran i Lleida representa a los populares europeos. Y Aznar al nacionalismo español residual.

—La nostalgia europea por el imaginario de la Revolución cuadra con los socialistas, comunistas, poscomunistas, radicales si quieres, pero, ¿también los democristianos, los populares que han combatido al comunismo en Europa durante la guerra fría?

—Leen la Revolución cubana o sandinista no en clave soviética, sino populista. Además, tienen algunas pulsiones socialdemócratas, un mestizaje ideológico, por la misma razón que Karl Darendof decía hace un año que Kohl era el último marxista de Europa. Es una *boutade*, pero muy brillante.

—Los últimos marxistas serían los empresarios, siguen creyendo en la lucha de clases.

—Yo ahora, desde la distancia adquirida, dispongo de cierta frescura de percepción y de *divertimento* intelectual.

El mayor aplauso del debate de Davos este año se lo lleva el vicepresidente de la República Popular China, porque les dice a los aguerridos *boys* de Wall Street que China no va a devaluar. Grandes ovaciones al líder comunista que va a salvar el capitalismo, porque si no, la crisis asiática nos va a arrastrar a todos ¿De quién depende? De un señor que no cree en eso, que es comunista. Aquí, la derecha española no tiene patente internacional. Han mezclado lo peor del anarquismo con lo peor de la derecha. Son irresponsables ácratas de derechas.

—Fraga se autodefinía como ácrata de derechas en la época de Franco y es el padre de la criatura ¿Qué imaginario personal tenías de Castro antes de tratarle de tú a tú?

—Me parece que fue en el 76 la primera vez que estuve por allí. No sé si me trató de manera distinta porque él es un tipo con una gran capacidad de encantamiento y ahora ya no sé si utilizar esto, porque después de lo que dice Anson de mí, de que yo también soy un seductor, pues me turba, ¿no? Fidel tiene una gran capacidad de establecer empatía con la gente incluso más predispuesta contra él. No era mi caso, un pobre socialdemócrata al que no le gusta la fórmula comunista pero que no estaba de ninguna manera en contra de la Revolución y de lo que significó. Por tanto, he tenido con Fidel un trato absolutamente privilegiado. He podido decirle con toda claridad lo que pensaba en cada momento sobre él y sobre Cuba. El privilegio es que él también me contestaba, y me sigue contestando, con la misma claridad, con las tripas y no con el discurso enlatado. Todas las discusiones han sido y son feroces, muy francas, pero nunca le he planteado esa coña marinera de si mueves pieza, muevo pieza y estas tonterías, porque sé que es Fidel y que Fidel le da una patada al tablero y el otro ya ni mueve pieza ni sabe dónde está el tablero.

—Ni le has propuesto cambiar la corbata.

—Tampoco le he propuesto cambiar la corbata, aunque en Bariloche, como tenía frío y lo veía arrugado, le di el abrigo.

—Todos los encuentros ¿han sido parecidos?

—No, no han sido parecidos. Han sido muy diferentes en la medida en que evolucionaba la relación y la situación. También tengo el extraño privilegio de haber discutido con él sobre la insostenibilidad del sistema, antes de que se le ocurriera a Gorbachov confesar que no era sostenible. Pero también he criticado ante los norteamericanos su actitud hacia Cuba. Cuando me encontré con Bush, entonces vicepresidente de Estados Unidos, en la toma de posesión de Alfonsín le dije: "Ustedes en Cuba llevan veinte o veinticinco años en una determinada línea, ya podrían haber sacado la conclusión de que por aquí no va. Por tanto, tendrían que cambiar de actitud y probablemente si cambian de actitud, en diez años habremos conseguido algo, intereactuando con Cuba de manera diferente". Y Bush me contestó, y lo recordará el hombre, seguro que se acuerda, porque a veces me manda una nota con recuerdos compartidos: "Me propones eso porque eres muy joven, pero yo soy muy mayor. Diez años son muchos años". Le contesté: "Yo no se lo estoy proponiendo a una persona, sino al representante de Estados Unidos. Diez años es muy poco tiempo comparado con los veinticinco que han perdido equivocando la relación con Cuba". Cuando Fidel trata de justificar, todavía hoy, todos los males de Cuba por el bloqueo, aunque reconozco que el bloqueo es muy malo y lo rechazo, le objeto: "Oye, vamos a atribuirle el 30% de lo que pasa al bloqueo norteamericano y vamos a quedarnos con el 70% restante para hablar en serio, por favor. No digo que no tenga importancia, acepto que el 30% del desastre económico cubano se lo cargamos a los norteamericanos y ahora vamos a analizar el 70% restante y a ver qué sale".

—Y lo asume.

—Forma parte del privilegio. La última conversación que tuvimos sobre autoempleo fue patética, porque aceptó que era necesario el autoempleo en noviembre del 95. "Sí, estoy dispuesto. Pero con una condición, y la condición es que nadie se autoemplee en su profesión habitual". Y le dije: "Me lo explicas en términos revolucionarios, por favor, porque seguro que tiene una explicación revolucionaria". La tenía, es lo más grave: La Revolución le da el capital humano a una persona y esa persona no pude utilizar este capital humano para desclasarse, ganándose la vida con lo que ha aprendido. Yo le decía a Fidel que no estaba de acuerdo, porque creo que si algo justifica la Revolución, a estas alturas, es que ha educado a la gente y le ha dado capital humano. Si ahora no deja que ese capital humano le permita realizarse como ser humano, entonces no ha servido para nada. "Lo que estás diciendo es que un ingeniero eléctrico debe hacerse florista para vivir". No me parece razonable, pero tiene, como todo, una explicación revolucionaria. Como diría Anguita.

—¿La relación con Fidel y su gente la llevabas de una manera muy personal o contabas con asesores?

—Tenía todo el asesoramiento del partido, los especialistas, el aparato del Estado y todo esto. Pero si te dijera que esto me ayudó mucho a comprender la realidad cubana y a orientar la relación con Fidel no te estaría diciendo la verdad. Insisto en el privilegio de poder hablar con él como amigos, no sé si llamarlo amistad, parte de amistad y otra de espontaneidad en la confrontación, no habitual en las relaciones intergubernamentales convencionales. Todavía a primeros de año, Fidel me envió un mensaje: "¿De todas las rutas que van a América Latina desde España, ninguna pasa por Cuba?". Porque sabe que he estado en septiembre en Quito, en octubre en Santiago, en noviembre en Bariloche y no he ido a verle.

Felipe González ha tenido relaciones con cuatro presidentes norteamericanos desde que era aspirante a jefe de Gobierno y el presidente se llamaba Carter. Cuba siempre ha salido en las conversaciones con Reagan, Bush o Clinton, lo que Felipe llama *cubanizar* las visitas a Estados Unidos. Ahora que ya no es jefe de Gobierno, en su última estancia en Nueva York el consejero de Relaciones Exteriores le preguntó sobre Cuba.

—Te cuento una anécdota: primer encuentro oficial con Reagan en la Casa Blanca. Él tenía sus papelitos con datos, eso que está de moda y me suelta: "Usted, que es un líder democrático, que ha hecho tanto por superar la dictadura en su país y hacer una democracia como la española, es muy extraño que apoye, comprenda o sea amigo de un dictador como Fidel Castro, de un comunista que no da la libertad a su pueblo". El discurso enlatado. Le respondí: "Usted tiene razón. En política estamos llenos de contradicciones, la política a veces es incomprensible e insoportable. Yo siento la misma extrañeza cuando veo al presidente de Estados Unidos que es usted, líder de la primera democracia mundial, paseando amigablemente con el presidente del país comunista más grande del mundo, China, por la Casa Blanca y la verdad es que no le entiendo; ¿cómo puede ser amigo de un presidente comunista de China? ¿Será porque habla chino y no español como Fidel Castro que habla lo mismo que yo?". Se quedó mirándome muy serio, sonrió y dijo: "Bueno, vamos a hablar de otro tema". Ahí acabó la cubanización en la primera conversación con Reagan. Estuve con Bush en el 83, en la toma de posesión de Alfonsín y después he hablado con todos ellos, no sólo de Cuba; de Cuba, de Nicaragua, de si iba o no a entregar el poder Daniel Ortega, cuándo lo iba a hacer. Imagínate, con Schulz, con Baker, con Bush, con Reagan, con Clinton, con todos.

—¿Tuviste o tienes la sensación de que algo de lo que tú dijeras modificara su actitud o de que era pura retórica cubanizar los encuentros?

—No, lo que ellos querían era que yo modificara la mía, especialmente durante la presidencia de Bush. Pero cuando cayó el muro de Berlín, tal vez pensaron que ya no valía la pena convencerme. O dicho en términos muy crudos, que si en algo podía ser útil un líder o un jefe de Gobierno español no es en que firmara debajo del papel de carril del Departamento de Estado. Si podía ser útil, en un futuro cercano, sería manteniendo una diferencia que no quebrara la capacidad de comunicación.

—Hacer de intermediario.

—Más o menos. Intermediario no dispuesto a obedecer cuando le den un golpecito en la espalda.

—Cuando se empezó a hablar de renovar o reformar la Revolución, vas y envías a Solchaga como experto para cambiar la línea económica ¿Qué te pasó?

—Fue requerido por ellos. Ellos querían observar la parte que consideran esencial, que nunca sabes cuál es, de la Revolución. Han de superar el golpe brutal que supone perder el cordón umbilical con los países del Este y con la Unión Soviética. Entonces, empieza a repensarse todo. El modelo chino puede ser fascinante o incluso el vietnamita. Fidel ha ido a verlos en su salsa, a ver qué pasa. Porque Fidel, comunista, comunista, comunista yo creo que no ha sido nunca, en el sentido ortodoxo. El comunismo ha sido un buen instrumento de control del poder y de realización de su proyecto. Se lo he dicho muchas veces a él: "Eres un anarcocristiano". Su fascinación por el Papa y la del Papa por él viene de ahí.

—¿No es teatro?

—Algo hay. No en balde son los dos tipos que a la hora de declamar principios tienen más impacto mediático en el mundo. No digo a la hora de ofrecer soluciones, porque ninguno de los dos ofrece soluciones.

—Tal vez sus reinos no sean de este mundo. Estuve en La Habana hablando con gente de la nomenclatura y ya habían integrado en su discurso que siempre ha habido una fascinación de Fidel por una clase de cristianismo. Ya es discurso oficial.

—Yo hace veinte años que creo en ese origen jesuita del castrismo, de alumno de los jesuitas que acepta la teoría del padre Mariana del tiranicidio. En realidad, Fidel en la sierra no tiene nada que ver con el comunismo, como sabes muy bien, es absolutamente despreciado por el Partido Comunista como un oportunista peligroso. Otra cosa es cuando triunfa. En Nicaragua, veinte años después, pasó lo mismo. Los que tumban a Somoza son los cristianos. Lo del marxismo es un elemento añadido. Lo que inquieta al Vaticano y al capitalismo de la teología de la liberación es que usan la teoría jesuítica del tiranicidio, pero para conservar el poder dependen de los comunistas.

—¿Qué valor le das a aquella gestión de Solchaga?

—Solchaga sabes como es, no hace falta que te lo cuente. Es navarro y eso imprime carácter. Solchaga estuvo generoso y yo diría incluso prudente, respetuoso, lo que no le pega mucho, con lo que veía, pero trataba de ayudar sin renunciar a su coherencia. Mientras la ayuda abría espacios para Fidel y para la nomenclatura, bienvenida. Pero cuando inquietaba, echaban el cierre. Siempre tienes que proponer una fórmula que encaje con lo que el otro considera que debe ocurrir, no una fórmula coherente en sí misma pero que implica destruir la idea del otro. Esto es lo que de verdad provocó el rompimiento. Formalmente, la asesoría se rompe, no sé si Carlos te lo ha dicho, porque se organiza por parte del *Financial Times* o del *Economist* un foro en Cuba, dentro de ese juego de apertura-cierre, apertura-cierre, apertura-cierre, en dientes de sierra. En el foro, Solchaga hace lo mismo que cuando se reunía con la nomenclatura, analiza críticamente la situación. Pero no es lo mismo lo que discutamos tú yo si no sale del ámbito de discusión que si uno de los dos lo exterioriza, entonces el otro se siente traicionado. Eso fue lo que ocurrió y eso es lo delicado de las relaciones con Cuba y con Fidel. En privado admiten que tienes razón, no en público.

—¿Tú eres de los que creen que Castro está buscando una salida y una modificación o su objetivo es ganar tiempo?

—Fidel no es un superviviente. Suponerlo es tremendamente injusto, no pega con su carácter. Algunos pueden encontrar mil paralelismos con lo que puede ser la última etapa de cualquier dictadura. Eso no le pega a Fidel. Me sorprendió una utilización que hizo de algo que yo le había dicho en uno de los encuentros que tuvimos, en Brasil. Le dije algo muy duro, pero sólo te cuento la última parte: "No puedes convertir a Cuba en Numancia porque afecta a diez millones de cubanos". Yo creía que había encontrado un buen ejemplo para demostrarle que no se podía enrocar, que había que buscar salidas, pero Fidel demostró que es mucho más español que todos los españoles actuales juntos. En España la gente quiere a Fidel porque le identifica con la esencia de lo español. Bueno, le suelto el rollo antinumantino y entonces me dice el tío: "Ése es un buen ejemplo, efectivamente, eso de Revolución o muerte es Numancia, ése es un buen ejemplo histórico". Terminamos la conversación y yo, que siempre soy discreto sobre lo que hemos hablado en privado, oigo estupefacto que lo primero que declaró a la prensa fue: "Felipe me ha dado la clave de lo que pasa. Nosotros somos Numancia y aquí se van a enterar de que hasta el último cubano va a resistir la agresión del imperio. Esto es Numancia". Me destrozó. No, no es un superviviente, es algo más que un superviviente. No hace trucos para sobrevivir. Todavía tiene en el fondo de sus tripas cosas en las que cree, no es ese cínico al uso que hemos encontrado en la última etapa de los países del Este. Éste no es Fidel y si alguien cree que es un superviviente, se equivoca.

—Hablaste con Fidel sobre las repercusiones de un cambio de Gobierno en España.

—Creo que no se esperaba estas coces. Ten en cuenta que él tenía y tiene muy buenas relaciones con Fraga. Recuerdo una conversación con Fidel en un autobús, en compañía de otros jefes de Gobierno iberoamericanos, en el marco de la Conferencia Iberoamericana. Estábamos tan distendidos como suele estarse en un autocar, entre bromas y sarcasmos, y Fidel suelta: "Bueno, yo no sé lo que me está pasando, que cada vez me llevo mejor con los presidentes más conservadores". Y yo aproveche la carga: "¿Por qué será, Fidel? Piénsalo dos veces, no vaya a ser que encuentres la respuesta". Carcajada general. Eso pasa siempre. Por ejemplo, nuestra relación con el Vaticano era más difícil cuando interfería algún cristiano socialista que quería darle lecciones al Papa sobre cristianismo. Por eso preferían a Alfonso Guerra.

—Es verdad, el cardenal Tarancón me dijo que Alfonso Guerra era un negociador muy propicio.

—Fidel lo que no quiere es que le discutan en su terreno, el terreno de la izquierda. Antes conversará con un escritor de derechas que contigo, porque supondrá que no eres suficientemente fidelista. Si tiene enfrente a un conservador, mejor, no discute en su propio terreno. Fraga está muy contento con él y viceversa. La mala relación con el PP más bien se debe a tus ex compañeros, lo mismo que te he dicho respecto del Vaticano. El PP ha puesto las relaciones con Cuba en manos de ex comunistas. Cuñas de la misma madera. Y eso es un error dramático, porque además no hay peor comunista que el reconvertido en derecha militante ¡Es la leche! Yo no tengo una gran simpatía por los partidos comunistas, ya lo sabes, bueno, comprendo que hay una parte respetable, sobre todo en las bases. Pero el travestí que se hace de derechas con técnicas de la Iglesia comunista es un peligro público.

—Tan influyente como Gortázar, al que supongo te refieres y que representa más el oportunismo maximalista de Bandera Roja que el talante de los comunistas españoles en el interior, es ese grupo de intelectuales neoliberales que han diseñado la ideología azañista de Aznar.

—Algunos de esos son brillantes, pero unos amargados. No analizan, amargan las cosas. Fundamentalmente, a Aznar los Gortázar y compañía le han equivocado con respecto a Cuba. No "equivocado", pero le han vendido que con esa actitud se gana la simpatía de Estados Unidos y lo único que le reporta son dos golpecitos en la espalda. Su posición anticubana en Europa está copiada de las tesis del Departamento de Estado.

—Vosotros insinuásteis que estaba pagando el apoyo económico electoral de Mas Canosa.

—Que la Fundación Hispano-Cubana es una creación que se gesta antes de la victoria del PP no te quepa la menor duda. Como no te quepa la menor duda de que hay un determinado tipo de compromiso y viajes por Miami, limusinas blancas si es de día y negras si es de noche para pasear a los del PP y viajes en el avión de Mas Canosa por Centroamérica. Estas muestras de poder bananero encantan a los del PP. Exhibir el poder económico y el avión privado se lleva mucho en Centroamérica.

—Parece ser que el Rey trata de suavizar las relaciones entre Aznar y Fidel ¿Qué papel cumplía el Rey en tu época de jefe de Gobierno?

—El Rey establecía una corriente de simpatía personal con Castro, le sale de manera natural. Por parte de Castro también, porque cuanto más republicano eres y más alto estás en la jerarquía republicana más fascina tocar rey, y si además toca rey simpático, mejor. El Rey ha arbitrado en las relaciones con Castro, incluso en mi época. En 1992 Fidel estaba muy irritado conmigo y dijo públicamente: "Cada día soy más realista del Rey". El Rey ha comprendido intuitivamente la importancia de América para nosotros. Cosa que otros no han entendido. No se dan cuenta de que si se nos notan resabios de metrópoli lo estropeamos todo. Y en ese fallo nunca ha incurrido el Rey.

—¿Qué pautas seguíais en la relación con la oposición cubana, del interior y del exterior?

—Yo les veía, pero es muy difícil sistematizar una oposición a una dictadura como la cubana. En España siempre hubo, con mayor o menor debilidad, una oposición organizada a Franco, dentro y fuera, precaria hasta que en la etapa terminal adquirió la suficiente fuerza como para condicionar en lo posible la transición. Eso no se ha dado ni en sistemas que han hecho su propia revolución como el cubano, ni en sistemas con revolución importada como pueden ser los de los países del Este, con la excepción tal vez de Polonia. Digamos que mi contacto con esta gente ha sido siempre difuso. Lo que más me interesa de lo que se articula como oposición a Castro es lo que se mueve en torno a la revista *Encuentro* y sus contenidos. Me interesa más que formaciones políticas de la oposición bajo palabra de honor, que, como en España bajo Franco, caben en un taxi.

—Tú, en Cuba, te veías con el representante de la reivindicación de los derechos humanos.

—Sí, siempre tenía contactos con la oposición, prudentes, no exhibicionistas.

—Incluso hablaste con Mas Canosa.

—Sí, vino a verme en el año 92, a la Moncloa. Puede que la fecha no sea exacta, pero era antes de la Cumbre Iberoamericana en Madrid, meses antes de venir Fidel Castro. Vino a la Moncloa, y respetó durante un año lo tratado en la entrevista.

—¿Qué impresión te produjo el personaje?

—Conmigo su comportamiento no se correspondía con el habitual que había mostrado desde Miami al frente de los *ultras*. Me vino a decir que él quería que en Cuba hubiera un proceso como el que habíamos protagonizado nosotros en España, de reencuentro, de reconciliación, sin vencedores ni vencidos. No podía llevarle la contraria. Digamos que me vendió el producto que yo podía comprar y que no compré, obviamente. Me limité a decirle que ningún proceso de transición se parece a otro. No hay diseño previo, en España no lo hubo. Fraga, cuando era embajador en Londres, creía que a España llegaría algo parecido a la Restauración del XIX, él en el papel de Cánovas, naturalmente. Pero en toda transición hay que contar con todas las partes implicadas y con el motor del sector del régimen anterior dispuesto a facilitar una nueva síntesis. Fidel puede decirte en una conversación franca: "Si hay que hacer esas cosas, que las hagan, para eso están la gente joven y los cuadros que tienen que tomar las decisiones". Lo que no te dice, porque tendría que asumirlo, es que ese paso depende en gran medida de que él lo tolere, de que abra o cierre. Y así estamos desde hace muchos años. Abre-cierra, abre-cierra, abre-cierra...

—Cada vez resultará más difícil conservar el consenso social que queda en torno a Fidel. Las dificultades económicas son una pesadilla.

—La indecisión y la usura en los cambios ha llevado a aceptar lo peor del capitalismo y a impedir lo bueno. El que invierta en Cuba sabe que va a conseguir una productividad increíble, porque no van a oponerle reivindicaciones. La gente dedicada al turismo está satisfecha porque además del sueldo, que ya es algo, cobra las propinas en dólares, que es mucho. Otro aspecto de la cuestión es la nomenclatura, que, como en toda estratificación social, sea la que sea, incluso cuando no quiere, vive de una manera privilegiada, e incluso conoce lo mejor del capitalismo, la parte de las transacciones internacionales, cómo se mueve el dinero y cómo se especula. Si no, que se lo pregunten a los de la KGB, que algo saben de eso. Y el resto de la sociedad se fragmenta día a día. Los desheredados de Cuba son los que no tienen familiares fuera, los que no trabajan en el turismo y los que han sido fieles a la Revolución, aceptando todas sus servidumbres. Es una contradicción que la Revolución pueda aguantar, entre otras cosas, porque algunos contrarrevolucionarios se exiliaron y ahora pueden enviar dólares.

Es inevitable hablar de la visita del Papa ¿Va la cosa de realismo mágico? ¿De encuentro entre el Espíritu Santo y el espíritu de la historia? Le pregunto. "De realismo, sí, no sé si mágico", me contesta, y desde el pragmatismo proclama que denunciar los males de la Tierra, como hacen Fidel y el Papa, es absolutamente fácil y en cualquier época se ha podido hacer y se seguirá haciendo siempre. Proclamar los principios es muy fácil y tienes garantizado el aplauso. Si te quedas en eso, te bajan de la tribuna.

—¿Qué hacer?

—Si te comprometes a decir que la solución es A, B o C, entonces, ya los aplausos empiezan a ser tibios y a veces hay abucheos, porque te has salido de determinados códigos de señales y no te entienden. Los dos, Fidel y el Papa, son especialistas en inventariar los males de la Tierra y en sentar principios. Por tanto, tienen el aplauso asegurado. Gabo, a propósito de Colombia, dice: "Lo único que nos falta es repartirnos la derrota. Repartámosla entre todos". Tiene esa gran potencia de expresar una situación política con esa belleza literaria de la que sois capaces, a veces, los escritores. Pero el Papa es un conservador. Le exige a Fidel Castro que dé libertad para pensar como el Papa, no otra ¿Cuál es la parcela de libertad que le falta al pueblo? La libertad para que piensen como yo. Pero no vayan a pensar en el derecho al aborto y en el divorcio, en estas cosas no, en eso no se piensa, no se piensa pecaminosamente. Cuando llega la libertad a Polonia, los polacos piensan como les da la gana. Eso ha de ser muy jodido. En eso se identifica con Fidel.

—Cuba ya está gravemente afectada por la globalización y no le queda otra salida que insertarse en ella, pero Fidel dice que un país subdesarrollado no puede tener la misma lógica de inserción que uno desarrollado.

—Como siempre, en parte tiene razón Fidel. Observa la crisis de Hong Kong, una cuestión que apasionaría a Castro de estar sentado aquí ahora. Estalla la Bolsa de Hong Kong, arrastra a unos pobres países del sureste asiático. Ya el modelo no era tan bueno como nos lo vendían, esos *tigres* imparables que nos iban a devorar. El efecto de la crisis de Hong Kong se teme repercuta en todas las Bolsas del mundo, la de Madrid, la de Francfort, de Wall Street. Sin embargo, el efecto rebota inmediatamente en la Bolsa de los países centrales y pasa a afectar gravemente a los países emergentes, como diría Fidel. La Bolsa de Mercasur pierde veinte puntos. Y la tasa de crecimiento de Mercasur es 2,5 o 3 puntos menos para el año 98 como efecto de la crisis de Hong Kong. Por tanto, el conjunto del Cono Sur de América va a perder sesenta mil millones de dólares a causa del menor crecimiento, más el 20% del valor de las acciones que se ha quedado estabilizado. Los países centrales siguen rechazando hacia la periferia el coste de la crisis, al margen del cuadro macroeconómico ¿Tiene razón Fidel? Sí. La globalización no es exactamente igual para todos. Hay algunos globalizadores y los demás están globalizados, dice, cierto. El problema es que la globalización de la economía, con todas sus perturbaciones, también ofrece un espacio de oportunidades radicalmente nuevo, aunque los más poderosos tratan de periferizar el efecto de la crisis. Y si vieras cómo operan no lo creerías, porque no hay el menor rigor económico, simplemente estalla la Bolsa de Hong Kong, suena de madrugada la alarma del ordenador del chico que está en Wall Street: "Atento, está pasando algo por ahí y tú tienes valores en eso". Te sientes comprometido, estás gestionando fondos de pensiones o lo que sea y la primera orden que das, según un rigor económico impresionante, es: "¡Maricón el último! ¡Desinvertir! ¿De dónde? De los países emergentes, del Mercosur ¡Refúgiese, papá dólar, papá marco, refúgiense los países centrales un ratito! A ver si pasa esta tormenta". Ese agente no piensa que está causando un gran daño a los países pobres. Él no piensa con análisis globalizados sofisticados. A las nueve de la mañana empieza a operar y el que haya tomado la decisión cinco minutos después tiene menos chance porque ya ha bajado la Bolsa. El primero que ha decidido vender bajo la consigna "¡Maricón el último!" tiene ventaja.

—¿Eso políticamente no puede corregirse?

—Te estás metiendo en el futuro. Estoy en ese debate, tengo mil quinientos folios de debates sobre qué está pasándonos.

—La autonomía del poder político, tu vieja obsesión.

—Claro, y sigue siéndola, lo que pasa es que no lo confundo con la autonomía nacional de lo político, porque estamos en plena crisis del Estado-Nación y hay que buscar otro espacio de autonomía de la política. Lo que más me angustia de lo que nos pasa en España, en el debate llamado de la izquierda, es que hasta ahora todo el mundo dice que hay que hacer un debate para renovar las ideas. Y baja de la tribuna satisfecho porque se le ha ocurrido la idea de proponer un debate. Estoy deseando que alguien ponga una *puta* idea sobre la mesa y a divertirnos. Yo tengo mil quinientos folios de ese debate ya abierto en varios frentes y está empezando a cuajar en cosas que tienen interés: sobre los movimientos de capital y sus efectos; las posibilidades de respuesta; el impacto en el ámbito de realización de la democracia y de la soberanía del Estado-Nación; la supranacionalidad y el reparto del poder; el nuevo papel de la política; la responsabilidad política en esta sociedad en la que gobernamos sólo capital humano, porque el otro capital no lo gobierna ni Dios. Está flotando por ahí.

—¿Hay instrumentos por encima de una economía globalizada para hacer una política globalizada?

—Sí, claro, los hay. Si el discurso fuera absolutamente cartesiano diría: "A una economía global, gobierno global." Pero como esto no es verdad y nunca lo ha sido en la historia, tenemos que saber cuáles son los elementos de compensación, para rebajar el riesgo en esta economía globalizada y garantizar mayor progreso global.

—Los neoliberales más autocríticos están empezando a expresar su miedo a las consecuencias del sufrimiento social que puede crear un economicismo incontrolado. En Estados Unidos apenas invierten en perdedores sociales. Los meten en la cárcel cuando pasan a la delincuencia.

—Los analistas neoliberales no se preocupan por eso, les preocupa la sostenibilidad del modelo y si la legitimación social del modelo se liquida, la sostenibilidad está en riesgo. Me parece interesante que reivindiquen el humanismo para salvar el modelo.

—Hasta Soros reivindicó el humanismo frente al economicismo en Davos.

—Soros tiene una gran inteligencia histórica y hace la siguiente reflexión: "Yo creo en una sociedad abierta, por eso he estado en contra del comunismo, pero una sociedad abierta debe tener un marco de reglas de juego que sean respetables y la especulación está dejando agujeros por todas partes que pueden acabar con esa sociedad abierta. Los agujeros que yo aprovecho. Tienen que hacer algo para que yo no pueda aprovecharme y se salve la sociedad abierta." Soros es más inteligente que cínico. Lo sorprendente es que la izquierda no se haya dado cuenta del territorio real del razonamiento del nuevo capitalismo y siga aferrada a los principios acuñados en la posguerra.

—El desorden económico provoca nuevas emergencias. Hay nuevos movimientos en América Latina. El indigenismo empieza a ser un movimiento global ¿Qué papel le reservas a Castro?

—Sigue siendo un referente para toda esa gente, aunque no comulgue con su modelo revolucionario histórico. Ignoro cómo va a conectar con los referentes de las nuevas promociones críticas. Generalizo, y me digo: "Felipe tú perteneces a la generación de los Beatles, de los marihuaneros *hippies*, del anti-Vietnam, del Mayo del 68, de no sé qué puntos de referencia, me da igual". Unos se lo hacían en Tlatelolco y otros en las calles de París, Madrid, Barcelona o Praga. No sé con qué elementos conecta esta nueva generación de la inteligencia digital ¿Qué es lo que pasa? Que lo que dice Fidel es atractivo para las nuevas generaciones, posiblemente, pero necesitan algo más que un inventario de agravios, necesitan respuestas. Y en la respuesta, Fidel no se compromete, se limita a una declamación casi religiosa de principios. Es decir, de nuevo, no el gran error, el gran acierto para él, pero el error para los demás, de que es un buen predicador pero no da trigo. La gente ya no se cree ni a la izquierda ni a la derecha cuando necesita empleo y no tiene empleo, por más que gusten los discursos anticapitalistas. Necesitan empleadores, no predicadores.

—La izquierda cae muchas veces en la trampa de ideologizar el discurso y no de encontrar una proposición, pero aún está resituándose de sus catástrofes, saliendo del síndrome de guerra fría o de caída del muro, enfrentada al mesianismo neoliberal armado de unos aparatos culturales y mediáticos casi incontestables. Dar una respuesta a eso es una primera necesidad.

—No estoy seguro de que esto sea cierto como necesidad. Lo que mis propios compañeros llaman "rearme ideológico frente al pensamiento único". Yo creo que es un error de bulto, de aproximación, porque el pensamiento único, este neoliberalismo fundamentalista, ha tenido una virtud y uno lo tiene que reconocer: sin tener ninguna organización que lo transmita ha intoxicado a todas las organizaciones, todas se han impregnado de algunos de los mensajes del neoliberalismo. Tal vez porque algunos de estos mensajes no sean tan tontos, ni tan irracionales. Por tanto, yo, frente al pensamiento único, como dije el año pasado en Roma, mi primera respuesta es: "Si es único, yo estoy en otro, porque me repugna que después del siglo que hemos vivido aparezca ahora un pensamiento único." Pero no soy racista ideológico, por tanto, nunca más confiaré en un código de señales que me dé una certeza religiosa de que estoy en el buen camino. No me interesa. Para esto ya están los curas y el cielo para compensar. Lo que me interesa es saber si soy capaz de avanzar para obtener algunos resultados derivados de principios en los que creo. Esto que llaman "maldito pragmatismo" es el mayor de los idealismos. El idealismo es querer cambiar las cosas, el otro sí que es un pragmatismo: no quiero cambiar nada, lo que quiero es armarme ideológicamente. ¡Qué carajo! Lo que propongo es que estemos dispuestos a aceptar un cierto mestizaje que es lo contrario de un rearme ideológico. Si el rearme es de ideas, debe tener la capacidad de decir: "Usted tiene razón. Le veo cara de neoliberal *cabrón*, pero tiene razón y me sirve". No sé si me explico.

—Eso del mestizaje pragmático es nuevo. Tal vez si te hubieras manifestado sincretista, ecléctico.

—Te estoy hablando desde una actitud de rebeldía contra mí mismo, no contra los demás. Estoy dispuesto a encontrar algún camino para que la libertad de movimiento del capital no destroce a pueblos enteros.

—El otro día te despachaste con unas declaraciones muy melancólicas, ¿no?: "Hasta los treinta años, una persona vive y a partir de esa edad se sobrevive...".

—¿Es que sobrevivir no tiene importancia? Sí, sobrevives en tus hijos, en lo que haces, en lo que creas junto a los demás. Menuda importancia tiene. Pero vivir, vivir, vivir de verdad, vivir buscando... y abriéndote paso... Tú no has vivido más de veinte años. A partir de ahí, estás sobreviviendo y probablemente se te va a conocer por la parte en que has sobrevivido y no por la que has vivido. Este sentido tiene lo que dije y no es nada melancólico. Yo viví en Andalucía, y después fui sobreviviendo. Como todo el mundo. Y no me siento insatisfecho y mientras más sobrevivo mejor, ¡qué carajo! Sobre todo si mantengo una cierta rebeldía.

Se ha quitado la nube melancólica de un manotazo, vuelve a ser un promotor de rearmes pragmáticos. "Te hemos invitado a un encuentro en Rabat sobre el conflicto de civilizaciones," me recuerda. Dice que le gustaría forcejear con la teoría de Huntington, que tiene razón en que la nueva amenaza, superado el equilibrio del terror, es el conflicto de civilizaciones.

—Tiene bastante razón, pero no quisiera darle toda la razón. El mestizaje nos podría dar la pauta para que el conflicto de civilizaciones se convirtiera en una cooperación civilizatoria. Ese sentido tiene el seminario. Voy a decir: "No quiero ser fundamentalista ni laico. No sólo la razón domina al hombre. También le animan los sentimientos".

CAPITULO XI

El amigo americano

Avanza Lincoln, avanza,
que tú eres nuestra esperanza.

Estribillo de una canción de esclavos cubanos

¿Qué tiene Fidel
que los yanquis no pueden con él?

Canción de CARLOS PUEBLA

Devora diarios, revistas, doscientos folios de noticias por cable que le facilita Prensa Latina, está suscrito a Reuter para recibir por Internet toda la información de la agencia británica, las antenas parabólicas le permiten oír emisoras norteamericas, ver canales norteamericanos, estar al día de lo que cuece y piensa el enemigo, recibe despachos diarios de todas las embajadas cubanas. Le encanta saber si su nivel de información es comparable al de otros jefes de Estado, sobre todo al de los norteamericanos. Szulc retuvo que la curiosidad del comandante por cuanto hacen los norteamericanos es ilimitada y en los criterios de selección de a quiénes recibe y a quiénes no, depende de lo que espera recibir del visitante, la cantidad de información o peculiaridad que puede succionarle. De todos los norteamericanos con los que hubiera deseado hablar, con los que todavía desea hablar, Kissinger es el que más le obsesiona, desde que analizó —"¡vamos...!" es la principal divisa de Fidel— su comportamiento durante la fase final de la guerra del Vietnam, especialmente la estrategia de llevar la situación al borde del abismo, como única posibilidad de solucionarla, porque ninguno de los implicados, y menos que nadie la sociedad norteamericana, estaba dispuesto a caer en el abismo.

De niño entendió muy pronto y muy de cerca el poder yanqui. La United Fruit Company controlaba buena parte de la producción agrícola de la zona de Birán donde Fidel crecía y contemplaba aquel mundo aparte que los norteamericanos habían construido, una isla dentro de la isla: viviendas para sus empleados, hospitales, escuelas, almacenes alimentarios con productos *made in USA*, oficina de correos propias, piscinas, clubes de polo, policía privada. La fortuna de Ángel Castro, el padre del comandante, se cimentó en la venta de limonada que preparaba todos los días y vendía en barrilitos a los peones que trabajaban para la United Fruit. Este dato lo coteja Fidel con la leyenda áurea de Mas Canosa, según la cual empezó su fortuna repartiendo leche por Miami y recuerda que don Ángel, una vez ahorrado algún dinero con la limonada, arrendó tierras a la United Fruit en la zona de Birán para producir caña y luego compró otro terreno y otro, para caña y frutas que vendía a empresas filiales de la United y así, acumulando a la gallega o a la china, peso a peso, hasta que pudo casarse con María Argota, maestra de escuela de la que tuvo dos hijos, Pedro Emilio y Lidia y con la que compartió cocinera, Lina Ruz González, de la que tendría siete hijos: Juana, Ramón, Fidel, Emma, Raúl, Agustina y Ángela. Se casó con ella después del nacimiento de Fidel.

Con los años, aquella vivencia directa de la relación con el patrono norteamericano llevó a Fidel a escribirle una carta al presidente Roosevelt en 1940 para felicitarle por su cumpleaños, mostrar su ferviente pasión demócrata frente al fascismo y pedirle veinte dólares, impulso pedigüeño incontrolado del colonizado frente al colonizador. No muchos años después, la disposición había cambiado y la vivencia de la dependencia Cuba-USA a través de la United Fruit de su infancia se hizo teoría del imperialismo, porque la United Fruit Company se permitía en los años treinta, cuarenta, cincuenta, armar ejércitos o provocar intervenciones norteamericanas, derribar regímenes que discutían sus privilegios, como el de Jacobo Arbenz en Guatemala en 1954. Gregorio Selser, en su *Enciclopedia de las Intervenciones Extranjeras en América Latina*, dice que las potencias extranjeras, a partir de 1825, han intervenido diez mil veces económica, política, diplomática y militarmente para evitar la autodeterminación democrática y, desde 1898, casi todas las intervenciones son norteamericanas. La única intervención yanqui para implantar la democracia se produjo en Haití en 1996. Razona Castro: "¿Cómo pueden exhibir el acoso a Cuba como una cuestión *sine qua non* de la democracia?".

Fidel recurre al testimonio de políticos demócratas latinoamericanos como Collor de Melo (Brasil), Rodrigo Carazo y Óscar Arias (Costa Rica), Jaime Paz Zamora (Bolivia) o a las conclusiones de la CELAM (Conferencia Episcopal de América Latina) de 1992, en coincidencia todos sobre la inexistencia de auténticas democracias en América Latina, a lo sumo democracias de libertad vigilada por las oligarquías, con situaciones tan peculiares como la dictadura democrática con terrorismo de Estado de Fujimori, la sombra militar y el grupo de presión del narcotráfico sobre la democracia argentina, Pinochet como celador de los excesos catárticos chilenos o los cómplices de Stroessner administrando la raquítica democracia paraguaya, para no hablar del uso y abuso de la doble verdad y la doble moral de la democracia mexicana. Fidel acude a las reuniones de jefes de Estado y de gobierno iberoamericanos para aprovechar la plataforma propagandística, pero sabe que al final deberá hacer frente a los intentos de *conversión* democrática perpetrados por demócratas como Menem, y todos los jefes de Estado y Gobierno dispuestos a quedar bien ante Estados Unidos: "Por nosotros, señor, que no quede. Le hemos dicho cuatro cosas bien dichas".

A Fidel le han informado, porque se reconoce algo negado en música, de que lo único que han hecho los norteamericanos por Cuba es la sinfonía de Georges Gershwin *Obertura cubana* y la peculiar interpretación que Mae West aplicó a la canción *I'll See You in C-U-B-A* y, a cambio, la música cubana enseñó a bailar a los yanquis antes de que se inventaran el *rock and roll*. El progreso técnico llegó desde Estados Unidos durante la república, pero era una oferta de modernidad dependiente y ese uso se hizo, oponiendo la modernidad de la cultura hipercapitalista al esfuerzo de la inteligencia cubana por encontrar sus propias identidades culturales. Como recuerda el profesor de Carolina del Norte, Louis A. Pérez Jr., "Esa relación entre hegemonía técnica y económica y cultura la tenían clara las clases populares cubanas, como reflejó la novela *Los inmorales* (1919), en la que el escritor cubano Carlos Loveira recoge la sabiduría popular: 'Saber inglés es tener la garantía de no quedarse sin trabajo'.

Los *marines* norteamericanos van de putas a La Habana y se mean en la estatua de Martí si se emborrachan y los señores del dinero y de las bandas traficantes ocupan y crean, crean y ocupan, los mejores barrios de la ciudad, donde establecen sus guetos sociales: Jockey Club, Havana Biltmore Yacht and Country Club, Cuban Athletic Club, Habana Yacht Club, Vedado Lawn Tennis Club, American Club of Havana, Women's Christian Temperance Union, los clubes de Rotario y Leones, Knights of Columbus.... formas asociativas yanquis, centros de poder en los que no se integra la aristocracia criolla, sólo, a veces, los advenedizos de una nueva burguesía enriquecida a los pechos yanquis, sin desdeñar el pecho de gángster.

En el resto del país controlaban el azúcar, el tabaco, las minas, las comunicaciones. "Eran propietarios de una vasta porción del territorio nacional", concluye Louis A. Pérez. "Operaban los mejores colegios y presidían los más prestigiosos clubes sociales. Vivían en circunstancias privilegiadas en La Habana y en las grandes plantaciones azucareras. Eran prestamistas, terratenientes y agentes del poder. Compraban y vendían políticos y policías cubanos como compraban fincas y fábricas". Parecía que el futuro pertenecía a los norteamericanos, y ¿qué cubano iba a arriesgar que se le dejara en el pasado?

La Cuba prerrevolucionaria estaba llegando a los límites de un crecimiento condicionado por un capitalismo dependiente de Estados Unidos y el anexionismo hubiera acabado imponiéndose como un paso más de todos los dados en esa dirección, lo que provocaba una hostilidad interclasista antiyanqui, sin la cual no es posible comprender la progresiva soledad de Batista y los núcleos beneficiados por la dependencia, ni es posible entender el consenso social que inicialmente Fidel encontró en La Habana.

Antes de cercenar la dependencia mediante los decretos de nacionalizaciones y las expropiaciones consiguientes, que dejaban a Cuba temerariamente liberada de Estados Unidos, Fidel viajó a Washington como comandante en jefe verde olivo, desde la obsesión de que los norteamericanos no les quitaran a los cubanos la Revolución, como ya les habían quitado la independencia en 1898. El Departamento de Estado conspiraba para derrocar a Castro, incluso para asesinarlo con la ayuda de la Mafia afectada por la pérdida de negocios en Cuba, aunque aparentemente Washington había enviado a La Habana al mejor embajador posible y Mr. Bonsal creía que las relaciones entre Estados Unidos y el gobierno revolucionario podían ser fructíferas. Estados Unidos nunca había protestado ante las ejecuciones de los gobiernos de Batista, ni ante sus crímenes políticos encubiertos, pero alzó la voz contra la crueldad revolucionaria cuando los *barbudos* empezaron a ejecutar mandos y cómplices del batistato implicados en delitos de sangre. Al denunciar el baño de sangre en Cuba, la respuesta de Castro anunciaba peores tiempos: "Si a los norteamericnaos no les gusta lo que está ocurriendo en Cuba, pueden desembarcar a sus infantes de marina y entonces habrá doscientos mil gringos menos". Además, Estados Unidos había asilado, principalmente en Miami, a los principales criminales y torturadores de la época de Batista. Desafiante, "¡Se acabó la enmienda Platt!", proclamaba Castro siempre que podía, aludiendo al dispositivo legal que los norteamericanos se habían concedido para intervenir en Cuba siempre que quisieran.

El argumento del baño sangriento volvería a utilizarse cuando Castro derrotó a los invasores de Playa Girón y ejecutó a algunos responsables, pero antes Fidel había viajado a Washington invitado por la American Society of Newspaper's Editors, invitación particular, no oficial, que Fidel aprovechó para sorprender a los norteamericanos, porque en ningún momento les pidió dinero, porque se alojó en Harlem y porque desplegó un *charme* inesperado que rompía el imaginario de la barbarie guerrillera al sur de Río Grande. Asistió a almuerzos multitudinarios, habló ante las cámaras de televisión, exhibió a su hijo Fidelito, que vivía con su ex mujer Mirta en Estados Unidos, mantuvo una reunión de dos horas veinticinco minutos con el vicepresidente Nixon, en la que no funcionó la química entre el comandante y *Rick El Tramposo*. También visitó los monumentos sagrados a Lincoln y Jefferson, declaró varias veces que no era comunista, aceptó una entrevista con un experto de la CIA en anticomunismo que pasó el siguiente informe: "Fidel Castro no sólo no es comunista, sino que es un ferviente anticomunista". Luego, en Nueva York, habló a treinta mil personas en el Central Park y en Boston, en la Universidad de Harvard, es decir, Fidel pasó por muchos exámenes de los que salió con las mejores notas, mientras en Cuba seguían preparadas las nacionalizaciones de empresas norteamericanas; antes de iniciar el viaje, ya había sido nacionalizada la Telefónica. Los analistas creen que el caso Castro había dividido a la CIA y al propio Gobierno, pero que finalmente el núcleo duro dirigido por Allan Dulles preparó la invasión que heredaría y asumiría Kennedy. Y a partir de ahí, la escalada de desencuentros, la progresiva influencia del *lobby* antirrevolucionario en el Departamento de Estado, la implicación de Cuba en el marco bipolar de la guerra fría, el intervencionismo cubano en las luchas emancipatorias africanas y latinoamericanas, incluso en Vietnam.

Si Fidel despreció públicamente cualquier acuerdo con USA porque disponía del respaldo de los países socialistas, nunca abandonó del todo la posibilidad de un arreglo, especialmente a partir de la administración Carter y de los buenos trabajos del diplomático Wayne Smith. Wayne le dijo clarísimamente a Fidel que él quería la democracia en Cuba y que si estaba en contra de la política norteamericana de Reagan, Bush y Clinton era porque, a su juicio, encastillaban la posición cubana y paralizaban la liberalización. A Fidel no le inquietaba esta finalidad, le importaba zanjar el pleito con Estados Unidos para desbloquear su propia revolución y reequilibrar la correlación de fuerzas que la sostenían. Lo importante es salvar su revolución, sea de los yanquis, sea de los propios revolucionarios. Wayne Smith acusa a Clinton de no querer solucionar el contencioso cubano porque quiere ganar las elecciones en el estado de Florida en 1996 y no quiere enfrentarse al *lobby* mascanosista. Max Lesnick le ha contado a Fidel la anécdota de Clinton y los cinco mil dólares. "A mí, que le había aportado cinco mil dólares para la campaña, me dijo que estaba dispuesto a cambiar de política, y unos metros más allá, a un mascanosista que le pidió mano dura le dijo que claro, mano dura".

Fidel desmonta el argumento de que el bloqueo y las leyes Torricelli y Helms-Burton son presiones para la instauración de los derechos humanos en Cuba, ofreciendo el ejemplo del pleno comercio entre USA y la dictadura sangrienta de Suharto o con China, tampoco acogidas a la Declaración de Derechos Humanos. Raúl le llamó la atención en 1995 sobre un libro publicado por los del CEA en el que se plantea un toma y daca de concesiones para eliminar el diferendo con Estados Unidos, el título, *La democracia en Cuba y el diferendo con Estados Unidos*. ¿Pero esos del CEA no tenían que hablar de los otros países latinoamericanos? ¿Han de hablar siempre de cuestiones cubanas enmendando la plana al Comité Central?

El análisis de Rafael Hernández *1999: La lógica democrática y el futuro de las relaciones entre los Estados Unidos y Cuba* es irreprochable a la luz de la ortodoxia crítica contra el cinismo democratista norteamericano, pero insiste demasiado en la necesidad de evolucionar para superar el contencioso "¿Para merecer el encuentro hemos de ser nosotros los que hemos de hacer méritos?" Robaina declara que en caso de que Estados Unidos terminara con el bloqueo, Cuba debería estudiar muy seriamente el nuevo cuadro de la situación, porque "no nos vamos a poner a dar saltos de alegría porque a ellos les haya venido en gana desbloquearnos". Hay una posibilidad de contactar con Clinton sin alertar al *lobby* de Mas Canosa, sin darle ni siquiera un carácter de encuentro secreto en lugares inalcanzables. Una cena entre un presidente de Estados Unidos coleccionista de contactos con intelectuales, en la que convoque a Carlos Fuentes y Gabriel García Márquez. Hablaron de literatura y de expectativas internacionales en general. Había un compromiso expreso de que al llegar a la cuestión cubana, Carlos Fuentes y Gabo expondrían sus argumentos, mientras Clinton callaría. Cuando salieron de la reunión lo primero que hicieron García Márquez y Fuentes fue ir a comprobar que Clinton no se hubiera equivocado en las citas literarias y despues Gabo le diría a Fidel algo parecido a: "No habló de Cuba, pero lo que no dijo fue esperanzador".

De nuevo contacto con Chiapas, vía México D.F., y otra vez se aplaza la posibilidad de un traslado para verificar el pactado encuentro con el subcomandante. Los amigos hispano-mexicanos recuperados en La Habana me hablan de que está a punto de salir un libro anti-Marcos, de criterios comulgantes con la inteligencia mexicana octaviana o pazista, de Octavio Paz, que vería en el indigenismo un obstáculo para la modernización y en Marcos un traidor de clase y un antropólogo farsante. La pareja autora de *Marcos, la genial impostura* la forman la española Maite Rico, colaboradora de *El País*, y su compañero Bertrand de la Grange, flagelo de toda experiencia política que no pase por los filtros de una democracia liberal de diseño, que ha trasladado la hostilidad a la Revolución cubana a la sandinista y ahora a la zapatista. De la Grange sería, así me lo describen, "un cazador de revoluciones y de revolucionarios". Cuando el libro aparezca, actuará como aval intelectual de la represión contra el zapatismo, como respuesta a un ruido que entorpece la recepción del mensaje de la modernidad y como respuesta al desorden que crean los hechos consumados del autonomismo indígena.

Cuando me ven salir y entrar de ministerios y otros territorios de poder, las gentes del lugar me dicen: "Así no se va a enterar usted de la verdad". En Cuba la verdad se ve y a veces se escucha, pero el forastero armado de cierto conocimiento sobre las dos finalidades fundamentales que pugnan y a la vez se complementan en la isla, sobrevivir y la Revolución, debe entregarse a la riqueza de tanta contradicción. Cuando hablo con los peatones de la Revolución ya maduros presiento que me contestan desde dos prototipos esperados: o bien el del súbdito amedrentado que no sabe, no contesta, o bien el del disidente que termina cagándose en la Revolución y la madre que la parió, con una vehemencia sincera pero para turistas. Por eso Oppenheimer termina su libro *La hora final de Castro*, publicado en 1992, tomándose al pie de la letra el comentario de un disidente *in péctore*, que después de la publicación del libro ha dispuesto de seis años más para ir a jalear al Caballo a la plaza de la Revolución: "Esto ya se cayó —me dijo un hombre de la calle hacia el final de mi último viaje a Cuba—. Estamos en el papeleo".

El Papa hace su vida rodeado de multitudes que sólo creen fervorosamente en la seguridad mínima que les da la cartilla de racionamiento y, antes de marcharse, tanto él como Castro, tratarán de dejar clara su estrategia: el Papa ha venido a invertir en futuro misionero y Castro está consiguiendo demostrar que Estados Unidos se ha quedado bloqueado en su voluntad de bloqueo. Que nadie se asuste si de vez en cuando los discursos chirrían o tropiezan, porque ni el Papa ni Castro van a dar su brazo a torcer ante toda la aldea global. En la tertulia del Cohiba, Max Lesnick me ofrece una explicación para la dureza del discurso contra los conquistadores españoles: "Era un discurso de bienvenida, blando necesariamente con Juan Pablo II. Para alguien tenía que reservar la dureza y no era el momento de cebarse en el contencioso con USA". Hay que tranquilizar los ánimos celtibéricos, desde la sospecha de que a los conquistadores les tocarán verdes y al Papa maduras. Sereno está el encargado de negocios Sandomingo, que pertenece a esa raza de diplomáticos que no emplea las obviedades diplomáticas para enmascarar su propia obviedad consustancial, y dialogar con él, coincidas o no con sus diagnósticos, te sitúa en una Cuba de la que conoce las verdades del balsero y las del poder. Irónico hasta lo lúdico, el cónsul Eduardo de Quesada, un diplomático avezado en trópicos, casi tan personaje literario como diplomático tropical. Extramuros de la serenidad de los diplomáticos españoles, una parte del clero español aquí congregante tuvo ayer una jaqueca patriótica, mientras el omnipresente Navarro Valls apagaba incendios y vigilaba rescoldos. "¿Sabes qué?", como suele proponer las afirmaciones una amiga mía: "La visita del Papa debe transcurrir dentro de una dialéctica controlada".

Termino la tarde en compañía de Wayne Smith, una persona que goza de tantos consensos en la isla como monseñor Céspedes. El que fuera representante diplomático de Carter y uno de los urdidores de la gran oportunidad de acercamiento entre Castro y Estados Unidos tiene sobre su mesa la declaración de los *Americans for humanitaria Trade with Cuba, lobby* a favor de la inmediata ruptura del bloqueo para productos asistenciales, en el que figuran apellidos como Rockefeller o Sargent Shriver; y también sobre la mesa, el comunicado de Elizardo Sánchez Santa Cruz, presidente de la Comisión Cubana de Derechos Humanos y Reconciliación Nacional. Si Rockefeller y compañía, tras condenar el régimen de Castro, piden el levantamiento del bloqueo, el disidente cubano residente en La Habana, tras saludar el éxito del castrismo en las últimas elecciones, pide que convierta esa fuerza electoral en energía transformadora. "Quiero expresar mi sincera esperanza de que a partir de esta clara y masiva renovación de mandato y de esta nueva legitimidad, el gobierno de la república, bajo el ratificado liderazgo del presidente Fidel Castro, continúe con mayor ímpetu y profundidad las necesarias e inevitables transformaciones en los órdenes jurídico, económico y político, entre otros, para situar a Cuba dentro de las grandes corrientes democratizadoras que dominan el mundo de hoy". Más prudencia, imposible.

La formación de este *lobby* antibloqueo ya ha recibido respuesta por parte de los duros de Miami. Ileana Ros-Lehtinen y Lincoln Díaz Balart, ex sobrino político de Castro, han declarado que la dictadura empleará la ayuda en medicinas para torturar. El acoso a la economía cubana ha significado además la prisión de un empresario español, Javier Ferreiro, detenido y condenado en Miami por exportar a Cuba salsa de tomate, pañales desechables y mahonesa. El acoso no siempre es prohibitivo, sino también deslealmente competitivo, dentro de la más clara piratería económica, como la fabricación de Cohibas en Estados Unidos frente al derecho de patente de los Cohibas cubanos. Hasta Mijaíl Gorbachov ha tratado de interceder en las malas relaciones entre Cuba y Estados Unidos: "A Washington no debería cegarle el deseo de venganza contra el régimen y sus líderes". Venganza ¿de qué? Ánimo de venganza pueden tener los exiliados cubanos, pero no los yanquis. No ha habido una violencia directa jamás de la Cuba de Castro contra Estados Unidos y el redactor de los artículos que firma Gorbachov debiera ser más históricamente meticuloso.

Wayne Smith se ha pasado muchos años proclamando en el desierto el papel transformador del desbloqueo, militante en esa cultura del americano liberal que en veinticinco años de carrera diplomática ha visto entrar a Castro en La Habana y ha presenciado, desde la platea de la Embajada USA en Buenos Aires, el golpe de los militares en Argentina. Cuando fue *marine* en la guerra de Corea decidió que debía haber mejores medios de reordenar el mundo y tras ejercer en Cuba de representante de un imperio que pasaba a manos de Reagan siguió pensando que había maneras más inocentes de equivocarse. Prepara una novela sobre su experiencia argentina, es profesor universitario en Washington, dialoga con castristas y anticastristas desde la voluntad de fortalecer un *lobby* en contra del bloqueo y espera poco de la visita del Papa en relación con Estados Unidos, pero bastante en relación con Europa.

—Clinton es más republicano que demócrata y poco puede esperarse de él.

La hija de Wayne está en La Habana como corresponsal de una cadena de televisión norteamericana y él se muestra doble o triplemente satisfecho por vivir bien acompañado esta situación histórica excepcional. Tiene un sentido del humor tan extenso como su apariencia de americano extenso: "Todos somos felices. Yo y mi hija por vivir estos hechos y mi mujer se ha trasladado a Miami también para ser feliz". ¿Su mujer es feliz porque la historia le está dando la razón al tenaz Wayne Smith? "No, no. Mi mujer es feliz porque cuida en Miami de nuestro nieto en exclusiva y piensa que nuestra hija me controla en La Habana. De mis posiciones políticas se ríe mucho. Se refiere a ellas como las tonterías de Wayne".

—Un chófer de taxi —rememora Wayne Smith— me hizo un análisis genial de la visita, el mejor análisis que he oído hasta ahora. Dijo: "Bueno, sí señor, es una visita histórica, es un momento importantísimo de la historia de Cuba pero yo no puedo explicar, ni a mí mismo, por qué, porque, bueno, no vamos a convertirnos en cristianos, ni mucho menos en católicos, algunos tal vez, pero no muchos. La visita no va a resolver nuestros problemas económicos, a mi juicio, no traerá cambios internos, ni mucho menos cambios en la política de Estados Unidos. No sé exactamente lo que esperamos de esta visita, pero esperamos algo, y muy importante". Eso sí, hay expectativas, creo que ahora que hemos visto la llegada, y un día entero del Papa en Cuba, estoy de acuerdo con el taxista. Esto podría marcar el primer paso a una sociedad más abierta y podría hacer más tolerantes a los que critican la Revolución. No vamos a ver cambios en la política de Estados Unidos a corto plazo, pero soy optimista en cuanto al impacto de la visita aquí en Cuba. Si tuviéramos un presidente con la voluntad de dar pasos importantes, todo cambiaría, pero Clinton es un oportunista. La legislación Helms-Burton es una piedra casi inamovible en el camino. Una cosa sí podría hacer, anunciar el respaldo de la Administración a este proyecto de levantar el embargo sobre las medicinas y comestibles, pero el representante de la Sección de Intereses de Estados Unidos en La Habana, dijo, creo que fue ayer, sin la menor vacilación, que la Administración va a oponerse a este proyecto.

—Sería muy extraño que la visita del Papa no haya sido al menos comentada con Estados Unidos, que el Vaticano no haya sondeado su opinión.

—Yo sé que hubo contactos, conversaciones, pero la posición de Estados Unidos es tan inflexible que no hubo mucho de que hablar.

—Gabriel García Márquez y Carlos Fuentes tuvieron una entrevista con Clinton, luego García Márquez sostuvo otra a solas y le dio la impresión de que es muy oportunista, sólo tiene en cuenta las elecciones, pero que no tiene una filosofía claramente contraria a levantar el bloqueo, y si no lo levanta es para no crearse problemas políticos. La visita del Papa ¿no le puede servir como un pretexto para reconsiderar su actitud? ¿O Cuba es demasiado pequeña para que le interese como mercado?

—Aunque quisiera el presidente, ahora no tiene la autoridad para modificar, levantar el embargo o las demás sanciones contra Cuba. Eso requiere una medida parlamentaria.

—¿Ese *lobby* contrario al *lobby* que provocó la ley Helms-Burton, tiene una existencia real o es puramente imaginario?

—No, no es imaginario, pero a la vez no tiene la fuerza que piensan. Mire, el cálculo es el siguiente: los políticos de Estados Unidos, incluyendo al presidente, piensan que, probablemente, la mayoría de los norteamericanos no tendrían nada en contra, es decir, que no se opondrían a un cambio en la política y levantarían el embargo, pero la operación de cambiar la mayoría electoral para cambiar la ley es excesiva para lo poco que hay que ganar en Cuba. Crearía problemas domésticos y, por otra parte, hay una minoría muy pequeña en Florida, pero muy poderosa y rica, que sí crearía muchos inconvenientes. Y Cuba es una isla pequeña, no es un mercado tan importante, no tiene petróleo. Es decir, no hay factores cubanos suficientes para cambiar la política USA.

—¿Esperan una rendición incondicional del castrismo?

—Sí. Castro tendría que anunciar mañana que habrá elecciones libres el año que viene, que él va a retirarse, que Cuba va a volver al pluripartidismo y a devolver todas las propiedades confiscadas a los que se marcharon.

—Están pidiendo una rendición incondicional. Con lo cual están ayudando a perpetuar esta situación.

—Yo creo que la pieza debería moverla Clinton, para cargarse de razones y quitárselas a Castro. Hay varios factores de cambio: se murió Mas Canosa y nadie puede reemplazarle; la legislación Helms-Burton ha llevado a un extremo inaceptable a los empresarios de diversos lugares y de ahí la formación de esta coalición. Los empresarios van a ejercer cada vez más influencia y podríamos llegar a un cambio de actitud dentro de algunos años, ahora no. Mientras tanto, Castro puede convertir la Revolución cubana en una revolución para los pobres y piensa que su mejor aliado puede ser el Papa.

—Un frente cultural e ideológico contra el capitalismo, ¿qué presión puede ejercer sobre el Imperio?

—No, no creo que sea cosa de presionar al imperio. Los cubanos son muy realistas. Saben que este teatro del encuentro con el Papa no es primordialmente para Estados Unidos, sino para el resto del mundo y para el consumo interno.

—Sería algo así como una representación teatral.

—Teatral, pero con consecuencias concretas, sí.

—Los espectáculos son rentables y el propio Papa no ha hecho otra cosa que dar espectáculos. Este Papa es un *showman*.

—Es un político y la política siempre es, hasta cierto punto, teatro. Ya sabe que fue actor en su juventud.

Los políticos más altos de la nomenclatura, Alarcón, Lage, me han dicho que después de Fidel, las instituciones. ¿Wayne está de acuerdo? ¿Cree que la nomenclatura lo piensa sinceramente? Según el amigo americano, en este caso amigo de verdad, hay muchos que están convencidos de que es posible, lo que significaría un invento revolucionario cubano más. Nunca se ha dado que un régimen de estas características sea heredado por sus instituciones, porque las instituciones se han conformado a la medida de la legitimidad revolucionaria y del carisma de un líder singular. Los que creen en eso son precisamente los reformistas, los moderados, quieren dar una nueva configuración a la Revolución. Los duros insisten en el viejo discurso rígido. Llaman a Wayne de la Fundación Fernando Ortiz, luego comenta el trabajo interesante que está haciendo la institución presidida por Miguel Barnet, esa búsqueda de las raíces culturales propias, y comentamos la desaparición de Marx, Engels y Lenin de los discursos y los nuevos referentes. Castro ha demostrado un habilísimo pragmatismo intelectual desde que era un joven estudiante partidario de la acción directa. Ante la duda de su verdadera posición respecto al bloqueo norteamericano, si lo necesita para perpetuarse o si desea que acabe para no pasar a la historia como el creador de la revolución del racionamiento, Wayne es tan dialéctico como siempre.

—Acompañé al senador McGovern, ex candidato a la presidencia de EE UU, durante su entrevista con Fidel y el senador le dijo: "Hay muchos que dicen que verdaderamente no quiere usted el levantamiento del embargo, que insiste que sí, pero que el hecho es que no". Y Castro respondió: "Bueno, sí, tendría sus consecuencias infelices, sería difícil controlar el impacto de eso pero, a la vez, sería bueno para la economía cubana, y también el significado principal sería que yo he ganado". Es cierto, pero presumo que no quiere que se levante ahora mismo. Y no tiene por qué preocuparse porque no se va a levantar. Castro preferiría esperar hasta que Cuba haya podido mejorar económicamente y tenga relaciones más consolidadas con Europa, con otros países y otros bloques. De lo contrario, quedaría a merced del succionamiento norteamercicano.

—Y la visita del Papa puede ayudarle a consolidar las relaciones con Europa.

—Sí, creo que sí, como digo, es para el teatro, para Europa, para el resto del mundo y para consumo interno, no para Estados Unidos. Supongo que debiera agregar que, por supuesto, la visita es un poco incómoda para Estados Unidos. A Castro le gusta eso.

—Hasta ahora se le ha construido el imaginario del dictador sangriento, exportador de la Revolución a América, a África. Da un giro y lo único que exporta es espiritualidad, una espiritualidad en el sentido marxista pero espiritualidad. Este cambio de imaginario puede dar lugar a un cambio, al menos de la emocionalidad popular, no sólo aquí, sino en Estados Unidos. Aunque ese cambio parece muy difícil porque tendría que superar la barrera de los medios de comunicación hostiles. Una mayor *realpolitik* de Miami ayudaría muchísimo. ¿Quiénes son los hombres de Miami para llevar adelante esa modificación?

—Es bastante cierto que para que Cuba cambie ha de cambiar Miami.

—¿El que más colabora con Castro es Gutiérrez Menoyo?

—Colaboración no es la palabra.

—Evidentemente, no es la palabra. Es el más abierto, el que no busca un desquite histórico.

—Tal vez Francisco Aruca. Aruca tiene un programa de radio en Miami que es importantísimo. Ha lanzado un reto y aboga por el levantamiento del embargo, por el diálogo. Va por libre, no representa a ningún partido. Es un empresario que organiza vuelos a Cuba para cubanos americanos e invierte su dinero en ese programa de la emisora que es muy escuchado. Francisco, que es un tipo valiente, muy elocuente, magnífico por radio, en un debate con los *troglos*, es decir, con los trogloditas de la extrema derecha, siempre gana, pero... es muy bajito, no tiene carisma. Es una voz importante, pero la figura no le secunda y no puede ser líder. Alfredo Durán, hasta cierto punto, ha decepcionado a muchos, es mi abogado y yo le respeto mucho, tengo un afecto enorme por Alfredo, es inteligente, tiene instinto político. Todos pensamos que Alfredo sería el líder, pero no sé qué ha pasado.

—¿Y Montaner?

—Montaner es demasiado conservador, demasiado identificado con los *troglos*. Tiene un punto de vista distinto, más flexible, más liberal, pero en la práctica muchas veces se comporta o argumenta como un *troglo*. Demasiado identificado con la antigua posición aniquiladora como para aparecer ahora como un moderador.

—Entre los seguidores de Mas Canosa, ¿quién puede reconducir el movimiento?

—Nadie. Mas Canosa tenía, digamos, el talento, la habilidad, el instinto, muy agresivo, de intimidar a todo el mundo. Los ricos del consejo de la Fundación es posible que estuvieran de acuerdo con las ideas de Mas Canosa, pero son empresarios, son seres humanos, no donaban por gusto diez, veinte o treinta mil dólares por año. Temían a Mas Canosa.

—¿Topó usted con Mas Canosa?

—Tuvimos, vamos a llamarles, debates. Planteó una demanda contra mí en los tribunales de Miami por difamación.

—Según parece, usted le llamó gángster, que era la calificación profesional que más le molestaba.

—No, basándome en artículos de varias revistas, dije que la Fundación aportaba fondos para las campañas de algunos legisladores que formaban parte de comités financiadores de la Fundación Nacional Cubano-Americana. Se querellaron contra mí y después de muchas vueltas pude ganar en el tribunal de apelación. Todo fue un montaje para intimidarme.

—Su singular actitud ante el bloqueo le habrá reportado una gran cantidad de ataques.

—Incluso amenazas de muerte. Muy divertido. ¿Conoce las emisoras de Miami? No las hay iguales en el mundo entero.

—Las solía escuchar a través de los taxis cuando estuve allí durante la escritura de mi novela *Galíndez*.

—Me han acusado de ser "...un comunista apologista de Castro". Una vez empezaron mi semblanza diciendo que yo era un graduado y pensé van a continuar diciendo que soy un graduado de la escuela del partido de Moscú, pero no, ¡me acusaban de ser un graduado de la Universidad de Berkeley! Jamás había supuesto tan subversiva la Universidad de Berkeley. Luego prosperó la idea de decir que mi actividad contra el bloqueo se debía a que Castro poseía un vídeo en el que yo aparecía con un grupo de *jineteras*. Como me lo tomé a broma y pregunté: ¿con cuántas?, al mes siguiente ya no eran *jineteras*, sino *jineteros*.

—Ahora reside en Washington y se dedica a la enseñanza en la Universidad.

—A la enseñanza y soy socio del Center for International Party, desde donde abogamos por el cambio de la política hacia Cuba y por una política más inteligente hacia Haití. La logramos. En Haití se produjo la primera intervención norteamericana al sur de Río Grande a favor de la democracia. Lástima que Aristide nos decepcionó a todos.

—¿Usted se siente ahora más acompañado en estas posiciones?

—Sí.

—Su carrera diplomática sigue los pasos de la dramática vida política de América Latina.

—Yo empecé mi carrera acá, en el año 58, como tercer secretario de la Embajada en la sección política, hasta la salida o casi-expulsión del embajador Smith, un hombre que no podía pronunciar ni el apellido más sencillo en español; Martínez se convertía en sus labios en "Martness". Entonces llegó el embajador Bonsal, un hombre de carrera, excelente, fui nombrado ayudante del embajador. Estuve acá hasta la ruptura de las relaciones diplomáticas en el 61 y después fui secretario ejecutivo durante algunos meses del grupo de trabajo del presidente Kennedy para América Latina. Después pasé dos años en el nordeste de Brasil, en Recife, tres años más en Asuntos Cubanos del Departamento de Estado y después iban a mandarme otra vez a Brasil, pero me dijeron: "Cuando se rehaga la misión diplomática en La Habana buscaremos a un diplomático, no sólo con experiencia cubana, como tienes tú, sino también experiencia soviética, que entienda el nuevo sistema gobernante en Cuba, así, si tú quieres volver allí, sería buena idea conseguir experiencia soviética. Puedes estudiar ruso por un año y después ser trasladado a Moscú". Acepté.

—¿Dónde estudió ruso, en Berkeley?

—No. ¡Sólo hubiera faltado que hubiera estudiado ruso con Angela Davis! No, en el Instituto Diplomático en Washington y después pasé dos años en Moscú y tres en Asuntos Soviéticos en el Departamento de Estado. En el año 72, dado que no hubo apertura en las relaciones entre Cuba y Estados Unidos, me mandaron a Buenos Aires como consejero político durante cinco años maravillosos y fascinantes.

—Los años del golpe.

—Mi familia y yo vivimos desde la platea de la Embajada todos los preparativos del retorno de Perón, la defenestración de Cámpora, las elecciones, la muerte de Perón, las curiosas actividades de su señora y el mago López Rega, un Rasputín a la argentina, el diluvio, la guerra sucia. Años dolorosos para Argentina, fascinantes para un diplomático. En enero del 77, con la llegada de Carter a la presidencia de Estados Unidos y ante la posibilidad de abrir una nueva política con Cuba, pensé que no me trasladarían a La Habana hasta que se normalizaran las relaciones y me correspondería el papel de primer embajador dentro de esa normalización. Pero recibí un cable: debía volver a Washington para ayudar en las preparaciones de las primeras conversaciones y fui nombrado director de Asuntos Cubanos en el Departamento de Estado.

—¿Ha publicado alguna vez sus experiencias sobre el golpe argentino del 76 visto desde la Embajada norteamericana?

—No.

—Usted debe saber lo que poca gente sabe y mucha quiere olvidar.

—Fueron años tenebrosos. He escrito una novela sobre ellos y estoy reescribiéndola. Título: *Tango en el último confín de la Tierra*, es decir, transcurre en Tierra de Fuego y tiene que ver con la guerra sucia. Narra la historia de un joven que va a Tierra de Fuego para escapar de la persecución y de su desorientación. Pero no hay ningún lugar de la Tierra lo suficientemente lejos.

—Un director argentino, Adolfo Aristarain, trató un tema parecido en *Un lugar en el mundo*. ¿Cómo se autodefiniría usted ideológicamente?

—Viví la guerra de Corea como sargento de la Infantería de Marina y durante mi primer invierno en Corea se me ocurrió que debía de haber una manera de resolver los problemas entre los países. Me hice diplomático. Luego, tras veinticinco años de carrera, me di cuenta de que seguía sin poder arreglar los problemas por procedimientos éticos; además, tenía que aguantar la administración Reagan, con la que no estaba de acuerdo en casi nada. Decidí abandonar mi carrera diplomática y convertirme en profesor. He publicado un libro que se llama *The Closest of Enemies* sobre mis experiencias en Cuba.

—Usted ha vivido experiencias diplomáticas en distintos lugares de primera línea de fuego de la guerra fría, Cuba, Argentina, la liquidación de la izquierda en el Cono Sur, el final de la guerra fría, como diplomático de la potencia que utilizó todos los recursos posibles para ganar aquella guerra. Una vez ganada, ¿tiene Estados Unidos el derecho a la impunidad total?

—Muchos de nosotros esperábamos que cuando acabara la guerra fría podríamos propiciar un nuevo orden internacional en todos los aspectos. Podríamos canalizar recursos, resolver los problemas reales: hambre, subdesarrollo, enfermedades, protección del medio ambiente y a la vez, reconstruir un sistema internacional que realmente funcionara, basado en el Derecho Internacional y en reglas de conducta aceptadas por todos, acordadas por todos en organizaciones como la World Trade Organization u Organization of American States o las Naciones Unidas, es decir, una serie de organizaciones internacionales que sublimaran un nuevo orden internacional. Una vez acabada la guerra fría, el pensamiento dominante en Estados Unidos es que hemos ganado, somos la única superpotencia y no debiéramos preocuparnos por cosas tan abstractas como el Derecho internacional o las Naciones Unidas. Podemos y debemos hacer lo que queremos y si a los demás no les gusta ¡al carajo! La legislación Helms-Burton refleja eso y ni siquiera ayudamos financieramente a las Naciones Unidas.

—¿Quién es el sujeto pensante de ese supuesto *happy end*?

—Jesse Helms y una nutrida serie de congresistas.

—Un presidente de Estados Unidos con la personalidad de un Kennedy o un Roosevelt, ¿podría cambiar esa perspectiva?

—Mire, Clinton no va a ser ese presidente, no es un líder, no tiene una visión del futuro.

—Tiene que hacerse perdonar no haber ido a la guerra de Vietnam y haber viajado a Moscú cuando era joven.

—No tiene una visión condicionada por las ideas, sino por las presiones diarias. No es un líder y no se enfrenta al Congreso.

—Usted cree que haría falta algo así como un proyecto internacional diferente, tipo Nueva Frontera de Kennedy.

—Ya Roosevelt, me refiero a Franklin Deleano, claro está, usó una política de *buen vecino* que tuvo resultados excelentes en la política con América Latina, entre otros la formación de la Organización de Estados Americanos (OEA) y en el Pacto de Río 47, se decía que estábamos llegando a multilateralizar la doctrina de Monroe y que no habría más intervenciones, que la OEA sería una organización de países iguales, jurídicamente iguales. Pero empezó la guerra fría y todo se fue abajo. Roosevelt retiró los *marines* de Haití en 1934, con el propósito de que fuera la última intervención unilateral de tropas norteamericanas. Con la guerra fría hubo una intervención en Guatemala en 1954 para derrocar un gobierno democrático, urdida por la CIA, utilizando a militares guatemaltecos, y a partir de ahí empezó la desestabilización sistemática de América Latina, aunque siempre se buscara la cobertura de la OEA, como en la invasión de Santo Domingo de 1965 para impedir que el candidato electo democráticamente, Juan Bosch, se hiciera con el poder, porque se decía que era criptocomunista. Invadimos Granada por invitación de un número determinado de Estados del Caribe oriental y la primera intervención sin ningún pretexto, otra vez como antes de 1934 fue la de Panamá para derribar a Noriega, un exaltado íntimo de la política de Reagan y Bush.

—¿Hay manera de contrarrestar esta prepotencia? Vi en Buenos Aires y en Barcelona a Mario Firmenich, uno de los líderes montoneros, ironizamos sobre la necesidad de un nueva internacional que trabajara en pro de un nuevo orden internacional, pero ¿dónde se ubica? ¿Dónde se instala el fax?

—Hombre, Firmenich, un personaje controvertido. Hasta se llegó a decir de él que era de la CIA.

—De él se ha dicho casi todo. Vive modestamente en Barcelona. Ignoraba que los agentes de la CIA fueran tan mal recompensados ¿Dónde ponemos el fax: en Cuba, en el Vaticano?

—Precisamente el Papa y Fidel se están planteando algo parecido a una internacional espiritualista a favor de los pobres.

—¿Y cree usted que conseguirán algo o que solamente desarrollarán la industria del póster? Juan Pablo II y Castro dándose la mano o el Che mirando de reojo al Sagrado Corazón en la plaza de la Revolución.

—La izquierda en América Latina está hoy muy desorientada, desorganizada, desmoralizada y la situación es cada vez más alarmante, hay cada vez más pobreza, más espacio entre los ricos y los pobres.

—Siempre queda el recurso de los golpes militares, el retorno al control social más duro, mientras se aplican las recetas económicas neoliberales. Se frustró el sueño de los cincuenta y sesenta de crear unas capas medias que pudieran desarrollar un sistema democratista bajo la hegemonía demócratacristiana y más tarde bajo la socialdemócrata. Este sueño socialmente ha fracasado y si no pueden controlar el equilibrio social tendrán que recurrir al golpe de fuerza.

—No sé, no sé si ha leído el libro de Jorge Castañeda *La utopía desarmada*, sobre el final de las utopías. Jorge es amigo mío. No sé qué podemos hacer. Debe haber una manera de organizarnos, de montar eso que usted llama una nueva internacional.

—Y el fax en el Vaticano, porque en Cuba sería demasiado indicativo. Por su casa y por su vida, ¿cuánta gente pasa hablándole del problema de Cuba? Usted ha comprobado que la gente tiene más curiosidad por saber su opinión y eso le dará cierta razón histórica. ¿Se siente compensado?

—Creo que mi análisis ha sido confirmado por los hechos. El fracaso de la política de bloqueo. Algunos analistas en Estados Unidos han previsto el colapso rápido del comunismo en Cuba. Yo siempre he dicho no, no habrá colapso, tal vez evolución, un proceso evolutivo hacia una sociedad más abierta, pero mientras no se rompa el consenso social, por muy desganado que sea, no habrá colapso.

—¿Y si muere Castro?

—Si muere hoy, la situación sería gravísima. Si gana cinco años, las condiciones del tránsito serán más civilizadas.

—¿Ha hablado recientemente con Castro?

—He hablado centenares de horas. No pido entrevistas si no tengo nada que decir. Sería malgastar su tiempo. Pero le veo, sí.

—¿Castro evoluciona?

—Esta vez más que nunca. ¿No le ha visto usted con un traje azul y con corbata?

—Después de esto, ¿qué va a hacer cuando vuelva a Estados Unidos?

—Lo que sé hacer. Dar conferencias, escribir artículos, reunirme con la gente. Publico en el *New York Times*, en *Los Angeles Times*. Me han pedido hace pocos días una colaboración para el *Miami Herald*.

—El *Miami Herald* estaba controlado por Mas Canosa.

—Controlado no, intimidado sí. Mas Canosa era un gran intimidador. Hizo una campaña contra el diario y lo neutralizó. Si va a Miami, no hable con los *ultras* a no ser que usted sea masoquista. Es perder el tiempo. Hable con la gente más civilizada, la de Gutiérrez Menoyo y la del Comité Cubano por la Democracia; Alfredo Durán es el vicepresidente, el nuevo presidente es un tipo interesante, un sociólogo, Lisandro Pérez, excelente hombre, muy inteligente, pero sin vocación política. Son muchos los dirigentes de Miami que ya han tenido contactos con Castro, privados o con motivo de encuentros más globales. Mire, usted que es español lo entenderá. En un artículo que publiqué en *Foreign Affairs* he comparado la situación de Cuba hoy en día con la situación de España después de la II Guerra Mundial. Franco había pensado que iban a ganar los alemanes e italianos y no ganaron, pues tuvo que empezar a ajustarse a una Europa democrática y a llevar a cabo los cambios.

—Consintió a regañadientes una reforma económica liberal, pero mantuvo todas las estructuras de carácter parafascista, consecuencia de su victoria en la Guerra Civil. Luego la evolución social hizo fácil el cambio.

—Allí no se produjo la predemocracia hasta que se murió Franco. Es más o menos lo mismo acá. Creo que Castro sería incapaz de empezar un proceso abierto en esa dirección. No puedo imaginar a Castro encabezando un sistema democrático. No hay un hueso ni un instinto democrático convencional en todo su cuerpo.

—En el caso de España, entre el Departamento de Estado, la II Internacional, la democracia cristiana, Giscard d'Estaing, los militares, la Iglesia, diseñaron un rey democrático. ¿Quién puede hacer eso en Cuba?

—Con la muerte de Fidel se formará un directorio de cuatro, cinco o seis y encabezado primero, si todavía vive, por Raúl. Pero simbólicamente encabezado por Raúl porque no tiene vocación de líder. Será el presidente del consejo simbólico. ¿Quién será el líder verdadero? No sé, podría ser Alarcón o Ulises Rosales del Toro, el general del azúcar, un tipo considerable, pero al frente ahora de un ministerio insalvable. Uno o dos generales serán incluidos en este Consejo y yo creo que pueden gobernar el país.

—¿Y el cardenal Ortega?

—Es una posibilidad. También se habla de Céspedes, pero es un *rara avis* y ha sido algo marginado por la jerarquía cubana y por el Vaticano. Tiene serias discrepancias con Ortega, para decirlo de una manera suave.

—¡Un obispo Makarios para Cuba!

—Yo no excluyo esa posibilidad.

Varias veces reaparecerá Wayne en mi agenda; las más significativas fueron nuestra participación en el documental que está filmando Minà con un propósito más militante que comercial, militante de ese *impegno* de izquierda cristiana que empuja la ejecutoria del periodista italiano, gran presentador de televisión y experto en fútbol. En otra ocasión se nos aparece Frei Betto, que, al igual que García Márquez, estaba pero no estaba en La Habana, para un almuerzo con Wayne, Minà y una extraordinaria sorpresa, Assata Shakur, militante de los *black panthers*, fugitiva de la justicia americana que viene a contarnos una espeluznante película de *sheriffs* malos y algo tontos. Nos enseña una noticia de prensa aparecida en el *New Herald* en la que se dice que la policía de Nueva Jersey, aprovechando que el Papa pasa por ahí cerca, es decir, por La Habana, le ha enviado una solicitud para que consiga la extradición de una mujer convicta de matar a un policía; se trata de la *black panther* Joanne Chesimard *Assata Shakur*, tiroteada por la policía norteamericana mientras estaba con los brazos en alto, condenada a cadena perpetua en 1977, fugitiva de una cárcel de alta seguridad y asilada en Cuba. No contentos con mantener en prisión a una activista de origen italiano, Silvia Baraldini, acusada de ayudar a Assata a huir, los *sheriffs* de esta película quieren pasar a la historia como los primeros que le piden a un Papa contemporáneo que ayude a detener a alguien.

Pasado el jolgorio melancólico en Wayne Smith, Assata nos cuenta la historia de un linchamiento judicial que formó parte de la guerra sucia para destruir a los *black panthers* y de cómo la obligaron a cumplir la condena en unas condiciones de presión psicológica lacerante, única reclusa en una cárcel de hombres. El intelectual orgánico al que se le ocurrió la petición es el portavoz de la policía estatal de Nueva Jersey, Al della Dave: "Es una remota posibilidad, pero se nos ocurrió que podíamos preguntar y que de esta manera Castro se enteraría de a quién tiene asilada". Assata nos da la carta que ha dirigido a *His Holiness John Paul II*, en el que le explica su verdad, la ristra de derechos humanos que se violaron en su detención, juicio y encarcelamiento y le insta a que muestre al dios de los oprimidos y no al de los opresores. He observado a Wayne Smith, racionalista pero hombre de orden que debe sufrir el chorro crítico de nuestra *black panther* sin otra ayuda que la melancolía irónica. Assata tiene una hija que ahora vive en Estados Unidos, a la que sólo puede ver esporádicamente en algún país que no satisfaga la demanda de extradición. Es lo que queda de aquel Ejército Negro de Liberación que fue masacrado valiéndose de toda clase de leyes de fugas, un resto más del naufragio de la esperanza revolucionaria de los sesenta, de aquellos años decisivos en los que el sistema se vio acosado por dentro y por fuera y supo salir victorioso del acoso mediante más guerras sucias que limpias. Assata es la mirada propicia de los norteamericanos perdedores, que contemplan a Cuba como una isla para náufragos, pero ¿qué es el imaginario de Cuba para la mayoría de norteamericanos que ahora ya no tienen por qué temerla como portaaviones de la URSS?

Se lo pregunto a un personaje que tiene una relación agridulce con la Revolución cubana, Carlos Fuentes, firmante de la carta inquisitoria que Vargas Llosa preparó en 1971 a propósito del *mea culpa* de Padilla, pero también opositor a las condenas absolutas de la Revolución cubana perpetradas por la intelectualidad de izquierdas, que así obtiene la más fácil patente de reconversión democrática. Fuentes ha dialogado con Clinton en pro de una mejora de las relaciones cubano-norteamericanas y se ha mostrado incapaz de una posición maniquea. Charlamos en Madrid pocas horas antes del fallo del premio Alfaguara, compartido por Eliseo Alberto y Sergio Ramírez y a la pregunta de ¿qué se piensa en Estados Unidos con respecto a lo que queda de la Revolución cubana? Responde que hay muy poca simpatía hacia el castrismo, pero también mucha oposición a la ley Helms-Burton, oposición, en general, a una política cerrada que defiende los intereses del *lobby* de Miami y de algunos grupos políticos que representa Helms.

—Los más opuestos a esa política cerrada son sectores financieros y empresariales. Si tú ves la carta contra la ley Helms-Burton que firma, entre otros, David Rockefeller compruebas que está firmada por miembros muy poderosos de la iniciativa privada. Los norteamericanos se dan cuenta de que terminó la guerra fría y se preguntan por qué sobrevive ese frente un tanto fantasmal contra Cuba y, sin embargo, tienen buena relación con China o con Vietnam, que les mató a 45.000 soldados. Cuba no les ha matado a nadie. Es absurdo. Después del mensaje que le dimos a Clinton, los hechos nos están dando la razón.

—Estuvo receptivo, creo.

—Empezó diciendo: "Yo los voy a oír muy atentamente, pero no voy a opinar nada, los escucho..." Y en efecto, hablamos. Gabo habló, habló Bernardo Sepúlveda, el ex ministro de Asuntos Exteriores mexicano que estaba allí, hablé yo y me parecía que Clinton ponía cara de palo, no reveló ninguna emoción, se controló perfectamente. Esto duró como 45 minutos, una hora, entonces, él dijo: "Bueno, estoy entre escritores; ¿por qué estamos hablando de política? Hablemos de literatura..." Y empezó la parte divertida de la cena.

—¿Y de qué escritores habló?

—Sobre todo de Faulkner, dijo que le había leído mucho, desde la sensibilidad de pertenecer a una familia muy disfuncional, de mucha violencia, el padrastro, la madre, él, en medio del sur del racismo, el linchamiento, la intolerancia. Y nos contó que de joven, a los catorce o quince años, tomaba su bicicleta y se iba a Oxford-Misisipí, a ver la casa de Faulkner, para decirse que el Sur era algo más que todas esas miserias, que el Sur también era Faulkner. Habló de Cervantes como hablan del *Quijote* los que lo han leído. Habló de su hábito de leer dos horas antes de dormir, todas las noches, de su preferencia por ciertos escritores, Marco Aurelio, por ejemplo. La literatura policial y de los escritores policiacos, Paco Ignacio Taibo II, *two*, insistió, *Taibo two*.

—Paco Ignacio ya está en la gloria.

—Imagínate. Cuando hablaba de literatura demostraba que había leído. Recitó un fragmento de *El ruido y la furia* de Faulkner y, al acabar el encuentro, Gabo y yo fuimos a la biblioteca a consultar el fragmento: lo había recitado casi calcado.

—¿Y de Cuba? ¿Había leído algo de Cuba?

—No dijo nada. Se levantó dos veces de la mesa porque le llamaban, luego nos dijo que por algo relacionado con la crisis de Irlanda, Gerry Adams y el Sinn Fein. Pero sobre Cuba ya nos dijo que nada iba a decir y nada dijo. Es un hombre controlado, al menos políticamente. Sexualmente, al parecer, no. Tal vez en su encuentro posterior con Gabo habló algo más de Cuba.

—La muerte de Mas Canosa facilita el desbloqueo.

—Si se acaba el bloqueo, las fuerzas internas de Cuba empezarán a moverse con mucho más dinamismo y libertad. Castro lo sabe y está preparado para esa señal.

—La Revolución cubana ha sido en parte protegida por los que la mitificaron desde 1959 y sean o no sean cubanos la han convertido en la causa ética de su vida. Las nuevas promociones no tienen por qué tener la misma disposición. Tal vez la contemplen como un resto jurásico.

—No tienen por qué mitificar la Revolución, sobre todo, tal como está. Pero tampoco tienen motivos para mitificar las resultantes del neocapitalismo duro que ha tratado de implantarse, por ejemplo, en América. Creo que la Revolución aún despierta curiosidad, porque la alternativa a Cuba no ha sido la más deseable. Ha habido democracia, sí, elecciones, partidos políticos, mucho más libertad de prensa, todo lo que sabes, pero acompañado de una política económica nefasta que hace más ricos a los ricos y más pobres a los pobres. Neoliberalismo, economía de mercado, como quieras llamarlo. Frente a esos efectos de una democracia con injusticia económica, Cuba ha sido un referente, ha jugado un papel político y lo puede seguir jugando, desde el rechazo a las fórmulas neoliberales.

—Sería más consecuencia de la repulsa que de la aceptación.

—Así es.

—Incluso entre las castas dominantes en América Latina y Europa, que fueron jóvenes en los sesenta, aunque estén en posiciones pro sistema, siguen llevando la Revolución cubana en el corazón. En la víscera de la nostalgia por lo que pudo haber sido y no fue y Castro sigue teniendo capacidad de convocatoria emocional.

—Fuera de Cuba. En Cuba la situación es más difícil. Lo que sucede es que si tú estás en una situación como la nuestra en México, aunque la lucha ha sido por una democracia, por formal que sea, frente al dirigismo del PRI, es muy difícil al mismo tiempo justificar una dictadura permanente y totalitaria como la de Cuba. Aparte de la desilusión profunda de grupos como los intelectuales y los homosexuales, tan irracionalmente tratados. Ésos fueron los factores iniciales que me distanciaron de la Revolución.

—Curioso que un poema como el de Padilla, cuyo trasfondo aparece en toda la cultura literaria y cinematográfica que hoy se hace en Cuba, esté en el origen del desencuentro entre los intelectuales y la Revolución. A Fidel no le importó entonces el precio. ¿No había algo de prepotencia revolucionaria en aquella actitud? Desde la posesión del espíritu de la historia, ¿qué se podía temer de las sutilezas de cuatro intelectuales?

—En efecto.

—Los ruidos son tan molestos que incluso pueden ser destructivos. Vosotros en México estáis esperando la plena llegada de la carroza de la modernidad, el ingreso definitivo en el primer mundo y de pronto estalla lo de Chiapas, una revolución mediática y ética. ¿Es un modelo a seguir o solamente explicable por las circunstancias?

—Mira, depende de la extensión del significado que le quieres dar. Para nosotros, los mexicanos, el significado es muy claro: se había creado toda una fachada de México, país del primer mundo que ingresó en la OCDE, y de repente, un buen día, precisamente el día que se aprueba el Tratado de Libre Comercio, se oye este campanazo terrible en Chiapas.

Fue un recordatorio de que en México hay cuarenta millones de pobres y que las poblaciones indígenas y rurales viven en una extrema miseria. Ahora se está usando el argumento de que los pactos del Gobierno con Marcos son inaceptables porque balcanizan a México. Darles a los pobres indígenas la autonomía que piden es balcanizar el país. Yo he escrito un artículo diciendo: "Nosotros hemos balcanizado a los indios, a los campesinos, nosotros somos responsables de la nación, somos responsables del Estado, nosotros como pretexto usamos la mano de Dios, ¿cómo nos van a balcanizar ellos a nosotros que llevamos quinientos años balcanizándolos a ellos?" Es decir, que se puso sobre el tapete la verdad de México con eso de Chiapas: cuarenta millones de personas que viven en la pobreza, diecisiete millones en la extrema pobreza y Chiapas fue un recordatorio frente al exhibicionismo del PRI.

—Y ese tipo de recordatorio revolucionario ¿es expansivo o está hecho a la medida de lo que ocurre allí?

—No tiene por qué acabar allí. Las primeras declaraciones del poder iban en la línea de pasar por Chiapas a sangre y fuego, de terminar en ocho días con la insurgencia. Pero se hicieron cálculos, se prefirió negociar porque sabían perfectamente que si seguían la solución armada, al día siguiente iba a haber levantamientos en Veracruz, Oaxaca, Tabasco, Guerrero, por todo el país. Es decir, que el proceso de negociación impidió que hubiera mil, dos mil Chiapas en México. No los ha habido porque se ha producido un proceso de democratización general, como demuestran las elecciones del año pasado y porque se ha sabido negociar en Chiapas. Ahora se ha llegado a un punto de marasmo y puede volver a haber problemas. Se creó un vacío entre el EZLN, que es un grupo pequeño y en un territorio reducido, y el Gobierno federal, que no quiere hacer honor a los acuerdos que el mismo propuso. Y en ese vacío operan los finqueros, los dueños de la tierra, que son los que arman a mercenarios para que maten provocadoramente a los indígenas. Esos finqueros están aliados íntimamente con el PRI local, crean un vacío de poder a la espera de que el Gobierno federal intervenga masacrando a los zapatistas. Cuanto antes hay que cambiar la Constitución para dar solución a los acuerdos de Chiapas. Se le ha creado un problema fundamental al presidente Zedillo, en un momento en el que él debe estar ocupado con los problemas de cooperación económica, de consolidación de la transición democrática y en preparar las elecciones presidenciales del año 2000. No puede ocuparse de esto porque está distraído totalmente con un problema que él mismo se creó: la no-solución del conflicto de Chiapas.

—La consolidación de Cárdenas en México, de Lula en Brasil, la reconversión de los movimientos guerrilleros en formaciones políticas tradicionales en El Salvador, en Guatemala, la aparición de una alternativa de izquierda posibilista en Argentina, ¿representa una recuperación del discurso de una izquierda de nuevo tipo?

—Sí, absolutamente. Consecuencia de las políticas neoliberales y sus visibles deficiencias. Está calando cada vez más en la conciencia de la gente que esas políticas, que quizá tuvieron una cierta justificación para adelgazar al Estado de burocracias inútiles, llega un momento en que no mejoran las condiciones económicas de la mayoría de la población. Se corre incluso el riesgo de volver a explosiones revolucionarias. Las políticas neoliberales han conducido a una desilusión profunda con la democracia en América Latina y a la tentación de regresar a fórmulas violentas.

—Las democracias dan la impresión de estar bajo libertad vigilada.

—Temo que sí, porque si tú ves la situación de Argentina, con esa enorme cantidad de gente de la clase media que está totalmente empobrecida, la situación de las grandes áreas urbanas de América Latina, el abandono del campo, la miseria generalizada, eso forzaría políticas reformistas que difícilmente serán aceptadas por el poder económico y no es de desdeñar que puedan volver a proponer la mano dura.

—Los elementos más emergentes de la cultura y de la política latinoamericana en este siglo se dieron mancomunados en los años sesenta: la Revolución cubana, su larga sombra y el *boom* literario que protagonizásteis una docena de escritores. Ahora la Revolución y vosotros aparecéis como las sombras de una edad de oro extraña e irrepetible. La literatura actual transmite una impresión de pesimismo o de *impasse*.

—El *boom*, en primer lugar, estaba precedido por una extraordinaria herencia que era la de la poesía latinoamericana. Está Vallejo, está Neruda, están los grandes poetas, están incluso los padres del *boom*: Onetti, Borges, Carpentier, e incluso el *boom* sirvió para dar a conocer a grandes escritores del pasado, que no eran muy conocidos internacionalmente. Todas las novelas producidas por el *boom* son novelas imposibles de reproducir, porque son grandes digestiones de lo que no se había dicho, de la Historia de América Latina, de cada uno de nuestros países. Casi más que novelas son grandes síntesis, grandes resúmenes de la historia nacional del pasado, no-novelado, no-dicho. Hoy viene una generación nueva, con muchos más escritores, muchas más posibilidades de manifestarse, de comunicarse, de expresarse de una manera más personal, son más individuales, más diversificados, en un momento en que ha muerto la vanguardia y no tienes que hacer los alardes estilísticos que a veces tuvimos que hacer nosotros para romper con el realismo naturalista del pasado. Los jóvenes escritores escriben como ellos quieren y sobre los problemas que más les afectan. A veces son problemas sociales, a veces son problemas de una familia, de una mujer, de un individuo. Hay una gran variedad, y una gran riqueza. Lo que falla es la comunicación. Nosotros tuvimos la ventaja de una gran comunicación entre las literaturas. Había sistemas de distribución que venían de México y de Argentina y unían el continente. Eso se acabó por las políticas culturales del PRI en México, por la asfixia del Fondo de Cultura Económica, por las dictaduras argentinas que acabaron con la *intelligentsia*. Se vinieron abajo los sistemas de distribución. Habría que recrearlos. Si se recrean esos sistemas de distribución, veremos un panorama muy alentador.

—Tal vez estemos asistiendo a un intento de rehistorificar la posmodernidad, de terminar con las largas vacaciones narcisistas de la literatura.

—Sí, yo creo que sí. Muchas de las novelas que hemos recibido en el concurso Alfaguara reflejan ese pluralismo estilístico y temático del que te hablo, pero hay muchas novelas que tienen precisamente este propósito de recuperar una visión más colectiva, más histórica, de la América Latina.

—Después de vosotros aparece como una sombra de escritores más o menos, mejor o peor incorporados al *boom*, algunos tan excelentes como el peruano Bryce Echenique, algo más joven que Vargas Llosa. ¿Qué escritores de las nuevas hornadas reflejan vuestra ambición de continentalidad?

—Por ejemplo, una novela como *La guerra de Galio* de Aguilar Camín, que tiene claramente un tema político sumamente preciso, en tanto que su esposa, Ángeles Mastretta, habla de la libertad de una mujer para vivir con dos hombres, para tener dos amores y vivirlos intensamente. Es una pareja que está tratando dos temas bastante distintos y que tienen que ver con dos niveles de la vida personal y social. En general, el fenómeno de la escritora, de la mujer escritora, ha sido de lo más notable de esta época, porque desde México hasta Argentina te encuentras muchísimas escritoras.

—Responde a los paradigmas culturales norteamericanos de los diferentes como filtros de lo literario, la mujer, los homosexuales, las minorías étnicas, los enfermos del sida. Las diferencias de clase puede enmascararlas, las otras no.

—En todas partes, el minimalismo empieza a dejar sitio a propósitos más ambiciosos.

—Es difícil tener el optimismo histórico que llevó a escribir *Cien años de soledad* o *Las venas abiertas de América Latina*.

—Incluso esas obras eran imprevisibles cuando aparecieron. ¿Quién iba a decir que un libro como *Cien años de soledad* iba a publicarse entonces?. Pero de pronto se produce un milagro, como en su día se escribió un *Quijote*. Lo interesante es la continuidad literaria, la riqueza, la diversidad. Lo malo es que no hay comunicación entre nosotros.

—La Casa de las Américas sirvió para crear esa sensación de *koiné*.

—No se ha destruido esa conciencia de que formamos parte de una cultura y que esa cultura es lo mejor que tenemos frente a los desastres de nuestra vida política y económica. Eso lo saben todos los escritores desde México hasta Chile.

—Pero el *boom* apareció como una prueba de lo real mágico o de lo mágico real de la coincidencia entre vanguardismo literario y revolucionario. Ha habido deserciones en esa coincidencia o reinterpretaciones. Vargas Llosa, por ejemplo, entiende que el vanguardismo ideológico hoy pasa por la revolución conservadora.

—A mí no me parece nada mal que haya diversas posiciones políticas y divergencias, me parece sano que la gente tenga posiciones distintas. Hay una cierta melancolía generacional, debida a que habiendo formado un grupo con ideas similares y con amistades que parecían firmes, lamentablemente, las amistades se perdieron y las ideas cambiaron. El cambio de las ideas me parece menos lamentable que la separación de las personas.

—Esas extrañas transustanciaciones ideológicas habrán contribuido a la desgana entre los escritores jóvenes sobre la relación entre política y literatura. Una parte muy cualificada de los escritores rojos de los sesenta se arrastran por la Historia pidiendo disculpas por lo que han sido.

—Vuelve a haber una diversidad de posiciones, después de la hegemonía de la literatura descomprometida, que fue una reacción frente a la comprometida. Yo respeto las posiciones que fueron adoptando Paz o Vargas Llosa, posiciones de derecha que respeto. Soy muy voltairiano.

—O la prepotencia de la derecha revolucionaria o el desencanto de las izquierdas. La propia literatura cubana del interior es una literatura desencantada.

—Es que es difícil encantarse. El poder cultural en Cuba crea situaciones absurdamente difíciles. Me propusieron publicar un libro de cuentos y me dijeron que no podían pagarme derechos de autor ni nada por el estilo. Pues muy bien, lo único que yo pido es que mi libro esté dedicado a Elizardo Sánchez Santa Cruz, el dirigente de los derechos humanos: *niet*. Y ahí se acabó. No quieren problemas. En Cuba se creó un cierto armazón de fierro de *aparatchiks* y a mucha gente del Gobierno cubano se le ha enseñado durante cuarenta años que ésa es la manera de pensar y actuar. Así piensan. Lo que pasa es que a Cuba le va a ir bien la evidente crisis de propósitos y estrategias del neoliberalismo, que está demostrando sus límites todos los días en América Latina y en toda la geografía del subdesarrollo. Mientras enfrente estaba la dictadura comunista, todo estuvo justificado; una vez que no hay ese enemigo empieza a desenmascararse e incluso a promover la idea de un capitalismo autoritario. ¿Qué es China? Un capitalismo autoritario, muchos países de Asia practican lo mismo. Y es lo que ha practicado México durante toda la llamada revolución mexicana. La tentación es muy grande en muchos países. Yo no sé cuál es la resistencia democrática de Europa, supongo que es más grande, pero en América Latina y en el llamado Tercer Mundo existe la irresistible tentación de un capitalismo políticamente de mano dura.

—Tal vez Europa tenga una capacidad superior de control crítico porque hay un sustrato histórico diferente, pero también se da allí la casi impotencia de contestar al discurso único, al modelo único, porque ya apenas quedan aparatos ideológicos fuera de este juego y la izquierda europea utiliza *Le Monde Diplomatique* casi como prensa orgánica.

—Menos mal que aún tenemos *Le Monde Diplomatique*, pero la realidad también es un medio de comunicación y no han conseguido un disfraz para la realidad.

Los pueblos que han llegado tarde al gran mercado del mundo sufren un triple desajuste: su desubicación, la dureza de sus oligarquías para mantener su capacidad de acumulación a pesar de la desubicación y las condiciones de retraso de los mínimos asistenciales que exige la publicitada modernidad. Por la vía de la alianza militarismo-neoliberalismo, es decir, Pinochet pone los milicos, Milton Friedman las medidas económicas y Hayeck la filosofía, sólo se ha conseguido acentuar las distancias sociales entre la población emergente y la sumergida, pero todavía el pacto implícito o explícito entre los sectores establecidos y la desarticulación combativa de las izquierdas convencionales mantiene una situación de *impasse* vigilado.

Por eso tiene especial importancia el cambio de las izquierdas latinoamericanas en el inmediato pasado armadas, destruidas o acorraladas y ahora en el traspaso de la revolución violenta a la cultural, aunque ninguna revolución, ni siquiera la cultural, deje de implicar coacción. El gran mercado del mundo no tendrá más remedio que autorremodelarse, si es tan inteligente como dicen sus exégetas, para permitir la transformación que ubique a los sectores y los países pobres dentro de un mismo sistema productivo y de consumo. O autorremodelarse o asumir con todas sus consecuencias otra vez salvajes represiones para mantener el llamado orden social a escala nacional o el no menos quimérico orden internacional. Los neoliberales más lúcidos apuestan por la autocontención y la búsqueda de un desarrollo menos desigual, porque de lo contrario auguran catástrofes a la altura del catastrofismo de los más catastrofistas posmarxistas. Los más inconscientes, normalmente los pijoliberales, reprochan a los autocríticos poco menos que ser el quintacolumnismo de un obsoleto poscomunismo. Las izquierdas real o irrealmente existentes empezarán el siglo desde la prudencia. Sólo exigen un lugar en el mundo para todo el mundo.

En lo que respecta al contencioso Cuba- Estados Unidos, más allá de los esfuerzos aperturistas dentro de lo que cabe de los ceáticos (ex colaboradores del CEA), Iván de la Nuez lo ha calificado, entre interrogantes, de *contrapunto posmoderno*. El capitalismo norteamericano ya no tiene mala conciencia como en los años sesenta y primeros setenta y sus nuevas vanguardias de derechas volvieron a subir a Monte Peregrino en busca de las tablas de la ley de la teología neoliberal.

De Monte Peregrino bajaron los teólogos del pinochetazo para escribir: "El estatismo es caro e ineficiente, pero además de ello es injusto por cuanto lesiona los derechos esenciales de la persona y muy especialmente la verdadera libertad, que reside más que en la opción a votar por sus preferencias en el derecho a disponer sin intromisiones ajenas a un margen seguro e inviolable para llevar a cabo su vida, su trabajo y en general sus propias iniciativas..." y en Estados Unidos los mismos teólogos proclamaron: ¡El capitalismo es bello! mientras la CIA toleraba que Pinochet practicara la guerra sucia en el mismo corazón del imperio. Fue el momento oportuno para que un teórico neoconservador, Daniel Bell, propusiera superar las disfunciones de la economía, la política y la cultura, que la izquierda había llevado a legitimar, por la eficacia social, la igualdad y la autorrealización. Bell proponía que la religión debe ayudar a que el capitalismo, o su sujeto social, se reconcilie con su pasado, considere humildemente el presente y plantee el futuro como una empresa coherente. Un neopuritanismo moral impregnó el relanzamiento de la revolución liberal, también llamada revolución conservadora, basada en la hegemonía de un pensamiento, de un discurso, de un centro rector del nuevo orden mundial. Frente a la ofensiva arrolladora durante más de una década de esa revolución conservadora, Cuba trata de sacar su discurso del empantanamiento de los tiempos del manualismo, de ofrecer un proyecto de nueva izquierda global, otra vez espejo frente a espejo. "La Revolución cubana se erigió como una respuesta continental a las hipotecas de la modernidad americana. En este sentido se ocupó de cancelar los proyectos nacionalistas latinoamericanos, que contenían el signo del triunfo de la modernización contra la modernidad. Cuba igualó los términos modernidad y emancipación siempre a partir de un empuje rupturista". Ahora, prosigue De la Nuez en *La balsa perpetua*, en estos tiempos en "...los que hay tanto estalinista reciclado en Miami o en La Habana, con tanto antiguo censor dándose golpes de pecho en el exilio, con tanto mercader de la 'miseria culta' en Europa, uno no deja de apreciar con cierta admiración lo hecho en esos tiempos (los de la Utopía) y de preguntarse dónde estaban los actuales representantes de la 'cultura democrática cubana'". De la Nuez recuerda que los cubanos siempre encontraron la salida, como buenos isleños, para solucionar por sí mismos los problemas y no hay que hundir la isla ante la amenaza de invasión norteamericana. No es imprescindible invocar el holocausto. "El apocalipsis no se escoge. Es él quien nos escoge a nosotros".

CAPÍTULO XII

La Revolución bien vale una misa

> *La patria es tierra amada y nunca pedestal*
> *es ara en que se inmola la generosidad;*
> *abramos nuestras puertas, que entre el Redentor,*
> *contando con su fuerza venzamos el temor.*

Del himno a la visita a Cuba del papa JUAN PABLO II

El mejor aval con el que Alfonso Carlos Comín podía llegar ante Fidel Castro en 1978 era haber mostrado su disconformidad en 1971 con la recogida de firmas de intelectuales a propósito del caso Padilla, aunque sin dejar de expresar sus reservas sobre la vinculación ciega del intelectual a la Revolución, y la obligación de sacrificar por ella su libertad de expresión. Los objetivos logrados por la Revolución eran tan óptimos, en opinión de un católico de izquierdas, que veía el mundo dividido básicamente en ricos y pobres, que sus defectos le parecieron aleatorios. ¡En Cuba disponían de un médico por cada quinientos cubanos! Tantos médicos que se podía permitir el lujo de ser el hospital de veintiocho naciones.

El informe sobre el ingeniero y editor español indicaba que era cristiano marxista, miembro del Comité Central y del ejecutivo del Partido Comunista de España y del PSUC (Partit Socialista Unificat de Catalunya), de largo pasado combatiente contra la dictadura, muy prestigiado en la *internacional* cristiana, conectado con toda la progresía mundial católica, desde Danilo Dolci o Giorgio La Pira hasta Ernesto Cardenal, pasando por Lanza del Vasto. Comín criticó en 1971 la posición de aquellos intelectuales y compañeros de viaje que, al secundar una campaña de descrédito contra la Revolución cubana, estaban minándola, aportando una apología indirecta del imperialismo norteamericano. "El proceso cubano necesita de crítica fraternal y de ayuda moral y material." Comín llega a la isla a comienzos de 1978, casi coincidiendo con miles de jóvenes de todo el mundo que acuden al Festival de la Juventud, comulga con todo entusiasmo con la generación del entusiasmo, por lo que niega que la Revolución sea subvencionada por la URSS y que Fidel ha tratado de no importar el modelo soviético , y si ha dicho "las revoluciones no se exportan" eso quiere decir que tampoco se importan. Comín elogia los CDR, Comités de Defensa de la Revolución, porque los asume como un mecanismo de participación popular, de abajo a arriba, en defensa de la Revolución: "Si yo estuviera en la isla, yo también defendería la Revolución". Capta los mejores momentos de las conquistas sociales, especialmente en educación y sanidad, espectaculares para un hombre que conoce la miseria asistencial comparativa del Tercer Mundo y de la propia España y está de acuerdo con Niedergang en que la presencia de tropas cubanas en África es la manifestación activa de una solidaridad revolucionaria entre naciones pobres enfrentadas al mismo enemigo. Fidel se sorprende de que Comín sea tan comprensivo, pero los informes no le permiten dudar, ni el comportamiento del español por la isla le permite cambiar de opinión. Ha visitado todo lo que debe visitar un turista revolucionario leal, trabaja con Ernesto Cardenal y el arzobispo de Cuernavaca en un documento favorable a la comprensión cristiana de la Revolución y concierta con los destacados intelectuales católicos Cintio Vitier o Eliseo Diego, compañeros de viaje.

A Fidel le parece algo exótica la identificación de Comín con el marxismo y el cristianismo, no ya a partes iguales, sino convertido él mismo en síntesis de lo uno y lo otro. Cuando Comín le contó la visita de Pasionaria al santuario de la Virgen de Montserrat, el comandante, como siempre, quiso saberlo todo sobre Montserrat, sobre la montaña venerada por los catalanes veneradores, por qué la montaña es algo más que una montaña y tiene el carácter de un símbolo del nacionalismo catalán frente al franquismo. Comín le ha entregado un ejemplar de su libro *Cristianos en el partido, comunistas en la Iglesia* y al comandante le gusta la dedicatoria: "*A Fidel, al Che, a los que todo lo dieron, vivos en esta hora de la Revolución cubana*". También la carta de un católico catalán en la que agradece a Fidel la obra de la Revolución, porque un hermano suyo, el padre Sayrach, cura obrero, murió alegre y confiado en una revolución humanista de tal envergadura. Comentan Fidel y Comín el encuentro en La Habana con Ernesto Cardenal y con el obispo de Cuernavaca, Sergio Méndez Arceo, un obispo rojo y especialista en Freud, para elaborar un texto conjunto: *Reflexión cristiana en Cuba*, básicamente redactado por Comín y que Cardenal asume de la primera a la última palabra: "Este texto, Alfonso Carlos, te ha sido inspirado por el Espíritu Santo".

Fidel viste verde olivo, fuma un puro que a Comín le parece inmenso, se muestra tranquilo ante el cristiano impresionado que le contempla como si aún lo viera junto al Che y Camilo, cual Santísima Trinidad en la cumbre de Sierra Maestra y es que acaba de llegar de la isla de Pinos donde el comandante estuvo en la cárcel tras el asalto al cuartel Moncada y ha revivido toda la trayectoria épica del entusiasmo revolucionario. Durante dos horas, Comín insiste en el encuentro entre cristianos y marxistas y lo importante que es la diferencia revolucionaria cubana, con alguna alusión quejosa al ateísmo científico enseñado en las universidades, que Fidel asume con un quizá, quizá nos hemos equivocado inventando un enemigo que no lo era icon la cantidad de enemigos reales que tenemos! Comín recuerda que la entrada de Fidel en La Habana le impresionó tanto que comentó con algunos compañeros del FLP la posibilidad de una guerra de guerrillas en España, e incluso pensaron en la sierra de Cazorla, por lo que algún *Felipe* se desplazó a visitarla. No. No había condiciones objetivas. España como problema condiciona las preguntas de Fidel: el 98, la superación del concepto de las dos Españas, la Guerra Civil, la muerte de los guerreros y el exilio de los supervivientes, exilio exterior e interior. Fidel recuerda el buen uso que se hizo en Cuba y en toda América Latina de los exiliados españoles, el coronel Bayo entrenando a los fidelistas, sin ir más lejos, los intelectuales enriqueciendo las universidades, la ciencia. Ante la carta de Sayrach hay un levísimo, cariñoso conflicto, porque Fidel lee Layrach donde pone Sayrach y aunque Comín no ceja, Fidel insiste, no le gusta perder, y hay que recurrir a una revista que lleva el comunista español para que Fidel se convenza:. Sayrach. Cuando Fidel lee el texto *Reflexión cristiana en Cuba* asiente y le pregunta a Comín si puede quedarse con una copia. Empieza a tutearle: "¿Cuántos cristianos tenéis en el PCE y en el PSUC? Entre un 6 y un 8%. ¿Y sacerdotes? En toda España, unos ochenta, jesuitas, escolapios, curas seculares, algunos de notable prestigio teológico y pastoral.

—¿Ochenta? Oye... ¿Y no os parece suficiente? ¿Cuántos sacerdotes hay en total en España?

Le pregunta por Marcelino Camacho, el líder de Comisiones Obreras, y opina que el Rey ha salido mejor de lo que *todos imaginábamos.* También tiene buenas noticias de Gutiérrez Mellado; y de pronto sondea a Comín sobre sus conocimientos de vinos, que no son muchos, pero se defiende, comprueba Fidel, al que le gusta que la gente sepa defenderse.

—Los portugueses tienen buenos vinos.

—Sí, pero donde se ponga un Rioja...

—¿Dónde está exactamente La Rioja?

Luego le dirá que Felipe González le envía vinos y de paso le pregunta su opinión sobre el secretario general de los socialistas españoles. Comín lo ha conocido durante su etapa de trabajador social en Málaga, cuando Felipe González ejercía de abogado laboralista en Sevilla, y le parece que tiene gracejo y cualidades para entenderse con las masas. Fidel lamenta que la República perdiera la Guerra Civil y se alegra de que el partido catalán de Comín, el PSUC, haya conseguido la tercera instalación electoral de un partido comunista en países democráticos.

—Es que los españoles sois una gente increíble. Venís a América, colonizáis dos docenas de países, dejáis un idioma común para trescientos millones de personas y vosotros en España tenéis no uno o dos, sino ¡cuatro idiomas!

Comín no quiere despedirse sin llevar el agua bendita a su molino y plantea al comandante el absurdo de que los cristianos en Cuba no puedan militar en el PC ni en las Juventudes. No existe contradicción entre los propósitos del cristianismo y los del socialismo.

—Debemos hacer una alianza estratégica entre la religión y la Revolución.

A Fidel se le ha apagado el puro, no quita los ojos de los de Comín, no traduce sus pensamientos hasta que finalmente habla: "Sí, es un problema, pero mira, no es un problema ideológico, es un problema histórico. La Iglesia cubana ha sido históricamente reaccionaria". Comín opone que Frank País era muy religioso, protestante y que uno de los mártires prerrevolucionarios fue el líder de los estudiantes católicos José Antonio Echevarría.

—Y el padre Sardiñas subió con vosotros a Sierra Maestra.

Fidel ya le había dicho a Cardenal que el verdadero cristianismo es revolucionario, pero ante Comín, dirigente de un partido comunista, insiste en que el problema de la militancia de los creyentes es histórico, todavía estamos en 1978, y ha de resolverse despacio. Comín estaba muy impresionado porque Fidel le había parecido el heredero del gran humanista Martí, aquel que no había proclamado Patria o muerte, sino Patria es Humanidad. Comín informa a Fidel de sus entrevistas con el obispo de Cuernavaca y con un tal monseñor Céspedes, Carlos Manuel Céspedes, un sacerdote hecho de pura madera conciliar, al que ha visto acompañado del obispo de Santiago. También comentaría la reflexión de un grupo de ilustres católicos cubanos ante la II Conferencia del Episcopado Latinoamericano a celebrar en México, donde se proclama la necesaria coincidencia en la justicia entre los cristianos y el estado que la pretenda y se pide al Espíritu Santo que ilumine a los prelados reunidos en Puebla para que la Iglesia no siga dependiendo de los poderes oscurantistas y regresivos. Entre los redactores, María Teresa Bolívar, Eliseo Diego, Cinto Vitier.

Mientras Comín avanzaba irreversiblemente hacia la muerte, Fidel examinaba cada vez con más curiosidad la oferta colaboracionista de sectores crecientes de creyentes y leía para saber tanto como sus interlocutores. Eusebio Leal le había sorprendido con un alegato en favor de una doble lectura del papel de la Iglesia en América, por una parte instrumento de conquista y dominación, pero de los excesos de aquella experiencia había nacido el humanismo cristiano moderno: Las Casas, Montesinos, el derecho de gentes del padre Vitoria.

No es extraño que la utopía sentada en los albores de la modernidad —escribiría Leal— soñada por Tomás Moro se situase en una hipotética isla del Nuevo Mundo y que tras ella marcharan desde Tata Vazco de Quiroga, en Michoacán, hasta los jesuitas de las reducciones. Y que la rebeldía contra la injusticia llevara a preclaros sacerdotes y creyentes a ser protagonistas del movimiento insurgente liberador. Bastaría citar algunos nombres: presbítero Varela en Cuba; don Miguel Hidalgo o cura Morelos en México; Vizcando y Guzmán en los días de Bolívar. Ellos fueron desde entonces, los precursores de la teología de la liberación, porque la religión que explicaron fue adecuada —conceptual y práctica— a los problemas de este continente, que la Iglesia romana no pudo, desde la distancia, interpretar y de ahí su sistemática condena a los movimientos revolucionarios y a la independencia como proyecto.

Leal se ha permitido decir que tampoco los conocimientos de Marx sobre América eran muy lucidos y que tuvo que aparecer el marxista peruano Mariátegui para que el marxismo pudiera aplicarse sobre la realidad concreta americana. Eusebio Leal encontró metáforas adecuadísimas para envolver el ajuste de cuentas al ateísmo científico: "Una virgen mestiza del Caribe o los arcángeles arcabuceros del alto Perú no tenían fácil cabida en el cielo ideado por los teólogos de Europa. Tampoco la guerra de guerrillas y el sueño de una América insurreccionada para conseguir su segunda independencia fue bien visto por los viejos partidos o por los teóricos europeos de la revolución mundial". En cierto sentido, ya estaba preparado el camino para el encuentro abierto de Fidel con la teología de la liberación y el insistente Frei Betto, dominico brasileño que había padecido varios años de cárcel por sus luchas sociales contra las dictaduras brasileñas, capaz de hablar de ...los caminos del Señor en el socialismo. Fidel también había tenido ocasión de relacionarse con los revolucionarios nicaragüenses, en un cincuenta por ciento poetas y en el otro cincuenta teólogos, dándose el caso también de poetas teólogos, como Tomás Borge, pero ya empezaban a recuperarse textos de Fidel olvidados durante los años setenta, como el discurso pronunciado durante su visita al Chile de la Unidad Popular, en el que se preguntaba dónde estaba la contradicción entre la sociedad comunista y la sociedad soñada por los mejores cristianos. Cuando decide recibir a Frei Betto y prestarse a una larga entrevista para un libro sobre la Revolución cubana y la religión, Fidel se documenta, como se documenta cuando va a hablar con un economista y estudia cuatro volúmenes de información de doscientas páginas, cada uno que le ha preparado su equipo de colaboradores, o se documenta sobre medicina, una de sus obsesiones, para supervisar de cerca la sanidad socialista o estudia energía nuclear para que Fidelito no le pase la mano por la cara o sobre genética vegetal y animal para crear arrozales o conseguir vacas excepcionales. Retiene de las

disquisiciones de Leal, que la teología de la liberación es
americana, autóctona, que América ha dejado de importar teología de Europa y le informan de las conferencias que Frei
Betto ha dado en un antiguo convento dominico, muy en la línea de lo que hablara hace años con aquel extraño comunista pero cristiano, español pero catalán, que se llamaba Alfonso Carlos Comín.

Y llega Frei Betto. Se trata de un encuentro excepcional
porque es la primera vez que un jefe de Estado socialista,
marxista leninista, concede una entrevista exclusiva sobre religión, el único precedente fue un documento de los sandinistas de 1980 y Fidel empieza hablando de la religiosidad de
su infancia, luego sigue con el desencuentro religioso, pero
esta revolución no mató a ningún religioso como sí hicieron
las revoluciones anteriores y termina abriendo las venas de la
Revolución a la teología de la liberación. Luego hay que buscar un buen marco para presentar el libro de Betto *Fidel y la
religión* y ahí está el del Encuentro Internacional por la Soberanía de los Pueblos; sobre el escenario Fidel y Frei Betto
presentan su libro y por la noche, en la separata de la gran
recepción a intelectuales de todo el mundo, Fidel recibe a un
grupo de seleccionados. Frei Betto conversa con Ernesto
Cardenal y Coronel Urtecho. Fidel con Volodia Teitelboim, el
secretario general del Partido Comunista chileno, una larga,
queda conversación sobre la recuperación de la izquierda en
la clandestinidad. Gabriel García Márquez le presenta a Manuel Vázquez Montalbán, que se pasará buena parte de la
noche hablando con Monterroso y la otra parte con Eusebio
Leal. Fidel y Titelboim hablan de las fisuras del régimen de
Pinochet y de que serían imposibles progresos sustanciales
sin la ayuda de un sector de la Iglesia e incluso sin la cobertura en ocasiones del ala izquierda de la Democracia Cristiana. De vez en cuando, Fidel distrae la mirada de y la conversación sobre Chile para recuperar a Ernesto Cardenal y
Coronel Urtecho. ¿Por qué Ernesto Cardenal siempre va vestido de primera comunión?

El *mounierismo* o *personalismo* penetra en España mediados los años cincuenta a través del grupo de jóvenes intelectuales católicos agrupados en torno a la revista *El Ciervo*, tolerada por el franquismo pero abiertamente en contra del nacionalcatolicismo vigente en España, fruto de la alianza entre el régimen y la Iglesia desde el momento mismo del fallido golpe de Estado militar de 1936 y el inicio de la Guerra Civil. La contienda fue calificada por todos los cardenales españoles, menos el catalán Vidal i Barraquer, como una cruzada entre las dos Españas, equivalente de las dos ciudades de san Agustín, la de Dios y la del diablo. Que en los años cincuenta, un grupo de jóvenes estudiantes y profesionales se acercaran al personalismo de Péguy, Mounier, Lacroix, la revista *Esprit* y participaran de la atmósfera europea del diálogo entre cristianismo y marxismo era especialmente útil en España, porque abría un espacio para el despegue de los católicos de las posiciones franquistas y su progresivo acercamiento al socialismo científico. De aquel embrión mounierista salieron muchos empeños, incluso fue el verbo original del FLP (Frente de Liberación Popular), partido de marxistas y cristianos, del que los comunistas decían que servía para que los católicos cada día fueran más marxistas.

La corriente de cristianos para el socialismo también tuvo mucho que ver con el grupo de católicos progresistas mounierianos; los sacerdotes que empezaron a dejar sus parroquias para reuniones clandestinas del movimiento obrero tenían a Alfonso Carlos Comín, el más brillante *personalista*, como un referente emblemático; los que militamos en el FLP inicialmente rehusábamos el compromiso con los comunistas marcados por el estalinismo, pero mayoritariamente acabamos en el Partido Comunista o en su versión catalana, el PSUC, porque era el único instrumento real de lucha contra el franquismo y de creación de una conciencia socialista, en la clase obrera, en la Universidad, incluso, a través de la acción cultural, en la burguesía ilustrada.

Alfonso Carlos Comín, antes de descubrir Cuba y a Fidel, siguió el viaje de buena parte de los personalistas españoles, de Mounier al *Che* Guevara, del *Magnificat* que exalta a quien... "...derribó a los potentados de sus tronos y exaltó a los humildes. A los hambrientos colmó de bienes y despidió a los ricos sin nada. Acogió a Israel, su siervo, acordándose de su misericordia...", al *Manifiesto Comunista*. Marchó a Cuba razonablemente enfermo y le recuerdo como si hubiera muerto poco a poco desde su retorno, debilitado físicamente, pero en los ojos aquella ilusión de color gris luminoso que había visto y había creído ante las materializaciones de la Revolución cubana. Volvía de Cuba con la boca llena de nombres de las personas que le habían asombrado, Reinaldo González, monseñor Céspedes, Pablo Armando Fernández, Aurelio Alonso, Cintio Vitier, Fina García Marruz, Sergio Méndez Arceo y sobre todos ellos, Fidel Castro. No sólo transmitió su experiencia en la entrevista que le hicieron Josep Ramoneda y Marti Gómez en la revista que yo codirigía, *Por Favor*, sino que fue un apóstol insistente de sus impresiones y en las reuniones del consejo de Redacción de *Taula de Canvi*. Solía reñirnos si ironizábamos demasiado sobre el culto a la personalidad de los fidelistas o de Fidel, que, según él, no, no era un caudillo, era un pedagogo social difícil de entender desde los paradigmas culturales europeos. ¿Algo así como un Sartre vestido verde olivo que hubiera ganado una revolución justa y tratara de explicarle al pueblo todos los días *El ser y la nada* durante siete horas? Pues... ¿por qué no? Sobre el problema de la libertad,

Comín nunca llegó al extremo de preguntarse como Lenin "¿Libertad para qué?", pero describió una realidad cubana a la defensiva frente a bloqueos, sabotajes, desestabilizaciones, intentos de asesinato de Fidel Castro. "El propio Fidel ha dicho que hay una oposición cubana activa que cuenta con el apoyo del imperialismo. Y esto lógicamente conlleva unas restricciones como ocurre en tiempo de guerra". Comín describía un diálogo entre Cardenal y Pablo

Armando Fernández, que padeció un cierto ostracismo a raíz del caso Padilla, en el que el poeta nicaragüense defendía *a priori* la libertad de expresión, y Pablo Armando le contestaba: "La Revolución nos dio una voz, un rostro, una identidad. No puedes partir de la Revolución en Cuba partiendo del antisovietismo. No podemos dialogar ustedes y nosotros, si nos decís nosotros somos los puros, ustedes los malvados. Hemos de reanudar un diálogo nuevo, pero no desde la enemistad. Para después de la Revolución. No podéis limitar vuestro análisis a las dificultades que se nos crearon a ciertos intelectuales. Con hambre no vas a poder cantar". Cardenal insiste: "El revolucionario es mejor cuando es crítico". Y Pablo Armando responde o se responde: "Cuidado con esa actitud, no vaya a servir a la gusanera política". Si así lo veía Pablo Armando, alguna lógica tendrá dentro del paradigma de la defensa de la Revolución cubana, razonaba Comín, desde una confianza iluminada en la Revolución que sólo he visto repetida en Frei Betto y otros teólogos, como si la utopía revolucionaria hubiera humanizado la gran utopía de la resurrección de la carne y la vida perdurable. El libro recuerdo del viaje de Alfonso Carlos, *Cuba, entre el silencio y la utopía*, está jalonado de poemas de intelectuales católicos y agnósticos, pero animados por la fe revolucionaria, esa fe capaz de asaltar los cielos: Pablo Armando Fernández, Roberto Fernández Retamar, Cintio Vitier, César López, Eliseo Diego, Heberto Padilla, José María Valverde, Nicolás Guillén, el Che, el Che también escribió poemas, a Fidel, a Cristo. El del español Valverde, en tantas cosas alma gemela de Comín, refleja el entusiasmo de un filósofo y poeta cristiano por una isla donde aún no ha estado pero en la que ...hombres de mi lengua hace algunos años/se echaron a cambiar su triste mundo;/lucharon con sus déspotas, vencieron/ y al ir a poner manos al trabajo/vieron que eso se llama socialismo/ y es asunto de mucho madrugar/ y de muchos papeles y fatigas/ y que tiene remotos compañeros/ como en otros planetas/ unos, fríos/tecnólogos armados; otros pobres/ guerrilleros en selvas incendiadas. Tuve ocasión de viajar a Cuba con Valverde al comienzo del *periodo especial* y lo que yo juzgaba conmovedora ingenuidad era fe, virtud tan teologal que hace tiempo me ha abandonado en lo divino y en lo humano, aunque conservo la esperanza tal como la concebía Bloch, laica, histórica.

La conexión tanto de Valverde como de Comín con los intelectuales cubanos *con fe*, me parece ahora, desde la perspectiva de veinte años, en el caso Comín, diez en lo que respecta a Valverde, la base de una continuidad previsiblemente emergente en el inmediato futuro: un nacionalcatolicismo muy comprometido socialmente que en Cuba buscará su sitio como alternativa a la barbarie neoliberal, en el caso de que sea desbordada la línea Maginot del castrismo: el verbo de Fidel y los tanques de Raúl metidos en el *condón*. No era esta inversión progresista del nacionalcatolicismo mi diseño fin de siglo, fin de milenio, y me siento un ateo ofendido por estas resurrecciones de religiosidad que demuestran el fracaso de la Razón como arquitecto de la historia. Dos mil años de desarrollo científico y técnico para volver al juego lógico del argumento ontológico de san Anselmo, no me parece serio y me abrazo al descreimiento de Hans Jonás con el que termina *Pensar sobre Dios*:

Sabemos que debido a nosotros, en esta parte del universo y en este momento de nuestro fatal poder, la causa de Dios está oscilando en la balanza. ¿Qué puede importarnos el que en otras partes prospere, esté en peligro, se haya salvado o perdido? Bastante trabajo tenemos para que "nuestras señales", captadas en alguna parte del universo, no sean una esquela. Ocupémonos de nuestra Tierra. No importa lo que pueda haber allí fuera, porque nuestro destino se decide aquí y con él la porción de la aventura de la creación que está vinculada a este planeta, la porción que ha llegado a nuestras manos y a la que podemos cuidar o traicionar. Cuidémonos de ella como si realmente fuéramos únicos en el cosmos.

Cuando en cualquier supermercado de las religiones, desde las más rancias a las más *prêt a porter*, me ofrecen un catálogo de ateísmos, primero estudio la oferta y finalmente pido: póngamelos todos. Asumo que de las dos grandes familias de ateísmos, en la que priva la incredulidad y en la que priva la indiferencia, son mis familias, soy ante todo ateo por indiferencia y ahora por incredulidad porque esta visita del Papa de Roma, esta entrada de Dios en La Habana, no puede dejarme indiferente. El mejor ateísmo es el indiferente, señal de que el ser humano se ha desprogramado de la educación religiosa y de los círculos cerrados de cada una de sus sectas, incluso de esa aparente no religiosidad que reintroduce lo religioso a través del misterio del origen de lo existente.

Con el catálogo en la mano, en el centro de la plaza de la Revolución donde el Che no acaba de entender qué demonios hace un Sagrado Corazón tan grande como el horizonte, asumo el ateísmo pagano capaz de adorar a falsos dioses como el Barcelona Fútbol Club o Sharon Stone, el ateísmo histórico contra el dios que nos han descrito las religiones como abanderado sectario de una determinada industria espiritual, el cientifista, el sociopolítico, tan necesario hoy día en La Habana, porque nos asalta la nueva evangelización del Papa polaco.

Hago míos el ateísmo práctico, el teórico, incluso el ateísmo llamado cortés, atribuido a Schopenhauer, según el cual hay que aprender a vivir y a asumir el mundo sin Dios. Y me molesta que se banalicen factores de la negación de Dios como la oposición entre Dios y la Naturaleza, el mal como negación de la supuesta coherencia de Dios, la constatación de que la existencia de Dios no evita la soledad de la muerte y en cambio limita la libertad de la conducta en nombre de una moral revelada sociologizada. También estoy convencido de que el infinito se opone a la idea de Dios, es decir, soy también un ateo ontológico y estoy más de acuerdo con el ateísmo inteligente de Jacques Monod de *El azar y la necesidad* o con el laborioso y erudito *Elogio del ateísmo* de mi paisano Gonzalo Puente Ojea, relacionado con el de López Campillo, otro ex FLP, que con el teohumanismo de mi querido Alfonso Carlos Comín, y los únicos teólogos que me parecen necesarios son los de la liberación, como Frei Betto, porque por algo han tenido que adjetivarse o sustanciarse con un derivado de la palabra libertad.

René de la Nuez ha dibujado e ironizado tan brusca omnipresencia de lo religioso en lo cotidiano cubano. Un ciclista con cruz colgante dialoga con un amigo que le increpa: ¡Pero si tú antes no creías en nada! Contesta: "Es que antes era un creyente clandestino". En un confesionario el cura le pregunta al feligrés: "¿Cuál es tu pecado?". "Padre, soy trabajador por cuenta ajena". Liberado de un complejo de complicidad en este montaje teísta, me sumerjo en lo cotidiano, en este caso no reñido con lo histórico, ni siquiera a demasiada distancia. Minà y yo participamos en una retransmisión para la RAI desde la plaza de la Catedral, sobre el fondo de una de las misas de la gira papal y de entrevistas enlatadas con jóvenes *jineteras* y con médicos, para que unas y otros sean testimonios de la catástrofe. Gianni y yo tratamos de conducir un análisis racional, aunque mediáticamente incorrecto, de lo que vemos, mientras las muchachas *jineteras* se defienden bien desde una excelente educación general básica y los médicos demuestran tan gran nivel científico como pobreza de medios. El propio Minà ha viajado desde Italia con miles de piececitas de plástico imprescindibles para sofisticadas intervenciones quirúrgicas, pero que Cuba no está en condiciones de importar. De vez en cuando interviene un cantante salsero y parte de las mulatas que Benedetti ve en los cuatro puntos cardinales secundan al cantante Augusto Enríquez, antiguo solista del conjunto Moncada, que tiene un notable parecido estructural con Abel Prieto, no con Robaina, de salsería algo deconstruida.

La presentadora de la RAI tiene el escote pecoso, bien servido por un esqueleto afortunado o por un *wonderbra* oportuno. Lo contemplo menos de quince segundos. A partir de ese límite empieza el acoso sexual y están muy sensibilizados los ánimos sobre la cuestión, porque hasta Piñeiro, no sin sorna, insinúa que la prensa yanqui se ha lanzado a especular sobre los contactos oralgenitales de Clinton, para colocar los contactos espirituales entre el Papa y Fidel en un segundo plano. Se acerca el gran día. He pasado por la plaza de la Revolución y he vuelto a ver al Che mirando de reojo a Cristo. Me deja frío el invento. Me riño a mí mismo. Ya no te pido que te conmuevas, pero ¿ni siquiera te sorprendes? Tengo la sensación de que necesito unos ejercicios espirituales ateos, onanistas.

Nuevamente se presta Eusebio Leal a recorrer la ciudad con un puntero señalando construcciones, reconstrucciones y deconstrucciones. De momento el puntero se ha aplicado sobre todo a La Habana Vieja, pero llueve sobre mis interrogantes y sobre la amabilidad de Eusebio Leal, dotado de la mejor oratoria de esta isla, de muchas islas. Refugiados en una vivienda común, sus moradores mantienen en el interior esa dignidad popular que es cultura, que emerge en las peores circunstancias. Me ofrecen también la ternura de sus niños, impecablemente endomingados aunque no sea domingo, que curiosean la retransmisión de la misa desde Santiago de Cuba, y un café o un jugo, una toalla para secarme las lluvias y asiento para todos los intrusos, aunque Leal recorre La Habana Vieja como si estuviera por su casa. Está en su casa. Entre los intrusos, el fotógrafo García Poveda *El Flaco*, de *Cartelera Turia*, que expone estos días en el Centro de Cultura de España.

Fue en ese domicilio privado de La Habana donde vimos la retransmisión de la misa santiagueña y la alocución, vamos a llamarla contrarrevolucionaria, del señor arzobispo de Santiago que el conservador de La Habana, miembro del Comité Central, encajó sin pestañear, como algo esperable, incluso no exteriorizó su regocijo ante el patinazo obispal de elogiar la etapa de Batista, los años cincuenta, como los mejores tiempos de la Iglesia cubana. Pero de nuevo en la calle, mientras abrazaba a unos y entregaba su mano a todos, Leal se permitió un comentario: "Le hubiera bastado reconocer algún logro asistencial de la Revolución, sólo uno. Ha sido una provocación, una inútil provocación". A la espera de la misa culminante del domingo en La Habana, la intervención del arzobispo de Santiago consigue usurpar el protagonismo pastoral del Papa y no se habla de otra cosa en los circuitos y cortacircuitos políticos y periodísticos. Se coincide en que Fidel, cuando pase el cortejo, se va a poner las botas recordándole al arzobispo de Santiago su versión de la historia real de la Iglesia católica institucional y los desajustes históricos de la intervención obispal. Seis, siete, ocho horas de pedagogía fidelista pueden caerle al señor obispo encima, aunque todo dependa del cálculo de beneficios tácticos que proporcione la réplica o el silencio, a la vista de que monseñor Meurice o ha jugado por su cuenta o juegan distintas partidas en un mismo tablero la Iglesia cubana y la vaticana.

A la Iglesia institucional cubana le quedaba la intervención del cardenal Ortega en la misa del domingo amenazada por el temporal. He asistido a la rueda de prensa en torno a Ortega en la que menospreció el papel de la santería en el encuentro con el Papa. Es como si después de rezar a la Virgen de la Macarena, argumenta el cardenal, se diera la misma relevancia a la gitana que te lee la palma de la mano en la plaza de la catedral de Sevilla. ¿Qué hacemos en este fin de milenio los que no rezamos a la Macarena ni permitimos que nos lean la palma de la mano? ¡Qué Getsemaní! ¡Señor, aparte usted de mí este cáliz!.

La rueda de prensa del cardenal es su última oportunidad de aparecer ante las candilejas como interlocutor privilegiado entre el Papa y la Revolución, pero cuando se apaguen las candilejas, ¿qué hará este hombre? Habla de raíces, tradición de fe, de que es una visita religiosa, estrictamente religiosa, mientras circula por la sala de prensa del Habana

Libre la noticia, luego desmentida, de que está en litigio el tamaño de las sillas de Fidel y del Papa en los actos de coincidencia. ¿Indultos? No hay nada acordado ¿Desmantelamiento gubernamental de la Oficina de Asuntos Religiosos? Es prematuro. ¿Ha recibido la carta de un disidente encarcelado, Oswaldo Payà? El Papa no visita al régimen, visita al pueblo de Cuba, aunque se percibe una empatía Fidel-Papa. Navarro Valls declara, de paso, siempre de paso, que no viene a dar el visto bueno a la logística, que considera ya un éxito de organización.

Omnipresente, como sólo puede ser omnipresente el portavoz del representante de Dios en la Tierra, ahora en La Habana, en algún lugar Navarro Valls ha dicho que el ganador del encuentro será el pueblo cubano, mientras el cardenal termina una rueda de prensa menos lograda que su aparición ante las cámaras de televisión. Le ha sobrado ese rasgo de soberbia de Iglesia institucionalizada frente a los santeros, frente al Gran Babalao de La Habana que "ha dado un tambor público" en señal de protesta porque el Papa no recibe a los representantes de la religión mayoritaria. En la rueda de prensa se han abstenido de preguntar los periodistas cubanos.

"No hay patria sin virtud", dijo Martí, ha repetido el cardenal Ortega, también el Papa, que se reserva la última palabra y seguirá fiel a su trayectoria en este viaje: predicar la doctrina de la Iglesia independientemente de dónde la predica, hasta ahora desde la evidencia de que Juan Pablo II y Castro no se están tirando la memoria histórica por la cabeza, mientras circula por La Habana el mal agüero de que en momentos que insinúa una posible distensión con Estados Unidos, algo ocurre para impedirla, sea un acto de sabotaje, sea la debilidad política de Clinton, víctima de sus presuntas implicaciones en el sexo oral o verbal. Me parece excesivo imaginar que Monica Lewinsky forme parte de un compló tramado por el *lobby* norteamericano contra Castro, pero en esta sobreexcitada situación marcada por la imperfección de todo futuro, cualquier signo es algo más que un signo, es un ruído.

Demasiado centrados los análisis en la valoración de las disposiciones personales, ni Clinton, ni Castro, ni Juan Pablo II son los protagonistas exclusivos del encuentro en La Habana de tan imperfecto triángulo. Los tres pertenecen más al presente que al futuro y empieza a ser urgente saber no a qué jugarán ellos en los próximos años, sino el Vaticano, las instituciones revolucionarias pos o transcastristas y los *lobbies* norteamericanos que manejan las intenciones de senadores y representantes. En cuanto a los réditos religiosos serán menores, salvo si la Revolución quiebra en sus aspectos más asistenciales y entonces las almas tengan que buscar refugio otra vez en las cavernas sagradas, como ha ocurrido en la URSS.

¿Puede afirmarse que el pueblo cubano es católico o no? La pregunta se la hacía en 1995 monseñor Carlos Manuel de Céspedes García Menocal en la revista *Temas*, flanqueado por dos expertos en religiosidades como René Cárdenas y Aurelio Alonso Tejada y se contestaba que la mayoría del pueblo cubano es religioso. No se salía por la tangente. En su artículo de 1995 reivindicaba la tolerancia para todas las formas de religiosidad que abastecen de esperanza, incluida la santería, representada en la misma publicación por Natalia Bolívar, máxima autoridad en la materia.

Enero de 1998, el Papa aterriza y *Temas* vuelve a la palestra publicando las resoluciones de los provinciales latinoamericanos de la Compañía de Jesús y un análisis de Aurelio Alonso de las biografías que ha merecido el papa Wojtyla. Los provinciales manifiestan una radical denuncia del economicismo y una reivindicación del neohumanismo al servicio de los perdedores sociales y Aurelio Alonso pone a Juan Pablo II en su sitio, que es el de implacable corrector de los excesos reformistas del Concilio y el de pastor polaco desilusionado ante los escasos y malos frutos aportados por la caída del comunismo. Jardines de la UNEAC, escenario para presentar la revista cultural más estimable de Cuba y para reencontrar escritores que asumen la visita del Papa con la misma cortesía, pero también con el mismo escepticismo con el que esperarían cualquier otro prodigio aéreo o gaseoso. No se trata de escepticismo religioso, sino de escepticismo civil o histórico, mientras intercambian información sobre si han sido seleccionados o no para el encuentro del Papa con el mundo de la cultura en el aula magna de la Universidad de La Habana. La Iglesia ha sido determinante en esa selección y la ha justificado no por razones ideológicas, sino de espacio. Recuerdo mi larga entrevista con Alarcón, presidente de la Asamblea Nacional, donde dedicamos buena parte de la conversación a descifrar si Cuba era católica o no. El diagnóstico de Alarcón coincide en algo con el de monseñor Céspedes, tras plantearse muy a fondo la historicidad de un desencuentro entre Iglesia católica y sociedad que no se debe exclusivamente a la Revolución. Todos los líderes políticos con los que he hablado han recurrido a la historificación del desencuentro para justificar el encuentro y asimilarlo por el metabolismo revolucionario.

Retomo una vieja monografía de Sixto Gastón Aguero que compré en la plaza de Armas: "El materialismo explica el espiritismo y la santería", que empieza con una cita de Marx y termina diciendo que la prueba de la relación entre vida espiritual y materia está en que el espíritu muere "...al reducirse su velocidad de vibración, con lo que ya hemos estudiado que se condensan sus manifestaciones y pasa a ser materia concreta". Si el materialismo explica la santería, bien puede explicar las religiones convencionales, sobre todo cuando son utilizables ya no para renunciar al mundo, sino para cambiarlo. Cotejo este *collage* místico con libros más sólidos que se me han hecho indispensables en la ciudad de los espíritus y que incluso algunos he comprado en la plaza de Armas, como los escritos de Marx y Engels sobre religión, que recuerdo muy recomendados y leídos en mis años de formación marxista, porque oponían al ateísmo burgués la clarificación científica y materialista para luchar contra la religión. También me esperaba en el mercado de libros viejos de La Habana *Fundamentos de los conocimientos filosóficos* de Afanasiev, que nos lleva a la filosofía como ciencia, previa la superación de la opción entre materialismo e idealismo; o *Analyse marxiste et foi chrétienne* de René Coste, en la línea de resolución de lo agónico, que paraliza a Unamuno y que Comín resuelve en la praxis solidaria y emancipatoria, en la teología de la emancipación. He de esperar a uno de mis regresos a Barcelona para recuperar el fundamental *L'athéisme dans le christianisme* de Ernst Bloch, el marxista más preocupado por construir la virtud de la esperanza no teologal; *La quiebra de la religión según Marx* de Charles Wackenheim, análisis de los textos sobre religión de Marx y Engels, de los que también dispongo, en edición de Editora Política, La Habana 1981; *La guerre des dieux*, libro útil sobre las relaciones entre religión y política en América Latina, guía del futuro emancipatorio de estas tierras. También recuperaría *Dios ha muerto*, el estudio sobre Hegel de Roger Garaudy, tan emparentado con el esfuerzo marxiano de entender los precedentes hegelianos del joven Marx.

No he encontrado el Konstantinov. Lo tenía en mi casa de joven intelectual comunista y me lo robó en 1968 un estudiante de Bandera Roja que debía considerarme una rata revisionista, militante el maximalista muchacho en el mismo partido del ahora secretario de la anticastrista Fundación Hispano-Cubana. Pero a cambio de la ausencia del Konstantinov recibo otras vibraciones espirituales.

En el hotel conozco a la etnógrafa Natalia Bolívar, previa presentación de Armas Marcelo, la autora de *Los orishas en Cuba* importante quién es quién de la religión afrocubana eminentemente utilitaria. Mujer magnética que ha sido casi suegra de Mauricio Vicent, quien me llevará a su antropológico habitáculo, un magnífico almacén de provocaciones santeras. Luego me veré rodeado de obispos y cardenales españoles en el cóctel ofrecido por el encargado de negocios de España,

Javier Sandomingo, y acabaré cenando con Gabriel García Márquez, que en su calidad de fundador del realismo mágico me dice que está pero no está en La Habana, desde una transparencia que sólo puede conseguirse desde la trascendencia o desde el Premio Nobel.

La cena se realiza en casa de Danilo Bartulín y su esposa, María José, con los que tengo una antigua historia en torno a unos kilos de chorizos. Carmen Balcells, mi agente literaria, sabedora de que viajaba a Cuba, me dio unos chorizos para María José y Danilo, chorizos intervenidos en la aduana, noticia que transmití por teléfono a mis deschorizados desconocidos. Ahora les he conocido. Ella pertenece a la excelente raza de españolas altas y delgadas como su madre, según la canción, y él fue jefe de seguridad de Allende, abandonó el Palacio de la Moneda en el último extremo, por orden expresa del presidente, que quería quedarse a solas con su muerte. Ahora Bartulín se dedica a la importación de ascensores y alguna vez consigue importar embutido ibérico, con lo que ya no tiene problemas en aduana, hábil estrategia para comer chorizo en Cuba sin que nadie te moleste. Comemos y bebemos, lo suficiente para que se abran los esfínteres y Gabriel García Márquez, Mercedes, su mujer, un hermano de Gabo, Jaime, y su esposa, Jesús Aznarez, corresponsal de *El País* en México, Mauricio Vicent, Jesús Quintero, El loco de la colina, los anfitriones y yo dialoguemos sin límites y pueda recordarle a Gabo que recién Nobel, almorzando un *arros amb fesols i naps* que nos había cocinado Nieves Muñoz Suay, Ricardo presente, Gabo dijo que a partir del Nobel ya sólo hablaría con duques y secretarios generales. Le prevengo de las dificultades progresivas que va a tener en un mundo en el que cada día se nombran menos duques y los secretarios generales son una raza en extinción. Gabo recuerda sus imposturas históricas, como cuando acompañó a Torrijos a firmar el acuerdo sobre el canal de Panamá con los yanquis, y el escritor colombiano y Graham Greene iban en el séquito como panameños. Por entonces los dos tenían vetada la entrada en EE UU y así burlaron la prohibición.

El relato de cómo consiguió Gabo que Fidel autorizara el exilio de Norberto Fuentes y su salida a bordo de un avión de las Fuerzas Armadas mexicanas necesitaría el tenebrismo jocoso del malogrado Ibargüengoitia. Este Gabo obligado a demostrar que es capaz de hablar con quienes no somos ni duques ni secretarios generales vive doblemente bajo la amenaza del axioma de Julio Cortázar, no confundir con Guillermo Gortázar, "No hay cosa que mate a un escritor hombre más rápido que obligarle a representar a su país", y a Gabo le ha tocado representar a Colombia y en cierto sentido a Cuba, a Fidel Castro. Sin embargo, sigue vivo como escritor y como persona. Entre los odios de los anticastristas, García Márquez tiene un lugar preferente, maldito por Cabrera Infante por los siglos de los siglos, a causa de su *castroenteritis*, que en el pasado compartió con el propio Cortázar, incapaces ambos de romper con una revolución que habían amado. Humana, demasiado humana la relación Gabriel García Márquez-Fidel Castro que obligaría a una teoría de la amistad, porque Castro, nada más recibir al Papa, ha dejado la historia en el perchero y ha ido a casa de Mercedes y Gabo a recuperar lo cotidiano.

Al día siguiente acude Gabo al hotel a primera hora, a tomarse un jugo de naranja y charlar. Son tantas las cosas que no puedo ni debo preguntarle que no le pregunto nada, pero es él quien habla para autodefinirse: "Soy amigo de Fidel y no soy enemigo de la Revolución, eso es todo". Nunca se ha declarado comunista, pero tampoco ha querido ganar el aplauso anticomunista y el trato de excepción que recibe en Cuba lo compensa con un papel representativo, no represivo. Gabo es como el tío de Cuba que de vez en cuando vuelve a La Habana a recordar que hay otras islas, otros continentes y su amistad con Fidel ha sido útil incluso a los que la han criticado, porque así han recibido el beneficio de la autoafirmación evangélica: "Señor, te doy las gracias, porque no soy como ellos".

—Probablemente, si Fidel desaparece antes que yo, no vuelva a Cuba. De hecho esta isla es como el paisaje de una amistad. Ahora me interesa lo del Papa. Tal vez escriba algo. Fidel está algo melancólico. Yo también. Cuando viene a casa, con quien le gusta más hablar o que le escuche, es con Mercedes. Las mujeres oyen cosas que nosotros nunca oiremos y nos hacen decir cosas que ni siquiera sabíamos pudiéramos decir. Tal vez el encuentro entre Fidel y el Papa sea el de dos frustrados. Para uno la Revolución no es como se la merecía o la esperaba, para el otro ha muerto el perro pero no se acabó la rabia. El fin de los Estados comunistas no ha significado la hegemonía de la espiritualidad religiosa. Son como dos señores de la Historia que se encuentran en un momento delicado para los dos.

He aquí la cuestión. En un encuentro entre Juan Pablo II y el comandante Castro está en litigio quién es el Señor de la Historia. Retengo esta frase del discurso del Papa: "Doy gracias a Dios, señor de la Historia y de nuestros destinos". Así empezaba Su Santidad a marcar el territorio espiritual del encuentro, no fuera Castro a crerse el señor de la Historia como portavoz de *les damnés de la Terre*. Sorprendió que el comandante dedicara buena parte de su discurso a recordar la barbarie de la conquista, sin que sea del todo probable la explicación de que respondía así a la última salida de tono del perpetuamente destonificado José María Aznar o de que recordaba a la Iglesia católica cubana sus complicidades con conquistadores, colonizadores y latifundistas. ¿Acaso buena parte del estamento dirigente de América Latina, contrarrevolucionario o revolucionario, no procede de aquellos criollos que se beneficiaron de la capacidad de conquista y colonia de los depredadores conquistadores y colonizadores? Habrá que analizar más largamente el motivo de que la alusión a los conquistadores ocupó 22 líneas de la salutación de Fidel.

Tal vez formaba parte del intento de refundación de la razón revolucionaria sobre raíces autóctonas en presencia de un Papa admirado por Fidel por "...sus valientes declaraciones sobre lo ocurrido con Galileo, los conocidos errores de la Inquisición, los episodios sangrientos de las Cruzadas, los crímenes cometidos durante la conquista de América y sobre determinados descubrimientos científicos no cuestionados hoy por nadie y que en su tiempo fueron objeto de tantos prejuicios y anatemas". Queda en pie la imprescindible relación España-Cuba, Cuba-España. La Fundación Fernando Ortiz forma parte del entramado de la nueva propuesta cultural cubana recuperadora de la gigantesca tarea de este erudito y agitador intelectual que orquestó el empeño de crear una conciencia de lo criollo-cubano frente al riesgo de desidentificación de la colonización norteamericana al día siguiente del 98. El centenario de lo que fue un desastre para España y un aparente triunfo para Cuba tiene en Fernando Ortiz un lúcido instrumento de doble clarificación, no en balde fue promotor en 1926 de la Institución Hispano-Cubana de Cultura y acuñador de frases recordadas recientemente por Miguel Barnet: "La cultura une a todos; las razas separan a muchos y sólo unen a los que se creen elegidos o malditos. De una cultura puede saltarse para entrar a una cultura mejor, por autosuperación de la cultura nativa o por expatriación espiritual y alejamiento de ella. De su raza propia nadie puede arrepentirse. Ya se ha dicho que nadie puede saltar fuera de su sombra y toda raza es un concepto de penumbra".

Convendría un mejor conocimiento español del empeño intelectual de Ortiz, sobre quien acaba de publicarse un estudio de la Hispano-Cubana de Cultura, institución que fundó y alentó durante sus años de existencia. Precisamente, me entregan en el Centro de Cultura de España la monografía de Carlos del Toro sobre la cuestión y me parece un buen gesto de reconstrucción de lo hispano-cubano, opuesto por el vértice al intercambio de bravatas o de corbatas en este enero de 1998 en el que buena parte de españoles peatones de la historia, con nostalgia cubana, podrían ponerse a cantar *Cuando salí de Cuba, perdí mi vida, perdí mi amor...* Desde el balcón de esta poderosa casa cultural, una excepción de reconstrucción en el frente urbano marino de la rara belleza de esta Habana tan policrómicamente decolorada, contemplo el mar agitado bajo la llovizna y el paso mágico de unas niñas que graciosamente bailan y avanzan sobre el muro del Malecón, dirigidas por una líder natural llamada a ser la señora de la Historia.

El señorío de la Historia hace que acuda con más interés al encuentro del Papa con los intelectuales cubanos rigurosamente seleccionados por el obispado y por las autoridades culturales. Consigo vela en este entierro después de mucho mendigarla porque me interesaba sobremanera asistir al encuentro de tanto espíritu. Rodeado de una cualificada selección de escritores, cantantes, músicos, profesores cubanos, tenía la clara conciencia de escritor intruso, el único extranjero infiltrado en la cubanidad del acto por especial gestión del ministro de Cultura, Abel Prieto, y no menor concesión del obispado de La Habana. En el aula magna de la Universidad, parecida a la mejor aula magna de este mundo pero con el valor añadido de la urna donde reposan las cenizas del padre Varela, los allí reunidos estuvimos levantándonos y sentándonos sin ton ni son varias veces, como los personajes de las películas de Jacques Tati, a lo largo de la hora de retraso que tuvo el doble premio de la presencia de Fidel Castro, no previsto, y Juan Pablo II.

Hasta ahora cada alocución del Papa o de Castro se aguardaba como una necesaria batalla de esgrima espiritual y se ha sobreexcitado el receptor, incluso los profesionales de la información se han sobreexcitado y no asumen suficientemente el hecho de que Castro sigue siendo Castro, el Papa anticomunista sigue siendo el Papa anticomunista y ambos se prestaron a este encuentro conscientes de que no iban a convencerse el uno al otro ni a perder la cara. Están sembrando para el día de mañana y la ocasión del encuentro del Papa con el mundo de la cultura se esperaba como un escenario más de pactada confrontación, por si el Papa aprovechaba el obligado silencio de Fidel Castro para tomar algún aguijonazo de ventaja, ante los dos últimos días de Cruzada. Espectacular la entrada de Robaina, como le llaman incluso sus amigos, *El salsero* ...

> *De la marimba al son te conosí*
> *fui prisionero de tu dulse amor*

...en contraste con el vestuario de pontifical o funeral de la mayor parte de la nomenclatura. El rector de la Universidad de La Habana hizo historia de la formación de la identidad cultural y nacional cubana y señaló tres hitos fundamentales: el padre Varela, fundador de un posible nacionalcatolicismo cubano; Martí, que, asumiendo la herencia de Varela, puso en marcha la acción independentista y fundamentó la conciencia nacional laica; y finalmente, la Revolución, la ultimadora de un proceso que ahora implicaría a Varela y Martí.

Un cansadísimo Juan Pablo II entró en la sala con la lentitud más anciana de este mundo y fue casi arrullado por un Fidel Castro que lo trataba como un estadista experto en geriatrías. Recibió el discurso el Papa, lo leyó desde la doble ranura de sus ojos y sus labios y todos los presentes afinamos los oídos para percibir el murmullo, a la espera del momento en que apareciera la frase flagelo, pero el redactor del texto, que dudosamente era Juan Pablo II, había concedido vacaciones a la discordia y el Papa leyó un discurso de síntesis, me pareció, y retengo mi sanción porque meses después me la confirmaría el doctor Navarro Valls en Roma. Casi todo el escrito se refirió a Varela, ante cuyas cenizas Juan Pablo II había rezado recogidamente, y a partir de la glosa del sacerdote se propuso valores patrióticos, civiles, democráticos y se reivindicó que un sacerdote católico había sido el padre fundador del sentimiento nacional, sin referencia alguna a que fue incomprendido y perseguido por la jerarquía católica cubana alineada junto a los intereses de la metrópoli. Evidentemente, el discurso llevaba una carga reivindicativa más que crítica implícita, pero fuera porque se confiaba poco en la rentabilidad del encuentro con los intelectuales, tan versátiles y desafectos siempre, o fuera porque en un espacio cerrado las agresiones tienden a reconcentrarse, cuando Juan Pablo II cumplió el expediente, el alivio general puso alas en los aplausos y me permití comentar al oído de Roberto Fernández Retamar: "El padre Varela nos ha salvado".

Porque, en efecto, allí estaban aplaudiendo a rabiar y a lo divino intelectuales católicos separados de la fe revolucionaria, pero también Cintio Vitier, el gran escritor cubano, decano de las letras, en la línea de un cristianismo siempre comprensivo con la intencionalidad distributiva y ética de la Revolución original. Y también aplaudían con entusiasmo Fidel Castro, el ministro de Cultura, Abel Prieto; el de Exteriores, Robaina, el conservador de La Habana, Eusebio Leal, y más de un intelectual cuyo ateísmo científico me consta o me constaba. Ya leído el discurso, se acabó la escenificación de una reunión que sólo puede pasar a la Historia si se integra dentro del proceso, en curso, de beatificación del padre Varela. Yo estoy dispuesto a testificar a favor del sacerdote incomprendido en su tiempo, porque a la espera de milagros tal vez más determinantes, entre los que no descarto el de proveer de ideología al encuentro entre la Iglesia y el Estado, Varela consiguió el 23 de enero de 1998 que el tercer asalto del encuentro Castro-Juan Pablo II acabara entre cantos celestiales, de un lucidísimo coro que desde las alturas le puso música a un acto que apenas tuvo letra. Tal vez la persona que aplaudía con más sinceridad era un cura que se sentó a mi lado tras muchas vacilaciones, como si temiera ocupar un asiento que no le correspondía, un cura enteco, severo, como solían ser antes los curas de pueblo, pero con fuego en el alma porque le ardía cuando con ella empujaba los aplausos que enviaba a su santidad. Ya sabía quién era. Retamar me había advertido: "Es el otro Céspedes". El hermano casi anónimo del vicario general de La Habana, que consta como Manuel H. Céspedes y García Menocal a la cabeza de los asesores de la revista *Vitral* de Pinar del Río, el órgano de expresión más interesante de la Iglesia cubana. Su hermano, monseñor Carlos Manuel de Céspedes, departía al final con su camada literaria y le pido un juicio sobre la alocución papal, que a mí me ha parecido inteligente pero desganada, como si el Papa ya no contara demasiado con los intelectuales, ni siquiera con los católicos, y prefiriera los baños de masas. Monseñor Céspedes sólo la califica, muy inteligentemente, de inteligente.

Los semicerrados ojos con los que el Papa ha contemplado Cuba como la isla que faltaba en su colección de viajes misioneros se llevarán el secreto de lo visto y entendido, como los periscopios de los submarinos se llevaban los secretos japoneses en las películas de Hollywood. Si ha tenido los ojos casi cerrados, como para entrever sólo a los intelectuales, versátiles y soberbios, cuando comienza la misa en La Habana, en la plaza de la Revolución, el Papa tiene los ojos más abiertos, dentro de lo que cabe. Este es su público y hay mucho público, también mucho servicio de orden y una evidente claque de seminaristas y monjas que van a tratar de dar acentos de entusiasmo a un acto que fue multitudinario pero más expectante que entusiasta. O tal vez sea mi apreciación subjetiva. El despliegue de una liturgia que me parecía vieja, autista, ponía mi espíritu en situación de aire acondicionado y desde ese estado de ánimo me fui moviendo por la platea entre autoridades y eclesiásticos hasta llegar a pocos metros de la primera fila en la que emergía el cogote recién recortado de Fidel, la cabeza inclinada sobre un folleto que le ayudaba a seguir la santa misa. Se lo acababa de dar Navarro Valls. Título: "Mensajero de la Verdad y la esperanza".

> *Yo confieso ante Dios todopoderoso*
> *y ante ustedes, hermanos,*
> *que he pecado mucho*
> *de pensamiento, palabra, obra u omisión.*

Por mi culpa, por mi culpa, por mi gran culpa.
Por eso ruego a Santa María siempre Virgen
a los ángeles, a los santos y a ustedes, hermanos,
que intercedan por mí ante Dios nuestro señor.

El Papa habla del exilio del pueblo de Israel y de la necesidad de reconstruir el templo, desde el espíritu del evangelista que faltaba y que ha aparecido al final del milenio, Wojtyla, el quinto evangelista. Ortega dice cuatro cosas para salir del paso. Lo de Meurice en Santiago de Cuba le ha obligado a la moderación más incolora, inodora e insípida. Dios. Qué vejez. Qué viejo es todo esto. Como a una multinacional de prendas deportivas se le ocurra abrir una línea de vestuario religioso y promocione nuevas religiones de diseño según un márketing previo, va a haber problemas de mercado. Viejo como el himno oficial de la visita del Santo Padre.

La Patria es tierra amada y nunca pedestal
es ara en que se inmola la generosidad
abramos nuestras puertas, que entre el Redentor
cantando con su fuerza venzamos el temor.

Cuando vi a García Marquez al lado de Fidel Castro, en la primera de las filas del poder presente en la misa de La Habana, recordé aquella secuencia histórica en la que Torrijos se llevó a Graham Greene y a Gabo como testigos de la firma del tratado de devolución del canal de Panamá. Que Fidel Castro le pidiera al premio Nobel que le hiciera compañía en el último acto de masas en presencia del Papa podía interpretarse como una relativización significativa de la primera fila del poder político, pero creo que el escritor asumía, lo quisiera o no, la representatividad que le daba el haber sido interlocutor de Clinton en dos ocasiones en el intento de trazar un puente entre la Cuba de Castro y el Gobierno de Estados Unidos. García Márquez, junto a Castro y ante Juan Pablo II, no sólo era el tercer papa, sino también una señal.

García Márquez y Fidel Castro tienen una relación de amistad extraterritorial y yo creo que también extraideológica, relación de la que el escritor nunca da noticia, ni justificación porque en verdad en verdad os digo que las afinidades nunca son electivas. Cohabito con García Márquez, sus hermanos, Mercedes, el inefable Reinaldo González, autor de una pieza clave en cualquier Historia de la Sentimentalidad, *Llorar es un placer*, Lázaro el escudero de Milanés y otros amigos, un instante mágico que nos regala en su casa Pablo Milanés y sus invitados musicales: el joven cantante Raúl Torres, de próxima presencia en España, y el milagroso trovador nonagenario Francisco Repilado, *Compay Segundo*.

Yo también tengo una relación de amistad extraterritorial con Milanés desde que escuché la canción que dedicara a Allende y a Santiago ensangrentada por Pinochet y luego comprobara que su autor estaba a la altura de lo que escribía: no le gustan las ciudades ensangrentadas. Me pareció una canción nada épica. Escrita desde la melancolía ética, ese aura que rodea a Milanés y que impregna cuanto toca en esta casa llena de delicadezas y de las buenas vibraciones que emiten su hija Haydée, en homenaje a Haydée Santamaría, el hada buena de Milanés adolescente, y Sandra, la autora de *Crónicas de un sueño*, compañera del cantautor.

Compay Segundo me da su receta para llegar a los noventa y tantos años dispuesto a hacer feliz dos veces cada día, incluso a altas horas de la madrugada, a cualquiera de sus numerosas novias: se sofríe en manteca un trozo de cuello de carnero hasta que pierda el color de sangre, se le añade ajo, compañero, tomate, agua, se deja cocer y finalmente se le da el toque con limón y sal, sobre todo que pierda el color de sangre, compañero. "*España y Cuba nunca se engañan*", canta el viejo trovador, incansable gracias a su caldo de cuello de carnero: "No lo olvides, compañero, fríe el cuello hasta que pierda el color de sangre..." Compay Segundo ha sido descubierto a los noventa años por el público europeo, que lo ignora casi todo de este trabajador del tabaco, que estuvo en China delegado por la Revolución, que desde su primer viaje al extranjero como cantante en 1934 ha recorrido medio mundo y que conserva una novia, Macusa, casi de su misma edad, residente en Santiago de Cuba, un amor de infancia al que de vez en cuando visita el viejo trovador. Dice que a veces le salen las canciones mientras duerme o sueña, da lo mismo, y que a sus noventa años se siente como un libro, pero que en realidad es un ave "...*que atravesó pantanos y no manchó su plumaje*".

Me cito con él en esta casa dentro de un año, con Raúl Torres en España en febrero, con Milanés en marzo en el Palau de la Música de Barcelona y me detengo ante el abismo del tiempo. ¿Qué va a pasar en Cuba en las próximas semanas o meses? Volveré a encontrarles en mayo, en el Floridita, a Sandra, Pablo, Lázaro más los españoles Caco Senante y Luis Emilio Batallán, cantautor gallego que grabará en los estudios que va a inaugurar Pablo Milanés, en La Habana, a poca distancia técnica de los que ya ha inaugurado Silvio Rodríguez. A partir de ahora estos estudios dan a los creadores musicales cubanos una logística técnica sin precedentes. Recuerdo cuando hace más de veiniticinco años Joan Manuel Serrat me habló de la Nueva Trova Cubana: "*Son nanos collonuts, toquen de puta mare, pero no tenen instruments. Toquen amb quitarres de vint duros*". Es decir. Son unos chicos cojonudos, tocan de puta madre, pero no tienen instrumentos. Tocan con guitarras de veinte duros.

Por la noche Fidel despide al Papa entre valoraciones positivas de un viaje que para el Gobierno cubano ha demostrado su capacidad de organización y de digestión de mensajes críticos. Fidel dialoga con Céspedes, con sus ministros, dirige una última mirada al avión papal y tras la mirada un saludo con la mano desmayada, escena que engendrará un nuevo chiste en los días venideros, porque fue descrita como la repetición del final de *Casablanca* entre Claude Rains y Humphrey Bogart, después de haberse desembarazado del pesadísimo oficial nazi.

—Presiento que esta noche puede nacer una gran amistad.

En los próximos días se esperan gestos políticos de sugerencia ajena, a los que el castrismo es tan poco propicio, como la liberación de los presos incluidos desde hace meses en la lista petitoria del Vaticano. También gestos de *cohabitación filosófica*, como una mayor libertad de movimientos de la Iglesia católica por Cuba, ante la que se pertrechan las Iglesias protestantes hasta ahora mejor relacionadas con el régimen, sin olvidar la alarma de los *babalaos* porque temen que lo nacionalcatólico pugne decididamente con lo afrocubano.

Espero hablar hoy mismo con Frei Betto del recelo suscitado en las filas de la teología de la liberación por la ofensiva vaticana contra el neoliberalismo y el capitalismo salvaje, hasta ahora bandera de las bases cristianas de Latinoamérica, tan maltratadas por la jerarquía católica vaticanista. El Vaticano programa a partir de la asunción de que el castrismo tiene suficiente vigencia como para merecer la inversión de un viaje del Papa, la proclama de antineoliberalismo militante y la ruptura del imaginario del aislamiento de Cuba. El Vaticano apuesta por la reforma y no por la ruptura, para trasladar a Cuba, con todas las distancias, claves parecidas a las de la transición española y está por ver qué Estados y qué bloques van a sumarse a esta estrategia del cambio. Los cubanos de Cuba esperan que el final del bloqueo signifique la desbunkerización y los de Miami, presentes estos días aquí, contemplan la intención de propiciar una evolución ya sin coartadas de bloqueos y de no alimentar el espíritu de defensa de Numancia o de El Álamo, según las mitologías. Creo que los numantinos desearían no serlo, pero si se les fuerza, volverán a sacar las actitudes y los gestos más épicos del baúl de los disfraces y ese final sólo puede desearse desde el desquite y desde el desprecio por las ciudades ensangrentadas.

Frei Betto hace una excepción y acepta estar en La Habana lo suficiente como para que podamos hablar en la *casa de protocolo*, donde muy significados teólogos han estado analizando de cerca los efectos de la visita del Papa. Les sorprendo desayunando, les acepto un café y me sirve doblemente el encuentro porque conozco personalmente a Houtard, uno de los teólogos europeos más solventes, que me entrega el último número de *Alternatives du Sud*. Me pasó desaparcibido Girardi, que también estaba, más de incógnito que los demás. Luego departo con Betto, trece años después de coincidir en la presentación en La Habana de *Fidel Castro y la religión* y el congreso por la soberanía de los pueblos.

—¿Usted percibe que hay un antes y un después de la aparición de su libro sobre Castro en la relación entre el castrismo y el cristianismo?

—Hay que entender lo siguiente: Fidel es un hombre muy marcado por su formación cristiana, porque ha pasado largo tiempo de su vida y un momento fundamental en la vida de una persona, de los siete a los dieciocho años internado en escuelas católicas. Sobre todo en escuelas jesuíticas. Por eso, siempre digo que para entender Cuba no basta entender a Martí y al marxismo, hay que entender a los jesuitas también, toda la estructura de poder del castrismo creo que tiene mucho que ver con la estructura de poder de la Compañía de Jesús.

Fidel, cuando estaba en la sierra, todavía asumía esos valores cristianos, incluso hay fotos de él con una pequeña cruz en el pecho, y allí había un sacerdote, el padre Guillermo Sardiñas, que era el capellán de la guerrilla. Pero a raíz de la Revolución hubo conflictos entre la Iglesia oficial, una iglesia franquista, muy españolizada, y la Revolución. Esto apartó completamente a la Revolución de la Iglesia y en la medida que la Revolución se acercó a la Unión Soviética se produjo una fuerte influencia ideológica del marxismo vulgar, con la introducción en este país del ateísmo científico y la declaración del carácter ateo del partido y del Estado. Entonces se congelaron completamente las relaciones entre la Revolución y la Iglesia católica, quedando en mejor situación las relaciones con las religiones afrocubanas y con las Iglesias evangélicas.

La Revolución sandinista y la emergencia de la teología de la liberación cambiaron el signo de la relación. La teología de la liberación impulsaba una nueva reflexión cristiana sobre la lucha social y los colectivos en lucha emancipatoria. Eso agilizó los esquemas religiosos de Fidel y su equipo dirigente. Fidel tuvo oportunidad en Chile, en el 71, de hacer una reflexión muy positiva sobre la religión, que repitió en el 77 y después en el 80 en Nicaragua, donde la presencia de los cristianos en la Revolución le impactó muchísimo y ahí empezó el proceso de apertura general dentro de Cuba. En la larga entrevista que me concedió y publiqué en 1985, *Fidel y la religión*, es la primera vez que un dirigente comunista en el poder expresa adhesión hacia la Iglesia, la religión, Jesús, incluso al Papa Juan Pablo II.

—Algunos partidos comunistas ya se habían declarado laicos por entonces, como el italiano o el español.

—Pero nunca un dirigente comunista en el poder había manifestado opiniones tan positivas sobre el fenómeno religioso.

—¿Era la posición personal de Castro o la de un sector del partido?

—Yo diría que de un sector del partido. Porque cuando tenía que dar la entrevista él me dijo un día: "Vamos a ver qué piensa la gente". Y tuvo cuidado, mucho cuidado con las opiniones de su entorno político. Hubo discusión y un día Fidel me dijo: "Betto, traté de defender firmemente nuestros puntos de vista".

—¿Nuestros?

—Nuestros puntos de vista. Solamente hubo una concesión. Una frase decía: "Un cristiano puede ser marxista sin dejar de ser cristiano y un marxista puede ser cristiano sin dejar de ser marxista". Para no crear suspicacias se eliminó la segunda parte.

—¿Era consciente de que esto iba a provocar un vuelco en la disposición ideológica de marxistas y cristianos?

—Al comienzo, no. Cuando terminó la entrevista sí, porque la cosa fue mucho más profunda de lo que yo pensaba. Se discutió en el Consejo de Estado sobre si se iban a editar treinta o trescientos mil ejemplares, y en Cuba se vendió más de un millón. Es el libro más vendido en Cuba, más que *La Historia me absolverá*. Para darle una idea, fui a la presentación del libro en Santiago de Cuba y había diez mil personas en la plaza de la Catedral. Inimaginable. En todo el mundo se vendieron más de dos millones de ejemplares.

—El libro significó el despegue del imaginario universal de la teología de la liberación. En un momento de la entrevista usted le pregunta por los derechos humanos y él lo elude contestando sobre los derechos humanos que respeta y sin profundizar en los que no tiene en cuenta. Años después contesta a Tomás Borge cosas parecidas: valoración de los derechos humanos materiales y menosprecio de los formales, por ejemplo, las libertades de expresión o asociación, porque los ve como instrumentos de dominio capitalista. Una cosa es que en Cuba estén en la cárcel los terroristas que han venido a asesinar o a sabotear, pero ¿cómo encaja usted que haya presos por motivos ideológicos o al menos por delitos de opinión?

—En 1985 había una situación bastante tranquila en relación a grupos internos de contestación a la Revolución, porque hay que entender que el momento de la entrevista es la edad de oro de las conquistas económicas de la Revolución. Los grupos contestatarios eran mínimos. Pero traté la cuestión con Fidel y con los prisioneros.

—¿Cómo puede mantener la pena de muerte un Estado socialista que parte de un humanismo materialista, desde la sospecha o evidencia de que se vive solamente una vez?

—Muchas veces he abogado por la supresión de la pena de muerte en Cuba. Volví a hacerlo cuando lo de la sentencia contra Ochoa y lideré una campaña desde Brasil para convencerle. Vino a Cuba un grupo de intelectuales para manifestar nuestra oposición y él nos ha recibido muy bien, nos ha dicho también que para él era una prueba terrible, y que había que acabar alguna vez con la pena de muerte, pero en esa situación, dentro del contexto cubano, el estado de la Revolución y lo que esta gente significaba, tenía que aplicarse. Muchas veces he tomado posiciones contrarias a la política cubana y Fidel siempre fue muy respetuoso, aceptando algunas aportaciones.

—En un momento de la entrevista le pregunta si el papel social de la Iglesia no puede afectar a la aparición de otro partido y de la pluralidad. Y Fidel le dice, pluralidad no soy contrario: pluralidad filosófica. ¿Hay pluralidad filosófica en la Cuba actual?

—A muchos cubanos les costó entender que la Iglesia no funciona como un partido. La Iglesia tiene una estructura y una autonomía diferente de un partido político. Pero muchas veces la Iglesia quiere ser un poder. En Cuba antes de la revolución la Iglesia estaba preparada para ser un puente entre el Estado y el pueblo. La Revolución se legitima con sus propias raíces, no necesita de la Iglesia como mediadora con el pueblo y eso a la Iglesia le cuesta aceptarlo. El problema de la Iglesia es no entender que tiene que evangelizar desde abajo, acostumbrada a exigir privilegios, con la tentación de presentarse como alternativa al Partido Comunista. Esa tentación seguirá planteada después de la visita del Papa.

—Cuando la teología de la liberación se convierte casi en una marca, el Vaticano desarrolla una ofensiva sistemática de obstrucción y utiliza en ocasiones a efectivos del Opus Dei para desalojar a representantes de su movimiento. ¿Ha cambiado de estrategia el Vaticano?

—Esa ofensiva se ha reducido mucho, porque la preocupación que tenía la jerarquía vaticana es que la teología de la liberación fuera un caballo de Troya marxista dentro de la Iglesia. Después de la caída del muro de Berlín, el Vaticano ya no está tan preocupado porque cree que nuestro planteamiento cayó con el muro de Berlín, lo que no es verdad. Los cristianos participan en las luchas sociales en toda América Latina, los teólogos siguen su reflexión y los temas de justicia e igualdad que fueron nuestros, hoy son temas de la Iglesia universal. En el 1985, una crítica al capitalismo como ha hecho el Papa sólo se podía escuchar en labios de personas de nuestro movimiento.

—¿Se trata de una elección ideológica de este Papa o corresponde a una estrategia vaticana?

—Corresponde a lo decepcionado que está el Vaticano por las consecuencias de la caída del comunismo.

—¿El Vaticano o Juan Pablo II?

—Sobre todo Juan Pablo II, pero todos ellos estaban convencidos de que la derrota del comunismo iba a representar una sociedad mejor y los problemas aún se han complicado más. Creían que ahora las iglesias iban a estar llenas, y las iglesias están cada vez más vacías. El fenómeno de curas y seminaristas que se casaban y tenían hijos pasaba antes en Brasil o en España, ahora en Polonia. El Papa se siente a disgusto en este mundo.

—El papa es un señor mayor y polaco que puede morir un día de éstos. ¿Qué actitud va a tomar la Iglesia entonces?

—No hay una posición homogénea en la Iglesia, ni en el Vaticano. Una vez muerto Juan Pablo II, dependerá del papa que salga y de la correlación de fuerzas en la curia. Los jesuitas acaban de sacar un documento demoledor sobre el neoliberalismo.

—Lo he leído y podría suscribirlo Carlos Marx en un momento radical.

—Va a depender mucho si el próximo Papa es o no Martino de Milano.

—¿Ortega, papable?

—Ortega es un cruzado contra el comunismo.

—¿Cómo se puede convocar una cruzada contra un cadáver? Aunque la identidad de muchos anticomunistas depende de seguir utilizando el miedo al comunismo, sin él no serían nada.

—Exactamente, porque la Iglesia ha perdido su proyecto de evangelización fuera de las estructuras de la colonización. La Iglesia solamente sabe evangelizar en la medida que puede tener poder en las instituciones públicas de un país. Por eso le va tan bien el Opus Dei, porque es un *lobby* de la Iglesia metido en todas las estructuras de poder social.

—Un banquero español, prohombre español del Opus Dei y muy inteligente, me dijo en cierta ocasión que él prefería siempre a Dios padre que a Dios hijo, porque Dios padre es el imaginario del poder, incluso del poder de intervención.

—El Opus Dei es un *lobby* para imponer el poder de la Iglesia y no para liberar al pueblo. Es lógico que se sientan más cerca del imaginario de Dios que del de Jesús. Pero no descuidemos que el objetivo principal del viaje del Papa es reforzar a la Iglesia de Cuba. De una Iglesia minoritaria. Una Iglesia victimista, muy desplazada de la vida del pueblo.

—¿Por qué a Castro le ha interesado dejar redimensionar a la Iglesia cubana?

—Porque a Castro le interesa mantener una relación estrecha en el Vaticano por todo lo que el Papa simboliza en el mundo de hoy, sobre todo para tener en el Papa un aliado contra el bloqueo de Estados Unidos.

—También se me ha insinuado que Castro pudiera estar intranquilo por las postrimerías, después de su desaparición y tratara de construir referentes sociales para ese momento. La Iglesia pudiera serlo.

—No, no lo creo. Castro está siempre preocupado de que Cuba tenga cada vez más apoyo, porque Cuba es un país único en el mundo, es el único país socialista en Occidente, el único capaz de sobrevivir con todas sus dificultades económicas, enteramente indiferente a si las bolsas de valores suben o bajan. Cuba necesita para poder garantizar la Revolución.

—¿De qué revolución estamos hablando?

—Cuba ha abandonado la perspectiva de que América Latina está madura para cambios revolucionarios y la idea de que puede servir de modelo para otros países. Hoy Cuba es muy solidaria con la reorganización de movimientos populares y de la izquierda latinoamericana y debe seguir significando un símbolo de esperanza para la gente que lucha en otros países. Puede contar y debe contar la solidaridad de Cuba y la solidaridad con Cuba.

—Pero para conseguir esto necesitarían nuevos fundamentos ideológicos, porque el marxismo-leninismo tenía solución para todos los problemas y ahora son los problemas los que piden ser solucionados según la naturaleza de cada uno. De cara a América Latina, Cuba tendría que asimilar la política neoindigenista, con lo cual tendría que plantearse qué hace en su propia casa para integrar a su población negra. Y además, ¿cómo se puede ligar el espíritu de la historia con el Espíritu Santo?

—La Revolución cubana tiene la suerte de ser una revolución marxiana, pero no marxista. Una revolución peculiar que no ha sido marxista-leninista en el sentido clásico.

—En los años setenta pasó por serlo.

—Pasó por eso y se equivocó. Históricamente, dos figuras marcan la peculiaridad de la Revolución cubana, en el sentido espiritual de una concepción del hombre y de la sociedad muy diferente de la izquierda de los socialismos europeos. Martí y *Che* Guevara, especialmente el énfasis del Che en lo espiritual del empeño revolucionario, en el papel de los hechos de conciencia. Su herencia explica la espiritualidad de la Revolución cubana. Desde los años ochenta en Cuba se han desarrollado sobre ello innumerables congresos, seminarios, simposios, sin ningún tabú ni dogma. Cuba pasa por un momento de oxigenación de su cultura política que culmina con la visita del Papa. Momento de apertura a nuevos paradigmas y de búsqueda de una ideología, por decir así, entre comillas, porque esto tiene una carga de congelamiento, un horizonte ideológico vinculado con Varela, Martí, el Che y Fidel.

—Hay otra mitificación ideológica instrumentalizable: la de Gramsci. Puede ser una coartada para la pluralidad y para el papel de la sociedad civil frente al monolitismo metafísico del partido único al servicio del estado de clase. Pero esos debates se dan en núcleos cerrados. En cambio, los medios masivos parecen hojas parroquiales.

—Hay una variedad tremenda de publicaciones y yo percibo una apertura muy fuerte.

—Esa reconversión de la Revolución cubana, ¿qué complicidades puede tener?

—Hay movimientos muy expresivos, como el de Chiapas, los zapatistas. Es la primera guerrilla que no tiene como meta inmediata y principal el desplome del poder en el país, y al mismo tiempo se pone detrás de la dirección política de los indígenas. Mucha gente se pregunta: ¿por qué Marcos se llama subcomandante? Porque los comandantes son los indígenas. Marcos es un gran estratega. Y también podrían sentirse solidarios los nuevos movimientos combativos de la izquierda brasileña. El Partido de los Trabajadores no se corresponde con el cliché del partido comunista clásico, se siénten muy identificados con la teología de la liberación.

—Pero a poco que renazca algo peligroso para el sistema volverán a machacarlo, como lo machacaron con la coalición militares-*masters* de Chicago en todo el Cono Sur.

—Inmediatamente no preveo una reacción militar, por dos razones: Estados Unidos ha quitado a los militares de América Latina el poder bélico, porque la única policía, el único ejército continental debe ser el de Estados Unidos, bajo el pretexto de que combate la droga. La segunda es que los militares están muy desmoralizados, sin armas y sin moral prefieren hacerse ejecutivos de empresa. Si no pueden combatir el comunismo, ¿qué aliciente queda en sus vidas? Ahora bien, admito que si el sistema empieza a tener conflictos por todas partes, reprimirá, pero la nueva izquierda, sin la losa de la guerra fría, ganará en libertad de opinión y de estrategia.

—¿Su relación solidaria con Cuba puede ser incómoda?

—Cómoda porque la izquierda tiene que buscar en Cuba ejemplos, no recetas de cambios sociales. Cuba sigue siendo un territorio libre, un referente para la izquierda latinoamericana. Cuba mantiene la utopía y con todas sus miserias y precariedades, no ofrece el espectáculo de esos miles de personas marginadas que se mueven por las villas miseria de América Latina. Es muy diferente la perspectiva de una Europa acomodada. Para nosotros, latinoamericanos es un ejemplo, porque aquí, los derechos esenciales de la vida, como la alimentación, la salud, la educación llegan a la mayoría del pueblo. Cuando se dice que en Brasil hay libertad y en Cuba no, es mentira. Los niños brasileños tienen libertad para todo, menos para salir a la calle, ir a la escuela, recibir comida. Un obrero brasileño tiene libertad, pero no tiene dinero para moverse y visitar a sus familiares, para tener una casa, para mandar a sus hijos a la escuela. ¿De qué libertad hablan? De la libertad virtual del neoliberalismo. Los índices sociales de Cuba, con todos los problemas que hay, están más avanzados que los nuestros. Ésa es la referencia utópica para nuestros movimientos de liberación.

—Pero en Cuba muchos sectores sociales están cansados de ser referentes utópicos. Muchos son los que privilegian el sistema de vida democrático y la economía de mercado. Están cansados de estatalización, de pérdida del sentido de la iniciativa privada, de la vampirización de su conducta individual. Las vanguardias críticas están casi exasperadas y la división económica creada entre los que tienen acceso al dólar y los que no es otro factor de desencuentro con la Revolución.

—El turismo en Cuba es hoy un mal necesario, porque con los dólares vienen los vicios capitalistas, y justamente la Revolución en parte se hizo contra esos vicios. La apertura debería ir en la dirección de profundizar en la espiritualidad de la gente. La única manera de superar esa desgana es precisamente tensarla, ilusionarla con la propuesta de esa remodelación revolucionaria de la que hablaba. Utilizar los nuevos paradigmas, porque eso significa ser revolucionario, ser protagonista de un proceso social, de justicia, de distribución de los bienes. Subjetivamente, eso me preocupa, porque Cuba no tiene condiciones hoy por hoy para promover mejor situación económica para todo el pueblo. Se ha de establecer otra propuesta de hechos de conciencia, de solidaridad y resistencia.

—Un personaje de una obra de Bertolt Brecht dice: primero el estómago y luego la moral.

—Aquí ya han ensayado la inversa. Primero la moral, para que el estómago pueda resistir. Durante el *periodo especial*, el partido ha ganado más de 250.000 militantes, lo que para el propio partido ha sido una sorpresa. Esa espiritualidad puede cimentarse en el factor religioso, tan sincrético, pero evidentemente tan actuante en el mantenimiento de la moral de la gente. Y la figura del Che, su confianza en el papel subjetivo, en la voluntad revolucionaria. Hay muchos problemas, pero aquí no ves un policía con un arma en la calle, ni un tanque vigilando las encrucijadas, como en otras ciudades del mundo que el Papa ha visitado. Se ha intentado crear disgregación social, disenso, y no se ha conseguido. Fidel ha explicado cada dificultad en su momento y muchos agentes del desorden han tenido que marcharse porque aquí no conseguían desordenar nada. Fíjate. Fidel ha salido en televisión para pedirle al pueblo de Cuba que recibiera masivamente al Papa, sabedor de que la Iglesia cubana no lo hubiera conseguido.

—Se había creado la imagen de que el Papa venía a reñirle a Fidel, a decirle que el marxismo es pecado, que el ateísmo no lo contempla Dios con agrado, que la Iglesia ha de ser el buen pastor del rebaño de los creyentes ¿Fidel ha calculado bien los riesgos de esta operación?

—Los ha calculado muy bien. Estaba preparado incluso para escuchar cosas mucho más duras. Una serie de antecedentes han preparado bien el clima favorable a la visita: el Congreso de la Juventud, en agosto; el Congreso del Partido, en octubre, la llegada de los restos del Che, que movilizaron a todo el país, y las elecciones. Son cuatro factores que crearon la seguridad de que el pueblo iba a responder positivamente a la visita. Si los sectores descontentos fuesen significativos en Cuba, las elecciones no iban a tener tanto respaldo. Podían abstenerse, votar en blanco o votar tonterías.

—Un sistema de representación popular como el cubano, ¿suministra resultados tranquilizadores al Estado? La gente suele adoptar una doble conducta en situaciones donde no se siente libre. La conducta del que se queja todos los días, pero en el momento de votar se comporta según lo que el poder espera de él. Piensa: Dios es posible que no esté en todas partes, pero igual Castro sí lo está.

—Votar siempre es una oportunidad de protestar y esto no pasó en estas elecciones, quizá porque la gente ha superado periodos más difíciles. Cuba está creciendo más de 5% anual en los últimos años. Este año va al 2,5% y eso da un aliento a la gente. Siente que con su esfuerzo va a salir adelante.

—La manera de salir adelante conlleva el gen de un cambio de las relaciones económicas, sociales, culturales...

—Son riesgos que el Gobierno considera necesarios. Es consciente del riesgo de crear ciudadanos de primera y segunda clase. Entonces toma decisiones que no son tan visibles, por ejemplo: ha aumentado las pensiones de apoyo a la niñez y a la vejez, y ha reforzado las medidas para reducir la desocupación y eliminar el pluriempleo. Ha privilegiado inversiones en las áreas más pobres del país, sobre todo en el campo. Así tienden a crear confianza social.

—Encuentro en La Habana del Papa, de Castro, y como convidado de piedra, el espíritu de Clinton. Esto es una inversión para herederos: los del poder revolucionario, los del Papa, la próxima administración americana.

—Hay que verlo como el encuentro entre dos líderes fuertes y carismáticos. Claro que implican a las instituciones que los respaldan. Seguramente la Casa Blanca está muy molesta con la manera en que el Papa vino apoyando la lucha contra el bloqueo y criticando el capitalismo neoliberal. Esto, seguramente creó desconcierto y deslegitimó a los norteamericanos. Toda la gente ahora tiene conciencia de que si el Papa condena el bloqueo, el bloqueo es criminal. Antes de la visita del Papa, muchos veían el bloqueo como una sanción aceptable para un país comunista que se opone a los ideales de Occidente. La visita también abre la perspectiva de una nueva manera de relación entre las estructuras cubanas: el Estado, las Iglesias, el partido.

—El futuro de la Revolución, de momento, depende de esos nuevos cuadros que Fidel va aglutinando. Son algo enigmáticos. ¿Qué prima en ellos, perpetuar la Revolución o dirigir el cambio vaya a donde vaya, como pasó en el bloque socialista?

—Aquí fueron seleccionados como perpetuadores y reformadores de la Revolución, no como liquidacionistas. Son gente muy joven, pero sin ninguna concesión a los modelos neoliberales o socialdemócratas. Muchos han sido dirigentes de la juventud comunista, ahora ocupan funciones importantes en el país, como Robaina.

—Buena parte de la reivindicación universal de los derechos humanos descansa en instituciones y ONG religiosas o pararreligiosas. ¿Le parece suficiente la actitud de la Revolución ante los derechos humanos?

—A la luz de la teología de la liberación ningún país de América Latina aplica tanto los derechos humanos como Cuba. Aquí no hay niños en la calle, no hay fabelas, no hay desocupación masiva, no hay gente que tiene miseria, no hay mendigos que aparecen quemados en la calle, no hay policía que reprime las manifestaciones populares. Ningún país hace una inversión de su economía y de sus esfuerzos en los derechos colectivos como Cuba. Nos parece una hipocresía que países que tienen tremendas desigualdades, explotación, miseria, quieran enseñar a Cuba lo que son derechos humanos. En nuestros países, como Brasil, Bolivia, México, Chile, Venezuela, no se trata de luchar por derechos humanos, todavía tenemos que luchar por derechos animales, por el derecho de comer, de protegerse del frío y del calor, de garantizar la educación de los hijos. Si hay un país de América Latina al que no se pueda exigir alguna defensa estructural de derechos humanos, este país es Cuba.

—¿Pero la Revolución se debilitaría si los presos por objeción de conciencia, estuvieran en libertad? ¿La Revolución se debilitaría si se dejara de aplicar la pena de muerte? ¿Cómo se puede estar en contra de la pena de muerte en Estados Unidos y cerrar los ojos ante la aplicación de la pena de muerte en Cuba?

—En eso estoy de acuerdo. La Revolución no se debilitaría en nada si se suprimiera la pena de muerte y hay que acabar cuanto antes con ella. En cuanto a los presos políticos, ahora van a salir muchos, como resultado de la propuesta de libertades que ha hecho el Vaticano.

—¿Cómo va a resituarse la relación entre ustedes y el Vaticano?

—Va a seguir habiendo tensiones. No tenemos buena relación con el Vaticano, pero tenemos buena relación con muchos obispos en nuestro país, y esa diversidad, esa pluralidad seguirá prestándonos territorios de actuación.

Frei Betto y los teólogos no ocultan su satisfacción ante el cambio, aún no se sabe si de táctica o estrategia del Vaticano, pero no hay que dejar de lado las grandes indignaciones que ha provocado el encuentro de La Habana, la del *babalao* que protestó a tambor batiente contra el ninguneo a que le condenaba el cardenal Ortega, la de la escritora Zoé Valdés y la de la antropóloga Natalia Bolívar. Coincidió la visita del Papa con la publicación en *El País* de una indagación sobre los mil dioses de Cuba, a cargo de Mauricio Vicent, con el soporte fotográfico de Koldo Chamorro: "Una isla", escribe Mauricio, "donde Dios ha de ser amable y eficaz si quiere sobrevivir". A lo que los católicos llaman Dios, los santeros cubanos le llaman Olofi y los mayomberos y seguidores de la regla de Palo Monte hablan de Sambi y a Sambi le rezan cuando sacrifican gallos y carneros para *dar de comer* a los muertos que viven en sus prendas *ngangas* de Siete Rayos y Zarabanda. "Los abakúas de La Habana y Matanzas creen, en cambio, que la verdadera esencia divina está en el gran Abasí, cuya representación en la Tierra es un crucifijo y habla a sus hijos a través de Ekue, el tambor sagrado dueño del secreto de la sabiduría". Lo mucho que sabe

Mauricio Vicent de Cuba lo ha vivido, también la santería, y a su estela voy al habitáculo de la escritora Natalia Bolívar, *palera*, grado de santería, desde hace más de cuarenta años, que habita en un apartamento con once perros, un galápago del desierto, Mumus para los amigos, dieciséis años tiene sólo la criatura, tres pájaros: cacatillo, roscolí amarillo y del tercero no sabe no comenta, tres peces *goldfish*, también tres hijas, Natacha, Karla, Buby, resultantes de ocho maridos, alguno de los cuales salió de la casa pies en polvorosa porque Natalia estaba aquel día de buenas y se limitó a dispararle a la pierna.

Eslabón unido a la cadena iniciada por Fernando Ortiz y continuada por Lydia Cabrera, Natalia Bolívar, militó contra Batista, sufrió cárcel y tortura, estudió antropología y quedó enganchada en las ciencias más ocultas. De ella he leído *Los orishas en Cuba*, inventario de dioses y mitologías que llegaron a América encadenados a los esclavos, mejor dicho, poblando el territorio de su conciencia, lo único libre que les quedaba.

También he leído *Cuba: Imágenes y relatos de un mundo mágico* y *Sincretismo religioso*, escrito en colaboración con Mario López Cepero. Habla de unos dioses consoladores del esclavo de los que acabó apoderándose también el blanco hasta crear un mestizaje espiritual, la emocionalidad religiosa más presente en Cuba. El blanco se asomó a la vida secreta de sus esclavos desde la morbosidad con que propone el abismo. En *Los negros brujos*, Ortiz se acerca a lo secreto de la negritud, porque la pobreza de la negritud nutre *la mala vida* y propone no transigir... "...aunque sea solamente en un ápice, con los brujos, que representan la parte más atrasada de la población de Cuba y en especial aquellas masas de negros que no están suficientemente desafricanizadas".

El pensamiento no delinque, decía Lombroso, corresponsal de Fernando Ortiz, pero la morbosa prevención del criollismo intelectual racionalista se quedó atrapada en el atractivo de lo secreto, de lo prohibido. En la casa de Nata-

lia Bolívar me encuentro con un babalao, un sacerdote de
Ifá, de paso, y esta morada es un almacén de objetos que
evocan situaciones que al profano le parecen sumamente
peligrosas, como parece peligrosa Natalia, no porque haya
baleado a algún marido, sin duda se lo merecía, sino porque
estudia a los demás por el procedimiento de anexionárselos
y quedárselos para siempre en sus ojos poderosos o en los
pliegues de una sonrisa breve, que oculta retaguardias, como esa coleta que cuelga sobre su espalda, apéndice contradictorio de un peinado convencional.

—Si usted la hubiera conocido en los tiempos de la Universidad, con aquella melena al viento cuando iba en moto,
aquella gracia y osadía que nos hacía volver la cabeza...

Quien me habló así de Natalia Bolívar fue su compañero de Universidad monseñor Céspedes, que aún la tenía en
la retina como un esplendor en la hierba. Me lo decía en
otra recepción de la Embajada italiana. Ahora despedimos al
embajador a Giovanni Ferrero en mayo del 98 y conozco a
Nati Revuelta, la madre de Alina, la mujer que vendió las joyas para financiar el asalto al cuartel Moncada, pero que no
asumió el desafío de irse a Sierra Maestra para compartir la
cima de la lucha armada. Y aun así, Natalia Revuelta, a juzgar por lo escrito por su hija, ha sido víctima de un exceso de
generosidad con el hombre que amó.

Natalia Bolívar no pertenece a esta raza; esta mujer de
armas tomar, en uno de sus viajes se fue a Miami, localizó al
policía que la había torturado, el general Orlando Piedra, y
tuvo una explicación con él en el Versalles, un cubil del anticastrismo más radical. Natalia estuvo integrada en el Directorio Estudiantil Universitario, colaboró en el asalto al Palacio
Presidencial, en el que perdieron la vida Echeverría y el hermano de Gutiérrez Menoyo, por poco no la perdió Batista,
avisado, según Natalia, por su babalao. Subdirectora del Museo de Arte Contemporáneo, pero no dócil a las incompren-
siones burocráticas, fue represaliada, reducida a responsable
de la limpieza del cementerio de Colón y los mejores artistas

de Cuba la visitaban y se ponían a barrer las avenidas funerarias y a blanquear las tumbas, en un acto de solidaria complicidad con Natalia. Ante el espectáculo, se acabó tan inadecuado cargo para una antropóloga que no necesita irse al cementerio para hablar con el más allá. Lógicamente, esta mujer se indignó ante la visita del Papa, así lo dijo por la radio española, me lo repite ahora desde la ironía y nos sorprende a los visitantes de su morada con la imagen fija en la pantalla del ordenador, Fidel y el Papa dialogan, pero no son dos, sino tres: Natalia los vigila, casi pegada a ellos, realidad virtual que ha conseguido una de sus hijas, por procedimientos que dudo sean exclusivamente informáticos.

Otra mujer indignada, Zoé Valdés. Colaboración de prestigio dentro del reportaje de Vicent sobre los dioses de Cuba, Zoé no estaba para puñetas el día en que redactó *Cuba: año del erotismo religioso*. Propone que 1998 sea nominado en Cuba *Año del erotismo religioso* porque, razona, la venida del Papa será el gran orgasmo de la historia de la Iglesia y de las revoluciones, porque cuando el Papa corone a la Virgen del Cobre... "...El Papa, que algo debe saber de sincretismo religioso, no ignorará que esta virgen patriótica es nuestra Ochún en la religión yoruba, es decir, la santa santa, la santa putona de marca mayor que vuela de marido en marido prestándole los frutos de su vientre (¿Jesús?) a Yemaya, la virgen de la Regla, para que se los críe, ya que ella no tiene tiempo ni cabeza como no sea para dulzura de machos". No está mal para empezar y deduzco que Zoé, al fin y al cabo, fue educada en ateísmo científico y algo debe quedarle en su actual condición de exiliada en París, capital del ateísmo cortés, aunque se le atribuya la paternidad a un alemán, Schópenhauer. Zoé imagina al Papa con un condón en el bolsillo de la sotana... "por si la Santa cede", chiste malo, irreverencia escalofriante, a la que se añade el inventario de aficiones papales: palpar los milagros, conocer el infierno y entrevistarse con el diablo y la constatación de que los CDR ¡los CDR! están repartiendo estampitas del Papa para que las gentes las pongan en las puertas de sus casas "...la gente no sabe ni quién pinga es ese viejo jorobadito con ojos de pajero arrepentido. Los más probable es que cuando alguien grite '¡Llegó el Papa!', las multitudes confundidas se congreguen no en los atrios de los templos, sino en las puertas de los mercados creyendo que lo que llegó al fin, sea 'la papa', tubérculo". No insisto más en las irreverencias contra el Papa, ni contra Castro, me apropio simplemente del final de la diatriba: "El Papa intuye que el muerto aún está tibio, por eso va a darle unas cuantas misas de pésame, para que se calme y se acostumbre. Pero que no crea nadie que la gloria le pertenece". ¿A quién?

La gloria es un *ajiaco* que desde hace siglos se ha guisado en las cocinas del Vaticano.

CAPÍTULO XIII

Las cocinas del Vaticano

*En esta dimensión escatológica, los creyentes serán lla-
mados a redescubrir la virtud teologal de la esperanza, acerca de la cual "fuisteis ya instruidos por la palabra de la verdad del evangelio" (Col 1,5). La
actitud fundamental de la esperanza, de una parte,
mueve al cristiano a no perder de vista la meta final
que da sentido y valor a su entera existencia y, de
otra, le ofrece motivaciones sólidas y profundas para el
esfuerzo cotidiano en la transformación de la realidad
para hacerla conforme al proyecto de Dios.*

JUAN PABLO II: *Tertio Millennio Adveniente*

Durante la estancia del Papa abundaron las reuniones entre
Fidel y los teólogos de la liberación residentes en una casa
de protocolo. Allí estaba François Houtard, director del Cen-
tre Tricontinental y responsable de la revista *Alternatives du
Sud,* que previamente a la visita había difundido un escrito,
Les enjeux de la visite de Jean Paul II à Cuba, a manera de
resumen de la situación para casi ignorantes de los antecedentes de las relaciones entre la Iglesia y el Estado cubano,
antes y después de la Revolución. El análisis de Houtard
coincidía en casi todo con el oficial, y en todo con *La Iglesia*

católica durante la construcción del socialismo en Cuba de
Raúl Gómez Trejo, un analista revolucionario con la voluntad
de buscar caminos de encuentros y opuesto a la política de
enfrentamiento sibilinamente trazada por el nuncio Tagliaferri,
agente del vaticanismo de guerra fría. Insistiría Gómez Trejo
en el precedente intelectual del nacionalcatolicismo del padre Varela, no mencionaría en cambio el papel del arzobispo
Pérez Serantes en la salvación física de Fidel cuando después del fracaso de Moncada estaba a tiro de los oficiales de
Batista, pero sí la participación del padre Sardiñas en la Revolución, hasta alcanzar el grado de comandante y merecer
que en las conmemoraciones sucesivas de los aniversarios
de su fallecimiento presidieran desde Fidel Castro a Juan Almeida y actuaran de oradores fúnebres o el director de *Granma* o Alarcón cuando aún no era Alarcón, todavía con galo-
nes de viceministro de Asuntos Exteriores.

El desencuentro con la Iglesia se produce a raíz de las
primeras leyes revolucionarias y medidas de política educacional que llevan a pastorales contrarrevolucionarias replica-
das con intervenciones estatales de bienes de la Iglesia, como la del cementerio de Colón. Gómez Treto es católico y
revolucionario, lo suficientemente revolucionario para admitir
el clima de intransigente hostilidad de la Iglesia y lo suficientemente católico como para insinuar la exageración de algunas réplicas del Gobierno, como la expulsión de 132 sacerdotes, la mayoría españoles, o las enseñanzas de ateísmo
científico. Constata que Fidel ya invitó al Papa en 1979 a través del nuncio Tagliaferri, por si quería hacer escala en Cuba,
pero el Vaticano estaba implicado en la guerra fría y prefirió
hacer escala técnica en las Bahamas. El libro *Fidel y la religión* es consecuencia y a la vez impulso de un cambio de clima que culmina con la visita papal que Gómez Trejo no pudo
ver, murió en La Habana en 1992, como miembro del secretariado de la Conferencia Cristiana por la Paz. Houtard escribía su *resumen de lo sucedido* con un claro deseo de que la
visita papal fuera rentable para la estrategia de la teología de

la liberación y del acercamiento trinitario: Revolución-Vaticano-Teología de la Liberación. Houtard ya salía al paso de una lectura *occidental* del encuentro y de la realidad cubana, que olvidara que a pesar de todos los aparentes déficit democráticos": Cuba es el país de América Latina que tiene menos que reprocharse desde este punto de vista. Las autoridades cubanas no están en principio contra el pluripartidismo, pero estiman que en las circunstancias actuales serviría sobre todo para tratar de restaurar las estructuras económicas y sociales capitalistas". Houtard cita el ejemplo de Nicaragua y aporta como solución el diálogo de la Revolución con los elementos moderados del exilio y el papel positivo que la visita del Papa puede cumplir. Qué objetivos tiene el Vaticano y la Iglesia cubana como su instrumento subyace bajo el debate no siempre explícito del Partido Comunista Cubano.

Ante la imposibilidad de sustentar una hipótesis pública inquietante, bien está el balance que hace Frei Betto casi el mismo día en que el Papa se está marchando, difundido por toda la zona de influencia de la teología de la liberación bajo el título *Wojtyla, furacào sobre Cuba*. Tras un análisis histórico coincidente con el de Houtard, Betto enumera los efectos positivos de la visita (la condena del bloqueo americano, la crítica del neoliberalismo capitalista, la proyección de Cuba en el escenario internacional), pero también los negativos (la cruzada anticomunista de Juan Pablo II, la indiferencia frente a las conquistas sociales de la Revolución, el discurso contrarrevolucionario del obispo de Santiago, la connotación antiecuménica por la exclusión de las religiones afrocubanas). A continuación, una serie de consideraciones sobre los aspectos teológicos y pastorales de la presencia pontificia, para desembocar en la herencia dejada, esos *huevos de la serpiente* a los que se han referido los más reticentes miembros del Partido Comunista Cubano en los debates previos a la llegada del sumo hacedor de puentes. Frei Betto habla de *desafíos al socialismo cubano* y no son mínimos. Para empezar, la visita ha podido despertar el sentimiento religioso como

591

manifestación colectiva; además, puede fortalecer a la Iglesia como un poder dentro de otro poder, la cuestión religiosa pasa a ser un desafío de principio para la Revolución y no una cuestión meramente administrativa, el diálogo entre Revolución e Iglesia se convierte en una exigencia de la consolidación de la unidad nacional, se corre el riesgo de que el Estado se decante hacia una Iglesia concreta, se abren espacios críticos dentro de la Revolución y se plantea la necesidad de asumir la espiritualidad como un valor revolucionario. Los desafíos para la Revolución, concluye Frei Betto, consisten en cómo trabajar la subjetividad humana, la mística de la militancia y la construcción de una nueva sociedad, la concienciación participativa de las generaciones más jóvenes, las contradicciones aportadas por la apertura del escenario internacional, la pluralidad de opiniones y de cosmovisiones.

Giulio Girardi, otro teólogo presente en la *casa de protocolo*, donde la teología de la liberación estudiada día a día el sismógrafo espiritual y estratégico de la visita del Papa, transmite a Gianni Minà sus conclusiones sobre lo ocurrido en el epílogo de *El Papa y Fidel*. Revela Girardi que el 26 de enero, ya de regreso el Papa a Roma, Fidel reúne a los teólogos en una cena para intercambiar opiniones. Frei Betto presentó a Girardi, Houtard, Ribeiro de Oliveira y a sí mismo como integrantes de *la banda de los cuatro*, y estaban presentes en la reunión Carlos Lage, José Ramón Balaguer, Caridad Diego, José Albezu Fraga (responsable de las cuestiones americanas del Comité Central), Felipe Pérez Roque y *Chomi* Miyar. Ningún teólogo de la liberación cubano, no los hay, como tampoco Fidel ha dejado que hubiera un biógrafo suyo cubano, otra cosa son los hagiógrafos. Teólogos y biógrafos, aunque sean propicios, que sean extranjeros. Fidel llega a la conclusión de que el éxito de la visita es una victoria de la Revolución y los teólogos consideran que más que un pulso político se ha vivido una gran fiesta de comunicación y que la siembra ideológica dejada por el Papa debería ser apostillada por una mayor apertura del debate, una mayor apertura de la Revolución y del partido.

Una lectura sociologista la aporta Aurelio Alonso en el mes de abril siguiente a la visita, mediante una ponencia presentada en el Centro Cristiano de reflexión y diálogo, ponencia que representa la posición de la inteligencia cubana crítica pero no disidente. Estamos en plena contradicción Norte-Sur, no Este-Oeste y, por tanto, vuelve a tener sentido una lectura de las relaciones de dependencia a la manera de los llamados intelectuales *tercermundistas* del pasado y del Che en su discurso de Argel, en el que discrepa de la lectura habitual de la lucha de clases internacional del bloque socialista. Por otra parte, hay que considerar la crisis de paradigma con que acaba el milenio, crisis del paradigma del llamado socialismo real, proveniente del error, dice Alonso, de creer que el socialismo iba a ser una realidad del siglo XX. Constatar el fracaso de un paradigma socialista no debe ocultar la evidencia del fracaso del capitalismo, no sólo explícito en el desarrollo desigual del mundo, sino en los mismísimos procesos de transformación de los países de socialismo real.

Todo lo que dice Alonso se analiza línea a línea en la oficina para la atención de los asuntos religiosos del Partido Comunista y sus tesis de abril son consecuencia lógica, sin contradicciones, de una línea analítica que viene de distintas aportaciones: *Fe Católica y Revolución en Cuba* (1990), *Participación política y fe religiosa en Cuba* (1992), *Iglesia Católica y Política en Cuba en los 90* (1994), *Catolicismo, política y cambio en la realidad cubana actual* (1996). Con un rigor bianual, publicados sus trabajos en las revistas del CEA o en *Temas,* Alonso ha ido describiendo un proceso que aparecerá compilado en *Iglesia y Política,* con prólogo de Frei Betto, donde señala la especial situación con que termina el milenio: crisis del paradigma socialista, pero también descrédito del capitalista coincidente con su más alto punto de hegemonía.

"Esta evidencia", escribe Alonso, "ha sacudido todas las agendas sociales y pienso que también la de la Iglesia católica". No se puede pasar por alto también la crisis del paradigma de conducta política de la Iglesia, en el pasado implicada en la guerra fría y además alertada por el dato, según el CELAM (Conferencia Episcopal Latinoamericana) de que en las dos últimas décadas han abandonado la Iglesia católica cuarenta millones de personas en el subcontinente latinoamericano. Desde el capitalismo no hay respuesta para la agenda global de Juan Pablo II y de ahí la brusca evidencia de que ha desaparecido un demonio pero no el infierno en este mundo y el giro del discurso pastoral papal en lo socioeconómico. La visita del Papa a Cuba, insiste Alonso, es pastoral, dirigida a los católicos cubanos, pero sin confrontar su visión del mundo con la de la Revolución, sino coincidiendo en el inventario de los efectos negativos del sistema capitalista. Ya le basta a Fidel, frente a los que se preguntan: "¿A quién beneficia este viaje?", como se pregunta en las novelas policiacas a quién beneficia el crimen. Ahora bien, en las cocinas del Vaticano se han preparado comidas profundas futuras, ante las cuales la Revolución tiene que situarse, porque Juan Pablo II no vino a legitimar el sistema político cubano, aunque tampoco lo deslegitimó.

La revista católica *Vitral,* editada en Pinar del Río, ha ido preparando la llegada del Papa mediante números monográficos significativos. En el de septiembre de 1997 se reproducen los mensajes que los Papas contemporáneos han dirigido a Cuba, desde Benedicto XV a Juan Pablo II, mensajes pastorales convencionales en la etapa precastrista, de propuesta de reconciliación y perdón en Juan XXIII, de inteligente pragmatismo el de Paulo VI, y de abundante intervencionismo ideológico en los doce mensajes pastorales cubanos de Juan Pablo II a lo largo de casi veinte años de pontificado: desde el dirigido a los peregrinos al santuario de San Lázaro (1979), santo que no existe en el santoral católico, pero cuya versión afrocubana, Oshun, es la cima del culto de la santería, hasta la misiva a la reunión conmemorativa del décimo aniversario del Encuentro Nacional Eclesial Cubano (1986). En este mensaje, inmediato antecedente de los que pronunciará durante el viaje, Juan Pablo II desvela su estrategia: desde el anterior en-

cuentro se ha producido el hundimiento de los países socialistas, donde se difundía el ateísmo y se daba un tratamientro
burocrático, excluyente y severo a la Iglesia, a sus instituciones y a los creyentes en general y aunque vosotros no hayáis
pasado situaciones del todo coincidentes y se haya superado
el periodo en el que se enseñaba ateísmo científico, os queda
mucha evangelización por delante. *Vitral* reproduce los mensajes emitidos durante el viaje con una presentación firmada
por el Centro de Formación Cívica y Religiosa de Pinar del Río,
que comienza con una cita de Juan Pablo II: "El espíritu sopla
donde quiere, quiere soplar en Cuba", y saca consecuencias
de la situación vivida en la que de pronto se produjo lo impensable, dice, lo prohibido fue tolerado, alentado; lo que era imposible fue súbitamente posible.

   Vitral vive una especial efervescencia en este periodo y
en enero de 1998 edita un monográfico que reproduce sus
editoriales desde el número 1 de 1994, bajo el título "La Libertad de la luz". La línea seguida apuesta por recomendar quedarse en Cuba para cambiar las cosas desde dentro, por la
condena a la violencia a partir del altercado de agosto de
1994, la recuperación del sustrato católico de los escritores de
Orígenes, la propuesta de seguir avanzando aunque las conquistas parezcan mínimas, la constatación del hambre como
prueba implícita del fracaso de una política, defensa de lo co-
munitario frente al individualismo, reivindicación de movimientos sociales como los sindicatos. De nuevo el famoso *ajiaco* de
Fernando Ortiz como motivo de meditación sobre la cultura de
la pluralidad que emerge de la cultura real, la petición de celebrar la Navidad, las relaciones de la Iglesia y el Estado mejora-
das pero por más empeño de la Iglesia que el Estado, la visita
del Papa como una potencia ecuménica que viene a compensar las precariedades de instalación de la Iglesia cubana.

   La especulación sobre qué se cuece en las cocinas
del Vaticano no se ha esfumado como el rastro del Boeing
pontificio en el cielo y la sospecha de que haya dejado
puestos los huevos, la semilla de un nacionalcatolicismo con

voluntad de conquista social va muy ligada al sentido polaco de la vida y de la historia de Juan Pablo II y a su proyecto de *nueva evangelización,* y por ello Fidel, en su aparición televisiva, se esforzó en convertir en positivo lo que era más negativo aparentemente: la visión polaca del mundo de Su Santidad. La Conferencia Episcopal cubana había instado a Fidel Castro a un diálogo nacional que pasara por la amnistía, la misericordia y la reconciliación, y a corregir el carácter excluyente y omnipresente de la ideología oficial, en contra la Iglesia de que haya un solo partido, una sola prensa, una sola radio, una sola televisión, circunstancia calcada a la realmente existente en el seno no ya del Estado vaticano, sino en los centros de poder real de la Iglesia católica globalizada, sin que la Iglesia cubana, con Ortega a la cabeza, haya reclamado nunca la liberalización en el seno del Vaticano y de la Iglesia global.

Pero lo que más intranquiliza a los que leen entre líneas a Papas y cardenales es la interpretación que el *Miami Herald* ha dado a la declaración episcopal cubana, vista como un viraje a la entente cordial mantenida entre la Iglesia y la dictadura y la posibilidad de asumir "el valeroso ejemplo de sus hermanos polacos" ¿Se refiere el *Miami Herald* a la campaña subversiva desarrollada en Polonia por el tándem operacional del Departamento de Estado y el Vaticano en los tiempos de Reagan y del recién proclamado Papa polaco? ¿Acaso el Vaticano, a través de la democracia cristiana y en conexión con la mafia, no formó un frente invisible para evitar la expansión del comunismo en Italia? Heinz Dieterich, el sociólogo mexicano, no tiene por qué ser tan táctico como Houtard, tan estratégico como Frei Betto, ni tan dialéctico como Aurelio Alonso, ni tan estadista como Fidel, y pone por escrito lo que piensa una parte de la nomenclatura cubana. "Imposibilitar cualquier alternativa al capitalismo ha sido la razón de ser estratégica del Vaticano, desde su 'modernización' burguesa hasta el día de hoy. La obra de Juan Pablo II en Europa oriental es el mejor ejemplo de esto.

Después de colaborar con la CIA en la destrucción de los regímenes socialistas europeos regresa a los países 'liberados' pescando, cual san Pedro, nuevas almas en el mar de la desesperación creado por el neoliberalismo occidental. Dadas estas circunstancias, los obispos cubanos nos perdonarán una sana dosis de escepticismo frente a su 'deber de revitalizar la esperanza' presentado con la pose del *Ego sum pastor bonus*. Porque el *Animal farm* que vivimos, la distinción entre pastores, lobos y ovejas resulta a veces más difícil de lo que a primera vista parezca".

Del Vaticano sólo permanece visible la ventanita a la que se asoma el Papa para bendecir a los fieles; el resto aparece cubierto de estructuras metálicas y plástico para ocultar los trabajos de limpieza de la fachada del estuche más aparente del mundo. No todo se cuece dentro de los muros, en los pasillos secretos o en los sótanos del Vaticano. A veces hay pasillos al aire libre como el que une la Oficina de Prensa del doctor Rafael Navarro Valls en Via de la Conciliazione con el Papa, un puente capital para entender la política del Pontífice polaco y su voluntad de apostolado mediático. Situada en la esquina, a doscientos metros de la cabeza de la Iglesia, Navarro Valls recorre este camino las veces que haga falta para mantener el cordón umbilical con Juan Pablo II.

La tipología de los agentes de la religión en este final de siglo es muy diferente de la de hace cincuenta, cien años, porque este cartagenero cincuentañero, ex psiquiatra, ex periodista de *Abc*, al que algunos llaman el Paul Newman del Vaticano, soltero y miembro del Opus Dei, ha conseguido hablar del Papa y sus asuntos como si estuviera dando una clase práctica de creación de imagen.

Días atrás presencié una entrevista a monseñor Carlos Manuel de Céspedes en TVE, interrogado sin demasiado acierto, que él corrigió con acierto pleno, porque la entrevista iba de guerra fría y monseñor estuvo convenientemente templado. Dio todo un curso de cómo se responde en una entrevista a la brava, en la que la entrevistadora quería que monseñor le contestara lo que ella quería oír contra la Revolución cubana. Céspedes describió suficientemente las expectativas de una Iglesia que aspira a vertebrar una sociedad civil cuando sea inevitable hacerlo y pueda contribuir incluso a la transustanciación revolucionaria, problema metafísico o prodigio teológico de envergadura.

De momento, ya hay Semana Santa en La Habana y que nadie se sorprenda si los mejores salseros de la ciudad consiguen una síntesis de cha cha cha y saeta. Si levantaran la cabeza aquellos anarquistas que hace un siglo profetizaron una tierra sin tribunos, reyes ni dioses o aquellos profesores de ateísmo científico que en la Cuba de los años setenta se tomaron en serio que Dios había muerto, o bien creerían asistir a un carnaval meramente nostálgico o a una fiesta folclórica de moros y cristianos. Pero no. La Semana Santa de Cuba, meses después de la entrada de Dios, ha sido, de momento, una síntesis entre lo revolucionaria y lo espiritualmente correcto y en buena medida estoy en la plaza de San Pedro de Roma, ante un hombre que es guardián del secreto del sumario de la entrada de Dios en La Habana.

—Se dice que tú has cambiado el estilo de la oficina de prensa, la manera de trabajar; estas modificaciones, ¿han repercutido en el planteamiento de la visita?

—Cambios en la oficina indudablemente, lo que pasa es que no quiero apuntarme el mérito, porque son cambios exigidos por las circunstancias. Cuando llego aquí y se plantea dar información de la Santa Sede y de la actividad del Papa como dos cosas que se unen pero que son diferentes, con toda la complejidad técnica de la globalización informativa, me di cuenta que éste es un bonito proyecto condicionado por la demanda que hay en la gente. Comprendo que el mensaje que el Papa propone va más allá de la geografía católica. No quiero criticar a mi predecesor porque eran otras circunstancias, otro pontificado. Hoy se redacta un documento sobre, por ejemplo, la bioética y me encuentro con colas de embajadores pidiendo el texto, embajadores no todos de pueblos católicos, por ejemplo, Alemania o Indonesia ¿Qué ocurre? Ocurre que la ciencia médica va a una velocidad tremenda, plantea conclusiones y posibilidades de actuar, mientras los gobiernos ven que no hay legislación sobre eso, que los parlamentos se encuentran con que tienen que legislar sobre esos temas pero sin base sobre la que fundamentarse ¿Sobre qué base se fundamenta esta legislación? Una base ética; ¿qué ética? No es que estén esperando que el Vaticano hable para hacerle caso, pero sí quieren tener en cuenta este punto de vista. Imagínate lo que significa divulgar una posición ética, con la cantidad de sutilezas interpretativas. Me puse de acuerdo con la gente que trabaja conmigo: "De momento, vamos a ser muy modestos, vamos a dar lo que el Papa o la Santa Sede, o los dos, dicen o hacen y por qué lo dicen o lo hacen". No se trata de violentar o reorientar la opinión pública, sino de aportar una razón más. Tú no puedes dar un dato simplemente sin explicar por qué. Imagínate el día que el Papa anuncia, hace años, que va a visitar la sinagoga de Roma. Ningún papa, en dos mil años, lo había hecho ¿Por qué ahora? ¿Por qué la de Roma? Yo lo tengo que decir y he de saber interpretar las razones del Papa, para lo que es necesario un contacto continuo. Cuando he tenido necesidad de hablar personalmente con el Papa nunca ha demorado la entrevista más de tres horas. Coge el teléfono: "Venga. Venga a desayunar o a almorzar o inmediatamente". Todo lo trato directamente con él y cada vez que recibe a alguien que merece un tratamiento informativo *ad hoc*, mientras esta persona está saliendo de su biblioteca privada, yo entro por la otra puerta. Nada más verme, Su Santidad me pone en antecedentes. En quince años que estoy aquí jamás me ha dado una instrucción sobre cómo transmitir una información. Él se fía, no de mí, sino de cualquier colaborador suyo, y considera que la competencia profesional valorará los temas. Por ejemplo: viene Castro, primer tema para la opinión pública:

¿Ha invitado o no ha invitado al Papa? Por supuesto, ha invitado al Papa a visitar Cuba ¿El clima de la conversación? ¿Cordial? ¿Tenso? Clima tal... Hay que dar algunos de los temas de contenido, porque no se va dar una información correcta si no aportas los elementos.

—¿Tenéis una relación interactiva?

—Por supuesto. El Santo Padre es tremendamente receptivo. Se han escrito ya cinco o seis biografías o supuestas biografías del Papa, con la pretensión de profundizar en el pontificado; unas son válidas, otras menos. Pero hay un tema no abordado: la dialéctica Juan Pablo II-opinión pública.

—Estamos hablando del Papa mediático.

—Un papa consciente de que si quiere comunicar incluso con los creyentes no puede confiar exclusivamente en el púlpito. No porque la gente no lo va a oír, la gente sigue yendo a la iglesia, las cifras están ahí. No es eso, es que no es suficiente en nuestro tiempo, sobre todo desde la temática tan vasta que Su Santidad plantea al mundo.

—¿Él calcula el imaginario que suscita? ¿Lo había calculado antes del viaje a Cuba?

—Desde mucho tiempo antes comprendía la razón simbólica de lo que significa ir a Cuba. Pero si fue no se debió a la voluntad de ratificar el imaginario, sino porque se lo pedían insistentemente los obispos cubanos. Estábamos en Checoslovaquia en el año 91, creo, y a tenor de un diálogo con los periodistas dije: "En Navidad de este año vamos a Cuba". Ahora dependía de los cubanos que el viaje se realizara.

—Anuncias el viaje cuando todavía no está pactado con el Gobierno cubano.

—Se había creado la impresión de que era el Papa quien no quería ir, por eso anuncié: "Vamos a Cuba", y a ver quién dice que no. Volviendo a la relación del Papa y la opinión pública, Juan Pablo II tiene una tremenda mentalidad laica, si se puede hablar así de un papa. La confirmamos si estudiamos su biografía.

—Cuba representó un despliegue de logística mediática y diplomática importante. Había que poner de acuerdo al Vaticano con la Iglesia cubana, con el régimen, y al régimen con la Iglesia cubana.

—En parte nos impulsaba el peso de la opinión pública. Conscientes del desafío y de lo difícil de controlar la imagen resultante. Todo era dificilísimo. Incluso prever el acercamiento del Papa a las masas en un país con tan serios problemas de transporte. Tampoco la Iglesia cubana estaba acostumbrada a tanto publicismo, al contrario, durante décadas se ha visto relegada a una cierta asfixia comunicacional. El Gobierno cubano no estaba preparado para una movilizaciónn de estas características. Yo notaba que les costaba confiarnos sus déficit, hasta que finalmente pusimos sobre la mesa nuestros problemas y las posibles soluciones. Debíamos cimentar una gran confianza mutua. El Papa me dijo que me fuera a Cuba unos meses antes de la visita para estudiarlo todo sobre el terreno. Esperé a que acabara el Congreso del Partido Comunista de Cuba para no dar un realce político a mi visita. Pude hablar enseguida con Caridad Diego, que estaba esperándome en el aeropuerto; con Robaina, de Exteriores; con Isabel Allende, la viceministra de Exteriores, naturalmente con los representantes de la Iglesia, el arzobispo de La Habana hoy cardenal Ortega, el obispo de Cienfuegos, el nuncio, algunos embajadores ¿Difícil la negociación? No.

—¿Pactásteis qué se iba a decir y qué no?

—Había que solucionar cuestiones de infraestructura, las líneas telefónicas, por ejemplo, cómo organizar oficinas de prensa y servicios de transmisiones. Dispongo de unas preparaciones mínimas, derivadas de la experiencia en el montaje de los viajes del Papa. Como tú dices, cuando yo empecé las conversaciones con esta gente en Cuba ellos y yo nos dimos cuenta inmediatamente que lo que nos interesaba eran los problemas de contenido. Una pregunta que no era falta de cortesía por su parte fue: "¿Qué va a decir el Papa?".

"Mire, no lo sé, pero tras veinte años de pontificado, este papa es perfectamente previsible, no habrá ninguna sorpresa".

—¿Era previsible una condena tan drástica del neoliberalismo y del capitalismo?

—Eso me encargué de dejarlo bien claro desde aquel momento. Se lo planteé muy claro a todos y al propio Fidel Castro: "¿Qué lenguaje queréis que adoptemos? ¿El lenguaje diplomático o a la española?". Me dijeron a la española.

—¿Qué quiere decir eso?

—Ni ellos sabían exactamente lo que quería decir. Quiere decir: claridad y nada de lenguaje cifrado. Segundo tema: "Vamos a ponernos de acuerdo, si es posible, es un punto fundamental, mi idea es que este viaje del Santo Padre a Cuba es una ocasión para que Cuba sorprenda al mundo, y que este viaje debería ser un éxito, no puede no ser un éxito ¿Estáis de acuerdo?" "Sí". "Perfecto". De acuerdo desde el principio. "Naturalmente, el concepto de éxito para vosotros es probablemente algo distinto del mío".

—Y la condena del bloqueo norteamericano.

—Ya lo había condenado el episcopado cubano y la Santa Sede ha sido fiel al principio ético de que los bloqueos sólo sirven para asfixiar a los pueblos. Históricamente, nunca han servido de nada. Bueno, la única excepción fue el caso, si te acuerdas, de Rodesia, la ex Rodesia, cuando Ian Smith..., pero allí más que una sanción a un pueblo era una sanción a un personaje, porque el resto... todos seguían comiendo plátanos bajo los árboles. El embargo no les afectaba.

—Había *a priori* una cierta dificultad de combinar tres o cuatro lenguajes posibles: el de la Santa Sede que, estudiando al Papa, como tú has dicho, podía ser previsible; luego el de la Iglesia cubana, en su primera oportunidad de hablar públicamente a pleno pulmón; el del régimen pendiente de la oposición de los sectores contrarios a la visita, y finalmente el de Castro. ¿De todo eso se llegó a hablar?

—Con toda claridad, pero en ningún momento yo pedí a nadie, ni a Caridad Diego, ni a Robaina, ni a Castro:

"¿Qué va usted a decir?". Ni ellos me preguntaron: "¿Qué van a decir?".

—¿Tampoco sabíais qué iba a decir la jerarquía?

—No. Incluso después de la dura homilía del obispo de Santiago les dije que no sabíamos lo que iba a decir y no es que estemos en desacuerdo de que lo haya dicho, porque un obispo es algo muy serio y si él, en conciencia, en su diócesis, cree que debe decir una cosa ha hecho muy bien en decirla. Lo que quiero que sepáis es que aquí no hubo confabulación alguna, ni reparto de papeles. Lo aceptaron. Cuando se publicó la noticia de que había micrófonos ocultos en las residencias donde iba a estar el Papa, esa noticia no la divulgamos nosotros, ni la convertimos en una acusación contra el Gobierno. Entraba en los cálculos. Les dije: espabilaros y averiguar cómo ha llegado esa noticia a *El País* porque del Vaticano no ha salido. Me creyeron.

—Pactásteis el servicio de organización. Se percibía voluntariado católico y servicio de seguridad oficial.

—La parte más importante de seguridad corrió a cargo del Gobierno. Nosotros llevamos algún guardia suizo, pero es un matiz simbólico.

—Pero se decía que no parabas de arreglar desaguisados. Por ejemplo, una supuesta condena del marxismo a cargo del Papa nada más subir al avión rumbo a Cuba.

—Que recuerde ahora... El Papa, en el avión, como siempre hace, se prestó a un turno de preguntas y respuestas y lo que dijo sobre el marxismo se convirtió en un *lead*. Yo estaba ya en La Habana y desde el avión mismo me avisaron de lo que había pasado. Les reclamé un resumen de lo dicho por si Castro me pedía explicaciones. De hecho se habían tergiversado las palabras del Papa. Él habló de revolución cristiana como revolución de la reconciliación frente a las revoluciones del odio. Un periodista de la Agencia Ansa lo tradujo así: "El Papa dice que la revolución de Castro...". Lo desmentimos, no por evitarles una molestia, sino porque el Papa no había dicho lo que se le atribuía.

—Supongo que debatísteis qué tratamiento se iba a dar, durante la visita, a las religiones, vamos a llamarles "de la competencia". Las Iglesias protestantes, el sincretismo afrocatólico, allí estaba la plana mayor de la teología de la liberación, Betto, Autard, Girardi, analizando la visita.

—De modo muy general. El Papa se va a encontrar aquí con confesiones cristianas o no, pero sí institucionalizadas ¿Eso qué implica? Todas las confesiones cristianas que estén presentes y las no cristianas, por ejemplo, hebreos o si hay una comunidad budista consistente. Nos dijeron que no. La hebrea no, porque es muy pequeña. Basta que existan, aunque sea pequeña, si ellos quieren venir, están aceptados, y vinieron, no un rabino porque parece que no tenían rabino, pero sí un representante del hebraísmo. Es decir, las religiones históricamente institucionalizadas. Sobre la santería, allí sí me pareció que pudo haber en la mente de alguien, no necesariamente a alto nivel, un poco de confusión, como el deseo de que no se vea mucho porque es quitarle fuerza al catolicismo porque hay algunos que están con un pie aquí y otro allá. Primer punto: la santería como tal no es una religión históricamente institucionalizada, y en segundo lugar, en Cuba, por lo que pude saber allí, prácticamente la totalidad de los que se llaman santeros o pertenecen a la santería están bautizados. Cuando están a punto de morir o piden la presencia del sacerdote o quieren que el sacerdote vaya al entierro. Es un culto sincrético que asume la imagen del Sagrado Corazón. Mejor no recibirlos como religión institucionalizada.

—¿Establecísteis contactos con los teólogos de la liberación discretamente reunidos en una *casa de protocolo* y en comunicación con Castro?

—No.

—Frei Betto y Houtard han puesto por escrito que la visita papal ha dejado un saldo positivo.

—Yo leí algo que publicó luego *El País*; uno de ellos, no recuerdo si Houtard o Frei Betto. De la misma manera que el Papa no se encontró con los Legionarios de Cristo Rey, tampoco tenía que verse específicamente con ellos, aunque en algunos actos algunos estuvieron presentes.

—Desde fuera se ha presenciado durante años una pugna del Vaticano para ir rebajando en América Latina las posiciones de la teología de la liberación, mediante la penetración de jerarquías vaticanas opuestas.

—Esta cuestión se planteó con vivacidad en los años 86-87. Entonces aparecieron aquí, en la Santa Sede, los dos grandes documentos, uno más riguroso, el otro más comprensivo, del cardenal Raitzinger; ahí se aclaró bastante el tema. El Papa decía que, por supuesto, una teología de la liberación es necesaria, no sólo es conveniente sino que es necesaria. La cuestión es si la base de ideas de esta teología de la liberación era exclusivamente el análisis histórico de carácter marxista, allí estaba el punto, y no en la elaboración ulterior, sino en la previa. En aquellos años hubo contactos con Gustavo Gutiérrez, que era uno de los teólogos. Se habló aquí, y se habló con él en Perú. Yo no soy experto en la materia pero mi impresión es que ha bajado la tensión. No sé si Raitzinger te diría lo mismo. Hoy día no es problema. También ha ayudado la evolución histórica del mundo.

—Con la visita del Papa, Castro rompe un bloqueo mediático y la Iglesia cubana accede a un territorio de actuación que no ha tenido hasta el momento.

—Exacto.

—¿No ha sido un encuentro entre dos frustrados? Uno que ha visto que la Revolución no es como la esperaba y el otro que ha visto que después de la caída del comunismo en Polonia va menos gente a las procesiones?

—Yo lo dije ya antes de mi viaje, en algún encuentro aquí con la prensa internacional. Me parecía un riesgo informativo y desde luego, un reduccionismo, considerar que el viaje era la confrontación de dos personalidades. *Time Magazine* así lo vio al principio y luego lo ha rectificado. No eran dos personalidades, eso podía tener valor desde el punto de vista de la televisión: Castro ya con la barba blanca, el

Papa con ciertas dificultades para moverse. Dejando este tema de imagen, hay que cerrar los ojos y pensar. Entonces, te das cuenta de que no va por ahí. Después de una larga conversación de horas con Castro, yo no tengo elementos para deducir si Castro tiene o no una hipótesis de futuro, política, social, de todo tipo. No te lo podría decir. Explícitamente nuestra conversación fue por otro camino. Pero sabes que hablando con una persona, aunque sea de otros temas, te puedes dar cuenta de lo que podría decir y no dice. Yo en este caso fui incapaz de verlo. El Papa, por otro lado, no trajo a Cuba una idea de sociedad, no se trataba de decir: "Señores, yo vengo a darles una idea de sociedad". Él siempre, en estos casos, ofrece unos principios de base, sobre el respeto de la persona, la libertad de conciencia, la libertad de religión. Hay religiones en las que no basta con reclamar esa libertad de conciencia y proponen al creyente, como en el islam, un modelo de sociedad. Otra cosa es que la Iglesia católica aporte su punto de vista sobre la educación o sobre la caridad pública, por ejemplo. Sé que los obispos de Cuba han pedido desde hace ya años que en cada diócesis les permitieran construir una casita pequeña para recoger a las personas ancianas que mueren solas, sin familia. La respuesta es no. Ese "no" es de algún modo "no" a la religión católica. Ése es el famoso espacio social que el Papa ha reclamado en casi todos sus discursos.

—Debe haber condiciones de cohabitación, incluso colaboración entre la Iglesia y el Estado cubano más concretas.

—El Papa pronunció una palabra clave. Recuerda. Tú estabas allí. Fue en el transcurso del discurso en el Aula Magna de la Universidad. El Papa no discutió la visión de la historia del señor rector, ni quiso polemizar. Citó al padre Varela y quiso transmitir la idea de que la cubanidad no empieza con el castrismo en 1958. La cubanidad incluye lo que pensaba el padre Varela y el concepto desarrollado por la Revolución. La palabra que empleó el Papa fue *síntesis*. Síntesis no quiere decir exclusión, porque si no el Papa hubiera dicho: "Hay que cambiar". Síntesis quería decir: "Tomemos lo aprovechable de lo que Castro ha hecho en estos cuarenta años y tratemos de hacer una síntesis con otra serie de cosas".

—Que la Iglesia tenga que hacer asistencia social, ¿es el reconocimiento del fracaso del Estado socialista?

—Claro, pero es que el Estado no puede solucionar todos los problemas de todos los cubanos. El cristianismo ha acuñado el principio de la subsidiaridad: allí donde no llegue el Estado, que llegue el ciudadano. Si la Iglesia insiste no es para dar un bofetón al Estado, sino para contribuir al bienestar social. No va a competir, no puede, con el Estado levantando grandes instalaciones asistenciales. Sería un error que alguien en la Iglesia se lo tomara como un revanchismo. No, es un modo de colaboración fáctica, en la que el Estado lo único que tiene que hacer es dar un sí. No se le pide dinero, y la Iglesia lo que tiene que hacer es construir un espacio abierto a todos y sin preguntarle al moribundo: "¿Usted es comunista o es turco?".

—Si la Iglesia consigue ese papel estará en una magnífica posición cuando desaparezca Castro. Sería vista como una articuladora de la sociedad civil. Desde la perspectiva marxista ortodoxa se ha de contemplar como una derrota.

—Supongo, supongo, pero es una pena que sea así. Evidentemente, la experiencia histórica en otros países, en Polonia era un problema más o menos parecido. Fíjate tú, la situación es surrealista más que políticamente incorrecta. La Iglesia en Cuba está editando una serie de publicaciones con un contenido que naturalmente no le puede resultar simpático a algunos. No hay un solo permiso en nada de eso, ni al mismo tiempo hay ningún poder para decir: "¡Fuera! Eso no se publica". La situación es surrealista. No se puede hablar de tolerancia en el sentido tradicional de la palabra, ni en el sentido volteriano de la palabra.

—¿El Papa resumió en algún momento su impresión del viaje, en una palabra o en dos? Tú decías que empleaba la palabra síntesis para no decir cambio ¿En algún momento dijo la palabra que podía traducir su impresión del viaje?

—Así, sintéticamente, no la recuerdo. Eso no quiere decir que el Papa no descubriera cosas durante un viaje preparado con sumo cuidado. Empezando por sus conversaciones largas con Castro, los encuentros con los obispos, con el cardenal, con el nuncio y con los que íbamos y volvíamos. Teóricamente, nada podía sorprenderle de lo que iba a ver. Luego supongo que el contacto con la gente siempre enriquece.

—Todos los personajes emiten señales. Castro parecía un monaguillo ayudando a misa al viejo párroco ¿Una demostración de su deber y derecho de anfitrión o respeto personal?

—Es un ejercicio siempre muy arriesgado, incluso para un ex psiquiatra, entrar en la mente de una persona, pero yo creo que por un lado subrayaba su condición de anfitrión: una vez aceptado que esto tenía que ser un éxito, voy a apuntarme parte de este éxito. Es normal. Por otro lado, yo creo que sin tener muchísimos elementos, algunos sí, por ejemplo, la conversación privada con él, creo que hay una admiración humana real por Juan Pablo II. Tan real que le expresó su admiración en el último discurso. El Papa es en cierto sentido el ideal de Castro: el hombre que se "consagra" a una misión. La idea que Castro tiene de sí mismo.

—Estamos hablando de mesiánicos.

—En tercer lugar, hay un elemento ya más íntimo, de tipo religioso, eso a mí los periodistas me lo han preguntado varias veces, y he tenido que decir siempre que no lo sé. He hablado con Castro largamente de muchos temas, pero de éste no. Ahora, si lo supiera tampoco lo diría porque yo creo que la intimidad, también la de Castro hay que respetarla. Hubo aquel encuentro en el palacio que yo arreglé con Castro. Le dije: "Presidente, el Papa estaría muy contento si pudiera encontrar en algún sitio a su familia: a sus hermanos". El Papa sabía que Castro tiene cuatro hermanos. La respuesta de Castro me parece que fue: "Mire usted, en la dimensión política de la Revolución, la persona, la dimensión personal, no cuenta". "No le estoy diciendo que sea una cosa pública. Lo que le estoy diciendo es que al Papa le gustaría, si es del gusto de ustedes, un encuentro de este tipo, íntimo como tiene que serlo, antes o después de la ceremonia en el palacio, en la Nunciatura". Para mi sorpresa, mi agradable sorpresa, me encontré que habían previsto eso. En una habitación del palacio presidencial, después del encuentro del Papa con Castro, sin cámaras de televisión ni de fotografiar, estaban los dos hermanos de Castro y las dos hermanas. Y se produjo el mínimo que pude referir a la prensa: "Sí, el encuentro ha tenido lugar y puedo contar una anécdota. Ramón Castro le dijo al Papa: 'Santo Padre, esta mujer —su hermana— siempre soñó con darle un abrazo al Papa'. Y el Papa dice 'ahora mismo', y la otra se le echó al cuello con lágrimas en los ojos". La actitud externa de Castro era emotiva, ¿en qué medida combinaba la razón política con la razón humana y con la razón íntima?

—Se esperaba un gesto de Castro ante el suplicatorio de la Iglesia sobre presos políticos. Eso estaba atado y bien atado, supongo.

—Hablé con Castro del tema de los visados a religiosos, de la larga lista de espera que había de sacerdotes, españoles y latinoamericanos, para entrar en la isla y trabajar allí y dijo: "Es difícil". Para nosotros es angustioso, aduje, y no le mentí. Es angustioso porque de octubre a enero, a la espera del Papa, hay mucho trabajo pastoral por hacer: confesar, regularizar matrimonios, etc. Hablé con él de la transmisión por televisión en directo. Tema que sólo fue aclarado 48 horas antes de la llegada del Papa.

—La aparición de Ortega ante la televisión, eso fue una rotunda aclaración ¿Estaba pactada?

—No.

—El capítulo de presos a liberar apareció después.

—Sí, apareció después, porque fueron llegando a nosotros de forma tumultuosa distintas peticiones de amnistía y de las más diferentes procedencias. Eso explica que la lista que les entregamos tuviera algunas imprecisiones. Porque nosotros no entramos a analizar la situación jurídica de cada uno de los condenados por éste o aquel delito, nosotros simplemente recogimos todo lo que nos llegó y se lo transmitimos a las autoridades cubanas. Nuestra petición era de clemencia, sin entrar para nada en la causa que había llevado a esta persona a la cárcel. Todos jugamos limpio, aunque a algunos les preocupaba que se le tendiera al Papa una encerrona como la de Nicaragua, donde los sandinistas no contribuyeron precisamente al éxito de la visita, ni al contacto entre el Papa y su pueblo. Por eso en Cuba fue fundamental que se retransmitieran por televisión todos los actos religiosos. Lo de Ortega en Nicaragua fue una encerrona y le costó que la opinión internacional le volviera la espalda.

—Pero Castro cuando habló por televisión dio pautas de conducta cívica y de apoyo a la visita.

—Eso es importantísimo. Imagínate que el presidente de la República francesa o el Rey de España tengan que aleccionar a su pueblo hasta ese punto.

—¿Qué significación diste al hecho de que Castro, en la misa de La Habana, colocara a su lado a Gabriel García Márquez y no al segundo de la nomenclatura, Raúl o Lage o Alarcón?

—Yo estaba allí. Hablé con Castro en un par de ocasiones durante la misa; en algún momento le llevé un libro para que siguiera el ceremonial, sin la menor pretensión de que rezara. Estaba encantado. Incluso le ayudé a buscar algunos párrafos. A Gabriel García Márquez le di otro libro.

—Supuse que había colocado allí a García Márquez como recordatorio de su encuentro con Clinton y con Carlos Fuentes para hablar de Cuba. Luego García Márquez tuvo un segundo encuentro con Clinton a solas y me contó que le pareció apreciar que el presidente estaba al tanto de la urdidumbre del viaje del Papa a Cuba.

—Personalmente no he hecho ninguna valoración, le di otra copia del libro, estaba el presidente, estaba Caridad Diego a su derecha, a la izquierda García Márquez, luego estaba su mujer, creo.

—Caridad Diego pertenece a una familia de gran raigambre literaria. Es hija de Eliseo Diego y hermana de Eliseo Alberto, el autor de un memorial de ruptura sentimental con el castrismo, *Informe contra mí mismo*.

—Al final se me ocurrió decirle: "Presidente, ¿quiere usted saludar al Papa un momento?". "Encantado". Le acompañé, a darse la mano simplemente, sin protocolo ni nada.

Yo estaba a pocos metros de donde Castro leía el librito aportado por Navarro Valls, veía su cogote civil donde el barbero se había empleado a fondo y a su lado, Gabo vivía intensamente la novela de un escritor que empieza a ser experto en vaticanidades y debe cambiar su espectro de relaciones, dejarse de duques y secretarios generales e ir a por papas y emperadores. Navarro Valls iba y venía, preocupado por todo, observante de todo con unos ojos astutos de psicólogo social en periodo de prácticas.

—Era mi obligación.

—Ya han pasado unos cuantos meses; ¿qué balance haces? ¿Esos nuevos espacios que quiere la Iglesia se han conseguido?

—Todavía no. Hay que tener paciencia y audacia. En Semana Santa, el cardenal pidió permiso para la procesión del Viernes Santo. Sabes, como español, lo importante que son las procesiones en la liturgia de Semana Santa, especialmente en el mundo latino. No se la autorizaron.

—Pero hubo celebraciones piadosas en las calles.

—Hombre, claro. La vigilia pascual del Sábado Santo por la noche, sí, es una ceremonia en la que se enciende el fuego pascual, eso sí, en la puerta de la catedral. Pero poco es después de lo que ha significado la visita del Papa.

—¿Y los visados?

—La mitad de los que estaban en lista de espera.

—Hablando con la jerarquía católica cubana conocí a un personaje que me parece interesantísimo, Céspedes.

—Sí, el de Pinar del Río, ¿no?

—No, ése es su hermano; del que te estoy hablando es vicario general de La Habana, del que todo el mundo hablaba como futuro cardenal y Ortega le pasó delante. Céspedes me dijo que las cosas seguirían lentas, que nadie se hacía muchas ilusiones pero que consideraba que era un paso de gigante con respecto a lo que había ocurrido.

—Diría que ese famoso espacio social que el Papa pidió explícitamente yo creo que todavía no se ha conseguido.

—¿Hay un seguimiento desde el Vaticano o este seguimiento ya está entregado en manos de los cubanos?

—El Vaticano nunca, nunca, quiere sustituir a la Iglesia local.

—Queda una pregunta por contestar. Este viaje, ¿es fruto de una obsesión personal de Juan Pablo II o el Vaticano se lo toma como cosa propia? El Papa es perecedero. Me parece una inversión excesiva si se trata de satisfacer el afán de sumar uno más a su colección de países difíciles.

—Aunque tenga un origen personal, un hecho de este tipo pasa a la agenda de la Institución. Es impensable que ahora el Vaticano se desentienda.

—Castro pronunció una frase que desde su perspectiva indica que reza todos los días para que Juan Pablo II dure: "Juan Pablo es el dolor de cabeza del imperialismo".

—No es que el Papa, cuando cayó el muro dijera: "Borro este objetivo y ahora me meto con el capitalismo". Junto a su incriminación histórica del marxismo siempre ha figurado la crítica a un sistema distinto, pero igualmente no respetuoso de determinadas dimensiones del hombre. Me acuerdo, antes del 91, en uno de los primeros viajes del Papa a África, conmovido por lo que veía. Ha evolucionado poco África desde aquellos años, ese inmenso continente que parece una isla embargada, fácticamente, no ideológicamente, porque nadie invierte en África. Pues bien, el Papa dijo: "El capitalismo necesita una profunda revisión ética". "Los problemas de África no serán resueltos nunca, aplicando la ley del mercado. Si no hay una reflexión ética, África seguirá siendo durante siglos lo que es".

—Se ha presentado la visita del Papa como el aperitivo para el desbloqueo por parte de Estados Unidos, a manera de señal esperada por Clinton.

—No se habló para nada con Estados Unidos antes del viaje, ni con nadie de Washington, ni siquiera con el embajador. Tres días después de volver de Cuba me llamó la embajadora. Una señora mayor me dijo: "Después del viaje, ¿qué se puede hacer por usted?". Es decir, no hubo concertación de ningún tipo con Estados Unidos.

—¿Tú has de volver a Cuba?

—Yo tendría que volver; recuerdo que Castro, en el aeropuerto, en el momento de despedirnos, me dice: "¿Cuándo vuelve usted otra vez?". Le contesté: "Presidente, ¿esto es una invitación?". "Por supuesto, ponga usted fecha y vuelva, que tenemos que seguir hablando". Luego he tenido trabajo y no he vuelto por ahí. Pero es innegable que el viaje del Papa ha cambiado la atmósfera de las relaciones con Cuba, en la UE, en Canadá. Ha impactado mucho una frase feliz del primer discurso del Papa en el aeropuerto: "Que Cuba se abra al mundo y que el mundo se abra a Cuba".

—¿Todos los discursos son suyos? Por ejemplo, el que nos leyó a los intelectuales ¿Tanto conocía la obra del padre Varela?

—Ten en cuenta que él pidió antes una gran cantidad de sugerencias y de material y cuando fue a Cuba había leído ya la obra escrita de Varela. Cuando Castro le regaló el libro, ya lo había leído. Castro le regaló una edición muy bonita de 1800 y no sé cuántos, pero ya conocía el contenido del libro.

—Te has referido a Juan Pablo II como un místico realista.

—Mira, eso me vino a la cabeza hace ya años, al principio de mi trabajo aquí, luego me he ratificado. Evidentemente, es un hombre de una gran tensión interior, como lo quieras llamar, una gran religiosidad. En él hay una componente mística, esa afición apasionada por san Juan de la Cruz muy precoz en su vida. El riesgo de este tipo de personalidades es construir un mundo ideal, y cuando se encuentran con el mundo real, reaccionan: "¡Que me traigan otro mundo, que éste no me sirve!". El Papa entiende el mundo real.

—Yo recuerdo que incluso los católicos de allí, cuando volvió a condenar el aborto opinaron que eso en Cuba era culturalmente inasumible. Poco realista.

—En la ejecutoria de Juan Pablo II cosas que parecían poco reales o irrealizables se han realizado. Recuerdo su primera visita a Polonia, sus premoniciones de futuro. Un periodista de *Le Monde* me decía: "Joaquín, eso que dice tu Papa es poco realista. Ya lo vimos".

—Me fijé mucho en las reacciones de los presentes en el Aula Magna de la Universidad. Cuando acabó de hablar el Papa todos aplaudieron aliviados: marxistas, católicos, laicos en general. El Papa no había herido a nadie.

—Exacto. A pesar de que era un discurso muy confesional. Pero, era confesional patriótico, sinceramente patriótico, en pro de una cubanidad compartida.

Varela es aceptado por todos en Cuba; unos le llaman padre Félix Varela y otros le llaman Félix Varela. El Papa supo abordar el tema sin ofender a nadie, sin crear polémica sobre el marxismo, sin dar una lección sobre el marxismo.

Si Navarro Valls ultimó la escenografía del encuentro, el espectáculo Fidel-Woytila tuvo un principio de novela de intriga. Roger Etchegaray es un cardenal vasco-francés, presidente de Justicia y Paz, viajero por la paz y la justicia que ha aprovechado muchos de sus viajes normativos para hacer política exterior vaticana extraoficialmente por la geografía caliente del mundo. Me ha puesto en su pista Luis Báez y en su encuentro, Gianni Minà, y el cardenal me recibe en su apartamento del palacio de la Piazza de San Calixto, en el Trastevere, una construcción mussoliniana con voluntad renacentista, fruto de los acuerdos de Letrán entre la Santa Sede y el dictador fascista. En este caserón austero se refugian autoridades de la Iglesia católica de todo el mundo de paso por Roma y apartamentos para cardenales a una luz de poca intensidad que me recuerda las luces cubanas, como si el Vaticano quisiera ahorrar energía o le bastara con la iluminación espiritual interior de sus profetas. Es una invitación a cenar y en mi cabeza había construido el imaginario de una cena con un cardenal: en el recuerdo la expresión *bocatto di cardinale* y en el almacén cultural de la memoria, los abundantes recetarios que desde los tiempos de Martino V ha ofrecido la gastronomía papal y cardenalicia. Ante la puerta del apartamento un papel de estaño me hace presentir generosidades de sobras para gatos perdidos sin collar, pero el cardenal me aclara que el papel protege el suelo del corredor porticado de los excrementos de los pájaros que allí buscan refugio. Me recibe una guardesa y el cardenal, con sotana, con agilidades de pelotari vasco-francés, acepta con curiosidad las dos botellas de Jerez de las que soy portador, un fino y un generoso, y sin más preludios me propone que honremos...

—Al verdadero Señor de todo esto, que es el Dios de los cristianos, naturalmente.

Me introduce en una pequeña capilla en la que va a rezar como todos los días antes de la cena y me ofrece el espectáculo de recuperar la gestualidad de la religiosidad, algo que siempre me ha parecido teatralidad estudiada, pero que asumo pasivamente, sin mover ni un músculo, ni un rezo, desde un ensimismado retorno a aquellos tiempos de catolicidad obligatoria. Luego la cena frente a frente, una frugal pero sabrosa sopa, carne guisada, tiramisú, un vino tinto correcto, una cena de digno hotel con voluntad de austeridad equilibrada, tal vez la que emana de la presencia y conducta de un amabilísimo cardenal responsable nada más y nada menos que de la estrategia del Vaticano con respecto a la Justicia y a la Paz del Universo.

—He leído un pequeño dossier en el que se explica por qué fue usted escogido para ir a La Habana, a manera de adelantado del encuentro entre Fidel Castro y Juan Pablo II. Se debe a su práctica de negociador. Ha ejercido este difícil arte en Vietnam, Timor y Bosnia, por citar puntos terrestres distantes.

—He ido a muchos lugares de este tipo, en situaciones difíciles y marcadas por un régimen socialista, marxista. Fui tres veces a Vietnam, también a Moscú. Conozco bien el Este de Europa. Estuve en Praga en la primavera del 68.

—¿Por azar?

—Por azar, pero ya estaba interesado por los problemas de Europa. Después fui a Cuba; mientras tanto, fui obispo de Marsella. Ya lo sabía usted. Veo que conoce mi currículum.

—¿Qué objetivo tuvo su primer viaje?

—¿Para mí?

—¿No era una iniciativa personal?

—Como usted sabe, yo soy todavía, no por demasiado tiempo, presidente de la Comisión Justicia y Paz para todo el mundo. Entonces, con esta tarjeta de visita yo he podido hacer muchos viajes que no deben ser considerados necesariamente viajes de un enviado oficial del Papa. He hecho muchos como enviado oficial de Su Santidad, pero no siempre. No me acuerdo bien de cuándo fue mi primer viaje a Cuba. He viajado tanto por el mundo entero, conozco casi todos los lugares donde hay puntos calientes. Por ejemplo, las noticias de esta noche anuncian el asesinato de ese obispo de Guatemala. Yo lo conocía muy bien, estuve allí en plena guerra, sobre todo en la provincia de El Quiche. Al mismo tiempo anunciaban la muerte de un sacerdote en Ruanda, asesinado, a ése también le conocí. Estuve en Ruanda en plena guerra.

—Siempre representando a Justicia y Paz.

—Sí. También para marcar la presencia de la Iglesia, la proximidad del Papa cerca de todos los hombres que sufren, porque no se les reconoce su dignidad de hombres.

—Durante su encuentro con Castro y con sus colaboradores, ¿hubo alguna negociación o se trató de un simple encuentro protocolario?

—Negociación, no. Un simple encuentro. Yo estaba allí, como en otros sitios, invitado por la Iglesia local, es muy normal.

—¿Nada de la conversación sostenida con Castro apuntaba al viaje futuro de 1998?

—No. No hablamos explícitamente de ello.

—Seguro que hablaron del estatuto de la Iglesia cubana en relación con el Gobierno.

—Sí, seguro. Pero recuerdo que en mi primer viaje, creo que fue en 1991, no me acuerdo bien, en la catedral de La Habana dije ante los feligreses después de una misa, en mi malísimo español: "Vuelvo a Roma, ¿qué queréis que le diga al Papa?", y la multitud respondió todos a una: "¡Que venga!". ¿En qué año fue aquello?

Se levanta, se marcha, vuelve con unas notas que consulta a la luz habanera de este palacio letranesco.

—Se lo voy a decir. Estuve en el paso del 88 al 89, y después en 1992 y 1994.

—A su vuelta de Cuba, ¿qué impresión le transmitió al Papa?

—Le transmití la impresión que me había causado el pueblo. El pueblo le esperaba, y esperaba una visita más bien afectiva, nada política. Si es cierto que no es un pueblo practicante, como se dice, sí tiene un sentimiento religioso. El prestigio del Papa era importante ya entonces. Hay que apoyarse en los sentimientos más profundos del pueblo sin hacer, como se dice, populismo. Se corre el riesgo de la manipulación y hay que ser discreto. Allá donde voy nunca trato de explotar los sentimientos primitivos del pueblo, fácilmente favorables al Papa. Tengo un gran respeto por los pueblos tal como son y por las personas.

—¿Su segundo viaje ya apuntaba a un objetivo más concreto?

—No, los viajes no se hacían para preparar el gran encuentro, aunque a veces se precisaban las cosas en el transcurso de viajes organizados por la Iglesia cubana, con el fin de mejorar su labor apostólica y caritativa; por ejemplo, era necesario estudiar cómo mejorar el trabajo de Cáritas, que apenas actuaba. Desde la perspectiva socialista no hay sitio para la iniciativa privada, aunque fuera una iniciativa de la Iglesia. Todo está en manos del Estado y en esta situación es muy difícil hacer comprender que la Iglesia pueda tener iniciativas ¿Comprende? Iniciativas al servicio del pueblo: servicios sociales, caritativos.

—Un régimen como el cubano recela de la influencia de una institución plurinacional como la Iglesia católica.

—Cierto. Un régimen socialista totalitario, sea el que sea, considera que la Iglesia es una especie de enemigo o de competidor. Son muy desconfiados. Aunque la Iglesia no quiere meter la mano para apoderarse de las masas, siempre se la mira como a una potencia que tiene una intención competidora.

—Una potencia lo es.

—Sí, pero depende. Es una potencia, a su pesar y por encima de lo que la Iglesia puede ser. La Iglesia es ante todo un servicio, ya lo dijo Cristo: "He venido para servir, no para ser servido". Hay que continuar la obra de Cristo para servir sobre todo a los pobres, a todos los que tienen necesidades. La Iglesia, aquí en Roma, tiene edificios, signos exteriores de riqueza, es la historia. Pero yo creo que la Iglesia debería despojarse más, tener al menos un estilo más pobre. Después de catorce años de vivir en Roma me he dado cuenta de que la Iglesia no tiene ambición política, no tiene ambición de poder, en el sentido temporal de la palabra.

—En un régimen totalitario, la inexistencia de formaciones políticas y de movimientos sociales autónomos hace que una Iglesia dedicada a la asistencia social se convierta en una alternativa de poder.

—Por eso desconfían de la Iglesia, considerada como una competidora que pudiera sustituir el rol del Estado. Pero hay un principio de la doctrina social de la Iglesia muy claro: No sustituir al Estado. La Iglesia respeta al Estado y deja que tome sus propias responsabilidades. Sólo en casos extremos se enfrenta al Estado cuando no cumple su papel esencial frente a la sociedad. En una sana perspectiva de una sociedad moderna hay sitio al lado del Estado para la iniciativa privada, no la iniciativa privada de la Iglesia.

—¿Comparten la misma disposición el Vaticano y la Iglesia cubana? Las conflictivas relaciones entre el castrismo y la jerarquía de la Iglesia cubana, ¿no ha incubado en esa jerarquía ganas de desquite?

—¿Un espíritu de revancha por parte de la Iglesia? No. La Iglesia ha sufrido tanto, ha sido tan despojada...

—El discurso del obispo de Santiago.

—Sí, fue un poco...

—Duro.

—Sí, muy fuerte e inesperado.

—El hecho de que el actual cardenal Ortega fuera en su juventud un seminarista recluido en los centros de trabajo para corregir desviaciones, ¿podría haber dejado el poso de una voluntad de revancha?

—No sé. No sabría decirle.

—Cuando fue escogido Ortega como cardenal, todo el mundo esperaba en La Habana el nombramiento de monseñor Céspedes.

—No. No lo creo. Tal vez porque Céspedes es un apellido histórico, y además, Céspedes no es ni obispo. Tiene un título honorífico de monseñor. La designación de Ortega era la lógica.

—Fue interpretada como una elección política de guerra fría. A Céspedes se le podía haber promocionado. No es la primera vez que circula con rapidez el escalafón que lleva al cardenalato e incluso al papado. Caso Montini.

—No. No fue una elección política. A nadie se le hubiera podido ocurrir que Céspedes fuera obispo o cardenal. Se trata de una elección personal del Papa.

—Desde el primer viaje de 1988 hasta la visita del Papa se produjo un aumento paulatino de las relaciones.

—Así es.

—¿Participó usted en esa aproximación?

—No. Todo eso se movió en esferas políticas y yo me muevo en la esfera de la promoción de la paz y la justicia. La diplomacia no depende de mí. Pero yo estuve siempre al corriente y eran conocidas mis relaciones con las autoridades cubanas, para empezar con el mismo Fidel.

—Durante el viaje del Papa a Cuba hubo una curiosa coincidencia entre el discurso de uno y otro a propósito del capitalismo. El discurso del Papa estuvo extrañamente próximo al de la teología de la liberación.

—Usted sabe que el Papa siempre ha tenido un discurso social muy abierto.

—Pero una táctica contraria a la teología de la liberación.

—Cuando llegué al Vaticano en 1984, la Santa Sede empezaba a reaccionar a propósito de esa famosa teología. Hubo dos documentos a propósito. No sé si usted conoce los dos documentos oficiales de la Congregación de la Doctrina de la Fe. De los dos documentos, el segundo no traducía una cerrazón total. Yo más bien lo interpreté como una posición positiva. Los dos trataban de mostrar que no se condenaba la teología de la liberación, sino una concepción de esa teología promovida por algún teólogo determinado.

—Boff, por ejemplo.

—Boff, entre otros, pero nunca de una manera absoluta.

—Pero ha habido una presión de la Iglesia contra los jesuitas en América Latina.

—Ha habido ciertas reservas, sí, sobre todo en América Central, en Honduras, en Nicaragua, pero a partir de fenómenos locales.

—Hoy debemos contemplar la competencia entre religiones, algunas inesperadas, de diseño posmoderno, casi siempre urdidas en América Latina y en Estados Unidos. Se puede presentar una pluralidad religiosa sin control, pluralidad que emana a veces del mestizaje cultural del pueblo, como en Cuba o Brasil ¿Alarma ese descontrol al Vaticano y fuerza a una comprensión mayor de esos fenómenos?

—Desde que estoy aquí he viajado bastante por esos lugares donde aparece cierto mestizaje religioso y puedo decirle que el Vaticano contempla con interés positivo esas corrientes, esa relación popular con la fe, y sólo trata de evitar eso que se llama el sincretismo. Tanto en Haití como en Cuba, esas manifestaciones religiosas que vienen de África ¿son verdaderamente cristianas? El Papa piensa en un cristianismo en estado puro.

—No se trata sólo de una cuestión formal. También aparece una reivindicación social muy fuerte, una crítica del capitalismo, de la propiedad privada. Por eso ha sido sorprendente el discurso del Papa en Cuba, sorprendente por las coincidencias con perspectivas populistas de la teología de la liberación y con el discurso del propio Castro.

—Se acercan pero no se confunden. Yo estoy metido, por mi dedicación, en los problemas sociales tal como los contempla la Iglesia y puedo decirle que las enseñanzas del Papa en Cuba, sin paradojas, son enseñanzas clásicas. No dijo nada extraordinario para contentar a Fidel Castro o a su régimen. Las posturas de la Iglesia en cuestiones sociales tal vez sean hoy poco conocidas, pero son muy fuertes, muy vigorosas y responden a una lógica casi revolucionaria de la sociedad.

—En América Latina ha habido una gran complicidad entre las jerarquías de la Iglesia y las diferentes dictaduras y el poder económico que las respaldaba.

—El Papa no. El Papa nunca.

—Le estoy hablando de jerarquías.

—Las jerarquías locales son otra cosa. Hablo del Papa.

—Esta actitud crítica y coincidente con el discurso de Fidel en algunos aspectos, ¿se debe al especial empeño del Papa actual o es la actitud de la Iglesia, del Vaticano?

—Es y era la actitud de la Iglesia, incluso antes de la llegada de Juan Pablo II. Después de él seguirá la misma estrategia, que fue la de Juan XXIII o la de Paulo VI. Incluso de Pío XII o de Pío XI, seguramente no tan radicales, no tan vigorosos. Además, no se pueden comparar dos épocas de la Iglesia ni dos Papas. Cada cual vive su época y responde a los desafíos temporales sin apartarse de la doctrina inmutable. Un papa como Pío XII, que vivió una época de guerras, no puede comportarse igual que un papa de posguerra.

—Me parece una apreciación un poco determinista.

—No es determinismo, pero la época condiciona. Incluso si felizmente hacemos esfuerzos por salir de una lógica política, se trata de la Iglesia que se encarna y vive en la historia de los hombres. Hemos de saber en qué medida la Iglesia puede elevarse por encima de la rutina.

—En el futuro, conflictos condicionados por las relaciones norte y sur y entre la riqueza y la pobreza. Muchas ONG que hacen frente a esa conflictividad son de inspiración cristiana y el compromiso político parece inevitable, esa encarnación en la Historia de los hombres a la que usted se refería.

—Sí, es cierto, pero todo depende de lo que entendamos por política. La Iglesia no hace política. Sí y no, bueno. En la medida en que quiere, sobre todo después del Concilio, estar presente en la vida cotidiana de los hombres, participa de su combate por un mayor índice de dignidad y libertad. Lo que la Iglesia nunca podrá hacer es aceptar entrar en la *politique politicienne*, según la expresión francesa. Es decir, en la política tacticista. Pero la política en el sentido noble de la palabra es magnífica. Fue Pío XII quien la definió como la más alta forma de caridad.

—¿Ha habido conexiones entre el Departamento de Estado norteamericano, el Vaticano y Cuba durante la preparación del viaje?

—Nada concreto. Tal vez intercambio de información, pero desde una gran prudencia. En el dossier que usted tiene constará, supongo, que yo me he pronunciado tajantemente contra el bloqueo norteamericano y contra la ley Helms-Burton. Son inaceptables los sufrimientos de los pueblos por culpa de bloqueos dictados formalmente contra sus gobiernos. Las consecuencias del viaje son positivas y lo serán más, aunque hay que comprender que el régimen cubano no puede cambiar bruscamente, como se dice en francés: *on a changé le fusil d'épaule*. Pero ya hay signos positivos.

—Los visados a religiosos.

—Efectivamente.

—Pero la Iglesia sigue reclamando una presencia social que se le concede con cuentagotas.

—Ha conseguido pequeñas posibilidades de expresarse públicamente. La libertad religiosa, pública y privada, es uno de los derechos del hombre que el Papa reclama frecuente-mente. Cualquier pequeña conquista pública de la Iglesia en Cuba es positiva, supera tiempos en los que vivía replegada en la sacristía. Todavía hoy padece muchas limitaciones en cuan-to a los medios de comunicación.

—Ante el jubileo del 2000, de cuyos fastos es usted res-ponsable, ¿el discurso de la Iglesia sera político, en el senti-do que le ha dado usted a la palabra política?

—Sería interesante que conociera una carta apostólica que el Papa lanzó hace tres años, a propósito del año 2000: *Tertio Millenio Adveniente*, donde aportaba un programa muy concreto para preparar a la Iglesia en el tránsito del milenio. Un programa muy espiritual, pero también muy social y se refería a un problema que afecta a todos los países pobres, la deuda externa. No depende la solución de la Iglesia y no só-lo es una cuestión ética o sentimental, sino también econó-mica, técnica. Los políticos han de presionar a los financie-ros para evitar la asfixia del llamado Tercer Mundo.

—El final de la guerra fría significa la liberación de la conducta social de la Iglesia.

—¿Qué entiende usted por liberación?

—A menudo esa conducta estaba condicionada por la di-visión del mundo. Había que alinearse en uno u otro bando.

—Claro, desde 1989, desde el principio del fin del blo-que socialista, han desaparecido aquellas tensiones Este-Oeste, el equilibrio del terrror, el miedo nuclear. Pero la tensión no ha terminado del todo porque se realzan otros conflictos, aunque las relaciones de fuerza hayan cambiado.

—Norte-Sur, riqueza-pobreza y los diferentes integrismos.

—El integrismo, ciertamente, y la proliferación de con-flictos internos.

—Las guerras civiles en la aldea global.

—Sobre todo en África, y el tráfico incesante de armas. Vamos a sacar un documento al respecto.

—Algunos de esos conflictos proceden de causas nacio-nalistas aplazadas durante la internacionalización que implicaba la guerra fría. La religión siempre aparece al lado de los nacionalismos.

—Hay una doble vertiente en lo que usted afirma. El nacionalismo se apoya en la Iglesia y también a veces la Iglesia se apoya en el nacionalismo. Felizmente, hoy las cosas están más claras.

¿Cuando volverá a Cuba? No lo sabe. Otras jerarquías se aplican ahora a sacar conclusiones y ventajas de la inversión del viaje papal. Le hablo de mis encuentros con Houtard y Frei Betto ¡Houtard! Un gran sociólogo, me comenta y me encarece que, si le veo, le salude muy efusivamente de su parte. Houtard es un hombre de mi edad, añade, tal vez algo más joven, y conoce muy bien América y Asia. *La Guerre est finie...* entre el Vaticano y casi todos los teólogos de la liberación, casi todos, me subraya Su Eminencia Reverendísima.

—Hay pequeñas cosas. Yo conozco muy bien a Gustavo Gutiérrez. Claro que aún quedan pequeñas tensiones, pero no en lo esencial.

Llueve y las luces del palacio de la Piazza de San Calisto parecen debilitarse aun más al paso del cardenal que me acompaña hasta la puerta de la calle y se toma como una cuestión de principio el localizar un taxi, esperarlo, correr varias veces bajo la lluvia ante falsas llegadas, mientras me deja en las manos el paraguas para que yo me guarezca y no ceja hasta verme metido en el coche que la providencia nos había destinado.

En *Tertio Millennio Adveniente*, Juan Pablo II recibe el próximo milenio con la ayuda del apóstol Pablo: "Al llegar la plenitud de los tiempos, envió Dios a su hijo, nacido de mujer", porque le interesa empezar por el principio, por el misterio de la encarnación del verbo, una encarnación redentora ¿De qué? ¿De quién? Del mundo y de los hombres porque es el único Mediador entre Dios y los hombres, "... En realidad el tiempo se ha cumplido por el hecho mismo de que Dios, con la Encarnación, se ha introducido en la historia del hombre". Se concreta el sentido de lo histórico dentro de la carta pastoral, la intervención de la Iglesia como misionera de la palabra de Dios y del carácter mediador del hijo de Dios nacido de mujer. En el siglo XXI la Iglesia ha de seguir siendo misionera, "... el carácter misionero forma parte de su naturaleza. Con la caída de los grandes sistemas anticristianos del continente europeo, del nazismo primero y después del comunismo, se impone la urgente tarea de ofrecer nuevamente a los hombres y mujeres de Europa el mensaje liberador del Evangelio".

San Pablo habló en el aerópago de Roma y Juan Pablo II ha hablado en casi todos los aerópagos del mundo, que son muchos y diversos, "... son los grandes campos de la civilización contemporánea y de la cultura, de la política y de la economía. Cuanto más se aleja Occidente de sus raíces cristianas, más se convierte en terreno de misión, en la forma de variados aerópagos". ¿Todo el mundo es Polonia? ¿Esa Polonia a la que habrá que volver a evangelizar porque se está entregando al becerro de oro sin respetar la mirada inquisitiva de la virgen de Chestokowa?

Recupero un texto del teólogo catalán Hilari Ragué, *Leviatán: La Iglesia y los totalitarismos*, en el que inventaria la actitud de la Iglesia ante los poderes políticos, desde León XIII a Juan Pablo II, en el ecuador, Juan XXIII. Si hasta el Concilio se impuso la voluntad de conseguir estados confesionales o paraconfesionales, con un poderoso intervencionismo de la Iglesia, implicada no sólo en la penetración de estructuras de poder, sino en el combate ideológico, sobre todo contra el liberalismo y contra el marxismo, Juan XXIII y Paulo VI marcaron un viraje progresivamente corregido. Dice Ragué que en el enfrentamiento con las ideologías, el peor peligro es que el mensaje cristiano degenere en ideología. En cuanto a Juan Pablo II, que se ha presentado como el supermisionero mediático, al frente de la llamada *nueva evangelización*, ¿no representará un retorno a las posiciones intervencionistas de los Papas anteriores al Concilio Vaticano II? Las recientes biografías a costa del Papa, la de Tad Szulc y la de Politi y Bernstein son complementarias y evidencian que los dos grandes hitos, como ya señalara Aurelio Alonso en su recensión de *Temas*, de la Iglesia católica del siglo XX son el Concilio Ecuménico y el Pontificado de Wojtyla. También ratifican la una por la otra que Juan Pablo II ha sido un papa casi *profesional*, a plena dedicación, viaje o permanezca en Roma, en perpetuo estado de trabajo y predisposición a la intervención, en la línea del estilo Navarro Valls: tal vez ése sea el guiso de las cocinas del Vaticano, ya tan alejadas de la gastronomía del humanismo epicúreo a lo divino que anunciara el gran cocinero alemán del Papa Martino V, Giovanni Bockenheym, el verdadero responsable de los *bocati di cardinale* supervivientes a la purga antihedonista de la Contrarreforma, como aquellas albóndigas rigurosamente proteínicas a base de carnes de pollo, cerdo y cordero desaparecidas de los manteles cardenalicios.

> *... sic fac pullos et carnes insiumi. Recipe pullos et carnes porcicnas, aut vitellinas et fac illainsimul bulire; et quando sunt cocte, tunc removo brodium, et recipe ova, cum micis de pane, et mitte ad brodium, ita quod mollis fiat. Post hoc recipe illa ova cum micis, et mitte per straminiam, cum vino et aceto, et cum brodio eorum. Et mitte superius lardonem ad modum taxilorum, et fac illa insimul bulire modicum. Et mitte totum super carnes, et pullos; et uva passa, zapharano, et aliis speciebus, et mitte eos ad brodium, cum pullis et carnibus. Et erit bonum pro Anglicis.*

CAPÍTULO XIV

La ciudad de la barbarie

En este sentido, uno de los aspectos más interesantes de Miami es la cantidad de personajes de la ciudad que han sido formados en un régimen comunista (el cubano) y que hoy forman parte del grupo de notables de la ciudad. Pintores de renombre, académicos, empresarios, voceros radiofónicos, propietarios de clubes nocturnos, estrellas de la música y un largo etcétera. Todo esto hace de Miami una ciudad "poscomunista", una afirmación que horrorizaría a la ultraderecha cubana o al propio canon wasp *que retorna con toda su fuerza en Estados Unidos.*

IVÁN DE LA NUEZ *(La balsa perpetua)*

De nuevo un comando mascanosista quería asesinarle, para darle esa satisfacción al jefe mientras agonizaba. La Historia no es como nos la merecemos, tampoco lo es la vida y sólo la muerte podemos escogerla si no nos dejamos matar. A los diez años estuvo a punto de morir por una peritonitis sin antibióticos, ganó a nado la costa después del fallido intento de Santo Domingo, luego El Bogotazo, el cuartel Moncada, el papel milagroso desempeñado por el obispo Pérez Serantes, que casi se puso entre los fusiles batistianos y Fidel, el pacto entre las administraciones de Eisenhower y Kennedy con las mafias para asesinarle. Los contactos en Miami restan seriedad a la última conjura, pero la aparición de *Alleged Asassination Plots Involving Foreign Leaders,* publicado por un comité especial del Senado norteamericano, demostró que había existido una maquinaria yanqui para liquidar a líderes extranjeros incómodos, por procedimientos de guerra sucia. En 1964 el presidente Johnson había heredado la operación de acoso y derribo del régimen de La Habana, basada en siete puntos fundamentales: 1°) servicios de acumulación de información en el interior; 2°) propaganda encubierta para promocionar formas de resistencia por activa y pasiva de bajo riesgo; 3°) cooperación con todos los agentes sociales, políticos y económicos implicados en la operación del bloqueo; 4°) establecer contactos y fijar redes con disidentes en el interior de Cuba; 5°) sabotajes económicos indirectos; 6°) sabotajes controlados por la CIA; 7°) operaciones autónomas. Los intentos de asesinatos de líderes cubanos fueron más abundantes en la planificación que en la ejecución, pero dispusieron de un utillaje sofisticado: píldoras venenosas, plumas estilográficas envenenadas, talco con bacterias mortales, a veces venenos combinados con diálogo como cuando el 22 de noviembre de 1963, el mismo día en que Kennedy fue asesinado en Dallas, un oficial de la CIA entregó una pluma envenenada a un oficial cubano para que la usara contra Castro, al tiempo que un emisario, ya póstumo, de Kennedy, el director de *Le Nouvel Observateur,* Jean Daniel, se reunía con Fidel para limar asperezas. Habían llegado a meter en los puros de Fidel una sustancia que producía desorientación momentánea, con el fin de que empezara a balbucir en los maratones oratorios o veneno puro y duro, *botulinun toxin.* En 1975 Castro pudo permitirse la satisfacción de entregar al senador McGovern una lista de veinticuatro intentos de asesinato que implicaban a la CIA.

En agosto de 1960, la CIA había reclutado gángsters para preparar el asesinato de Castro. "Eso lo hacemos gra-

tis", contestó uno de ellos, Momo Salvatore Giancana, mata-
rife de Chicago, con el falso nombre de Sam Gold, y parecida disposición demostró Santos Trafficante, jefe de la Cosa
Nostra, con el falso nombre de Jo. Representaban los intereses de los mafiosos que habían perdido sus negocios hoteleros y de prostitución en Cuba. En 1963, James Donovan, jefe de la delegación norteamericana que negociaba
con Fidel la liberación de los prisioneros de Playa Girón, recibió de sus jefes un regalo para Castro, un traje de buceo
del más avanzado diseño que, sin saberlo Donovan, estaba
contaminado con un hongo *Madeira foot* capaz de provocar
una irrecuperable enfermedad en la piel. Sabotajes sistemáticos contra la energía eléctrica, las refinerías y almacenes de petróleo, la infraestructura de transportes, la voladu-
ra del *La Coubre,* diferentes producciones industriales y
manufacturas, se convertían en evidencias que Castro exhi-
bía ante las multitudes cuando trataba de excitar su complicidad moral con la Revolución. En cambio se mostraba más
reservado con respecto a los intentos de matarle que le
producían una mezcla de excitación e inquietud. Cuando los
dominaba psíquicamente era como si hubiera exterminado
al asesino, como ocurrió con Rolando Cubela, mayor del
ejército cubano, un activista revolucionario de primera clase, del que se sospechaba había ejecutado al director del
servicio de inteligencia militar de Batista, Antonio Blanco
Rico, muy resentido con el Che, por extensión con Castro y
de paso también propuso asesinar al comunista Carlos Rafael Rodríguez. Todo llegó a conocimiento de los servicios
de información de Piñeiro y Fidel pudo permitirse el placer
de envolver a su presunto asesino de una voluta de humo
cuando se lo encontró en el Palacio Presidencial. "¿Tienes
algo especial que decirme, Rolando?"

Que Cuba se abra al mundo, que el mundo se abra a Cuba, ha dicho el Papa. Cuando en La Habana se ejecutó al terrorista Eduardo Díaz Betancourt se produjo una algarabía de
protestas en todo el mundo y hasta un demócrata implicado

en el asesinato del obispo Romero, el presidente de El Salvador, Alfredo Cristiani, conectado con las tramas paramilitares que habían asesinado a Ellacuría y los demás jesuitas, declaró que Díaz Betancourt había sido ejecutado por perseguir la libertad y la democracia. Elecciones libres, multipartidismo político y libertad de expresión, ¿qué sentido tienen para las masas del Tercer Mundo en general y para las latinoamericanas en primera instancia? Se pregunta Fidel y se contesta: son superestructuras de la democracia imperialista, sin base social ni material en las democracias latinoamericanas, con sus miserables condiciones de vida para la inmensa mayoría, Estados dependientes del imperio norteamericano y de las multinacionales o de la trama del narcotráfico. Quieren que Cuba represente esa farsa democrática, esa vieja dama indigna, esa beata de la teología política burguesa, como la llama Heinz Dieterich en *Cuba ante la razón cínica*. Derechos humanos en Cuba, mientras en Estados Unidos el sistema asume que para su supervivencia necesita meter en la cárcel a todos los marginados económicos que se convierten en marginados sociales y en delincuentes, con la pena de muerte como espada de Damocles sobre los sectores más pobres de la población. Libertad de expresión en Cuba. ¿Qué medio norteamericano admitiría una publicación regular de Chomsky o de James Petras, los mayores autocríticos del sistema? De todas las críticas que se puedan hacer a Cuba, la más cínica es la que surge de los sectores que tratan de liberalizarla y en realidad lo que quieren es consumar la destrucción de la ciudad socialista que empezó a construirse con el socialismo utópico y tuvo presencia terrenal en el Moscú de la Revolución. ¿Cómo se puede actuar frente a esa jauría? Al comienzo de lo peor del *periodo especial* se planteó un debe y haber de la respuesta revolucionaria: frente a la agresión económica se habían tomado las medidas oportunas y la iniciativa de democratización autóctona había sido eficaz, pero si se produjera una agresión norteamericana, Cuba no podría resistir salvo si recurriera a armas estratégicas. Es en el campo ideológico propagandístico, insistió muy especialmente el profesor mexicano Heinz Dieterich, donde la Revolución había mostrado una enorme incapacidad de reacción, agravada por la deserción progresiva de los intelectuales *bocas abiertas,* tal como los califica Eduardo Galeano.

Pero ¿qué otra forma de eternidad hay que no sea la que asegura la dialéctica del cambio? Ante Frei Betto, Fidel recuerda cómo le inculcaban los jesuitas la idea de eternidad: "Imaginad, hijos míos, una bola de acero del tamaño del mundo —yo ya trataba de imaginarme una bola de acero del tamaño del mundo, cuarenta mil kilómetros de circunvalación— cada mil años llega a la bola una pequeña mosquita y con su trompa roza la bola. Pues bien, primero se acabará la bola, desaparecerá aquella bola de acero del tamaño del mundo como consecuencia del roce de esa trompa de mosca cada mil años, antes que el infierno termine y aún seguirá después existiendo eternamente". Es decir, el ejemplo ya nace invalidado, porque la dimensión de la eternidad no puede relacionarse con la dimensión de esa bola. Sólo el juego de la tesis, la antítesis y la síntesis representa la eternidad como una fluidez de vida e historia controlada por el hombre si se emancipa. Las ideas garantizan la eternidad más que los hombres, más incluso que los hijos, concebidos como eslabón de una frágil eternidad biológica.

No es cierto que la eternidad sea tener hijos o nietos. Malo si usurpas la personalidad del hijo tratando de imitarla, malo si pugnas con ella desde la ventaja de tu poder. A Fidelito tuvo que destituirlo de su cargo de jefe de la Junta Nuclear, así lo comunicó durante el viaje por Galicia de 1992, invitado por Fraga Iribarne: "He destituido al ingeniero Fidel Castro Díaz Balart por ineficacia en el desempeño de sus funciones". Si Fidelito, que representaba el hijo integrado, tuvo que ser destituido, la desintegrada hija secreta Alina Fernández se marchó de Cuba en 1993 disfrazada de cualquier cosa que no fuera de hija de Fidel Castro, con pasaporte español, vía Madrid, Miami, la galaxia, como un ovni que envía señales a la Tierra, a su padre, mediante un libro lleno de autocompasión. Fidel permitió que su nieta, otro eslabón hacia la eternidad, también de nombre Alina, abandonara Cuba para encontrarse con su madre, siempre que el padre lo autorizara; el padre, Francisco Salgado, ex bailarín del Ballet de Cuba, ahora coreógrafo, que nunca le gustó como yerno. Según Alina, su padre le advirtió: "Seguro que es maricón. Todos los bailarines son maricones". Natalia Revuelta, madre de Alina y compañera de Castro en los tiempos de la ascensión a la cumbre, quedó aliviada y entristecida, aliviada porque a su hija le saliera tan bien el plan, urdido desde España, con la contribución de una española que pasó su pasaporte a la hija fugitiva, entristecida porque se quedaba sin su hija y sin su nieta. Se ignora la atención que Fidel concedió a la marcha de Alina, a la aparición ante las cámaras de la CNN denunciando la desafección paterna, porque había llegado otra vez el reverendo protestante Jesse Jackson con su lista de pedidos carcelarios.

Alina ¿Qué vamos a hacer con Alina? En las primeras declaraciones casi no habla de su padre ni del régimen de su padre, pero a la pregunta de si los días de Castro están contados responde que no le importan los días que le queden a su padre, sino los que le faltan para recuperar a su hija. Aunque a Castro se le atribuyen entre ocho y once hijos, sólo Fidel el ingeniero nuclear, considerado hijo legítimo; Ramón, vivo retrato de su padre, y Alina formaban parte de los reconocimientos convencionales y se decía que cada uno de ellos había recibido un Volkswagen cuando llegaban a la edad de merecer y conducir. Fidel los recuperaba de uno en uno, compulsivamente, cuando le asaltaba la angustia que a veces había sentido cuando Fidelito era pequeño y él se había quedado sin dinero para comprar lo que el niño necesitaba. Hijos todos de mujeres hermosísimas, circuló por La Habana la sospecha de que una modelo de Vogue, Norka, modelo seriamente armada, famosa por una portada en la que aparecía con una pistola en la mano, había concebido una hija con la ayuda de Fidel. Pero ningún vástago había causado tantos problemas como Alina. Ojos verdes y melena cobriza al viento, como su madre, aspirante a modelo de la alta costura revolucionaria, casada con un bailarín adscrito a Alicia Alonso, enamoradiza y autoritaria, hasta el punto de llamar comemierda a más de un emisario de las alturas que alguna vez le pidió moderación. Alina, que aunque llegó a disfrazarse de pionera, demostró que es posible nacer pequeñoburguesa inadaptada, como si se fuera víctima de una herencia genética. Alina, que le habla de la cartilla de racionamiento, que le riñe porque se va a publicar un libro de conversaciones de Fidel con García Márquez en el que sólo hablan de langostas subiéndose por los muebles de Gabo, que se angustia porque su hija, su nieta, por tanto, va a crecer en un país hermético y aislado, sin libros, sin prensa, sin ropa, sin fantasía, sin dinero, rodeada de delatores que sustituyen los ordenadores de la policía por una red de denuncias. Debió sospechar que Alina tenía alma de disidente cuando ya de niña se refería a la crisis del Caribe como la guerra nuclear de papá o le decía que uno de sus ministros estaba enfermo porque le colgaban tetas cuando jugaba al baloncesto.

> *Las raíces que no nos merecemos.*
> *La muerte que no nos merecemos.*
> *La Historia que no nos merece.*

La Historia que no se ha merecido a los constructores que han traicionado a sus mejores arquitectos, Martí o Lenin. El miserable Borís Yeltsin ha denunciado el error leninista que hizo posible la Revolución de Octubre, la existencia de la URSS y la de todos los dirigentes que han sido necesarios, desde Stalin al propio Yeltsin, para deconstruir la ciudad socialista. El cambio produce vértigo y nunca hay suficientes *hombres nuevos* para propiciarlo, asumirlo, ultimarlo. Siempre en lucha contra lo viejo, lo nuevo acaba desapareciendo en lo inevitable. Cuando estalló la *perestroika* se impuso su Biblia, un libro titulado *La única salida*, mosaico de percepciones sobre el cambio desde el socialismo democrático. La única salida para la URSS era la *perestroika,* la regeneración de un proceso liberador del socialismo secuestrado, la superación del final de la historia en versión del socialismo real por la llegada a un socialismo dinamizador y no economicista. En sus encuentros con Fidel, los arquitectos de la reforma, Aldana por ejemplo, que era tan prosoviético bajo Chernienko como bajo Gorbachov, se referían a la garantía de seguridad que transmitía una revolución democrática hecha desde arriba respaldada por dos aparatos presuntamente sólidos: el Partido Comunista y la KGB. Falsas seguridades. Por el Moscú de la *perestroika* circulaban carteles críticos desde el espíritu creador de los cartelistas de los años veinte y en uno de ellos aparecía algo que con el tiempo se reveló premonitorio: Gorbachov ante una orquesta, la batuta en la mano pero sin partitura.

Si la Revolución, un sueño convertido en pesadilla, dejó paso al sueño democrático, años después, desbordada la *perestroika,* aquella sinfonía sin partitura, la democracia es una pesadilla de prostitución, infanticidios, ancianos muertos de hambre, según la lógica del capitalismo salvaje y la impotencia de fiscalización democrática de una sociedad en manos de las mafias y de conversos neoliberales totalitarios. "Se decía que la democracia permitiría abrir un grifo de agua fresca y en realidad nos ha conectado con las alcantarillas", declaró el director cinematográfico Nikita Mijalkov, uno de los artistas parademocráticos más significativos. El fracaso de la Revolución de Octubre se debió por una parte al incesante bloqueo al que fue sometida por el bloque capitalista, desde la guerra civil entre rojos y blancos hasta la guerra de las galaxias, pero sobre todo a la falta de interrelación entre la base material y social y la conciencia civil. En cuanto desapareció la vanguardia que hizo posible 1917, la generación del entusiasmo, se acabaron los hechos subjetivos, se acabó el optimismo de la voluntad, engullido por el pesimismo de la *intelligentsia* embustera que prometió a los trabajadores la llegada del paraíso capitalista. Gide se maravilla durante su visita a la URSS en los años treinta de que una república de trabajadores necesite héroes del trabajo, es decir, estimular una consciencia que debería ser connatural con la dictadura del proletariado. El socialismo voluntarista leninista fracasó por una malformación del vanguardismo que a medio plazo ya produjo la paradoja de que *el hombre nuevo* o *el hombre total,* el imaginario concreto del sujeto histórico de cambio, se identificara con la burocracia estaliniana más que con el épico y desgraciado héroe de *Así se templó el acero* de Ostrovski, y de que, finalmente el hombre nuevo creado por la Revolución fuera un burócrata liquidacionista introductor del capitalismo llamado Yeltsin, criado con la acumulación del trabajo voluntario o del trabajo esclavo. Sin la Revolución de Octubre, buena parte de los burócratas que han liquidado el socialismo soviético nunca hubieran llegado a la cumbre social. La deconstrucción de la ciudad socialista iniciada sistemáticamente por los estalinismos ha conducido a un caótico campamento neocapitalista, todavía no ciudad, lleno de aventureros, buscadores de oro, protagonistas de una posible adaptación de la obra de Brecht *Grandeza y decadencia de la ciudad de Mahagonny,* en la que colaborara Walter Benjamin, autor de un más que nunca ejemplar diario sobre el Moscú preestaliniano. A todos los ciudadanos de Mahagonney, buscadores de oro y felicidad, se les ha prometido la libertad de comer, de amar y de beber, pero sólo comen, aman y beben los más fuertes, los más ricos y la brutalidad de las relaciones conduce al caos y a la autodestrucción del imaginario de la ciudad. Sarcasmo que los versos de Brecht puedan servir para explicar la autoliquidación de la ciudad socialista. Canta en Mahagonny, Paul Ackerman, un leñador de Alaska: *"No tenemos necesidad de ningún huracán/no tenemos necesidad de ningún tifón/:la catástrofe que puede provocar/podemos provocarla nosotros/podemos provocarla nosotros mismos".*

Y si en su discurso interior, del que emergen alguna vez las rectificaciones, Fidel llega a pensar que Cuba también es Mahagonny necesita otra vez autodecirse que Moscú fracasó como proyecto de ciudad socialista, pero tampoco ha logrado el *skyline* de ciudad democrática y sigue retrocediendo hacia formas de vida y convivencia premarxistas, paleocapitalistas,

controladas por represores reciclados y mafias que representan la tentación constante de la ciudad de la barbarie. La Habana como imaginario es diferente. Es la ciudad de los espíritus. Como escribió el ministro de Cultura, Abel Prieto, en *El
humor de Misha*, bajo el epígrafe: Para un epílogo cubano...
"...al examinar desde Cuba de 1995 las constantes del humor
político proveniente de la URSS y de los países socialistas europeos, resulta inevitable volver sobre la originalidad de la Revolución cubana con respecto a aquellos procesos". Prieto
analiza un chiste que utilizan los contrarrevolucionarios para
demostrar la antimodernidad de la situación cubana y lo que
era un sutil ataque a la Revolución se convierte en un retrato
de época. Es el chiste que le contaba Piñeiro, pobre Piñeiro,
acaba de morirse al volante de su coche, de un ataque cardia-
co, nada más irse el Papa, como quien dice. El chiste se recicla continuamente. Se trata de aquel espía de la CIA que en
tiempos de Piñeiro (q.e.p.d.) recibía el encargo de Nixon o de
Carter o de Reagan y que ahora lo recibe de Clinton, de hacer
un estudio de campo sobre la situación cubana. "Señor presidente, no hay desocupación pero nadie trabaja. Nadie trabaja
pero según las estadísticas se cumplen todas las metas de
producción. Se cumplen todas las metas de producción pero
no hay nada en las tiendas. No hay nada en las tiendas pero
todos comen. Todos comen pero también todos se se quejan
constantemente de que no hay comida y de que no tienen ni
desodorantes. La gente se queja constantemente, pero todos
van a la plaza de la Revolución a vitorear a Fidel. Sr. Presidente, tenemos todos los datos y ninguna conclusión".

La Habana aún conserva oficialmente el proyecto de sociedad socialista, en parte porque se han aglutinado cuantos
querían impedir la invasión de la barbarie que debía llegar de
Miami. Esa es la actitud de Fidel Atlante vigilando el horizonte.
Otra vez el poema de Cavafis, nacido para otras intenciones,
sirve para plantearme el imaginario de los bárbaros como un
recurso para impedir la angustia por la propia capacidad de
autodestrucción.

En el baúl de las maravillas anticastristas se encuentran pliegos de cargos construidos durante décadas de soledad, como los de Cabrera Infante en *Mea Cuba* y oportunistas disquisiciones de agraviados sin otra ayuda que treinta dólares de ideología, a veces sólo diez de psiquiatría, como el estudio del abogado Julio Garcerán de Vall, *Perfil psiquiátrico de Fidel Castro Ruz*. Cabrera Infante es ambiguamente seguido desde la isla, porque representa el cubano intransigente que demuestra una y otra vez que el imaginario de Cuba es demasiado pequeño para que quepan él y Castro. Se valió de la presentación de *Mea Cuba* en México en 1993, en pleno recitar jupiterino de truenos y rayos contra el castrismo, para acusar a Fidel de ser la versión tropical de Hitler. Apadrinado por la revista *Vuelta*, el libro de Cabrera motivó la respuesta del ministro cubano de Cultura, Abel Prieto, que le acusó de mentiroso, anexionista yanqui y resentido, insultos que resbalan sobre el hieratismo interior y exterior de un hombre que dice estar contra Fidel por la misma razón por la que un judío estaba contra Hitler.

El autor de *Perfil psiquiátrico* murió sin poder ver a su criatura intelectual en las librerías y dedica sólo la primera parte de su estudio a desentrañar la personalidad de Fidel como la de un paranoico a veces, esquizofrénico otras. El resto de la obra es un intento de demostrar que Castro fue uno de los autores del asesinato del líder liberal colombiano Gaytán en el transcurso de El Bogotazo de 1948, que los responsables del fracaso de Playa Girón o Bahía de Cochinos fueron los pusilánimes yanquis entonces gobernados por el traidor Kennedy y que la mano de Castro estuvo tras el asesinato del presidente norteamericano en Dallas en 1963, así como en la muerte de su presunto asesino Oswald. Del ensayo del doctor Garcerán sólo interesa el perfil psiquiátrico, porque el resto ha sido suficientemente tratado por media tonelada de politólogos y no era Castro casi nadie en 1948 como para urdir el asesinato de Gaytán y ya se sabe que no fue Castro quien mató a Kennedy, aunque no se sepa quiénes le mataron. Sobre la paranoia se nota que ha leído manuales de divulgación porque cita con cierta soltura a Kahlbaum, precursor del diagnóstico, y a Kraepelin, el gran connotador de las características de la enfermedad hasta que topó con Freud y los freudianos. La paranoia no es independiente de la esquizofrenia y así se llega al compromiso definitorio del *síndrome paranoide*... "...que engloba una serie de delirios relativamente sistematizados, según los casos: se monta sobre una esquizofrenia residual, un estado de ánimo morboso, un desarrollo psicopático o una reacción vivencial anormal".

Cualquier ser humano puede ser víctima de esta lectura, porque cualquiera ofrece dualidades de conducta, momentos de ánimo morboso y reacciones vivenciales anormales, pero aplicado el esquema sobre la conducta de Fidel y utilizaba la frase del Che: "Con Fidel ni matrimonio ni divorcio", caen sobre el personaje todas las connotaciones del paranoico con pruebas extraídas de su vida y obra: *desconfiado*, como lo prueba que ya en Sierra Maestra dormía lejos de la tropa y que treinta años después ejecutara a Ochoa, que le hacía sombra; *megalomaníaco*, según demuestra que en plena asfixia de efectivos tras el desembarco del *Granma* ya estuviera planeando el futuro de Cuba y su empeño en ser el mejor cortador de caña y en robarle al *Gallego* Fernández la estrategia con la que venció en Playa Girón; *egoísta*, porque se aprovecha del idealismo de los jóvenes que le secundaban para aupar su estatura de líder, ya desde el asalto al Moncada; *inafectividad*, característica no avalada con ejemplos, ya que Garcerán se limita a afirmar que Castro no quiere a nadie y a continuación, ya algo alejado de la indagación paranoide, suma connotaciones que suponen causas y efecto de una conducta psicopatológica: antisocial, desajustado social, siempre cree estar en posesión de la verdad, egocéntrico, emotividad disfrazada de frialdad, ingratitud, hostilidad, irritabilidad teatral, posición defensiva ante el mundo, complejo de superioridad, ninguneo de los otros, inseguridad, intimidación, astucia, suspicacia, orgullo, agresividad, causticidad, mitómano, falsario, narcisista, inhumano, jactancioso, todas estas peligrosas desviaciones, vestidas de un uniforme verde olivo, se llaman Fidel Castro Ruz y vestidas de paisano podrían llamarse Manuel Vázquez Montalbán o de monja, madre Teresa de Calcuta, cuyas bondades, las del escritor y la de la religiosa, podrían ser leídas, y han sido leídas en ocasiones como maldades.

Más serio parece el estudio de Peter Bourne *Castro: A Biography of Fidel Castro*, no escrito expresamente en contra, sino desde esa fascinación que los tipos singulares despiertan en los psiquiatras, aunque en el caso de Bourne se trate de un norteamericano asesor de Carter. Para Bourne toda la conducta hiperbólica de Fidel, esa búsqueda del efecto espectacular, del refrendo de las masas, se debería al hecho de haber sido hijo natural hasta que sus padres se casaron, es decir, acumularía un síndrome de deslegitimidad que compensaría buscando refrendos. No entra Bourne en una valoración del tipo de caudillaje que representaría Castro según sus detractores, porque ésa sería una interpretación historicista, pero sí da mucha importancia a la educación jesuítica, la voluntad de finalidad a través del esfuerzo, el optimismo de la voluntad que jamás escucha el pesimismo de la razón. Las consideraciones de Bourne, publicadas en 1987, de que el pueblo cubano prefiere los logros sociales del castrismo a la democracia formal, irritó en su día mucho a Mario Vargas Llosa: "¿Sería, pues, la democracia formal un lujo digno sólo de los países ricos y cultos?". Pregunta que Vargas Llosa trata de responder convincentemente hace años, desde la más pura fe democratista, sin plantearse si quiera la posibilidad de sustituir digno por posible.

La biografía de Robert E. Quirk, *Fidel Castro*, también acentúa la interpretación psicologista, aunque su interés reside en que en las aportaciones sobre las relaciones entre la Revolución cubana y los movimientos insurgentes latinoamericanos, así como la descripción de las morbosas interacciones entre La Habana y Washington.

Cuando la URSS deja a los cubanos sin escalera y con la brocha pintando "¡Viva el comunismo!" en los cuatro horizontes que crucifican la tierra y llega el llamado *periodo especial en tiempo de paz,* cuantos análisis se habían hecho de Castro y del castrismo se quedan también con la brocha en la mano y sin escalera. Nadie había previsto un vuelco estratégico global de tamaña magnitud y desde entonces Cuba aparece para la inmensa mayoría como un resto de naufragio aún no reconocido en la primera página de *Granma,* a la espera de que de un momento a otro dos parapléjicos en uno, Fidel Castro y su revolución, desaparezcan por un efecto de *zapping.* Pero no fue así.

En 1991, las páginas del dominical de *El País* se abrían con una foto rasgada de Castro y la sospecha de que iba a ser un año decisivo para el fin del régimen cubano. El autor del artículo era Jacobo Timerman, que establecía un cuadro caótico de la tensión entre Miami y Cuba: los partidarios del diálogo eran en ocasiones asesinados, Antonio Veciani se dedicó veinte años a tratar de asesinar a Castro; los norteamericanos son considerados traidores por los ultras, pero han favorecido la instalación cubana en Miami y su desarrollo; habla Timerman de Bernardo Benes, dialoguista acosado por los mascanosistas, hasta el punto de verse obligado a dimitir de la dirección de un banco; refleja la especulación sobre un golpe de Estado del ejército contra Castro y los rusos cargarían con la segunda parte del proyecto, enviarlo con un avión hacia Moscú; Heberto Padilla le dice a Timerman que a los rusos no les interesa ya la isla y su carga económica; Evtuchenko le comenta que la URSS teme el chantaje de Castro, revelando los secretos de treinta años de acuerdos cubano-rusos; los viejos soldados de Batista le piden al ejército de Castro que se subleve y no habrá represalias. "El orgullo desmedido de Castro es mayor que su sentido de la Historia. Fidel espera un golpe militar que derroque a Gorbachov". Pues algo hubo de eso.

Así estaban las cosas, a la medida de la enumeración caótica de Timerman, cuando se pensaba que un huracán provocado por su propia quiebra se llevaría la Revolución con la música ya a ninguna parte. Carlos Alberto Montaner se entrevistaba a sí mismo el 1 de febrero de 1993 en las páginas de *El País* y se sentía generoso con los castristas ante su inminente caída. Preguntas y respuestas traducían el pensamiento unitario del con tanto conocimiento de causa y efecto coautor de una idiotez adecuadamente titulada: *Manual del perfecto idiota latinoamericano (y español)*. ¿Qué quieren los cubanos? Cambiar un sistema que o los mata de hambre o los malalimenta. ¿Es posible un cambio pacífico en Cuba? No hay ninguna razón metafísica que lo impida. ¿Es posible un cambio pacífico con Castro vivo o mientras permanece en la isla? Tampoco hay razón alguna que lo impida, salvo la propia terquedad y soberbia del dictador. ¿Qué ocurriría si Castro no accede a realizar los cambios democráticos que se necesitan? Probablemente, los propios militares lo sustituirían por la fuerza. Montaner presume también que Castro bien pudiera aceptar el cambio, perder las elecciones, quedar en la oposición y algún día recuperar el poder mediante otras elecciones democráticas. También promete que no se hará justicia ciega contra los crímenes del poder, sino una justicia que busque la paz, el consenso. Incluso explica cómo llegar a ese acuerdo: encuentro entre las partes, acuerdo sobre el estatuto de propiedad de todo lo confiscado por la Revolución, igual acuerdo sobre las empresas extranjeras intervenidas cuya reinstalación en Cuba será el símbolo del retorno a la normalidad, seguirían siendo gratuitos los servicios asistenciales.

La lectura de la larga entrevista lleva a la conclusión de que el escrito no está destinado a convencer a Castro, que no se dio por aludido a pesar de lo fácil que se lo ponía Montaner, sino a crear una imagen de exilio paciente y civilizado en un contexto en el que los coroneles de Miami bruñían sus armas con el tiro puesto en los objetivos de su desquite y era tal la cerrazón al diálogo que expulsan a la directiva de una cadena norteamericana de música, María Romeu, porque había propiciado un viaje a Cuba para asistir a un recital de Carlos Varela, por entonces considerado cantante contestatario, pero no lo suficientemente contestatario para los ultras de Miami. Como también le pusieron la proa a Elizardo Sánchez durante su viaje a USA, por su prudencia crítica o a la mismísima Gloria Estefan, junto al actor Andy García, los dos personajes símbolo del *star system* del exilio cubano. Hija de un policía de Batista que ya exilado luchó en Vietnam bajo la bandera norteamericana, la cantante ha militado toda su vida en el anticastrismo, con actitudes tan claras como acusar a Felipe González de connivencia con Castro: "Si a Felipe González le gusta tanto Castro, que se vaya a vivir a Cuba". Pero la Estefan y su marido han reivindicado el derecho a la actuación en Miami de los artistas procedentes de la isla y los ayatolás del anticastrismo trataron de desacreditarles, acusándolos de tener intereses económicos invertidos en Cuba.

Castro convierte la crisis de los balseros en un bumerán facilitando de pronto la diáspora y obligando a las autoridades de Miami a luchar contra el tráfico de refugiados, organizado a veces como un lucrativo negocio. Los guardacostas norteamericanos lanzaban sobre las balsas octavillas en inglés y español en las que advertían a los navegantes que podían enfrentarse a penas de cárcel, multas y la incautación de sus barcos si intentan introducir refugiados indocumentados en Estados Unidos, y los exiliados de Miami volvían a encontrar motivos para gritar ¡Traición! Volvieron a gritar ¡Traición! cuando La Habana y Washington pactan la entrada en USA de los balseros refugiados en Miami, escindidos hasta la esquizofrenia, porque la llegada de 35.000 náufragos más que balseros, balance aproximado final, desequilibraba su mercado de trabajo. Díaz Balart, primer cuñado que tuvo Castro en este mundo, lo dijo muy claramente en su programa de La Cubanísima, *El Parlamento del aire:* "En Miami no queremos más balseros, sólo queremos a dos: Fidel y Raúl Castro". Díaz Balart excitaba los ánimos de los oyentes que eran capaces de llamarle para decirle: "¿Sabe qué le digo, don Rafael? Que el cardenal Ortega es comunista". Era excesivo para el patricio anticastrista: "Por favor, señora, no olvide que a los cardenales los nombra el Papa". El Gobierno cubano derribó las avionetas de Hermanos al Rescate, entidad aplicada a facilitar la huida de Cuba, a veces instrumentalizada por sus promotores como una herramienta de provocación; hay quien les llama "Hermanos al ataque", pero sin duda han salvado la vida a muchos balseros a la deriva. El mundo del exilio pensó que entonces había llegado el gran pretexto para una invasión de Cuba, pero Estados Unidos se limitó a provocar una condena de la OACI (Organización de Aviación Civil Internacional) y Gutiérrez Menoyo se traslada a La Habana con el propósito de hablar con Castro y montar una oficina de cambio cubano, en un claro despegue de la escalada de provocaciones de Miami. El acuerdo con Estados Unidos y las demandas de visados de salida forma colas ante las embajadas de los exilios preferidos y la patata caliente pasa de las manos de Fidel a la de los países asaltados por estos balseros de secano.

Cuatro años después, cuando era evidente que Castro no se había derrocado a sí mismo, de nuevo *El País* recaba opiniones diferenciadas sobre la transición cubana. Marifeli Péres Stable, socióloga cubana residente en Nueva York y presidenta del Instituto de Estudios Cubanos, opina que la solución ha de salir de dentro de Cuba: "Tarde o temprano, una transición a una economía de mercado y a la democracia tendrá lugar en Cuba. ¿Se iniciará ésta mediante un pacto con los que hoy gobiernan o en radical oposición a ellos? Esta es la pregunta clave". La autora ha señalado como condición indispensable el final del acoso norteamericano, factor de rearme de la resistencia castrista. Juan Triana Cordoví, director del Centro de Estudios de Economía Cubana de la Universidad de La Habana, sostiene que es difícil transformar el socialismo en una situación en que todo se confabula desde fuera para abandonarlo. La apertura económica llevaba en 1997 seis años de ensayo y Triana sostenía que la economía se recuperaba y el crecimiento de 1996 había llegado al 7,8%: "Transición hacia el capitalismo subdesarrollado *versus* transformación socialista;

éste podría ser el título del presente y el futuro debate que en
síntesis reflejaría dos posiciones: la del escenario deseado por
el exilio y la de los que amamos esta realidad irrenunciable que
todavía hoy existe en un duelo constante con el asombro". Ce-
rraba el tríptico, estableciendo un evidente 2 a 1, el presidente
de la Fundación Hispano-Cubana, Alberto Recarte. Cansado
ya de oír su propia comedida racionalidad, Recarte se suelta el
pelo y recurre al sarcasmo: ¿Conseguirá el régimen cubano
chupar la sangre a los cubanos? Al parecer, ya lo ha conseguido mediante las guerras solidarias. ¿Y la miseria? Ha costado
mucho pero se sigue avanzando con paso firme para conse-
guirla y no ha sido fácil porque Cuba era un país rico. "¿Transición? ¿Para qué? ¿No ha quedado claro que el socialismo ha
conseguido que el pueblo cubano alcance un peldaño superior
en la evolución de la humanidad?". En 1997 ya hay suficientes
pruebas de que el régimen aguanta, precariamente pero
aguanta, y a pesar de la hostilidad verbal de Miami está claro
que las 90 millas que separan el portaaviones de Miami de Cuba constituyen una lucrativa vía comercial encubierta. Escribe
Mauricio Vicent: "Si uno hace un pequeño recorrido por los
hoteles y tiendas de dólares de la capital cubana puede pensar
que el bloqueo no existe: si lo desea, puede desayunar Corn
Flakes, fumar Winston o Camel y comprar la última moda de
vaqueros marca Guess". Y a la inversa, en Miami se hace casi
pública exhibición de habanos traídos de Cuba, preferente-
mentre Cohibas o Partagás, y el exilio acomodado bebe Havana Club siete años, cuando no quince años, casi inencontrable
en la propia Cuba.

La Pequeña Habana limita al oeste con la avenida 37 y al
norte con la autopista 836, al este con la avenida Miami y la
ruta interestatal I-95 y al sur con Dixihaigüei. Vota republicano y se pasea bajo las doscientas palmas reales cubanas de
la calle 8. Cada 17 de abril se conmemora Playa Girón y los
grupos más radicales se entrenan para invadir Cuba antes de

que sus dirigentes cumplan los cien años: Frente Anticomunista de Liberación, Omega 7, Movimiento Nacionalista Cubano, Alpha 66, los ya viejos coroneles de todas las intentonas militares. La iconografía más presente revela el *ajiaco* versión Miami: Reagan, Martí, Franco. Los que eran racistas en La Habana siguen siendo racistas en Miami: "Miami la hicimos nosotros. El negro americano es populacho, quiere vivir de la asistencia social, no le gusta trabajar. Son una pila de delincuentes y drogadictos"; y los negros autóctonos se quejan de que el Gobierno norteamericano ha ayudado más a los exiliados anticomunistas que a los hijos de los esclavos. Pocos se plantean que Miami es un buen negocio para el castrismo: cada visado de salida de Cuba vale entre tres mil y treinta mil dólares, el Estado se quita de encima una boca que alimentar y un potencial disidente. David Rieff publicó en 1985 un brillante retrato de Miami en el momento de consolidación del poder cubano, del éxtasis del orgullo *cubano*, correspondiente al desánimo de los norteamericanos que consideraban Miami una ciudad invadida por los bárbaros.

Utilicé el libro de Rieff para orientarme por aquel Miami cuando estaba escribiendo *Galíndez* y quería ubicar allí el mestizaje moral del perverso Don Angelito. Rieff evoca el Miami dominado por los gángsters que desde la ciudad dirigen sus tráficos en Cuba hasta 1958, mientras la distinción en la ciudad la ponía una clase estable de jubilados judíos, liberales cultos y avanzados. Poco queda de todo aquello distinción en esta Miami latinoamericanizada, donde los cubanos son hegemónicos sobre colombianos y haitianos como principales grupos nacionales aglutinados, los haitianos fugitivos del hambre y de la represión de las derechas y los colombianos siempre relacionados con la lluvia de nieve, de cocaína, que los más sagaces ojos adivinan como polvo atmosférico de la ciudad. A Miami ya arribaban balseros antes de que los cubanos se hagan balseros. No había día en los años ochenta en el que no se recogieran cadáveres de centroamericanos que llegaban a bordo de ex barcas o de cajas de madera, muy parecidas a los ataúdes a donde iban a parar. Los cubanos eran otra cosa, ya estaban establecidos. Los primeros exiliados burgueses traían dinero, educación, estrategia comercial y sobre esa base se fueron instalando las nuevas oleadas para construir una pirámide de poder que en Miami culminaba Mas Canosa y en Estados Unidos el presidente de la Coca-Cola en Atlanta, cubano también, cubano con muchas burbujas.

El empresario Mas Canosa ya posa para Rieff en 1985, porque es dueño de veinte compañías, ochenta millones de dólares, MAS TEC, empresa especializada en instalación de redes de cable de fibra óptica y compra bajo la mirada comprensiva del PSOE, Sintel, sociedad filial de Telefónica especializada en venta de equipos de telecomunicaciones. Se considera como uno de los mejores negocios de su vida, porque abonó cinco mil millones por una empresa que el Estado español, su propietario anterior, entonces gobernado por los socialistas, tuvo que gastar tres mil millones en sanearla. Mas Canosa consideró que aún no estaba lo suficientemente sana y despidió al 62% de la plantilla, con la consiguiente constatación de los trabajadores españoles de cómo las gastaba uno de los iluminados por Hayek y Friedman en Monte Peregrino. La dureza de los procedimientos del neoliberal Mas Canosa la avalan los buenos resultados obtenidos y la proyecta hacia el futuro: Si hemos creado Miami, ¿cómo no vamos a levantar Cuba? El anticastrismo soy yo. Dispongo de veinte mil jóvenes cubano-norteamericanos profesionales que van a contribuir al cambio cubano. Mas Canosa predica que el ser humano más odiado en Cuba sea el español, no por lo que hizo durante la guerra de la Independencia, sino porque ayuda a Castro. Es Mas Canosa quien tiene el mano a mano con Alarcón ante las cámaras de la CBS el 6 de septiembre de 1996 y su liderazgo a la contra se ratificó en 20 Estados latinoamericanos. Hubo un tiempo en que los apellidos del hombre más poderoso de Miami llevaron asociada la palabra *gángster* y a él se referían como gángster los periodistas y radiofonistas españoles hasta que de pronto una extraña brigada de replicantes se dedicó a llamar a las emisoras donde Mas Canosa había sido tan duramente adjetivado y aportaban una vehemente defensa que a veces llegaba a lo personal: "Mas Canosa para mí es como un hermano", prefigura de una posible ONG: Hermanos de Mas Canosa. Esta actividad trataba de contrarrestar el desolador retrato de un *self made man*, señalado como promotor económico de cuantos se prestaran a actuar contra el anticastrismo, incluido el Partido Popular español. Con motivo de la presentación de la Fundación Hispano-Cubana se recordó que el propio José María Aznar, viajero en el avión privado de Mas Canosa, había roto las hostilidades contra el régimen cubano en el transcurso de un acto en un seminario de la Universidad Friedrich Hayek, de Miami, de la que Mas Canosa es principal socio protector, no en balde Hayek ha sido uno de los profetas del neoliberalismo puro y duro. El Centro de Estudios Políticos creado en el Chile de Pinochet también se llama Friedrich Hayek. Salpica a Mas Canosa el asesinato del periodista vasco-cubano Juan de Dios Unanue, acribillado en Nueva York cuando investigaba la trama de narcotráfico en Miami. Juan de Dios Unanue, el primero que publicó los archivos secretos que ligaban al vasco Galíndez con la OSS y el FBI, por encargo del PNV y de sus líderes de entonces, Aguirre e Irala, durante la guerra fría. Juan de Dios Unanue, con el que hablé fugazmente en Nueva York cuando yo estaba escribiendo *Galíndez*, él tan receloso de todos, tan receloso de mí. Un trágico autista.

Al presidente de la Fundación Nacional Cubano-Americana se le ha implicado en casi todos los actos violentos perpetrados contra el régimen cubano; su propio hermano le ha acusado de sobornar a senadores norteamericanos y de evadir a Panamá tres mil millones de dólares destinados a comprar adhesiones y de haberse agenciado cuatrocientos millones de dólares aparentemente donados a fundaciones anticastristas. A Mas Canosa se le atribuye un listado amenazador de empresas

españolas establecidas en Cuba para actuar contra ellas antes y
después de la caída del castrismo. Lógicamente, su muerte fue
un factor de alivio de la tensión del exilio, pero también de desorientación. Todos los grupos en presencia habían tomado
posiciones con el referente de estar más o menos próximos o
alejados de la Fundación Nacional Cubano-Americana, sabiendo que se la jugaban si se mostraban dialoguistas, pero
también lo que ganaban si marcaban distancias con los mascanosistas. Todos los intentos de hablar con Castro habían sido
acogidos con descalificaciones por parte de los sectores ultras
de Miami, especialmente cuando se concretaron en encuentros en Cuba y Madrid, calificados de *reunión de amigos*, porque tanto la Fundación Nacional Cubano-Americana como la
Plataforma Democrática de Montaner habían sido vetados
por el Gobierno de La Habana. "Diálogo nacional con el exilio no hostil a la Revolución" representaba una puerta demasiado estrecha, pero por ella pasaron Ramón Cernuda, representante de la coordinadora exterior de las Organizaciones de
los Derechos Humanos en Cuba; Alfredo Durán, vicepresidente del Comité Cubano por la Democracia, o Gutiérrez
Menoyo, comandante de la sierra de Escambray y coordinador general de Cambio Cubano. El inventario de asociaciones
de oposición en el exilio da idea de su incapacidad para la unidad: Fundación Nacional Cubano-Americana, cerrada a cualquier negociación con Castro; Plataforma Democrática Cubana, liderada por Montaner, que alterna posiciones de dureza
en relación con un pacto con el castrismo con posiciones de
mayor tolerancia; Junta Patriótica Cubana, exilio radical dirigido por exbatistianos; Cuba Independiente y Democrática,
creada por Hubert Matos cuando salió de la cárcel, formada
por antiguos oficiales del ejército revolucionario; Cambio Cubano, dirigida por Gutiérrez Menoyo, dialoguista y escorada
hacia una socialdemocracia a lo Labour Party; Movimiento
Democracia, ultraderechistas que cada año organizan la expedición de flotillas que se acercan al límite de las aguas juridic-
cionales cubanas en acto de protesta; Agenda Democrática,

LA CIUDAD DE LA BARBARIE

grupo de la derecha no radical, organizado en Puerto Rico; grupos radicales, que han realizado misiones clandestinas en Cuba, fundamentalmente incendios y sabotajes y se autollaman Alpha 66, Comandos L y Frente de Liberación Cubano. Municipios de Cuba en el exilio, grupo tradicionalista presidido por Juan Ruiz, opuesto a darle a Castro el pan, la sal y los buenos días. No podía faltar un partido socialdemócrata dialoguista, encabezado por Vladimir Rodríguez.

El sarcasmo de Iván de la Nuez de que Miami es una ciudad poscomunista no está tan lejos de la realidad, verosímil contradicción en una tierra que los españoles removieron palmo a palmo en busca de la fuente de la eterna juventud, conducidos por un pirado ilustre: Ponce de León. Escribe De la Nuez que en Miami no encontró la Fuente de la Eterna Juventud, pero sí el tiempo detenido. Tampoco halló las ausencias que durante tres décadas se sucedieron en su vida, pero sí a los ausentes. Ni el dinero fácil, aunque sí algo de dinero. "No encontré lo que debería reconocer como mi país original, aunque sí su reproducción. No la literatura, pero sí un exceso de palabras". En Miami los cubanos hablan y hablan y hablan, sobre todo de Fidel Castro, al que odia una mayoría, pero también una mayoría reconoce que la desmesurada presencia de Cuba en el mundo se la debe a Fidel Castro. Esta actitud me recuerda la de un viejo profesor de Historia, chino de Chiang Kaichek, exiliado, que tenía un excelente restaurante en mi ciudad, el Catahy, declarado admirador de su enemigo Mao porque era el verdadero hacedor de China. Don Pedro Chi era, y espero lo siga siendo, un consecuente hipernacionalista. Ciudad de la nostalgia, jaula de los nostálgicos, la aparición del Café Nostalgia, propiedad de un ex alto cargo cultural castrista, Pepe Horta, se ha convertido en un punto de encuentro de cubanos unidos por los recuerdos aunque desunidos por la ideología. Sobre el club de Horta refiere De la Nuez: "...planea la sospecha de que está lleno de agentes castristas y es un núcleo de espionaje cubano. No resulta imposible, desde luego, que allí se espíe —aunque el informe de mi cuenta particular de whisky no ade-

lantará ni retardará un solo segundo la caída del régimen cubano—, pero también allí ocurre el síndrome de Estocolmo (si
bien a unos 40° centígrados). Esto es, los secuestrados comienzan a sentirse a gusto. Desde Bono con U2 hasta Andy García,
pasando por la pléyade de músicos que se acercan a descargar
pasadas las dos de la madrugada. Por no hablar de furibundos y
no tan furibundos voceros de la prensa local". Y hasta Zoé Valdés le ha dedicado un relato a Café Nostalgia porque Pepe
Horta formó parte de su memoria, e indirectamente, de su voluntad de exilio.

Dentro de Cuba se mantiene desestructurado Concilio
Cubano, que integra a los valedores de los derechos humanos, algunos de los cuales entran y salen de sus prisiones según la diástole y la sístole del sistema, a pesar de sus antaño-
nes vínculos incluso con el 26 de Julio, caso de los hermanos
Arcos, el Grupo de Trabajo de la Disidencia Interna compuesto por Vladimiro Roca, Félix Bonne, Marta Beatriz Roque y Gómez Manzano llevan detenidos 14 meses en octubre
de 1998 a la espera de juicio. El representante en el exterior
de los grupos reivindicativos de derechos humanos es Ramón
Cernuda y en el interior hay que contar, y cada vez más, con
organizaciones profesionales de médicos, profesores, economistas y periodistas, especialmente activa y acosada esta última, y ocho organizaciones sindicales de escasa incidencia, algunas portadoras de denominaciones tan eméritas como
Héroes del Trabajo. Disidentes precarios, aunque empecina-
dos, con voluntad de construir algo más que una disidencia
de cara a la subvención de la CIA o a Miami, donde cada vez
hay menos cubanos en Little Havana y más empresas cubano-norteamericanas, 57.000 en Estados Unidos. Son las raíces del futuro para los exiliados integrados.

En 1998 van ganando terreno las soluciones pactistas
como la del *español* Gutiérrez Menoyo que cuando nos encontramos se me dirige en catalán, un catalán de *xava* de la

Barceloneta, donde vivió desde 1937 hasta que la familia se marchó de España hacia Cuba en los años cuarenta, en pos del padre coronel médico del ejército de la República, militante del PSOE. En Barcelona el niño Gutiérrez Menoyo pasó el hambre del final de la guerra y de los primeros años de la posguerra y trataba de contribuir a la supervivencia personal y familiar pasando la gorra o lo que fuera por los merenderos de la Barceloneta, mientras un amigo suyo cantaba flamenco o tonadillas.

> *Que no me quiero enterar*
> *no me lo cuentes vecina*
> *prefieron vivir soñando*
> *que conocer la verdad.*

La familia Gutiérrez Menoyo ha sido víctima de su propio idealismo. El hermano mayor de Eloy, José Antonio, murió en la Guerra Civil española en el frente de Majadahonda, tenía dieciséis años. Otro hermano, Carlos, luchó contra los nazis en la división Leclerq, la que ocupó París con tanques que llevaban nombres de batallas españolas en la Guerra Civil y murió en Cuba asaltando el Palacio Presidencial, en el mismo lance en el que caería el líder de los estudiantes católicos Echeverría. Eloy Gutiérrez Menoyo montó la guerrilla de Escambray que Fidel y Che consideraron siempre advenediza y molesta, pero se le reconocieron a Menoyo los méritos de comandante revolucionario hasta que se fue a Miami y volvió al frente de una intentona armada rápidamente desarticulada. Me habla Menoyo de cómo perdió prácticamente la visión de un ojo y la audición de un oído a causa de una paliza que le dieron por negarse a vestir ropa de presidiario. ¡Un comandante de la Revolución no puede ponerse ropa de presidiario! Pero no quiere hablar demasiado sobre malos tratos, hoy por hoy factor de división, y Menoyo quiere unir.

—Sobre el problema de los derechos humanos hablaré en su momento. Que no sean un obstáculo para entender el planteamiento político del pasado, del presente y del futuro. Pero es cierto lo que te hablé a magnetófono cerrado de la existencia de diferentes tratos para presos políticos, de las celdas de tránsito, las estables y las de castigo.

Le digo que en las cárceles de Franco la policía política, los oficiales y suboficiales de la Guardia Civil y el funcionariado carcelario procedían de las tropas victoriosas. ¿De dónde han salido esos cuerpos en Cuba? ¿En algún caso se utilizaron funcionarios reciclados del batistato? Mínimamente, responde Gutiérrez Menoyo, la inmensa mayoría eran gentes de origen muy humilde, campesinos casi todos, con graduaciones bajas, sargento, cabo.

—Imagínate un campesino en plena Revolución triunfante, convencido de que hay que defender la Revolución y que los presos políticos son enemigos, primero batistianos, luego saboteadores, terroristas, contrarrevolucionarios. Eso mueve una maquinaria represiva. Estás tocando un tema de derechos humanos. Nosotros no hemos estado nunca de acuerdo con ese tipo de estrategia sobre los derechos humanos. En mi criterio muy personal, después de haber pasado veintidós años preso, de conocer un sistema represivo como la palma de la mano, denunciar la violación de los derechos humanos es reconocer la existencia de los derechos humanos. No se violan en Cuba porque no se puede violar algo que no existe. Cuando un italiano va a Cuba no necesita visa y a un cubano le piden visa. Cuando un extranjero puede invertir y un cubano no, cuando no puedes expresar lo que quieres, no han violado la libertad de expresión, no, porque no la hay. Hay que partir de cero y exigir que la Carta Universal de los Derechos Humanos se respete de una forma no desestabilizadora.

—¿No desestabilizadora?. Tal como está concebido el poder en Cuba, cualquier actitud crítica extramuros es objetivamente desestabilizadora.

—Correcto. Por eso nosotros planteamos una oposición basada en normalizar la crítica y reclamamos poder establecer oficinas en Cuba. Lo consideramos básico como inicio de una apertura que no sea desestabilizadora, porque cualquier desestabilización en Cuba perjudica al Gobierno y a la oposición, pone en peligro una transición pacífica, la única deseable. Nosotros estamos pidiendo oficinas para el partido, derecho de reunión, derecho de libre expresión, derecho de locomoción, porque no vamos a dormir en la oficina, derecho de movernos libremente, derecho de afiliación y lo pedimos dentro de la legalidad. La inteligencia cubana puede comprobar que no estamos haciendo nada ilegal. Hay que recubanizar la oposición, porque hasta ahora ha estado muy mediatizada por Estados Unidos, incluso frenadas sus iniciativas en función de los intereses de Estados Unidos. Hay que iniciarla desde la legalidad cubana para impedir que sea denunciada como maniobra del imperialismo yanqui y fomentar una sociedad civil sobre la cual construir la democracia de mañana. Mientras exista la vía de confrontación norteamericana, la oposición extramuros del sistema aparece aliada con Estados Unidos. ¿Cómo podemos aliarnos con un país que aplica la ley Helms-Burton contra los cubanos y trata de internacionalizar un embargo, lo que llevaría a una hambruna generalizada?

—El Estado cubano responde como cualquier Estado socialista a la metafísica trinitaria: clase obrera única, partido único, estado de clase. ¿Por qué han de abrirse? Abrirse significa autodestruirse.

—Porque la realidad material y social de Cuba está asfixiada. Tienen que abrirse para sobrevivir en la era de la globalización, de la misma manera que ha tenido que aceptar algo que a Castro no le gusta y a mí en principio tampoco: la inversión extranjera. Pero no ha habido ni habrá más remedio que aceptarla. La mejor inversión extranjera es la que no se necesita. Pero al tiempo que se admite la inversión extranjera, ¿por qué no se estimula la creatividad de miles y miles de artesanos cubanos y se permite un banco para refraccionar a esos artesanos? ¿Para qué? Para que el día de mañana se puedan recuperar fuentes productivas para los cubanos comprándolas a los extranjeros. Por el dogma de que el Estado es el aval del modo de acumulación socialista se hipoteca el futuro en manos del inversor extranjero.

—Eso contribuiría a la reconstrucción de una burguesía nacional y eso no lo puede asumir doctrinalmente el Estado cubano actual.

Repasamos la política económica cubana, que ha sido a la vez doctrinalmente rígida y tácticamente pragmática, de ahí los aparentes bandazos que se han dado desde el esencialismo guevariano a la doble verdad y conducta actual. Es como si no hubieran encontrado su modelo, propongo como hipótesis, y Menoyo asegura que no lo va a encontrar. Para entrar en la globalización tienen que dar un margen de libertades al propio pueblo de Cuba. No se trata de que el Papa viaje allí y pida que el mundo se abra a Cuba y Cuba se abra al mundo. Que Cuba se abra a los cubanos.

—Porque nadie está en desacuerdo con las conquistas de la Revolución, suponiendo que sean de la Revolución: educación, asistencia médica, estamos de acuerdo, aunque más quisiéramos que fueran conquistas auténticas del pueblo de Cuba y no de la subvención soviética. No tenemos nada en contra de que el pueblo tenga derecho gratuito a un médico o a la enseñanza, pero es que esa gratuidad absoluta no existe. En Cuba no hay pozos petrolíferos para que esas cosas sean gratuitas como en Noruega. La asistencia médica y la educación las paga el pueblo de Cuba mediante impuestos indirectos. Una cerveza producida en Camagüey podría llegar al público al costo de veinte centavos por unidad y la están poniendo a ochenta, igual ocurre en el cigarro. Lo que vale un peso y pico se podría vender a veinte centavos. El pueblo está pagando el asistencialismo.

—Asumamos una diversificación social: ¿quiénes pasan a ser esa clase social que tiene iniciativa, que puede acumular dinero? Como no creen una burguesía...

—Correcto, crean una nueva burguesía.

—¿Saldría de la nomenclatura y aledaños?

—Saldrá de una u otra manera. El sistema ha demostrado durante más de treinta años que no camina, y no es que lo digamos los opositores, es el propio Fidel Castro; en el año ochenta y pico, unos meses antes de salir yo en libertad, hizo un discurso y al día siguiente lo reprodujo el periódico *Granma* con unas letras inmensas: "Ahora sí, vamos a hacer el socialismo". ¿Qué se había hecho entonces durante más de veinte años? Ahora, de lo que se trata es de incorporar Cuba al mundo y de que la oposición contribuya a ello sin desestabilizar. A la oposición hay que darle una opción y no las ofrecidas hasta ahora: o presidio o exilio o cementerio. Entonces, el Gobierno de Cuba tiene que entender perfectamente que se pueda discrepar. Eso no quiere decir que estemos en contra de la nación cubana ni que queramos que quiebre la nación. Queremos que acepten que nosotros también la amamos. Si existiera el banco del que te he hablado se generarían las condiciones de un poder económico nacional y socialmente amplio. Fíjate que la mayor parte de militares utilizados en cargos de gestión económica, como en la corporación turística de Gaviota, forman parte de los que que se quedaron sin función tras el desenlace del caso Ochoa. En vez de tenerlos en la calle, los ponen al frente de esas empresas. Limpiaron a Ochoa, pero detrás de todo eso había un movimiento de cambio. Y lo barrieron aprovechando el problema de De La Guardia y de Ochoa.

—Algunos de esos militares tienen un gran prestigio, son de origen popular y han demostrado un alto compromiso revolucionario. No se corresponde con el cliche del militar latinoamericano instrumento de las oligarquías y del Pentágono. ¿Los militares cubanos conservan esos principios?

—En el fondo sí y todos quisieran que dentro del proceso revolucionario hubiera cambios, pero el ejército de Cuba tiene lo que pudiéramos llamar un síndrome: la derrota del 1 de enero de 1959; la mayoría están por el cambio porque no olvidan la suerte del ejército de Batista por no buscar soluciones pacíficas. No quisieran pasar por esta experiencia. Saben que Fidel puede morir o enfermar y quisieran ver una forma armoniosa de tránsito antes de que Fidel pase.

—En el momento en que se produjera eso, ¿qué papel, según tú, correspondería al ejército y qué papel al partido?

—Se trata de un ejército profesional que podría aceptar las reglas del juego resultantes de un proceso democrático. Las fuerzas armadas nunca han reprimido al pueblo y tienen el mérito de haber hecho la carrera militar luchando en causas justas, en las llamadas guerras solidarias. Consideran que, de haber un tránsito pacífico, necesitan dialogar con una cabeza visible dentro de la oposición con historia, con méritos revolucionarios.

—Dime a quién se parece ese retrato robot del opositor ideal.

—Te podría decir que a nosotros, Cambio Cubano. Primero porque no nos pueden acusar de traidores. Nosotros no somos disidentes, no pertenecimos al Partido Comunista ni al Movimiento 26 de Julio, luchamos contra Batista, levantamos un frente en Escambray y cuando yo voy a Cuba hablo con militares, con generales y me respetan aunque seamos adversarios. Pero tenemos las limitaciones normales de una organización carente de recursos económicos, que se mantiene con los aportes de la militancia de clase media y clase pobre, no tenemos millonarios. Para llevar una tarea de ésas, de organizar un partido dentro de Cuba, se requiere una solidaridad internacional. La comunidad internacional ¿consideraría que nosotros podríamos jugar ese papel y apoyar la agenda que hemos logrado como opositores para presentársela directamente a Castro? Yo he hablado con Castro sobre esto durante tres horas.

—¿Y está publicada esa agenda o calendario del cambio?

—Tuve la oportunidad de presentarla en la reunión de la Nación y la Emigración, pero al pedir mucha gente la palabra, se dieron tres minutos para cada intervención. La agenda dura veinticinco, sino a ti te la puedo dar o hacértela llegar. Yo hablé con Castro y le dije: la revolución que él proclamó en el año 59 fue la deseada por el pueblo cubano desde el siglo pasado y siempre se veía frustrada por una o por otra cuestión. Fidel proclama una revolución tan cubana como las palmas, una revolución —estoy mencionando palabras dichas por él— "de libertad con pan y sin temor, sin el imperialismo que ahoga los pueblos ni el comunismo que emplea el terror". Entonces le digo a Castro: "De esa revolución que tú proclamaste y con la cual no tengo nada en contra, el primer disidente eres tú, Fidel Castro". Fidel me admite que sigue creyendo en esta revolución. No le faltaría valor para hacerlo, pero tendría que cesar la confrontación norteamericana, cargarse de argumentos ante los sectores más duros del propio castrismo.

—Hemos supuesto la conducta de los militares, pero hemos de hablar del partido, ese curioso Partido Comunista Cubano que tiene la legitimidad del PSP histórico y del propio Fidel. En los países socialistas el partido se desintegró y estaba lleno de monárquicos, democristianos, socialdemócratas, neoliberales y ludópatas. No había ni un comunista, por lo visto. ¿De qué partido estamos hablando en Cuba?

—Más determinante que la actitud del partido como bloque, que no va a darse porque se fragmentará en distintas lecturas del tránsito, es que en ese momento esté claro qué persona y qué movimiento marca la alternativa constructiva. No estoy defendiendo mi candidatura. Pero la comunidad internacional pesará mucho en ese momento y no ha escogido todavía esa alternativa, lo que retrasa el diálogo y la estrategia. No te estoy vendiendo el producto Gutiérrez Menoyo, a pesar de que representa una alternativa no contaminada por ninguna complicidad con el imperialismo. ¿No les gusta Gutiérrez Menoyo? Que busquen la figura, y nosotros la vamos a apoyar si es que existe, pero tiene que haber una cabeza visible porque dentro del proceso cubano cada vez que surja un reformista que consiga un determinado liderazgo te lo van a sacar de Cuba o te lo meten preso por instrumento del imperialismo. La política norteamericana, hasta ahora, va en contra de los reformistas y beneficia a los duros.

—Pero los duros empiezan a escasear.

—Son escasos, pero dominan centros de poder porque la vía de confrontación norteamericana les da la razón para resistir. ¿Qué ocurriría si los norteamericanos cambiaran? Los reformistas, que son la mayoría, se cargarían de razones.

—¿Es lo que espera Castro para dirigir el cambio?

—Lógico. Mientras dure la vía de confrontación, los duros cogen fuerza y aunque Fidel y Raúl tengan el control, pueden enigmatizar su verdadera posición acogiéndose a la resistencia de los duros. Si prospera el argumento de que con los Castro no hay solución, se está proponiendo que los Castro se cierren más, porque presienten que el cambio implica autoaniquilación. En la reunión que tuve con él durante tres horas, Fidel se mostró muy receptivo. Empezó a hablar y cuando llevaba un minuto hablando le dije: "¿Me permites que sea yo el que hable y no tú? Porque yo no sé cuándo vas a dar por terminada esta reunión, yo me quedo sin poder plantear nuestra agenda". Yo cubrí el 95% del tiempo hablando, haciendo la exposición de nuestro punto de vista. Él tomó notas, fue muy respetuoso, no te lo puedo negar. Y yo te diría que hasta se iba a encaminar esa vía, cuando se produjo la torpeza de la Administración Clinton de recaudar fondos para la oposición y las provocaciones de la extrema derecha mascanosista. Luego vino lo del derribo de la avioneta de Hermanos al Rescate. Se paralizaron todas las vías de negociación. El cambio de política norteamericana no es una cosa que se improvisa desde este momento. Viene andando desde hace mucho tiempo. Aquí comenzó una investigación federal hace tres años sobre el problema de la corrupción en Miami. Toda esta extrema derecha está metida en negocios poco claros y el Gobierno norteamericano no necesitaba de la muerte de Mas Canosa para dejarlos en la estacada. Todos ellos están implicados en corrupciones y si llegara el momento de un cambio de política, los norteamericanos les pueden hacer callar. A ese cambio de política puede ayudar el informe del Pentágono donde se confirma que Cuba no es una amenaza militar, ni bacteriológica, ni nada. Estamos contra el embargo norteamericano, pero también contra el embargo de libertades y derechos del pueblo de Cuba.

—Podría uniros un planteamiento nacionalista, más que socialista.

—Correcto. En este momento la cuestión es que Cuba no vaya a una quiebra, que pueda plantearse alguna forma de reconstrucción y eso no es monopolio de ninguna ideología. Hasta mucha gente de extrema derecha que encuentras aquí, si hablas con ellos, te das cuenta que quieren lo mejor para el país. Hasta algunos batistianos han cambiado de mentalidad. Los batistianos son los primeros que vinieron a este país, perdieron el gobierno, perdieron los bienes que tenían en Cuba, otros llegaron con dinero, pero al fin y al cabo, se adueñaron de la ciudad y viven muy bien, no todos, pero sí el grupo más significativo. Un cambio en Cuba no les beneficiaría mucho. Y si te pones a analizar: la extrema izquierda en Cuba coincide mucho con la extrema derecha aquí, en propósitos, hasta en la misma ley Helms-Burton. A los extremistas de Cuba tampoco les interesa que caiga la ley. Es su coartada.

—Y desaparecido Mas Canosa, ¿quién representaría ahora esa tendencia? ¿Díaz Balart, el cuñado de Castro o su hijo?

—La tendencia Mas Canosa ha desaparecido con él. Era un liderazgo muy dinámico con unos recursos multimillonarios y utilizando todo tipo de procedimientos. Ese libro sobre Mas Canosa *El exilio indomable*, es un desastre. Lo empecé a leer y lo tuve que dejar. Es un santoral. Mas Canosa pagó ese libro y es lamentable que Álvaro Vargas Llosa se preste a escribir en estas condiciones. El liderazgo de Mas Canosa no tiene sustitución dentro de la población, ni con el hijo, ni con el *chairman*, ni con el presidente actual de la Fundación, el doctor Hernández. El exilio no ha perdido un líder, la extrema derecha sí. La otra parte del exilio, de acuerdo con las encuestas, es mayoritaria y está por una solución pacífica. No cuentan con los micrófonos, pero es una corriente mayoritaria sin discusión alguna. Si Estados Unidos quiere solucionar el problema deberían acabar de desmantelar, ya lo están haciendo, a la extrema derecha. La necesitaban para la guerra fría, pero se apoderó de esta ciudad, se hizo tan multimillonaria que a los yanquis les salió la criada respondona.

—¿Qué cambio puede garantizar que después del castrismo no saldrán allí las mafias y el capitalismo más depredador?

—Si el Gobierno de Cuba plantea "Socialismo o muerte" yo creo que tenemos el derecho de oponer "Socialdemocracia y vida", que es más productivo y más saludable. No les pedimos que renuncien al socialismo, pero que sea un socialismo realizable.

Menoyo insiste una y otra vez en la necesidad de crear esa cabeza visible de la oposición equivalente a la de Castro, una cabeza que hubiera podido entrevistarse con el Papa, o con el primer ministro canadiense cuando viajó a La Habana, cita el caso de la República Sudafricana, donde supieron elegir a Nelson Mandela y el resultado fue muy positivo. Hay que buscar esa cabeza visible opositora que pueda empezar a llevar la voz cantante y rebatir públicamente a Fidel Castro, cuando dice: "Yo no voy a permitir otro partido porque eso sería dividir la nación". Ese líder alternativo podría contestarle: "Eso es una tontería porque Cuba ya está dividida. Hay dos millones de cubanos en el exilio y otro medio millón de cubanos esperando que les dejen entrar en Estados Unidos". ¿Qué temen? Que si hay una cabeza visible empezaría a significar la progresiva relativización del poder absoluto de Castro. No es que nos gusten los liderazgos, pero desgraciadamente en Cuba y en todos los países latinoamericanos es lo que camina.

—La Iglesia podría diseñar ese líder.

—La Iglesia cubana nunca ha estado ni está en condiciones de proponer esa otra cabeza visible. ¿Por qué? Porque en

Cuba hay una religión que es la afrocubana y que tiene una fuerza tremenda aunque no organizada. Pero hay una cantidad de gente en Cuba que practica la religión yoruba.

—Castro deja paso a esas reformas o Castro muere. ¿Qué pasa entonces?

—Como me conozco a Castro de memoria creo que no va a abrirse hacia el pluripartidismo y para nosotros, los opositores, tampoco eso es fundamental. Frente a un liderazgo fuerte como ése, enfrente debe haber otro liderazgo fuerte. Dos partidos serían el comienzo de la democratización. Llegará un momento en el que Castro se tendrá que retirar, es un problema generacional. En el futuro, a medida que la extrema derecha deje de desestabilizar, podría haber otros partidos.

—Pero, ¿por qué han de conceder eso? Si hasta controlan quién entra y quién sale de casa de Lizardo.

—Estados Unidos debería retirar sus personajes manipulados y así Castro retiraría los suyos, que los tiene.

—¿Crees que el mundo de los disidentes está frecuentemente financiado o manipulado por Estados Unidos?

—Muchos, te lo digo por declaraciones de ellos mismos cuando han llegado al extranjero y han hablado. Cuando se produzca una solución pacífica, Cuba va a exigir: retírame estos personajes que has manipulado. Pero Estados Unidos lo va a decir también: retírame a todos estos que ha manipulado la inteligencia cubana.

—Castro ¿debería delegar en otros la conducción del cambio?

—No la tiene que delegar, lo que tiene que hacer es contribuir a esta solución. Sería un magnífico cierre para él de las páginas de la Historia, esa sanción histórica que tanto le obsesiona: lograr que Estados Unidos entre en una política de buena vecindad.

—¿Ése es el *happy end*?

—Ése es el *happy end*. Hay que llevar al convencimiento de que contribuye a los cambios no sólo de Cuba sino del globo.

—¿Vosotros habéis hecho alguna gestión para que os dejen establecer oficinas de Cambio Cubano dentro de Cuba?

—Se lo pedí directamente a Fidel Castro y lo he tratado con Robaina, inclusive he pedido que se reformen las condiciones por las que un cubano pueda viajar a Cuba, con el límite de noventa días. Y me han dicho con toda la diplomacia habida y por haber: "Mira, por el momento no se te puede dar viaje vigente por la confrontación norteamericana". En definitiva, fui noventa días allí, salí, al día siguiente ya estaba de vuelta y no me querían dejar entrar a pesar de que tenía permisos concedidos. Me quedé en el aeropuerto, en tierra de nadie, hasta que revocaron aquella tontería que o bien buscaba un incidente o bien se le había ocurrido a un funcionario indocumentado.

—Aparte de Cambio Cubano, ¿qué otros grupos según tú tienen entidad para plantearse esa lucha por un espacio político abierto?

—Veo la posibilidad de que nosotros podamos ocupar ese papel de la cabeza visible alternativa, inicialmente con un respaldo internacional, pero que yo lo vea es una cosa y que lo vea la comunidad internacional es otra. Hemos internacionalizado nuestra agenda, pero no estamos inscritos en ninguna internacional, aunque asistimos al XXXIV Congreso del PSOE en España, nos anunciaron como delegación y Cuba sabía que íbamos. Hemos participado inclusive en varios eventos donde acudía una representación oficial. No ha habido ningún grupo opositor que haya logrado eso. Hay cierto mensaje de no-rechazo por parte de Cuba a nuestra posición. Cuando tú quieres un espacio democrático, Castro dice: "Yo no voy a abrir con esa derecha, es una mafia. No queremos que hables con esa mafia". A mí me encantaría el respaldo, por ejemplo, de los laboristas ingleses para hacer callar a Castro y no quisiera dar idea de protagonismo. Estoy acostumbrado a que se me reciba como un héroe en cualquier pueblo de Cuba, pero también a que se me llame traidor porque me fui, traidor y agente de la CIA y a noventa millas de distancia, cuando llego a Miami, me

acusan de comunista. Estoy por encima de todo esto. En Cuba
hay que abrir un espacio para la oposición y a mí no se me
puede considerar un disidente, porque yo nunca fui castrista ni
gusano. Yo soy un comandante revolucionario. Yo me puedo
sentar en la misma mesa que un general castrista que discrepa
de mí, pero me respeta y le encanta sentarse conmigo.

—Estuviste en prisión veintidós años, da tiempo de sobra para pensar. ¿Tenías en tu cabeza qué ibas a hacer el día
que salieras de allí? ¿Tenías calculada esta posición tan con-
temporizadora, tan templada?

—Yo vi en presidio cómo aplicaron a los presos un trato
selectivo, pero que podía llegar al salvajismo y a la barbarie. Para mí la palabra "revolución" no es sinónimo de falta de libertades y de dictadura. Como no es tampoco sinónimo de dictadura la palabra socialismo ni socialdemocracia, ni laborismo. No
creo en el socialismo impuesto por un grupo o una casta o una
mafia. Tú puedes aplicar un socialismo de Estado para toda la
nación, favoreciendo al individuo creativo y ayudando al que
no tiene recursos. Yo creo que la palabra "socialdemocracia" es
ayudar al que quiera ayudarse, y que el Estado esté en disposición de ayudar. Salgo de presidio tan socialdemócrata como entré, mantengo el mismo discurso que tenía dentro. La palabra
"revolución" no tiene porqué ser una palabra de represión contra la población y de discriminación ni de arbitrariedades.
Cuando me detuvieron, Fidel vino a verme y cuando murió mi
padre me mandó el pésame. Castro apreciaba mucho a mi padre, aunque lo mantuvo detenido un tiempo cuando me cogie-
ron a mí. Fidel veía en él a un luchador republicano español y a
veces se reunía con el viejo para conversar. Luego sí he hablado
con Fidel cuando he vuelto a Cuba, pero nada me ha hecho va-
riar mi diseño templado. Entiendo que en un país que lleva más
de treinta y cinco años de régimen totalitario, que ha sido una
etapa muy traumática, tiene que haber un momento en que tú
digas: "Bueno, señores, no se puede seguir una política de odio,
de división de la familia, vamos a tratar de hacer una política de
coexistencia y hacer un esfuerzo para salvar el país".

—Llegas con el lirio en la mano al Miami de Mas Canosa.

—Imagínate tú, salimos con los de Cambio Cubano hace un poco más de cuatro años y todo el control mediático de los mascanosistas trata de hacernos polvo. Pero hemos ido arraigando según sondeos de opinión muy decantados que hacen los masacanosistas. En el primero se nos reconoce como la tercera fuerza representativa del exilio político: la Fundación, Unidad Cubana y luego nosotros. No contentos con la encuesta hacen otra y esta vez ya vamos segundos. Consecuencia: no han hecho más encuestas.

Gutiérrez Menoyo no ha tenido contactos con la Fundación Hispano-Cubana. Desde el principio pensó que perjudicaba más que favorecía el posible papel intermediario de España. Le he pillado tras su participación en un debate radiofónico, preocupado porque a su esposa se le ha irritado un ojo, entre la política y lo cotidiano, un hombre que ha vuelto a empezar a vivir con la ansiedad de recuperar veintidós años de encarcelamiento, una nueva familia, hijos pequeños, mientras la hija habida del primer matrimonio se ha convertido en una importante editora en Puerto Rico y sostenedora de las siete vidas de Gutiérrez Menoyo. Una de esas vidas le aborda de nuevo. Su mujer le comunica que tras marcharse de la emisora una radioyente ha telefoneado para recordar que Eloy se pasó toda la Guerra Civil española violando monjas, desde una precocidad sexual impropia de un niño de seis, siete años. Esto es Miami, comenta Gutiérrez Menoyo, pero cada vez hay menos indocumentados de este tipo. Sobre las consecuencias de la visita del Papa piensa que los efectos se verán lentamente y no cree que la Iglesia quiera heredar a Castro. La última vez que se vio con el cardenal Ortega le dijo: "No dejes lo que estás haciendo porque es una tarea de evangelizador".

—Has insistido en la necesidad de esa cabeza alternativa a la de Fidel. ¿No crees que el propio Castro puede tener la tentación de inventarse esa cabeza visible alternativa?

—Ni Castro ni Estados Unidos pueden inventarla, porque no tendría credibilidad.

Desde Cuba se ha hecho algún gesto público para captar qué piensa la cubanía exiliada y ha sido Luis Báez, *Los que se fueron*, el encargado de recoger el testimonio de algunos de sus componentes, dentro de un arco iris de anticastristas moderados por el tiempo y la distancia. Sorprenden juicios como el del periodista batistiano Luis Manuel Martínez ubicado en Panamá: "No creo en el exilio cubano, precisamente porque lo he conocido en todos sus niveles. Miami ha sido un mercado de subasta pública en que cada cubano ha vendido su talento, su experiencia, su capacidad de informante, de chivato. Todo eso remunerado por la CIA o por el FBI". Ese exilio, sostiene Martínez, da todos los días las gracias a Fidel porque gracias a él "...han podido establecerse en suelo norteamericano y fundar el imperio de la papa frita, del cafecito cubano, del batido, del frijol negro. Sin olvidar la droga, el contrabando, la estafa, la politiquería indecente que caracteriza ese ambiente". No insisto en otros testimonios, porque Báez puede haber escogido anticastristas con síndrome de Estocolmo, pero el exilio no es sólo a veces una victoria moral, sino también el infierno de la desidentificación. Recurro a *Cuba en el corazón* de Vicente Romano, muestreo de trece cubanos exilados en España, perdedores directa o indirectamente con la Revolución: terratenientes, grandes propietarios, religiosos, empleados en empresas norteamericanas, profesionales liberales. La causa fundamental, las medidas socializadoras, a continuación los que se marcharon por las dificultades económicas o para evitar que los hijos hicieran el servicio militar en guerras solidarias demasiado lejanas. Temen que los más jovenes sean contaminados por ideas socialistas. Insisten en su cubanía, en la radicalidad de la identidad. ¿El exilio? Contestan: una experiencia decepcionante.

Aunque en Miami se va imponiendo el dialoguismo, cada loco del exilio sigue formalmente con su tema. La Asociación de Hacendados de Cuba pretendía recuperar las tierras expropiadas por la Revolución para explotarlas, igual que las viviendas, pero sin expulsar a sus actuales ocupantes:

que paguen el alquiler. Desde Radio Mambí se insiste en que el castrismo se hunde en el basurero de la Historia. Gracias a que es bajito, cualidad negativa en opinión de Wayne Smith, Francisco Aruca se fugó de una cárcel cubana fingiendo ser el hijo adolescente de una visitante y ahora ha organizado viajes a Cuba tres veces por semana, al tiempo que protagoniza un combate radiofónico contra el anticastrismo ultra mediante las tres horas de radiofonía que compra a una emisora privada. En los teatros se ha llegado a proyectar la obra *En los noventa, Fidel revienta* y la asociación Alpha 66 se reúne armada y ha hostigado a los turistas que viajaban a Cuba porque sus dólares salvaban a la dictadura. Juan Grau, presidente de Bacardí en Estados Unidos, quiere recuperar todo lo confiscado y que el castrismo se beba todo el ron Bacardí que han impedido bebieran los cubanos.

Este portaaviones anticastrista o almacén de todos los exilios que le sobran a Latinoamérica es muchas otras cosas más, si se atiende el prólogo del libro *Nieve sobre Miami* de Juan Carlos Castillón, todavía joven escritor ultra español, fugitivo del terror democrático y acogido en Miami después de un largo viaje por las tramas negras europeas y americanas. Castillón representa el nihilismo ilustrado, lo he podido comprobar mediante dos diálogos con él, el primero en el transcurso de la Feria del Libro de Miami en 1994 y el segundo ahora, casi en el cierre de mi largo viaje tras la estela del Dios que entró en La Habana. Empleado en la librería La Universal, propiedad de Salvat, en su tiempo líder estudiantil cubano, dirige gustos y aficiones del lector con el aplomo de un espléndido librero que ha leído, con buen gusto y desde una tolerancia sospechada en el ultra inteligente. La ironía forma parte de su estilo en *Nieve sobre Miami*, retrato del subsuelo de una ciudad bajo la nieve, es decir, bajo la cocaína, ciudad que mezcla suelo y subsuelo como todo punto de encuentro entre el espacio y el tiempo del capitalismo más agresivo. El libro es especialmente recomendable por lo que aporta de información, desde un absolutamente espléndido capítulo introductor que reproduzco en sus puntos más dedicados a la cubanía, pero que ofrece metáforas suficientes para entender o definitivamente no entender esta ciudad:

...una moderna Casablanca... un presidente ecuatoriano la bautizó Capital de América Latina. Si hubiera hablado del banco de la América asustada que llora en español pero cuenta en inglés, hubiera estado más cerca de la verdad. Si hubiera hablado del *shopping center* de los ricos —y de los que se creen ricos— al sur del Río Grande y en su país, la gente no se hubiera reído tanto... Miami es la ciudad de los ricos en busca de seguridad y de los pobres en busca de futuro... En Miami los golpes de Estado, como los electrodomésticos, son productos de exportación... Existen en Miami sesenta y ocho armerías. Una más sería inmoral... En Miami, a pesar del clima tropical, cae nieve todos los días del año, de enero a enero, incluso en Navidad. "Tcha tcha tcha tcha", es el ruido de las tarjetas de crédito cortando las líneas de cocaína, es el ruido de las fiestas locas de Miami... Miami es la droga, pero la mayor parte de los miamenses morirán sin probarla.

Ciudad de la violencia, de la corrupción policial, de la santería, en la que cuando se produce un tiroteo ni siquiera se detiene el tráfico porque sus habitantes piensan que se está rodando una secuencia de *Corrupción en Miami.* ¿Es divertida esta ciudad?, se pregunta Castillón, en la que no han sobrevivido sus habitantes originales, los indios semiolas, como una premonición de que estaba destinada a ser tierra para exterminadores y exterminados?:

¿Qué esperaban de una ciudad construida sobre un pantano? ¿Otro París? El mismo nombre del condado es poco evocador de glorias...

Eso no le quita el sueño a los miamenses, ni a los demás habitantes de Dade County, que en nueve de cada diez casos no saben de la existencia de Francis Longhorne, y en el décimo no le interesa. Tal vez eso se deba a que hay pocos miamenses nativos: no hay apenas descendientes de los semiolas que escaparon a Dade, y es más que dudoso que en su breve

estancia en el lugar la tropa tuviera tiempo de dejar herederos. La mayoría de los miamenses de hoy son latinos: caribeños de Puerto Rico y Cuba, dominicanos, hondureños y panameños, centroamericanos de El Salvador y Guatemala, de
Nicaragua y Costa Rica; sudamericanos de cualquiera de las
repúblicas que hablan, sienten, rezan en español y han leído
—a veces incluso recitado— a Darío, antes de venir a contar
en inglés. Hay haitianos y jamaicanos, gente de Barbados y
de las islas, de todas las islas a las que el azúcar llevó esclavos. Tanta gente con tantos orígenes. Miami es también la
emigración, la inmigración, el exilio. Para los anglos todos
los latinos son iguales. Para muchos latinos los latinos no
existen. Sólo existen en estadísticas. En el mundo real poco
o nada une al chicano con el boricua, a éstos con el cubano.
Los cubanos son el primer grupo latino de Miami. Llegaron
los primeros y son aún la mayoría. La única minoría del país
con ingresos equivalentes a los de los anglos. La minoría latina con mayor número de profesionales y la primera también en lograr poder económico y político en sólo una generación. Ellos abrieron el paso a los demás hispanos. A los
ricos que llegaron con su dinero y no necesitaron hablar inglés con sus banqueros. A los pobres que llegaron sin nada y
no necesitaron hablar inglés con sus capataces.

Max Lesnick está cumpliendo su palabra y es mi guía por
una ciudad perteneciente a la cadena de ciudades de los prodigios. De vez en cuando buscamos refugio en su casa de Coral
Gables, donde es posible extraer fotografías con Fidel del baúl
de los recuerdos o los primeros escritos políticos del precoz
Max o asistir a una conversación telefónica de Myriam, su mujer, con La Habana. Al otro lado la esposa de Alfredo Guevara,
amistades por encima de cincuenta años de tiempo, de las millas que separan menos que las ideas y después es Max quien
dialoga con Alfredo Guevara, le dice que estoy a su lado y Alfredo me envía saludos y un mensaje: está releyendo a Gramsci. He reservado habitación en el Fontainebleau Hilton, impropiamente porque dista todo Miami de Little Havana o de

Coral Gables, pero fue en ese hotel donde escenifiqué hace ya demasiados años un capítulo decisivo de *Galíndez*, donde me topé por los pasillos con Debby Reynolds corriendo vestida de lentejuelas y a él he vuelto porque en toda novela con crimen no hay otro asesino que el autor y es sabido que el criminal vuelve siempre al escenario del crimen. Con Lesnick visitaré Café Nostalgia, un territorio de la memoria cubana de antes de la Revolución, salsa, cine, cantantes, ausente Pepe Horta el en otro tiempo factótum del ICAIC, colaborador de Alfredo Guevara, ahora de viaje, pero dialogo con su representante sobre el reencuentro necesario, sobre la isla posible.

De restaurante cubano en restaurante cubano, con amigos de Max que son, como me ha avisado Mauricio Vicent, "cubanazos que se pasan todo el día hablando de Fidel Castro". Ahora reservan una parte de las conversaciones para el Viagra, como si no les bastara con ser del trópico, y uno de ellos, excelente tabaquero de puros propicios, sindicalista exiliado, septuagenario, nos enseña un frasco de las pastillas mágicas en el que falta la que utilizó la otra tarde para dejar tan satisfecha a una amiga, como Compay Segundo deja satisfechas a sus novias, tres, cuatro palos cada noche, a base de caldo de pescuezo de carnero. El local de *Réplica* aún no tiene rótulo, está ubicado en una de los veinte millones de plantas bajas iguales que Miami ofrece para iniciar o acabar negocios y más parece una barbería de pueblo algo indefinido pero hispano, llena de contertulios que la redacción de una revista, aunque Myriam trabaja como una directora convencional, mientras los hombres se dedican a recordar Cuba o pronosticar sobre Cuba. Compruebo que Little Havana no es lo que era, ahora menos cubana y más Centroamérica en su conjunto, con dificultades incluso para encontrar negocios de santería abiertos, cuando en 1984 te asaltaban la mirada. Los cubanos se han ido repartiendo por la ciudad como los italianos se repartieron por Nueva York y dejaron Little Italy a la expansión china. Max entra y sale de los referentes obligatorios, Café Nostalgia, Café Versalles, librería La Universal, el club de jugadores de ajedrez o de dominó del parque Maceo, con la seguridad de un cofundador de la ciudad archipiélago, una *rara avis* de la tolerancia amenazada por los intolerantes, capaz de declarar su valoración de Castro en una entrevista hoy publicada. En *Miami New Times*, Max ocupa toda la portada, bajo la cualificación de *El hombre de Miami en La Habana*. Max asegura que el balance de la visita del Papa fortalece a Castro, porque demuestra lo absurdo del bloqueo norteamericano y que no hay otro camino que el del diálogo. En la misma crónica otros exiliados llaman a Max ingenuo pero Alfredo Durán pone las cosas en su sitio: "Max es probablemente uno de los más inteligentes y más conocedores intérpretes de todo el problema cubano. Él puede tomar la temperatura de la política cubana aquí y allá mejor que cualquier otra persona que conozco. No sé si él maneja influencias entre bastidores, pero a menudo lo utilizo como criterio para mis expresiones sobre Cuba". Con medio cuerpo metido en la piscina de su casa, me cuenta Max el argumento de su primera, próxima novela de política ficción, con Cuba y sus servicios secretos como fondo y ya secos, con un whisky suficiente en el vaso y en el cerebro, analiza las razas políticas de esta selva donde las autopistas tienen persistencia y frecuencia de lianas.

—Y eso que el Miami cubano se ha civilizado mucho. Las actitudes más rabiosas se han ido diluyendo, porque mucha gente ya no traga maniqueísmo y además resulta que a la derecha y los americanos no les queda más remedio que usar a disidentes que fueron miembros del Partido Comunista, algunos mucho más comunistas que los comunistas de Fidel. Es decir, la tolerancia por conveniencia, no por convicción.

—Miami es un centro de producción de literatura de la disidencia. El libro de Oppenheimer fue una profecía precipitada y esperemos a que acabe el siglo para dar la razón o no a Fogel y Rosenthal. El libro de Álvaro Vargas Llosa o el de Giuliani sobre el CEA, todo eso demuestra que hay voluntad de diagnóstico, como si el diagnóstico se hiciera factor político.

—Pensaron: si se ha caído el muro de Berlín, tiene que caerse la cortina de caña de azúcar. No contaron con que la Revolución cubana tenía raíces más profundas y un líder carismático con gran habilidad y capacidad de maniobra, un gran político que conoce bien el escenario mundial y mucho más el cubano. Hubo gente en Miami que hizo las maletas para volver a Cuba el día en que cayó el muro de Berlín. La evidencia de que Castro duraba creó aquí una situación de frustración muy grande. Ahora renace el grito clásico desde el 59: "Traición, traición, traición".

—Estados Unidos.

—Claro. Para los americanos hay un *remember the Alamo*, *remember the Lusitania*, siempre hay un *remember* para movilizar a la opinión pública americana frente a cualquier confrontación, haciéndose la víctima: ¡Hemos sido engañados! *El Remember Pearl Harbour* es el *leitmotiv* de la política norteamericana cada vez que ellos quieren agredir o al menos sentirse agredidos para después recuperarse de la agresión. Los cubanoamericanos también tienen el suyo: Traición ¿La gran traición de quién? De los norteamericanos. Siempre nos han traicionado. Todo empezó cuando Fidel traicionó la Revolución, luego los norteamericanos traicionaron la contrarrevolución, es la manera de no dar una respuesta equilibrada a un problema. De nuevo está el grito "Traición" en la calle. Clinton ha aflojado la mano. Está preparándose la entrega. Yo no creo que la política de Estados Unidos hacia Cuba vaya a cambiar de la noche a la mañana. Sí creo que la presencia del Papa en La Habana obliga a Estados Unidos a ser cauteloso en su política, porque no necesita una bendición papal, pero tampoco quiere una excomunión. De momento el juego es a tres bandas pero separadas: Vaticano-Cuba y Vaticano-Estados Unidos, como en Polonia en los años ochenta.Pero no creo que el Papa pretenda que en Cuba se repita lo de Polonia, porque si alguna información de la situación cubana es mejor que la de la CIA es la que tiene el Vaticano. Yo sé que ellos saben que la fuerza de la Iglesia en Cuba no puede compararse con la que tuvo en Polonia.

—Parte de la Iglesia cubana juega a exagerar su influencia.

—Yo estaba en Semana Santa en La Habana, después de la visita del Papa, y un católico que te diga hoy en Cuba: "Yo no voy a misa porque me van a reprimir" te está mintiendo. Hay absoluta libertad para que cada cual vaya a misa y no pague ningún precio polítco, ni siquiera si eres miembro del partido te van a censurar, porque vayas solo o con tu mujer a la iglesia, salvo que te lo eche en cara un imbécil dogmático. El cardenal Ortega y el nuncio, los obispos, Céspedes incluido, conocen la fuerza real de la Iglesia y su capacidad de convocatoria. Yo estuve en La Habana en Semana Santa y para mí no hubo Semana Santa.

—Ellos lo atribuyen a que no les dieron permiso para hacer el vía crucis.

—Hubo procesiones, pero en la misa en la que había más gente no pasaban de quinientas personas y en una época de distensión. La Iglesia se equivocó marginando el sincretismo durante la visita del Papa, porque esa es la religión verdaderamente instalada en el pueblo. Separar a los sincretistas del catolicismo es un error táctico y estratégico. Esa broma virtual que tú viviste en la pantalla de internet de Natalia Bolívar de rechazo al Papa, eso le resta a la Iglesia poder. Políticamente, lo inteligente es no discutir si eres católico en Jesucristo o en la Virgen María o si eres católico de Changó, de Ochún y de Obatalá. Fue el cardenal el que señaló la línea divisoria. Habría que desentrañar si la Iglesia está autolimitando su propia capacidad y se separa de los afrocatólicos para no aumentar su poder y alarmar al Gobierno. Quiere decir que si a la manifestación religiosa de la procesión de Semana Santa fueron quinientas personas eran quinientos católicos. Si hubieran hecho algo más sincrético, en vez de quinientos hubieran sido cinco mil. Tal vez les inquiete tanto éxito.

—Sería muy maquiavélico.

—Es que si no es maquiavélico es muy estúpido.

Por la tarde, mientras Myriam se afana en los preparativos del *cocktail party*, Max me enseña casi un incunable. La memoria del colegio de Belén donde se cita la intervención del destacado alumno Fidel Castro Ruz defendiendo la enseñanza privada y la réplica airada del diario de los comunistas. Luego irán llegando los invitados a los que sólo puedo ofrecer mi curiosidad y las últimas vivencias de La Habana de las que parecen ávidos, como si La Habana no sólo estuviera lejos, sino también tarde. Se confirman las previsiones de Lesnik y algunos personajes de los que vienen ya están en todos los libros sobre el contencioso cubano, es decir, en centenares de libros como Alfredo Durán, Bernardo Benes o Gutiérrez Menoyo; también Edi Levy y Xiomara Almaguer, de la Liga Antidifamatoria Cubana; Max Castro, columnista del *Nuevo Herald*; Lorenzo, un amigo de Max que se alzó contra Castro, pasó años en la cárcel y está por la negociación; reencuentro a los *tertulianos* del Cohiba, Lázaro Fariñas, su esposa y Luis Tornes, el director de *The Miami Post* que no ceja en su proyecto de hacer de su diario el *Granma* de Miami, a juzgar por la última portada que he leído: "Fidel no cedas", a toda plana, más un anuncio de entrevista con uno de los generales fuertes de la nomenclatura, Fernando Vecino Alegret, la confesión de una asilada cubana: "Nadie en Cuba creería que paso hambre en Estados Unidos", y por si faltara algo, el titular de una información en la que: "Bill Clinton reconoce los logros obtenidos por Cuba".

Con Fariñas evocamos el Cohiba y a Piñeiro, hablé sobre todo con Durán y Benes, según la mecánica incontrolable de estas reuniones en las que el recién llegado no tiene la habilidad suficiente como para departir con todos y los otros se abstienen de invadir los territorios que el visitante va creando. Me parece que ni siquiera degusté los canapés de Myriam, absorbido por el encuentro con la otra cara de la Cuba política, inicialmente hecha a la medida de una guerra civil anunciada y ahora a la espera de otra isla posible, para utilizar la equívoca propuesta de Iván de la Nuez. Durán me pareció una síntesis de demócrata norteamericano y europeo, con lo que resulta lo más parecido que he visto en mi vida a un demócrata español de la etapa de la transición, pero no hay que olvidarle como joven armado que invade Cuba en Playa Girón y luego es capaz de decir "¡Adiós a las armas!".

Durán tiene muchos patrimonios. Benes es portador de variadas arqueologías y todas ellas me parecieron muy cansadas. Miembro de una familia judía centroeuropea instalada en Cuba, participó en las luchas estudiantiles contra Batista, era asesor legal del Gobierno revolucionario cuando fue expropiada su familia, se exilió a Miami a ejercer de banquero y, entre amenazas de los ultras, también ejerció de partidario del diálogo con Castro. Lo consiguió. En persona. Es quizá el *dialoguista* de Miami que más tiempo ha estado con Fidel, tratando de establecer un puente con la administración Reagan que, como siempre, se frustró porque en el último momento una provocación ultra de uno u otro signo desbarataba la urdidumbre de meses y meses. Antes, bajo Carter, Benes consiguió, junto a otros, que Castro liberara a tres mil presos políticos y el comienzo de los viajes de los exiliados a la isla. Recientemente viajó a Europa para encontrar las raíces de los Benes supervivientes del Holocausto, su más antigua arqueología y añora aquellos tiempos en que hacía historia pactando con Fidel compromisos y libertades, su otra arqueología épica, iniciada aquel 13 de febrero de 1978, cuando se reencuentra con Fidel en La Habana, después de dieciocho años de exilio y comienza una larga negociación que tiene el buen resultado de la liberación de presos. El *lobby* ultra de Miami hizo lo imposible para apartar a la Administración norteamericana de cualquier acuerdo y acosaron al propio Benes a su regreso, hasta el punto de necesitar protección policial. Los piquetes rodeaban su domicilio, su banco, las pancartas decían: "Bernardo Benes eres un traidor" o "Bernardo Benes es un agente castrista". Siguen creyéndolo así los miembros de la organización más *troglodítica*, como la califica Lesnick, Alpha 66. También la fundación de Mas Canosa le señala como un traidor, aunque reconoce que sus motivos han podido ser humanitarios. En 1985, Benes abandonó la dirección del Continental Bank y se convirtió en consultor financiero privado, pero continuó el acoso y tuvo también que dejar su trabajo. *El Nuevo Herald* dedicó un largo reportaje a su viaje a Samara en busca de sus raíces judías y de sus actividades para conseguir el encuentro entre *las dos orillas*. A sus cincuenta y nueve años Benes parece cansado. Lleva a cuestas la herencia de la amargura de su padre por el Holocausto y su propia amargura por ser doblemente fugitivo, del castrismo y del anticastrismo. Ahora quisiera escribir sus memorias, más bien que le escribieran las memorias, porque hasta para eso se declara exangüe. Llega de pronto el responsable de la Cámara de Comercio de España en Miami y me dice:

—Manolo, Aznar ha salido vivo.

¿De qué atentado? Del atentado Borrell. El presidente ha quedado mejor de lo que todo el mundo esperaba del debate sobre el estado de la nación, en el que se enfrentaba por primera vez al nuevo candidato socialista, Josep Borrell. Ha sido como un desquite de mi propia arqueología, como un recordatorio de que en algún momento habré de salir de este laberinto de cubanías y volver al tedio democrático español, un país que ha conseguido casi dejar de ser diferente, una aspiración de los cubanos más jóvenes a los que les bastaría ser diferente en música y dejar de jugar a hijos o nietos de Guillermo Tell. Max me habla de esas nuevas generaciones de aquí y de allá. Salvo minorías ideologizadas, los de aquí se van sintiendo progresivamente norteamericanos, como las hijas de Myriam y Max, y los de allá están cansados de la pesada herencia histórica. Están hambrientos de vida cotidiana, como si a ellos llegara aquella crisis emocional del marxismo europeo a fines de los sesenta, cuando Agnes Heller, la discípula de Lukacs, redescubrió la materia de lo cotidiano. Al día siguiente del *cocktail party* succiono a Max antes de dejar la ciudad.

—Desde la perspectiva que te da Miami, el haber pasado por todas las facetas de la Revolución, estar rodeado todo el día de *cubanazos*, como os llama Mauricio Vicent, siempre hablando de Cuba y al mismo tiempo haber recuperado el contacto con Castro y tus cómplices revolucionarios de juventud, ¿qué diseño tienes de lo que va a pasar?

—Yo no deseo que en Cuba como producto de la presión norteamericana se provoque una situación de inseguridad social que determine una espiral de violencia-represión y luego una intervención de los norteamericanos que no pueden tolerar un caos a noventa millas. Unos pedirán una intervención humanitaria, otros aprovecharán la ocasión esperada durante tanto tiempo. A los tres días del caos están las tropas norteamericanas allí. Seguro.

—Eso significa fomentar una resistencia.

—Eso viene después, pero la intervención norteamericana se establece, apaga el fuego y en cuanto se seque el agua estallarán docenas de focos de resistencia y la intervención norteamericana será permanente, con el peligro anexionista que siempre ha existido. Además, los norteamericanos no van a darle al pueblo cubano lo que los cubanos pedirían a cambio de la invasión: vivir como ellos. El Gobierno en Cuba tiene una cartilla de racionamiento, la situación económica es difícil, pero no tiene relaciones con Estados Unidos. Si se restablecieran las relaciones, los cubanos admitirían que el cambio económico sea paulatino. Pero si hay un desplome total y una ocupación, los once millones querrán vivir al otro día como los norteamericanos, como los parientes que viven en Miami. "Los americanos son unos hijos de puta que han descojonado la Revolución y resulta que yo no tengo un carro como tiene mi primo en Miami". La liberación por arte de la ocupación norteamericana implica que once millones de cubanos se van a convertir en frustrados pro-americanos y a reconvertir en antiamericanos porque han idealizado a sus nuevos dueños. Hay todavía en Cuba gente inteligente para arreglar las cosas. El mejor proceso será el que el propio Castro pueda empujar, si la salud se lo permite. Fidel es más inteligente y hoy por hoy sabe más que el mejor líder posible de su oposición. Resistir para que la presión norteamericana se rinda, levante el embargo y eso abriría Cuba a libertades cuya ausencia se justifica por el acoso norteamericano. Si hay gente en el aparato que pueden acusar de flojos, débiles o hasta de traición a elementos del propio Partido Comunista o a elementos intelectuales aperturistas es porque existe una política norteamericana de presión. Hay que descubrir si los duros actúan así por convicción o por oportunismo. La única salida que tiene Cuba es un entendimiento con Estados Unidos. Lo que venga después casi no me pertenece. Yo soy de la generación que hizo la Revolución y soy de los que creen que si Castro y sus socios de Gobierno se marchan sería iluso aspirar a que los que nos fuimos ocupemos por la cara los asientos vacíos.

—¿Pero Castro se va a ir, va a dejar el poder?

—Yo soy de los que creen que el día que Estados Unidos le garantice a la Revolución la transición, Castro tendrá la sensación de obra cumplida. Aunque la palabra "transición", ya te lo he dicho, no me gusta porque "transición", no sé, tú eres más entendido del idioma que yo, porque eres escritor, pero la palabra "transición" para mí implica que los que están no están bien y que hace falta otra gente mejor. No sirve.

—Molesta a Castro.

—Por supuesto, a mí me molestaría igual. Yo creo que la palabra mejor es "evolución".

—Se llame como se llame, implica automodificar la Revolución.

—Por supuesto, además, eso es marxismo, eso es dialéctica, la dialéctica no es exclusiva del marxismo. La griega. Todo cambia, nadie se baña dos veces en el mismo río ¿Por qué la Revolución no va a evolucionar?

—¿Tú has hablado con Castro de esto, personalmente?

—En líneas generales, hemos hablado de estas cosas porque yo le he hecho preguntas para que él las conteste sin hacérselas directamente. Como por ejemplo le pregunté: "¿El unipartidismo es una cuestión de principios o es coyuntural?" y me respondió: "Es coyuntural". Conociéndole como le conozco, no le voy a preguntar: "¿Tú eres partidario que haya aquí tres, cuatro o cinco partidos?", porque va a contestar: "No, aquí hay un partido único, es el partido de la Revolución". Pero si le hago la pregunta: "¿Es principio o es coyuntural?", contesta lo sensato. ¿Qué significaría en las circunstancias actuales el pluripartidismo? Fidel lo dice muy claro, y yo lo comparto: si se crea o se permite un segundo partido será el de los norteamericanos. Seguro, y eso se lo he dicho a Menoyo: "Si tú haces un partido en Cuba bajo el acuerdo con Castro, y no hay una solución del conflicto Cuba-Estados Unidos, aunque tú no lo quieras, los norteamericanos te van a infiltrar el partido".

—Pero, bueno, estamos en un círculo vicioso.

—Sólo con que se abolieran las leyes Helms-Burton y Torricelli se resolvía el diferendo. Fidel se sienta con Estados Unidos en igualdad de condiciones a discutir cómo me pagas lo que me debes. Porque para mí, que soy un revolucionario, que considero que el pueblo tiene derecho a confiscar la propiedad capitalista, creo que de la misma manera que para conseguir un acuerdo Cuba tiene que pagar lo que debe ¿Cómo? No lo sé. Ya discutiremos cómo. Cuba tiene argumentos inclusive para no pagar, pero se puede establecer un arreglo. Yo te confisqué diez mil millones pero tú, en tu Congreso, no en el mío, en el tuyo, declaraste que hubo esta agresión, esta agresión y esta agresión contra Cuba. Por tanto, vamos a ver qué daños se entrecruzan. A lo mejor, se puede llegar a un arreglo y nadie paga nada. Pero debe existir voluntad de pagar.

—Imagínate, se resuelve ese contencioso en una sociedad como la cubana, en la que Castro tiene que salir ante la televisión siete horas para predicar cómo se ha de recibir al Papa. Da la sensación de que todo ese aparato que le rodea acabara de bajar de Sierra Maestra, forma parte de una orquestación en la que nadie se atreve a desafinar y mucho menos a hacer de solista ¿Eso cómo se desarma de la noche a la mañana? Tendría que salir otra vez Castro por televisión y decir: "A partir de ahora: pluralidad política. A partir de ahora: que *Granma* me critique. A partir de ahora: tal y cual". ¿Qué hace con su partido y con su nomenclatura? ¿Y con sus vanguardias sociales de choque, los CDR? ¿Negocia un lugar para todos los intereses creados en la supervivencia de un modelo de revolución siempre en *periodo especial*?

—Eso, si hay voluntad por parte de Estados Unidos, es muy fácil. Hay que pactar una caída acolchada del sistema. Se trataría de encontrar el cómo jubilar a los viejos revolucionarios que son los que pueden ponerse bravos. A los nuevos no hay que jubilarles, ya encontrarán su acomodo en la política del futuro. Si tú me preguntas a mí de dónde va a salir el segundo partido, no va a salir de la disidencia. El segundo partido va a salir del Gobierno y sus cercanías, de ese sector que espera en silencio el fruto de las transformaciones y de esos cuadros intelectuales que se cobijaron en torno a la CEA. Esos saben y pueden. De esa cantera saldrá el segundo partido.

—Una especie de partido socialdemócrata.

—Por supuesto. Todos son profesores, ellos entienden el juego y yo creo, nunca se lo he preguntado, que el propio ministro José Luis Rodríguez estaría en eso. Son los teóricos de la evolución, y son más útiles para la evolución estando en el partido ahora, aunque tengan que resistir las presiones de los fundamentalistas.

—Quizá sean barridos por gentes más oportunistas que no han colaborado con el Gobierno o se han callado lo suficiente.

Le recuerdo que los que realmente fracasaron en los países socialistas han sido los disidentes marxistas, arrollados por los oportunistas. Los únicos disidentes que sobrevivieron políticamente fueron los financiados por los norteamericanos, como Walesa ¿Quién recuerda a Havemas, por ejemplo, el teórico disidente alemán? Pero si las comparaciones pueden ser odiosas, los parecidos también. En los países socialistas ha sido la guardia pretoriana comunista la que ha autoliquidado el imperio. Hagan lo que hagan los de la guardia pretoriana, ¿existe o no existe en Cuba voluntad de resistencia fruto de la inculcación revolucionaria? Para respaldar o contestar a mi pregunta utilizo un artículo que he leído en *Cuba socialista* de 1997, toda la revista presidida por el lema *Socialismo hacia el siglo XXI*. El autor es José Ramón Balaguer Cabrera, miembro del Buró Político del Partido Comunista de Cuba, el otro guardián de las esencias en compañía de Machado Ventura, primo de Lesnick. Balaguer valora la derrota del socialismo en Europa del Este y la URSS como el fracaso de una experiencia concatenada peculiar, no como el fracaso del socialismo como sistema, ni como la nulidad del marxismo y del leninismo. "Sí signifió el desmoronamiento de un tipo de marxismo dogmático y vulgar, que en esos países alcanzó fuerza de teoría oficial, enterrando muchos principios centrales de nuestros clásicos y elevando a carácter de ley universal tesis que sólo servían para justificar posiciones políticas y que apenas contaban con aval científico". No es el caso de Cuba, donde persiste el socialismo y en condiciones de resituarse ante una nueva geopolítica globalizada y lo más revolucionario que se puede hacer en estos momentos "... es demostrar que una empresa socialista puede funcionar con el máximo de eficiencia". Max me ha dejado monologar en voz alta porque estamos llegando al aeropuerto y ya tiene construido el final de nuestra conversación.

—No es sólo Balaguer o mi primo, Machado Ventura. Fidel tampoco quiere dejar de ser socialista, dejar de ser marxista, inclusive, añade, leninista. Pero ya en los cuadros muy cercanos Lenin está saliendo del léxico y lo que queda por ver. Gramsci es el único asidero que tiene en Cuba alguien que quiera ser marxista. Quiero terminar de explicarte la película ideológica de la Revolución cubana. Empieza en Martí y termina en Martí.

A manera de epílogo

*Les escribo en nombre de mis compañeros zapatistas.
Les escribo para que juntos recordemos que tenemos
memoria, para recordar que debemos recordar.*

SUBCOMANDANTE MARCOS
Cuentos para una soledad desvelada

*La lucha en los tiempos actuales se da entre grandes
multinacionales, no entre demonios y héroes.*

UMBERTO ECO

A Núñez Jiménez apenas le funcionaba el corazón de atleta
cuando le vi por última vez y dejó de funcionarle el 13 de septiembre de 1998, pero aún tuvo tiempo de asistir al entierro de
Barbarroja. Piñeiro murió como consecuencia de un ataque al
corazón, ese fruto definitivamente amargo, que le sobrevino
mientras conducía su coche. Se marchó sin contestarme a varias preguntas, pero sobre todo a dos que pude hacerle personalmente, entre bromas y veras: ¿Yeltsin era el topo de la CIA?
¿Gorbachov era el hombre de Smiley en Moscú? Todo eso lo
sabía Piñeiro, como lo sabe Castro. La última vez que le vi, el

superespía cubano-gallego charlaba con Lupe Veliz y Núñez Jiménez, junto a la baranda que separa la recepción de coches del Cohiba de la explanada donde esperan los taxis mejor o peor clandestinos. "Ya sabes que yo no soy un hombre de magnetófono. Envíame un cuestionario y te lo contesto, Montalbán. Que hay mucho espía por el Cohiba, como tú dices". No le envié el cuestionario porque sabía que no me diría nada que no pudiera decirme y lo que no podía decirme era lo que más me interesaba, pero me dejó un gran recuerdo su estilo de pimpinela escarlata gallego con acento cubano.

Leí la prepublicación de Marta Harnecker *La izquierda en el umbral del siglo XXI* y estoy de acuerdo con la autora en que no es una obra "sistemática", pero es que a fines de este siglo no se puede urdir ninguna obra sistemática sobre el quehacer de la izquierda. Hay que volver a empezar por donde ella lo hace, a partir de un inventario de las experiencias concretas de transformación social que han seguido dándose a pesar de los fracasos de las propuestas absolutas y totales. El libro de la Harnecker da constancia de esa laboriosa red de reconstrucción del quehacer de la izquierda aplicado a las necesidades insatisfechas, aunque la discípula de Althusser propone el diseño de un nuevo instrumento político a la medida de los nuevos desafíos, nuevos desafíos que implican un saber renovado, una nueva lectura del desorden del mundo, la captación de los sujetos del cambio, también el replanteamiento del lenguaje y de los esquemas organizativos. Aunque sólo aporte pinceladas, como ella misma decía, son pinceladas muy minuciosas que no dejan nada fuera de su consideración, ni el imaginario de nuevos esquemas organizativos de la nueva izquierda posible, ni la necesidad de relacionar lo histórico con lo cotidiano, de acceder a lo global desde lo local y de plantear la lucha ideológica en el marco de un universo informatizado en el que la izquierda tendrá que recurrir a la contrainformación. No está muy lejos la mirada de la Harnecker de esa nueva izquierda emergente, mestiza de indigenismo cultural y social, una mirada más próxima a los zapatistas de Chiapas o a los combativos luchadores sociales brasileños que a los Politburós, aquellas cajas de Pandora que en algunos casos estaban vacías. Las únicas citas de autoridades cubanas que Harnecker utiliza para este libro son Fernando Martínez Heredia, Fidel Castro, *Che* Guevara, Manuel Piñeiro y en cambio, Ignacio Ramonet o Manuel Castells la transportan a la crítica y la descripción de la posmodernidad globalizada. Como si no quisiera meterse en camisas de once varas, de once Cubas.

El epílogo de las idas y venidas con Minà por La Habana se produjo en Roma, con motivo del bautizo de su última hija, en una iglesia de los dominicos. Oficiaba Frei Betto y consagró a la pequeña como militante de la solidaridad en presencia de Rigoberta Menchú, el embajador de Cuba, el que esto suscribe, Joan Manuel Serrat, entre otras y otros. Cuando invitaron a participar en una curiosa fórmula de comunión de los santos, los únicos que la rechazamos fuimos el embajador cubano y yo, rechazo no despectivo, solidario: a los santos hay que dejarles que comulguen entre ellos. Amigos y conocidos de Minà, finalmente reunidos en una *trattoria* en las afueras de Roma, en un complejo aquelarre felliniano que sólo puede convocar un conocido presentador italiano de televisión, experto en fútbol, católico, partidario de la teología de la liberación, rojo dentro de lo que cabe y persona donde las haya, es decir, Minà. Por eso la estatura de Vittorio Gassman dominaba las conversaciones y Frei Betto de paisano estaba al lado de Stefania Sandrelli o de Dino Zoff, el portero mítico, yo departía con Anna Galiena o con Gillo Pontecorvo, la traductora Hado Lyria me fotografiaba con Ettore Scola o con Rigoberta Menchú.

No muy lejos de Aleida, la hija del Che, recuperé a la pintora Ana María Guevara, madrastra del Che en el mejor sentido de la palabra madrastra, y a Victoria, su hermanastra, o me emborrachaba sin estridencias con Joan Manuel Serrat y Daniel Chavarría, mientras Paco Ignacio Taibo II terminaba con la mejor cosecha de Coca-Cola del Lacio. Chavarría, que estaba rodeado de sus hijos romanos, desde la impresión de que está rodeado de hijos allí donde se encuentre, me seguía riñendo por no haber aceptado sus buenos oficios santeros. Actuaba Augusto Enríquez, el cantante cubano ya oído en la plaza de la Catedral de La Habana, uno más en la *troupe* felliniana de Minà. Gianni me cuenta la peripecia vivida por Augusto Enríquez, contratado para poner voz y música a un culebrón americano coproducido por Televisa y una cadena brasileña. Era el contrato de su vida. Fue llamado a México para asistir a la presentación del proyecto y firmar un acuerdo millonario, pero a cambio se le pidió que denunciara el régimen cubano, se le pidió que no volviera a la isla donde tenía todo lo que realmente le interesa, raíces por detrás y por delante, sus muertos y sus hijos. Renunció al contrato. Ni siquiera le dejaron actuar como estaba previsto. Le pagaron el viaje de vuelta a Cuba, eso sí. Es un chantaje habitual a los artistas cubanos viajeros por el mundo. Si distanciabas la situación creada en la *trattoria*, creías formar parte de una instalación conceptual, en un *collage* viviente, como si la maldición formal de la estética posmoderna recuperara sentido, rehistorificada, reencarnada.

En cuanto a Fidel, volvió a la cotidianeidad revolucionaria más absoluta, con frecuentes tirones de rienda para que no se desbocasen los caballos de la apertura, fiel a lo que dijera en julio de 1993: "Jamás impulsaremos en Cuba una apertura a la *perestroika*", muy dentro de su estilo de envolver las reformas con el lenguaje de la contrarreforma, porque ya en 1993, al mismo tiempo que rechazaba cualquier veleidad aperturista, asumía reformas a la larga capitales. De vez en cuando se tira de las riendas la *jinetería*, pero los porteros de los establecimientos controlados, a veces clausurados, comentan con los frustrados turistas: "No se preocupe, jefe, que aquí todo es dialéctico". Nada más irse el Papa, Fidel volvió a dedicar una alocución radiofónica y televisiva a los intelectuales, criticó abiertamente el espíritu de las producciones del ICAIC, de películas contra la Revolución como *Guantanamera*, así como el clima general de derrotismo que emana del sector intelectual. Ignoro cómo reaccionó Bachus ante el ataque que implicaba a Alfredo Guevara, aunque sospecho que empezó a advertir la posibilidad de un *periodo especial* de nuevo tipo. Como consecuencia, de nuevo una reunión en la UNEAC como la de abril de 1971, pero esta vez Fidel en persona recitando la cartilla a los intelectuales y artistas a la luz racionada de La Habana, que vuelve a sufrir apagones, desde el compromiso de no divulgar lo que allí se hable, pero se divulga que Castro ha vuelto al discurso del 71 y que reprocha, entre otras obras, a *Guantanamera* ser un exponente derrotista y contrarrevolucionario, pero espera que Alfredo Guevara retome las riendas de un ICAIC comprometido con la Revolución. Alguien le lleva la contraria. Otro se envalentona. ¿Cómo puede ser contrarrevolucionaria una película de *Titón* Gutiérrez Alea? Castro percibe que ha pisado en falso, como diría yo, o que ha pinchado en hueso, como diría El Loco de la Colina.

—¿Esa película es de Titón? ¿Seguro?

Del cerco de reparos amables se ha pasado al cerco del estupor, que aumenta cuando el comandante se disculpa.

—Es que no la he visto.

Y partir de este momento las versiones de lo que allí se dijo o hizo son a la vez diferentes, fabuladas, tal vez complementarias, porque, según algunos, Castro acabó confesando que a veces había tenido el impulso de retirarse de la política y dedicarse a escribir libros. ¿Por qué no unas memorias? Estaba pidiendo ser aceptado, y les recordó que a él le hubiera gustado ser muchas cosas, pero sobre todo cantante y "...se han librado de una buena, compañeros, porque canto como una almeja y hasta tuve una guitarra, la pobre guitarra no me lo perdona". En cuanto circuló esta versión, Fidel ratificó aquella dimensión que a mí tanto me sorprendió y que en cambio puede serle positiva en el futuro para su empeño: se le empieza a considerar como a un hombre mayor que a veces no recuerda si las películas están o no a favor de su revolución y finalmente ni siquiera si las ha visto. En el entierro de Piñeiro cabeceaba pesaroso: "¡La de secretos que este hombre se lleva a la tumba!". En el de Núñez Jiménez descubrió que la propia memoria se va con la muerte de los otros y en la Cumbre de Jefes de Estado y de Gobierno Iberoamericanos de Porto (Portugal), en octubre de 1998, comprobó que la memoria del político es la más selectiva de las memorias. Aznar, ese caballerito, le estrechó la mano desde su sonrisa chapliniana y no le criticó la corbata, ni le pidió que moviera ficha. Ya lo había hecho. El Papa había sido su ficha sobre el tablero de la ciudad de los espíritus.

Acabe como acabe la Revolución cubana, se remodele dialécticamente o se vaya agostando con su talante sostenedor, las necesidades humanas siguen exigiendo satisfacciones y después de la Revolución sobreviene otra revolución en minúscula, de la misma manera que después de la historia vuelve la historia incapaz de asumir en serio su final, a lo sumo tolerándolo como una broma de fotógrafos japoneses de finales felices. A la historia le pasa como a la novela, una vez muerta renace porque en todo fin hay un principio, así en la Tierra como en el Cielo. Ahí está la revolución zapatista con un código pegado a la lógica de los indígenas, a su sustrato cultural y a su querer superar la condición de carne de cacique o de carne de antropólogo. Esta revolución es el ruido que se ha colado en el canal de comunicación del pensamiento único, es el enemigo a batir y se estrecha el cerco en torno a su irresistible originalidad. La matanza de Acteal inició el acoso de los zapatistas en cuatro frentes: el del PRI, el del Ejército, el de los paramilitares al servicio de los caciques locales del PRI y el de los intelectuales y servicios mediáticos incómodos por la ruptura del sueño de la modernidad que trajo la insurgencia zapatista.

Cualquier provocación podía poner en marcha la masacre, de ahí la prudencia con que se movía el subcomandante Marcos, pero la prudencia no está reñida con la ironía y la ironía de Marcos es lo que más irrita a estas derechas instaladas en la necesidad del final de la historia, ahora que parecen haber ganado para siempre, caído el muro de Berlín, zarandeado dramáticamente el de caña de azúcar. Conocida práctica la del poder ha sido instigar un factor de desorden para luego en nombre del orden machacar las disidencias. Atención a Chiapas. Allí está ocurriendo lo de siempre. La matanza de indígenas a cargo de matarifes a sueldo ha justificado el avance del ejército y una operación de acoso intelectual y militar a los zapatistas, ese molesto ruido que se interpuso en el mensaje fin de historia perpetrado por el ex presidente Salinas y Estados Unidos. Atención a Chiapas, porque allí se está jugando el sentido ético de este fin de milenio, como un referente simbólico de la esperanza como virtud laica.

Escribía Kalfón en su estudio sobre *Che* Guevara, que así como el argentino-cubano fue el prototipo del héroe revolucionario oculto, el subcomandante Marcos es el ejemplo del revolucionario mediático que consigue un respaldo universal mediante un mensaje tan cargado de verdad que es incontestable, como si el viejo sueño de los ilustrados, "La verdad como evidencia", se hubiera cumplido. Los escritos de Marcos, *Yo Marcos* o *Cuentos para una soledad desvelada*, revelan un espíritu contemporáneo que no representa ni al posmarxismo ni al postercermundismo ni a una supuesta posmodernidad de izquierdas. Representa el resultado de haber vuelto a mirar cara a cara el desorden del mundo en busca de sus causas, hacer inventario y recuperar el papel del humanismo para ordenar el caos capitalista. No se trata de auspiciar guerrillas lejos de nuestras casas. Se trata de reconocer el derecho a luchar por la justicia según las condiciones creadas por los injustos, derecho que tiene especial sentido en esta Habana fin de milenio por la que pasó el representante de Dios para ayudarse ayudando al desbloqueo de una revolución. Desde esta perspectiva, lo de Chiapas es como volver al origen de las aguas, de todas las aguas regeneradoras del mundo, incluso las benditas. Resulta aleccionador que desde posiciones modernizadoras, de pijos del Barrio Rosa, a Marcos se le reproche en el fondo su traición de clase y que no le hayan matado como al Che. El Che ahora les cae mejor a los pijos porque ya no les estorba y lo pueden llevar serigrafiado en las camisetas.

Los antiguos guerrilleros indígenas o mestizos de América Latina, doblemente perdedores por pobres y por indígenas, han aprendido a negociar y a sacar partido a las autopistas de la información. Antes del encuentro de Roma, durante el bautizo de la hija de Minà, dialogué largamente con Rigoberta Menchú, metamorfosis de hija de mayas en premio Nobel de la Paz, institución ambulante que cumple el papel de ser el sistema de señales no rechazable de la existencia del desorden económico, político, social, cultural. Aquella muchacha fugitiva huérfana, el padre asesinado por los militares que asaltaron la Embajada española en Guatemala donde se había refugiado, la madre acosada y vejada hasta la muerte, se ha convertido en un poder global simbólico. Voy a presentar en el Círculo de Bellas Artes de Madrid *Rigoberta Menchú, la nieta de los mayas* y trato de connotar al personaje con más proximidad de la que aporta el excelente libro realizado con la colaboración de Gianni Minà y Dante Liano. Me ha telefoneado Gianni, que ya entrevistara a Rigoberta en *El continente perdido*, comunicándome la imposibilidad de estar presente en el acto madrileño, que quizá llegue a tiempo de acompañarla en la presentación de Barcelona. En el libro, Menchú describe las cosas que conoce, parte de su destruido núcleo familiar, del lugar donde vive para llegar a una valoración general y política.

—Es un método ya utilizado en el primer libro, *Me llamo Rigoberta Menchú*. Yo cuento lo que vivieron miles de mujeres guatemaltecas y entre ellas yo. Nadie me va a negar a mí la muerte de mis padres, nadie me va a decir que eso es una barbaridad, que no es cierto. Cuento lo que viví en mi piel pero que es memoria colectiva y no sólo en Guatemala. Tenía la idea de que el libro se llamara *Cruzando fronteras*, título de mi poema, y no me refería solamente a la frontera física sino también a la cultural para aprender nuevas cosas, para entender incluso la alta política en la última etapa de la guerra fría, cuando casi todo estaba permitido para ganarla. En esta etapa final, estaba en polémica Cuba, Nicaragua, El Salvador, Guatemala, la ONU... También quería transmitir la idea de salir del túnel de la oscuridad, para no volverme loca, encontrar la esperanza, las respuestas. También quería acompañar a los que han vivido las mismas situaciones, desde la limitación de que no soy escritora ¡Estoy tan orgullosa de que salgan estas obras, de verlas en papel, palabras, idiomas, cosas todas antes tan difíciles para mí!

—Minà ha dicho en un fragmento de *El continente desaparecido* que la tragedia de su familia es como una metáfora del indigenismo.

—Desgraciadamente, representa a la inmensa mayoría de la gente que hizo las guerras, pero las víctimas han sido sobre todo indígenas en varios países de América, empezando por Guatemala. Más del 90% de los muertos en treinta y seis años de conflicto armado son indígenas. Tanto desde las trincheras del ejército, donde maravillosos jóvenes indígenas entregaron sus vidas, como desde las trincheras de la guerrilla. Son escasos los no indígenas que murieron en la guerra y hay que contar además con los desaparecidos, los secuestrados, la población civil que pagó el costo social de la guerra, indígenas, la inmensa mayoría. Lo mismo ocurre en Chiapas, aunque cada situación tenga rasgos propios.

—Usted conoce bien Chiapas, vivió allí.

—Sí, y ahorita acabo de hacer una feria por Chiapas, para intentar contribuir al proceso de paz y de diálogo. Permítame que le recuerde la masacre de Acteal, es una cosa increíble. Es lo más malo que puede hacer un ser humano para tratar de atacar un pueblo, porque la gente se negaba a ser base de apoyo a los zapatistas, pero también se negaba a serlo de los grupos paramilitares. A este pueblo no violento, desarmado, lo matan.

—Mediante el terror querían obligarlos a ponerse del lado de los paramilitares.

—Fue una maldad seleccionada. La gente dice no queremos armas. Mataron a la gente que estaba en contra del conflicto.

—En sus escritos y sobre todo en *Rigoberta, la nieta de los mayas,* usted aporta muchos datos de la vida cotidiana, cómo se vive, lo que se come, las costumbres, el sistema de relación. ¿Pueden perderse estos valores culturales, en el momento en que el movimiento indigenista pase a mayores?

—Quiero distinguir dos niveles. Uno es el general, el otro es el de los indígenas que somos de alguna manera intelectuales, portavoces en mesas de debate, de discusión, de diálogo. En este nivel, muchas veces llegamos a la idealización de lo nuestro y a presentar lo indígena como algo intacto y con mucho radicalismo. Hemos sido contestatarios y por eso contestamos a las ofensas contra nuestros pueblos. Pero constantemente estamos expuestos al riesgo de entrar en un gran debate en el que nos desorientamos, sobre todo en lo referente a la relación entre indigenismo e izquierda. La izquierda latinoamericana se colocó como aliada de los indígenas y los indígenas con esperanza de libertad se colocaron al lado de la izquierda, como una esperanza real. A mí me consta eso. Ahorita estamos hablando de mesas de negociaciones, comisiones paritarias en Guatemala, en El Salvador, de varios instrumentos de negociación donde nuestra gente participa. Esto es un nivel. Otro nivel es la población que vive en las comunidades en el interior del país, que contemplan todo esto desde lejos, no estoy diciendo que estén fuera, no es cierto, pero no lo viven con nuestra intensidad. Toda nuestra gente ha llevado un ritmo natural de desarrollo, no es cierto que se estancaran las comunidades indígenas en el pasado, como muchos antropólogos pretenden decir. La comunidad ha evolucionado como cualquier cultura diferenciada. Un alto porcentaje de indígenas tiene televisor en la casa y radio, pero no participa en el debate. No se ha terminado de escarbar en el sentimiento, en la identidad, en ese saber, esa ciencia indígena. Nadie ha entrado allí. Ese saber fue hostigado por la cultura dominante, pero ha sobrevivido, en parte gracias a la desconfianza. Hay que establecer nuevos lazos entre las dos culturas, sin volver a darle la hegemonía al extranjero que viene a investigarnos con criterios meramente antropológicos. Hay que dar función a los sabios indígenas: a los educadores locales, a las comadronas, a las personas que han ganado un liderazgo de muchos años entre los suyos. Se habla de diálogos, de solución política a conflictos, pero desde una esfera distinta, y los sabios indígenas tienen su método de solución política de los conflictos basado en las relaciones interfamiliares, en el conocimiento territorial. La cuestión de la autonomía, por ejemplo, un tema que ahorita se está abordando muchísimo: autonomía, autodeterminación, pueblos o comunidades, todos estos conceptos, la gente tiene su manera de definirlos y los gobernantes en el futuro encontrarán la clave si dan salida a soluciones que ya existen en el seno de la cultura indígena y las incorporan a los plantemientos globales, universales, de los problemas.

—¿Se están cumpliendo los acuerdos políticos? ¿Puede actuar esa comisión dedicada al esclarecimiento de las salvajadas del pasado? Usted cuenta que convive con asesinos que se cruzan con usted por la calle con una actitud prepotente, pensando que nunca les pasará nada.

—Los acuerdos de paz hay que valorarlos como lo más alto que pudimos lograr en el contexto político en que se dieron. Conseguimos una agenda que nos permite hablar de un país pluricultural, multiétnico, multilingüe, pero al mismo tiempo democrático, y enterrar la guerra para siempre. Eso es una gran bendición. Ahora bien, entre los acuerdos y la realidad, entre los planes y las verdaderas transformaciones hay un trecho muy grande que todavía no lo llenamos. El tema de la impunidad nos mete en el laberinto de la justicia, por ejemplo, cuando abordamos cuestiones como la matanza de Chamán, que será debatida públicamente el 21 de este mes. Por primera vez, un debate sobre una masacre de indígenas interesa en toda América. Nos han llegado toda clase de amenazas, tenemos que lidiar con falsedades, con acusaciones, con situaciones terribles. Pero hacemos frente con los acuerdos en la mano. Estamos metidos dentro y no saldremos.

—Y si esta presencia cultural y política indígena se convierte en una demanda social, por ejemplo, si se pide una reforma agraria, un cambio en las relaciones de poder económico, ¿qué va a pasar?

—No sabemos. A veces, entre mis locuras imagino qué pasaría si en este momento saliera un candidato presidencial indígena, un gabinete indígena, de indígenas preparados, que los hay, porque en muchos lados de Guatemala nuestros alcaldes gobiernan departamentos como Quezaltenango, la segunda ciudad del país. Yo pienso que si realmente se plantearan cambios de este tipo en un país pluricultural y multiétnico se repetiría la historia de Rajiv Gandhi, o la de Martin Luther King. El recurso al asesinato para eliminar esta posibilidad, porque siguen viéndonos como sus enemigos, como un gigante dormido cuyo despertar atemoriza.

—Temor fruto de la mala conciencia por el exterminio y la explotación. En un mundo de perdedores, ustedes son los más perdedores. Ustedes no cuentan con otra fuerza que su capacidad de resistir, la opinión solidaria de otros pueblos y otras etnias, incluso entre los antiguos colonizadores europeos.

—Éste es el problema real. Nuestra gente no ha tenido la oportunidad de crear estructuras de poder, participación activa en la economía, en la política, aunque sí se respetan las reglas constitucionales; desde la política nuestra gente podría actuar, porque ya tenemos experiencia, pero no en la administración de empresas ni en el manejo de los recursos potenciales. Los hermanos ladinos usaron durante siglos su hegemonía en estos campos.

—Los "hermanos ladinos" son los criollos.

—Sí, los no-indígenas. "Ladino" no es despectivo, está asumido por la población no-indígena. ¿Qué pasa con el esclarecimiento histórico? Hay escasez financiera para investigar y dificultades para proteger a los testigos. Los verdugos van sueltos por la calle, el Ejército esconde sus cementerios secretos. También la guerrilla ha de asumir sus culpas.

—De toda Latinoamérica es en Guatemala donde más desaparecidos hubo después del golpe de Castillo Armas en 1954, sufragado por la CIA y la United Fruit Company.

—Así es. Ya sólo durante el conflicto interno posterior, desde 1960 a 1996, se calcula más o menos entre 150.000 a 675.000 desaparecidos, a sumar los magnicidios y más de 440 aldeas destruidas. Yo sé que mi hermano está en una fosa común. ¿Cuántas fosas comunes hay? ¿Qué significa perdón para nosotros, las víctimas? ¿Acaso es un decreto, acaso es silencio, acaso es olvido?. Y la gente dice: "No, yo no puedo olvidar. Puedo perdonar, pero no olvidar". Tampoco hay que autocomplacerse en la condición de víctima permanente, yo por lo menos no quiero ser víctima, quiero que mi hijo crezca como un niño normal.

—Usted habla de la pluriculturalidad. Según consta en sus libros, aprendió el español ya en el exilio, porque había utilizado fundamentalmente la lengua maya-quiche. El español le habrá parecido antes la lengua del poder opresor. ¿Los indígenas harán uso del español como lengua de emancipación?

—Tiene mucho que ver con las reformas constitucionales. Si queremos que la vía sea legal y no las armas, tenemos que plantear los retos más altos en la vía constitucional. Si se cumplen las reformas constitucionales, toda la educación en Guatemala será bilingüe. No para los indígenas, los indígenas ya nacemos bilingües, sino para todo el mundo. Nuestros padres tuvieron que usar el español por obligación, porque todos los mensajes culturales e informativos se dan en español: radio, televisión, todo; por tanto, somos bilingües de nacimiento, pero también somos multilingües en cuanto a los idiomas interculturales del país. La educación actual está planteada para no-indígenas. ¿Cómo hacemos para que los técnicos no-indígenas hagan un esfuerzo para aprender nuestra lengua? Ya no contamos con que se mezclen con nosotros, porque el racismo es enorme, comparable al de los blancos racistas en relación con los negros. Si a un blanco se le pide que vaya a vivir en la casa de un negro seguramente tendrá asco hasta de la comida que come el negro. Pasa lo mismo con nosotros. Pero, por lo menos que haya una academia donde se obligue a los funcionarios a conocer algo nuestra lengua, a tener ciertos criterios sobre la importancia de la educación endógena. No obligarlos a hablar en nuestros idiomas, ni a tener nuestra mentalidad, basta con que sus elementos científicos los incorporen a la reforma educativa, que en las escuelas se sancionen distintos tipos de racismo, que la policía de Quezaltenango, por lo menos los jefes de policía, hablen dos idiomas, el local y el oficial, para que tengan una noción mejor de lo que está pasando. En fin, el mínimo. Algunas cosas irán cambiando, como la perfección de la escritura, y la tecnificación. Hay que apropiarse de la computadora y de otros mecanismos técnicos de los tiempos de las redes mediáticas.

—Usted, que puede pensar lo que pasa en el mundo en las dos lenguas. ¿Qué diferencias encuentra cuando trata de explicárselo a sí misma en español y en quiche-maya?

—Abismales, porque el quiche tiene una serie de símbolos, de experiencias imposibles de trasladar exactamente en español. Por ejemplo, cuando yo hablaba de mi ámbito decía *lajchimel*; *laj* es algo pequeño, que ocupa poco espacio pero que es muy querido, es muy deseado, que no se puede imaginar. *Laj* es un diminutivo, lugar pequeño y reposado. Si yo me pongo a explicarlo en español necesito una página. Muchos de nuestros idiomas, al igual que nuestra mentalidad, tienen una profunda espiritualidad, como cualquier lengua, como el español. Nuestro idioma no se puede aprender fácilmente. Pero sí se puede manejar como cualquier otro, eso solamente exige que se respete a los pueblos y a su cultura. Yo lo entendí así y admiro el español. Me maravilla cada vez que encuentro una palabra que me sorprende.

—Lo habla usted espléndidamente.

—Porque me gusta, de veras, a veces incluso escribo mis poemas en español.

—El indigenismo tal como se está recibiendo mediáticamente aparece como un movimiento de carácter ético, una reivindicación moral, pero con aspiración de tener presencia política. Samuel Ruiz, el obispo de Chiapas, dijo que veía al indígena como el sujeto de una nueva evangelización. ¿Usted cómo entiende esto?

—Si acaso, hemos en entender evangelización no como en el pasado, no como un instrumento de dominio y de choque contra la espiritualidad y las prácticas culturales indígenas. Tenemos la herencia de una civilización muy antigua y es imposible botarla; si la hubieran podido botar, seguro que habría ocurrido hace rato.

—En algunos lugares de América han exterminado a los indígenas, en Uruguay, en Argentina, por ejemplo.

—Nunca han podido exterminarnos del todo. Acabo de estar por allí. El guaraní tiene un pueblo que lo habla. En muchos lugares es increíble que nuestra gente permanezca a pesar de las dificultades que les han rodeado. Con respecto a la evangelización, nuestra gente, en su mayoría, ha incorporado una religiosidad mixta, ecuménica. Ha incorporado elementos de la religión católica, la más antigua con la que ha convivido y más recientemente ha habido una mezcla ya muy peligrosa pero muy real de las corrientes evangélicas, e incluso las más terribles, las corrientes fundamentalistas. La Iglesia católica ha de plantearse lo de la evangelización con mucho tacto. Hay mucha competencia.

—¿Cuál puede ser la razón del relativo cambio del Vaticano con respecto a la teología de la liberación?

—El Papa había dicho hace años que había que hacer una opción por los pobres. Desde ese momento, daba un paso gigantesco para abordar los problemas sociales porque sabía que esos problemas eran una olla tapada, un bomba y que en algún momento, iba a estallar en conflicto, como pasa en Chiapas y otros lugares. Posteriormente, el Papa, en el año del quinto centenario, pidió perdón a los pueblos indígenas. Muchos de nosotros, yo misma, dijimos: ¿De qué sirve que nos pidan perdón si no están dispuestos a corregir el error y a decir: 'Perdón pero te hago una escuela o una casa digna'? Yo fui la primera que reaccionó despectivamente, pero ahora lo veo como una gran sabiduría pedir perdón a los pueblos, es un gesto de humildad que deberían imitar todos aquellos que se aprovecharon de los indígenas. Los cambios de actitud del Vaticano algo tienen que ver con el final de la guerra fría, una guerra utilizada como cortina y como un pretexto para evitar abordar los profundos problemas sociales: la miseria, el hambre, la falta de distribución de las riquezas que produce el mundo, la corrupción, la impunidad. Ahora empezamos a hablar de impunidad, de narcotráfico. El narcotráfico ha venido desarrollándose por muchos años pero la guerra fría lo ocultó tras una cortina. También la Iglesia católica utilizó esa cortina. Yo fui testigo, porque busqué una cita con el Papa, cuando era una insignificante niña que quería explicarle la tragedia de mi familia y la inminencia del fusilamiento de catorce seres humanos, aprovechando su visita a Costa Rica camino de Guatemala, unos días antes de que el general Ríos Mont fusilara a catorce guerrilleros antes de la llegada del Papa, su huésped. Como refugiada guatemalteca fui a ver si el Papa me daba una cita en Costa Rica. Ni siquiera llegué a pasar la barrera de seguridad más alejada de Su Santidad.

—Ahora ya no hay guerra fría, ya no hay coartada. Quisiera que usted me dijera: ¿qué relación puede tener el indigenismo con el Estado que yo llamo criollo y usted ladino? Y de resolver este contencioso, ¿cómo se integran esos estados de gran fragilidad económica y cultural y étnicamente tan peculiares en el marco de la globalización? ¿Qué papel puede jugar la visión que ustedes tengan de sus necesidades?

—La lección que aprendieron los indígenas y que deben aprender los no-indígenas es que tras la brutalidad de la conquista, durante muchos años, se dio entre nosotros una relación distanciada que acabó siendo otra vez un conflicto. Esos conflictos no se van a resolver si no es mediante la negociación. Lamentablemente, hasta ahora, sólo se ha negociado para acabar con la lucha armada, es decir, ha sido necesaria la lucha armada para forzar el diálogo. Es necesario que aprendamos a negociar sin metralletas. Se necesita un nuevo modelo de desarrollo que permita la participación comunitaria, que afiance la gobernabilidad a nivel regional y local. Una increíble falta de gobernabilidad en todos nuestros países produce injusticias; entonces, ¿cómo hacemos para que el desarrollo no venga de arriba para abajo, sino que más bien la selección de las prioridades emerja desde la comunidad, desde los líderes comunitarios? Todos tienen miedo cuando hablamos de la autonomía, dicen que los indígenas son separatistas. Pero es que la autonomía la hemos ejercido durante miles de años. Si no hubiéramos ejercido esa autonomía seguramente no habríamos conservado nuestros idiomas, no tendríamos ya territorios, no tendríamos lo poco que tenemos. ¿Cómo hacemos para hacer compatible nuestro sistema con un desarrollo integral basado en la unidad nacional? Nosotros sí asumimos la unidad nacional. Ningún pueblo indígena está diciendo: "Yo quiero mi propio territorio". Si fuera así, ¿perdería yo el tiempo redactando nuevas constituciones? Queremos reformas constitucionales, lo que quiere decir que aceptamos un acuerdo nacional. A veces bastaría con que los políticos que dicen que van a abordar el tema del indigenismo no fueran racistas, como lo son. En cuanto a la globalización: hasta este momento pertenece al círculo del capital, que en muchos momentos parece empeñado en extirpar aparatos productivos particulares que permitirían que nuestra gente tuviera una vida digna y no depender sólo de sus artesanías sino del pleno uso de la inmensa riqueza pluricultural de nuestros países. Hay que contribuir a incorporar al mercado nacional e internacional nuestros productos y capacidades y no aplicar mecánicamente el decálogo del neoliberalismo, al margen de sus resultados. Las privatizaciones, por ejemplo, no aportan otra cosa que nuevos ricos y no precisamente nuevos ricos a los que les importe la gobernabilidad, la democratización, la justicia, ni los pueblos indígenas. Se está primando a un nuevo rico depredador. No satanicemos tampoco la globalización. Encontremos lo bueno que tiene. El libre comercio y la libre comunicación son positivos si realmente es libre comercio y no un control tramposo en beneficio de multinacionales.

—Los diseños de la economía global se hacen en centros de decisión de poder financiero, de poder industrial y no tienen en cuenta lo pequeño, esos microclimas económicos.

—Finalmente, no es lo pequeño, es lo macro. Pequeño por lo que produce pero es la vida de millones de seres humanos.

—Tendría que haber un replanteamiento de abajo a arriba imponiendo el respeto a lo que son las necesidades reales y locales y construir la globalización sobre estas evidencias.

—Hay que combatir por esas evidencias, allá donde podamos. Yo soy de la idea de que si me proponen como presidenta del Fondo Monetario Internacional sería una irresponsabilidad que dijera que no. Me gustaría ver cómo se toman decisiones en el FMI.

—No hay suficientes viajes del Papa para ese milagro.

—Lo decía a título de ejemplo. Igual que me dijeran que es bueno ser secretario general de la ONU y que un indígena lo pudiera ser, ¿por qué no? Ya sé que las transformaciones no se consiguen sólo desde las instituciones, sino desde la conciencia de los pueblos y su capacidad de presión. Hemos aprendido a ser críticos, pero nos cuesta ser propositivos. Nos cuesta "vender la idea", como dicen los capitalistas. La izquierda ha de proponer cambiar las cosas utilizando las instituciones y la presión de la conciencia social de los pueblos. Esa concienciación la producen las vanguardias, pero los excesos de las vanguardias pueden ser peligrosos.

—Las vanguardias mesiánicas no las inventó la izquierda tal como hoy la entendemos. La burguesía consiguió el poder tras dos siglos de luchas de vanguardias mesiánicas, de lucha armada, de revoluciones que favorecían sus intereses y ahora las propuestas de la utopía neoliberal, de la llamada "revolución conservadora", no dejan de ser puro mesianismo especulativo. La izquierda parece instalada en la comprobación de que por la vía de la lucha armada no se ha conseguido lo que se esperaba conseguir. ¿Qué sentido tiene para usted hoy la palabra revolución?

—Debemos luchar por las mismas metas, pero por distintas vías. Si no hubiera habido levantamientos, quién sabe si viviríamos para contarlo. Las dictaduras conservadoras mataban a quien se pusiera frente a ellos, los pueblos indígenas no hubieran alcanzado los espacios que hemos alcanzado hoy si no fuera por el conflicto armado en Guatemala. En Chiapas mismo, por qué no decirlo, en el momento en que estalla el conflicto, todo el mundo volcó su mirada hacia Chiapas. Los indígenas significan algo hoy en el mundo, por lo menos están en el debate. Lo mismo pasó en otras partes; por tanto, yo pienso que hay algo que valorar de estos procesos violentos o casi violentos. Hoy, las metas son las mismas: la libertad, la justicia, no el racismo, no la discriminación, la distribución justa de la tierra. En nuestros territorios, para distribuir la tierra hay que hacer un nuevo inventario. ¿Cuántos títulos de propiedad tiene una misma tierra desde la conquista? Hay países en que si amontonáramos los títulos de propiedad necesitaríamos diez capas de tierra, porque se ha vendido diez veces. ¿Cómo hacemos para que haya seguridad jurídica en la propiedad de la tierra? Lo más interesante es que prevalezca la línea del diálogo y la negociación, porque desde la dictadura o desde la izquierda no negociar lleva a la guerra.

—Desde esta nueva sensibilidad o estrategia, ¿cómo queda o qué salida tiene la Revolución cubana?

—Yo empecé a admirar a Cuba realmente en el año 86, o por ahí, cuando Fidel denunció el papel de la deuda externa como instrumento de control de los países pobres. Veía a

Cuba como el ejemplo de resistencia y me molestaba la necedad de los gringos de querer que Cuba estuviera bajo su control, que fuera otro Puerto Rico más. Ahora sigo apreciando esa voluntad de independencia de Cuba, que es un ejemplo para el resto de de América. Se daba el caso de que muchos políticos conservadores de América, en privado, elogiaban el desafío de Fidel Castro a Estados Unidos, pero en público condenaban a Fidel. El interés por lo que pasa en Cuba no ha decrecido y lo ha activado la visita del Papa. Ese viaje también es un mensaje a los norteamericanos: debe terminar el hostigamiento y aceptar que Cuba va a ser diferente, sea feo o bonito, pero diferente y que la guerra fría como pretexto contra Cuba ya no existe. Hay otros muros que botar pero ya no el muro de Berlín.

—El muro de Tijuana, por ejemplo.

—Eso le iba a decir. Acabo de estar en Tijuana y he visto este gran muro, es increíble.

—Es espectacular. Estuve también el año pasado, hay un coche de policía norteamericana cada quinientos metros, perros, vallas con alambradas...

—El Norte y el Sur se enfrentan a una encrucijada porque nuestros pueblos necesitan ser nacionalistas para defenderse.

—Usted emplea la palabra "nacionalista" como asumiendo que ese nacionalismo les pertenece a ustedes, a los indígenas.

—Exactamente, nosotros, los indígenas, nunca estuvimos fuera de la historia.

—Buena parte de este orgullo de luchar por la independencia ha sido el patrimonio de los sectores más pobres. Los que tienen el poder pactan con el Imperio.

—En América o en los países que antes se llamaban del Tercer Mundo, ¿el movimiento indigenista puede acabar siendo continental, global? He visto que usted aparece como referente emancipatorio entre los lapones.

—Una cosa es el movimiento y otra que la existencia de los pueblos indígenas no es sólo un clavo en el zapato y que va seguir siéndolo por miles de años. Sólo tiene solución desde el florecimiento cultural y el acceso a una vida digna.

—¿Hay miedo a que se contagie universalmente la contestación indigenista?

—Si sólo fuéramos los indígenas, creo que nadie nos tendría miedo; somos sinónimo de lucha de la mujer, de negros, chinos, japoneses, hispanos, sinónimo de una línea necesaria del futuro, la línea intercultural. No hay otro camino.

—Y ese indigenismo creado por la esclavitud, de los negros, los mulatos, los chinos que llegaron a América como mano de obra barata, ¿sería solidario con el indigenismo precolombino?

—Hay que superar los celos y el sectarismo entre las pobrezas diferentes. Yo aprendí que la izquierda también puede ser sectaria y los oprimidos también pueden serlo. Si vemos una señora de nuestra clase, pobre, que triunfa, somos los primeros en destruirla, porque nadie debe sobresalir. Igual ocurre con las conquistas por separado que van alcanzando las diferentes etnias oprimidas. Hasta que los indígenas precolombinos, como usted les llama, no sepamos unir nuestros esfuerzos a mulatos, negros, chinos, lapones, seguiremos debilitados. El mundo ya tiene una perspectiva intercultural, multiétnica, multilingüe y aquí está la clave. Tenemos que aprovechar esto. Ahora es posible construir el movimiento continental indígena. Comenzó en torno al quinto centenario y movimos tierra. No es tierra dentro de los Estados, tierra dentro de las conciencias. Abrimos puertas a nivel mundial. Yo recuerdo que fue la primera vez que oí a tantos intelectuales, profesionales, críticos con la línea antropológica occidentalista hacia los pueblos indígenas hegemónica durante décadas. Allí donde habla un indígena aparece un antropólogo para sancionar lo que dijo el indígena.

—¿Son peligrosos los antropólogos?

—Frecuentemente han sido irrespetuosos.

—Permítame que le pregunte si finalmente el Papa la recibió.

—Sí, he saludado al Papa en dos ocasiones.

—Lo cual quiere decir que usted ya no era la niña que quería acercarse a él en Costa Rica sino una líder universal y premio Nobel de la Paz. La Iglesia siempre ha entendido las correlaciones de poder y de fuerza.

—Fui a saludar al Papa cuando nos dieron el Premio Nobel. Incluso antes de recibirlo hice una gira por Europa y visité a tres jefes de Estado y todavía tuve la suerte de saludar al presidente Mitterrand, que había sido un amigo, y también estuve acá en España, y saludé a Felipe González y al Papa, aparte del presidente mexicano.

—¿Usted es cristiana?

—Yo soy religiosa y se lo digo así porque, para muchos católicos yo no soy cristiana porque creo en la comadrona, en la naturaleza, en mi madre.

—En España había comadronas hasta hace unos años. Cuando yo era niño, mi madre me obligaba a visitar a la comadrona de vez en cuando. Era como una padrina.

—Es maravilloso ser atendido por una comadrona.

—¿Su madre era comadrona, no?

—Sí. Creo en la religión maya, creo en las ceremonias, creo en los distintos fenómenos que pueden existir y que nosotros, los humanos, todavía no los entendemos; sólo entenderemos lo que se vincula directamente con nuestras vidas. Creo en la fe de toda la gente buena. Mi marido y yo nos casamos por la iglesia, somos católicos y cada vez que entro en una ceremonia católica yo rezo como los demás, pero también yo he asistido a diferentes formas de expresión religiosa, de los pueblos indígenas, de varias Iglesias evangélicas, no las fundamentalistas, porque, por principio, yo no me metería en trazas fundamentalistas. Pero respeto la fe de la gente. Para algunos católicos tal vez yo no soy católica, para otros tampoco soy maya porque soy católica.

—Todos somos algo sincretistas, todos creemos en muchas cosas a la vez o en muchas nadas a la vez. La izquierda, durante cien años, ha estado defendiendo el discurso de la razón y que el hombre tenía que enfrentarse con el hecho de que estaba solo en el mundo, que no había Dios, y la reivindicación ha sido: ni más dioses, ni más tribunos, ni más reyes. ¿A usted no le parece algo paradójico que acabe este siglo y precisamente el Papa llegue a La Habana, Dios entre en La Habana y se confíe en lo que pueda hacer la Iglesia católica como instrumento de emancipación? Además, la teología de la liberación aparece como la última esperanza emancipatoria para muchos pueblos en Latinoamérica. ¿No es un retroceso?

—No, yo creo que es un avance. Los dogmas han existido en lo religioso y lo social. Las utopías son productos también de la imaginación, de la necesidad de idealización del ser humano, de la necesidad de pensar y esperar para poder luchar.

—Pero este replanteamiento de la religiosidad como motor de utopía, perdóneme, pero me parece sospechoso. Cuando la teología de la liberación nace como un movimiento espontáneo de una serie de sacerdotes, de curas, muchos de ellos jesuitas, la Iglesia católica, y muy especialmente el papa Wojtyla, se pone en contra y donde hay un jesuita tratan de sustituirlo por uno del Opus Dei para que devuelva la iniciativa al vaticanismo. Ahora hay un cambio, precisamente cuando la Iglesia católica pierde implantación en el mundo y aparecen nuevas religiones de diseño y las que aparecerán. ¿No habrán visto las orejas del lobo?

—Creo que hay una preocupación real para que el mundo encare un proceso de diálogo, de negociaciones y que la gente se va cansando de tanto enfrentamiento, todos perdemos enfrentándonos. Hay que abrir espacios buenos, positivos. Felicito a los que así lo hacen. ¡Qué bueno si lo hubieran hecho antes!

—¿Es consciente de que en la medida en que ustedes avancen aparecerán fuerzas poderosísimas para destruirles, para quitarles el crédito mediático, como se está intentando en México contra Marcos y contra el obispo Ruiz?

—Yo me considero como una ciudadana común. No tengo cargo de ninguna naturaleza, no soy funcionaria de mi país, ni de ningún país. Incluso, ahorita, con el proceso de paz en Chiapas, nosotros estamos trabajando como acompañantes de este proceso. Acompañar de alguna manera ética, un acompañamiento moral.

—¿Usted cree en la buena voluntad del Gobierno mexicano?

—Yo ahorita los estoy llamando para que se sienten, para que vuelvan al diálogo. Y vamos a respetar lo que decidan. Yo trato de no agredir a nadie. Claro, somos una amenaza para muchos, tienen miedo de nosotros, por eso mi preocupación fundamental es: ¿cómo les quitamos el miedo? Algunos me toman por loca. De repente, aparezco en círculos donde todo el mundo me mira como extraña, pero cada vez me ven menos extraña y por esto estoy convencida de que, en la medida en que lleguemos a convivir mejor algún día, nos vamos a querer.

—Si no reclaman las tierras, es posible. Le contaré una historia de los tiempos anteriores a la Guerra Civil española. En el Parlamento se estaba debatiendo la reforma de la ley agraria y un diputado católico, pero progresista, propuso la repartición de la tierra y citó una encíclica del Papa para dar autoridad a sus palabras. Entonces se levantó un terrateniente, extremeño, católico también y dijo: "Como su señoría nos quiera quitar las tierras con las encíclicas en la mano, nos haremos ateos".

Para acabar, me interesaría hablar con Marcos, me dije. Yo había recibido un aviso del subcomandante. Declaró ante las cámaras de TVE que había dejado de leer las novelas de Carvalho porque en plena selva le daban hambre las recetas que se cocinaba el protagonista. Le prometí al subcomandante incluir cocina precolombina en mis novelas, comidas profundas en la selva Lacandona. De pronto alguien puso en mis manos dos cartas, dirigidas a Carvalho y a mí:

EJÉRCITO ZAPATISTA DE LIBERACIÓN NACIONAL.
MÉXICO

Diciembre de 1997

Para: Manuel Vázquez   De: Subcomandante
Montalbán y/o   Insurgente Marcos.
Pepe Carvalho   Chiapas, México.
La Rambla, Barcelona
Catalunya, Estado Español

No me levantaré jamás de donde estoy,
valeroso caballero, fasta que la vuestra
cortesía me otorgue un don para pedirle
quiero, el cual redundará en alabanza
vuestra y en pro del género humano.

> *Don Quijote de la Mancha. Cap. III.*
> *Donde se cuenta la graciosa manera*
> *que tuvo Don Quijote en armarse caballero.*
>
> MIGUEL DE CERVANTES SAAVEDRA

Don Vázquez Montalbán:
Hace unas semanas leí su colaboración en el periódico mexicano *La Jornada* (sobre el "Estado Nacional", o más bien sobre su definición) y tomé la maquinita para escribirle sobre algunas reflexiones que sus letras me provocaron, pero sobre todo para saludarlo.

Así que me tiene, escribiéndole y pidiéndole algunas cosas (quiero decir, además de la lectura de esta carta).

Por ejemplo, quisiera pedirle que salude de mi parte a don Pepe Carvalho. Dígale usted que no le guardo rencor por la tortura que significó para mí, en aquellos primeros años de montaña (1984-1990), la lectura de sus aventuras gastronómicas, policiacas y amorosas. Tan no le guardo rencor, que estoy preparando un largo texto que, seguro estoy, hará las delicias de chicos y grandes cuando vean que el Pepe Carvalho y el Sup resuelven, por globalizada correspondencia, un complicado caso criminal (claro, con la inopinada ayuda del sargento Capirucho y el cabo Capirote).

Comprendo su desconcierto (el de usted y el de Pepe), pero ya se enterarán de quiénes son los mentados Capirucho y Capirote, cómo entran en la historia, y cómo podremos los seis (usted, Pepe, Capirucho, Capirote, la mar y yo) resolver el enigma de un séptimo. Paciencia, pues. Espero que amaneciendo 1998 podré tenerle (y enviarle o entregarle) los primeros capítulos.

Ahora que menciono a don Pepe Carvalho me viene a la memoria el recuerdo de un compañero de armas, caído en combate el primero de enero de 1994, que también leía (y sufría) las andanzas en el Comité Central y otras angustias. En aquellos primeros años de lo que después adquiriría forma y significado, él y yo nos intercambiábamos las pocas novelas policiacas que nos enviaban de la ciudad. Lugar privilegiado tenían las de Manuel Vázquez Montalbán, y las ricas descripciones de recorridos y casos de Carvalho nos sirvieron a ambos para acompañar las largas y húmedas noches de la selva lacandona. Él murió peleando en las primeras horas del enero del inicio. Cuando semanas después de su muerte me entregaron las cosas que había dejado, un libro llamado *Asesinato en el Comité Central* me asaltó con recuerdos. No sé bien por qué le cuento esto don Manuel. Tal vez porque quiero recordar a ese compañero a través de esta carta, o por recordar una de las cosas que fueron alivio y sonrisa en aquellas noches en que estábamos lejos de todo.

Yo entiendo que don Pepe Carvalho no se imaginó que su costumbre de encender ¿la chimenea? con libros de su biblioteca fuera aplaudida en un lugar tan falto de chimeneas y de libros como era, en ese entonces que recuerdo y le cuento, la selva lacandona. Pero la buena literatura tiende puentes insospechados, muy lejos de los asfixiantes círculos de élites intelectuales que ensombrecen más aún este ya oscuro fin de siglo (como los de ésa su novela en que el texto ganador es espejo de la realidad y convierte a la realidad en espejo del texto). Por cierto, en esa novela don Carvalho se encuentra con una antigua militante de izquierda (apareció en *Asesinato en el Comité Central*), pero ahora ella está en un comité de solidaridad con Chiapas. Así que las montañas del sureste mexicano y don Pepe se vuelven a encontrar trece años después...

Pero no sólo nos encontramos con el señor Carvalho, también adivinamos reflexiones comunes en don Manuel cuando escribe: "Han sido los ciudadanos quienes han contestado negativamente al encantamiento del 'todo va bien'" (*La Jornada*, 30-XI-97). Así que los vemos a ambos (usted y don Pepe) tratando de resolver los enigmas que los dos mundos les y nos plantean, y, a nuestro modo y desde acá, los acompañamos.

Por caminos diferentes (y sin su contundencia) vienen a nuestras manos y pasos temas como los que usted está tocando en sus colaboraciones: la globalización, el agonizante Estado nacional, la Europa social y la del dinero, la izquierda en esta época, etcétera. Esa pesadilla (que ahora nos venden como el mejor de los mundos posibles), que es la misma y es distinta en suelos y cielos europeos o americanos, nos promete la destrucción más terrible: la de la memoria histórica.

Y, tal vez por eso mismo, el poder acá destruye a quienes hacen de la memoria histórica su guía y bandera: los indígenas zapatistas. En el municipio chiapaneco de Chenalhó, bandas paramilitares (entrenadas, pagadas y dirigidas por el Gobierno mexicano y por ese cadáver podrido que es el PRI) se dedican a cazar indígenas rebeldes como en los tiempos de la conquista. La voluntad de paz y ese tenaz sentido de la supervivencia ha llevado a nuestros compañeros a huir a las montañas. En este momento, mientras usted lee estas líneas, más de cuatro mil refugiados, viviendo y muriendo en la intemperie, lejos de sus hogares, son la mejor muestra de que los discursos de paz del Gobierno no son sino una torpe careta para esconder la guerra contra la historia.

No quiero extenderme mucho, la situación acá es difícil (dramática por momentos). Baste decir que hoy vienen a hacerse ciertas las palabras del príncipe rebelde maya, Jacinto Canek: "Los blancos hicieron que estas tierras fueran extranjeras para el indio, hicieron que el indio comprara con su sangre el viento que respira. Por esto va el indio, por los caminos que no tienen fin, seguro que la meta, la única meta posible, la que le libra y le permite encontrar la huella perdida, está donde está la muerte".

Para encontrar otros caminos luchamos nosotros y estamos seguros que ustedes también. Por eso quiero pedirle que acepte este doble nivel de puente: el que podamos hacer con el enigma del séptimo, y el que construyan reflexiones mutuas sobre la globalización y sus consecuencias.

En fin, mientras eso ocurre, le escribo para saludarlo. Espero que los tiempos mejoren para quienes lo necesitan y merecen, es decir, los olvidados de todo el mundo.

Vale. Salud y que el caso más importante (el de la lucha por ser mejores) encuentre solución en donde debe, es decir, en el corazón.

Desde las montañas del sureste mexicano.
Subcomandante Insurgente Marcos
México, diciembre de 1997.

La otra carta fijaba posibilidades de encuentro, cómo, cuándo y la ironía de si podría llevarle unos chorizos. ¿Por qué gustarán tanto los chorizos en el Trópico? Contesté al subcomandante:

Querido amigo:
Varias veces, desde la retórica indispensable para dar una conferencia o salir airoso de una entrevista comprometida, había empleado la metáfora de la botella del náufrago como expresión del misterio de la comunicación en literatura. Su carta me permite reforzar la metáfora. Una de mis botellas llegó hasta usted y el relato de la circunstancia arruina definitivamente la duda de la pregunta sartriana ¿para qué? ¿para quién se escribe? El primer lector ya está escogido, uno mismo. Pero a partir de ahí, el enigma, por más cálculos sociologistas que el autor sociologista haya hecho o por más complicidades metafísicas que el escritor ensimismado haya establecido con el ser en sí misma de la literatura.
Lamento las hambres reales o imaginarias que le ha causado Carvalho y veo difícil superar con chorizos los obstáculos que nos separan, en una

clara demostración de que todavía son más filtradizas las personas y las palabras que los chorizos, tal vez porque hasta los aduaneros temen más a la peste porcina o al colesterol que a las teorías o a las ideologías. Imposible banalizar su circunstancia porque la evidencia de su dramatismo aguarda tras de la esquina de cada día y es esa circunstancia la que yo quisiera reflejar como llamada a la opción global presente: o solidaridad o barbarie. Ustedes han construido un referente ético inatacable, de ahí su peligrosidad en un mercado político cultural tan devaluado éticamente. También representa lo nuevo después de la ruina de lo inevitable, del final infeliz de la dialéctica de los bloques que ha llevado a la globalización de la doble verdad, la doble moral, el doble lenguaje, la doble contabilidad. Había que retomar el discurso emancipatorio desde las realidades que lo hacen necesario, desde el inventario de necesidades colectivas reales creadas por la desigualdad y la injusticia. El acierto de lo que ustedes representan se debe a que no puede ser combatido desde la falsa verdad de que es un resto de ideología vencida en la III Guerra Mundial, sino la evidencia del desorden a que conduce el capitalismo en su fase actual y sin perrito universal que le ladre. De ahí la irritación que provocan sus gestualidades en la casta intelectual mesiánica, que lo fue bajo el marxismo-leninismo y lo sigue siendo bajo un neoliberalismo de ingeniería genética. Ustedes son un ruido en el canal de comunicación del pensamiento único. ¡Y vaya ruido!

De siempre me he considerado un nihilista activo mejor o peor disfrazado de socialista científico. Las peripecias intelectuales individuales de nada valen si no se interaccionan con sujetos históricos de cambio más poblados, aunque sólo sea para percibir esa emoción que sólo proporciona la comunión de los santos, sin esperar el perdón de los pecados, ni la resurrección de la carne el día del juicio final de la historia. ¿Se imagina usted si incluso ese día lo supervisan los cascos azules de la ONU mientras Clinton o cualquier sucedáneo baila *Macarena?* Quisiera dejar constancia escrita de todo lo que ustedes han representado como posdata y prefacio de la esperanza revolucionaria, de nuevo pegada al sentido de las personas, al sentido de la historia como futuro mejor o en cualquier caso menos malo.

De no producirse el encuentro material espero que no sea la última vez que usted me proporcione el gozo de contestarle las cartas y así desvelar el misterio del cuarteto compuesto por Carvalho, Capirucho, Capirote y un servidor. O, como suele suceder, los tres mosqueteros siempre son cuatro y cuando son cuatro devienen en cinco. Usted no se ha incluido en el lote.

Desde una acomodada montaña
que vigila Barcelona.

Con la carta envié varios libros, procurando evitar citas de comidas profundas. Vino la matanza de Acteal, se dudó incluso de que Marcos siguiera vivo. Mi viaje se aplazó. Ni siquiera garantizaban que Marcos hubiera recibido los libros. Mis contactos tienen una paciencia histórica poscolombina, la precolombina la perdieron con la llegada de Colón. De pronto emergió Marcos con la declaración de julio con una espléndida epístola condenatoria de la hipocresía del Gobierno mexicano y del orden global, epístola llena de citas de Antonio Machado, de Juan de Mairena, para ser más exactos, el más grande pensador liberal de todos los tiempos que han tenido pensadores: "Al hombre público hay que exigirle fidelidad a la propia máscara, pero más tarde o más temprano hay que dar la cara", sostiene Mairena. Y de todas las máscaras, flagela Marcos, "la más enmascaradora es la de la soberanía del Estado mexicano, de un estado que ha vendido miles de empresas nacionales para que le salgan las cuentas de la modernidad, o la máscara de la democracia en un Estado lleno de desaparecidos y bandas paramilitares caciquiles". Cita el subcomandante a Shakespeare, a Carlos Fuentes, a Galeano, a Manuel Scorza, da acuse de recibo de mis libros cuando cita *Panfleto desde el planeta de los simios:* La operación de descrédito de la razón crítica fue protagonizada por una *beautiful people* intelectual, compuesta mayoritariamente por ex jóvenes filósofos, ex jóvenes sociólogos y ex jóvenes líderes de opinión que conocían los caminos que llevan a la mesa del señor, según la antigua enseñanza del escriba sentado. Esos señoritos han puesto la música de la represión y el PRI y sus incontrolados, la letra y la metralla, mientras se lanza una campaña en defensa de la soberanía nacional allanada por los cooperantes que van a Chiapas para evitar que en México haya más desaparecidos, que México deje de ser, según calificación de Amnistía Internacional de 7 de mayo '...un agujero negro en la protección de los derechos humanos".

En su informe de 1997, Amnistía ofrece una reveladora geografía de la violación de los derechos humanos de la que destaco las referencias a Estados donde se está en plena orgía de modernización neoliberal: México, Guatemala (de la guerra a la impunidad), las torturas sistemáticas en la Federación Rusa financiada por el Banco de Alemania y por Estados Unidos. Entre los que practican torturas eléctricas, los Estados más afectados por el espasmo modernizador, bien sea la picana durante interrogatorios, bien sea las armas eléctricas disuasorias para reprimir manifestaciones públicas. La tortura, prueba suprema de lo miserable de la razón y eticidad del Estado, es la justificación más elemental y a la vez suprema del derecho a la insurgencia. La tortura, cuando se practica en países socialistas es la peor quintacolumna, cuando se practica en nombre del socialismo es la evidencia misma del fracaso del socialismo como humanismo.

A mis dudas sobre el final de las revoluciones, el subcomandante también contestaba: "Y el silencio de la rabia explota en cualquier momento, un silencio que se acumula y crece en situaciones absurdas, inesperadas, incomprensibles: el hombre con la mujer, el banda con el transeúnte cualquiera, el trabajador con el trabajador, el indígena con el indígena, el uno con el otro, el rencor con el rencor". Tengo bastante leído a este submilitar y no le he pillado en ningún desliz de argot convencional marxista leninista, como si hubiera renunciado a esa "continuidad acústica" de la que hablaba Sloterdijk en *En el mismo barco*. Esa continuidad acústica que es un fin en sí misma, que morirá con la tribu que la avala, que nada rompe ya incluso cuando pronuncia palabras de ruptura. Marcos ha vuelto a poner nombre a las reivindicaciones, porque ha partido de un sujeto histórico de cambio realmente existente. El subcomandante es algo teatral, obligado por la naturaleza de su escenario y como réplica a las farsas de supermercado de la modernización uniformadora o de los restos del naufragio semántico del marxismo leninismo.Representa insurgencias esenciales: el indigenismo como sujeto internacional, el mestizaje como lo deseable más que como lo inevitable.

En Cuba, por ejemplo, los atlantes del futuro serán, sin duda alguna, negros o mulatos.

Este libro se terminó
de imprimir en los
talleres gráficos de Rotapapel,
en el mes de noviembre de 1998